岩波文庫

30-028-1

拾遺和歌集

小町谷照彦
倉田　実　校注

岩波書店

凡例

一　本書は、新日本古典文学大系『拾遺和歌集』（小町谷照彦校注、岩波書店、一九九〇年。以下、「新大系版」と略記）に基づき、本文や注、人名索引などを、倉田実が改編して文庫化した。

二　底本は、藤原定家自筆の天福元年書写本（影印）を用いた。この定家自筆本の影印は、久曽神昇編『藤原定家筆拾遺和歌集』（汲古書院、一九九〇年）として刊行されている。なお、新大系版の底本、京都大学付属図書館蔵中院通茂本は、この定家自筆本を忠実に臨写したものなので、歌数・歌順・表記などは両者まったく同じである。

三　本文の翻刻は、左の方針に拠った。

1　漢字は、文字遣いが現行のものと異なる場合も、底本に従った。参考のために、漢字の読みや送り仮名などを示す場合は、（　）に入れて、歴史的仮名遣いで右側に傍記した。

2　字体は、原則として通行のものを用いたが、「龍」「螢」のように旧字体を採った箇所もある。

3　仮名遣いは底本のままとし、底本が歴史的仮名遣いと異なる場合は、歴史的仮名遣いを（　）に入れて、右側に傍記した。

4　清濁については、通行の用法を配慮しながら、校注者の見解に従って濁点を施した。

5　仮名には、読解の便を考慮して、適宜漢字を当てたが、その場合、もとの仮名を振り仮名の形で傍記した。ただし、以下のような漢字を当てた場合は、新大系版とは異なり、もとの仮名を、歴史的仮名遣いに直した。
「泡」などは底本「は」を「わ」に、「置く」「後る」「遅る」「遅し」「生ふ」「重し」「疎か」「音」「己」などは底本「を」を「お」に、「男」「尾」「惜し」「惜しむ」「斧」「尾上」「折る」などは底本「お」を「を」に、「遠し」「八百」などは底本「を」を「ほ」に、「棹」などは底本「ほ」を「を」に、「終」「飯」などは底本「ゐ」を「ひ」に、「飢う」などは底本「へ」を「ゑ」に、「井」などは底本「い」を「ゐ」にした。

6　反復記号「ゝ」「〻」「〱」は、原則として底本のままとした。ただし、当該箇所に仮名・漢字を当てた場合は、反復記号を振り仮名の位置に残した。

7　底本の本文に疑問の点などがある場合は、注で示した。

8　底本にある本文の見セ消チなどは注に示したが、集付や勘物などの書き入れは、すべて省略した。

9　漢文には、訓点を施した。

四　本文の歌番号は、『新編国歌大観』（底本、中院通茂本）と同じである。

五　和歌の注は、原則、和歌の大意、『拾遺抄』の歌番号と異動のある本文、第一次出典（推定も含む）、語釈（○）、参考事項（▽）の順に掲げた。『拾遺抄』の本文・歌番号は、『新編国歌大観』（底本、書陵部本）によった。その他の和歌引用も同書による。

六　注で、定家本系以外の異本となる、伝堀河宰相具世筆本（略称「堀河本」）や北野天満宮本（略称「北野本」）の異文を挙げた場合は、片桐洋一『拾遺和歌集の研究　校本篇　傳本研究篇』によった。

七　注で、近代以前の注釈書を引用する際は、主要参考文献の〈注釈・索引・校本〉に示した略称を使用した。

八　新大系版の他出文献一覧・所収歌合歌一覧・所収屏風歌等一覧・地名索引は、容量の関係で割愛し、人名索引のみ、倉田が改訂・整理のうえ収載した。

目次

拾遺和歌集

拾遺和歌集巻第一　春

平定文が家歌合に詠み侍ける　　壬生忠岑

1 春立つといふ許にやみ吉野の山もかすみて今朝は見ゆらん

承平四年、中宮の賀し侍ける時の屛風の歌　　紀文幹

2 春霞立てるを見れば荒玉の年は山より越ゆるなりけり

霞を詠み侍ける　　山辺赤人

3 昨日こそ年は暮れしか春霞春日の山にはや立ちにけり

1　立春になったというだけで、雪深い吉野山も、霞んで今朝は見えるのだろうか。抄一。延喜五年(九〇五)四月二十八日、平定文歌合歌。忠岑集。○春立つ　立春。二十四節気の一つで、年初の節気。ここから春が始まる。○許に　ただ…だけで。○み吉野の山　吉野山。大和国。雪が景物。吉野山の景物が冬の雪から春の霞に転じる。「み」は美称の接頭語。○かすみて　立春の霞は万葉集から見られるが、拾遺集で立春を表象する景物として明確な類型となる。「春の来る道のしるべはみ吉野の山にたなびく霞なりけり」(能宣集)。○見ゆらん　古京の奈良から吉野山を眺めるという設定。▽藤原公任の和歌九品に、上品上に置かれた秀歌。

2　春霞が山に立っているのを見ると、新しい年は、山を越えて来るものであったのだ。抄二。承平四年(九三四)三月二十六日、藤原穏子五十賀屏風歌(日本紀略)。○中宮　基経女、穏子。醍醐天皇皇后、朱雀天皇生母。○屏風の歌　算賀で新調される屏風の絵柄を詠んだ歌。○三句「年」の枕詞。○下句　「けり」は、気づき。山に立春の景物の霞が立っているので、新年は山を越えて来るものと気づいたとする。新年に、山から豊饒・延命をもたらす歳神や、祖先神でもある山の神が来臨するという信仰があった。

3　昨日年が暮れたばかりなのに、立春の今日、春霞が春日山に早くも立っていることだ。赤人集。○こそ…しか　強調逆接法。句切れにならない。○春日の山　大和国。春日野と共に、春の歌によく詠まれる。「春日…立ち」に立春を暗示する。「春立つと聞きつるからに春日山消えあへぬ雪の花と見ゆらむ」(後撰・春上・凡河内躬恒)。▽万葉集十・作者未詳歌の異伝。

冷泉院(れいぜいゐん)、東宮におはしましける時、歌奉(たてまつ)れと仰(おほ)せられければ

4 吉野山峰の白雪いつ消(き)えて今朝(けさ)は霞の立(たち)かはるらん

源　重之(しげゆき)

延喜(えんぎ)御時、月次御屛風に

5 あらたまの年立帰(たちかへる)朝(あした)より待(ま)たるゝ物は鶯(うぐひす)の声(こゑ)

素性(そせい)法師

天暦(てんりやく)御時歌合に

6 氷だにとまらぬ春の谷風にまだうちとけぬ鶯の声

源　順(したがふ)

題知(し)らず

7 春立(たち)て朝(あした)の原の雪見ればまだふる年の心地こそすれ

平　祐挙(すけたか)

定文(さだふん)が家歌合に

8 春立(たち)て猶(なほ)降(ふ)る雪は梅花(むめのはな)咲(さ)くほどもなく散(ち)るかとぞ見る

躬(み)　恒(つね)

4 吉野山の峰の白雪はいつの間に消えて、今朝は霞に立ち替っているのだろうか。冷泉院百首歌。重之集。〇冷泉院　東宮時代は、天暦四年(九五〇)七月二十三日より康保四年(九六七)五月二十五日まで。重之は、東宮の帯刀長を勤めた(三十六人歌仙伝)。〇吉野山　大和国。冬の白雪に代わり春霞が言われる。→一。〇今朝　立春の朝。

5 新しい年に改まった朝から待たれるものは、鶯の初声だよ。抄四。醍醐朝内裏屏風歌。素性集。〇延喜御時　醍醐天皇の御代。寛平九年(八九七)七月三日より延長八年(九三〇)九月二十二日まで。延喜は醍醐朝の代表的な年号。〇月次御屏風　一年十二ヶ月の各月の代表的な風物を描いた屏風。「御」は内裏屏風への敬意。〇初句「年」の枕詞。〇年立帰朝　年が循環して立春になった朝。〇鶯　春を告げる鳥とされた。「春来ぬと人は言へども鶯の鳴かぬ限りはあらじとぞ思ふ」(古今・春上・壬生忠岑)。

6 氷さえも解けてしまう春の谷風が吹くのに、まだうち解けて鳴かないでいる鶯の声だよ。天徳四年(九六〇)三月三十日、内裏歌合歌。順集。〇天暦御時　村上天皇の御代。天慶九年(九四六)四月二十日より康保四年(九六七)五月二十五日まで。天暦は、村上朝の代表的な年号。〇氷だにとまらぬ　立春には東風が氷を解かすとされた。「孟春之月、…東風解レ凍」(礼記・月令)。〇春の谷風　東風。「谷風」の用例は少ない。「東風、之謂二谷風一」(詩経「谷風」の毛伝)。〇四句「とけ」は、「氷」の縁語。〇五句　鶯は春になると谷から出て来るとされた。「鶯の谷より出づる声なくは春来ることを誰か知らまし」(古今・春上・大江千里)。

7 立春になっても朝の原に降る雪を見ると、いまだに旧年のままの気がすることだ。抄三。〇朝の原　大和国。立春の朝を暗示するか。〇雪　春の残雪。〇四句「旧る」に、「雪」の縁語「降る」を掛ける。

8 立春になってもまだ降る雪は、梅の花が、咲く間もなく散るのかと見えることだ。抄五。平定文歌合歌。躬恒集。〇三句　梅花は鶯と共に、春の到来を知らせるもの。ここは雪の見立て。

9 題知らず

我が宿の梅にならひてみ吉野の山の雪をも花とこそ見れ

よみ人知らず

10 天暦十年三月廿九日内裏歌合に

鶯の声なかりせば雪消えぬ山里いかで春を知らまし

中納言朝忠

11 鶯を詠み侍ける

うちきらし雪は降りつゝしかすがに我が家の園に鶯ぞ鳴く

大伴家持

12 題知らず

梅花それとも見えず久方の天ぎる雪のなべて降れゝば

柿本人麿

13 延喜御時、宣旨にて奉れる歌の中に

梅が枝に降りかゝりてぞ白雪の花のたよりに折らるべらなる

貫之

9 我が家の梅の花を見慣れているので、吉野山の雪もつい花と見てしまうことだ。延喜十五年(九一五)二月二十三日、内裏屏風歌(躬恒集)。○み吉野の山　吉野山。大和国。→一。○雪をも花と　雪は花の見立て。花は桜が普通。ここは白梅。▽躬恒の歌か。

10 鶯の声がなかったならば、残雪の消えない山里では、どうして春の到来を知ろうか。抄六・よみ人知らず。天暦十年(九五六)二月二十九日、麗景殿女御荘子女王歌合歌。二十巻本歌合では敦忠、大斎院御集では朝忠とするが、十巻本歌合の中務か。底本「抄中務」を付記。○三月　二月の誤り。○せば…まし　反実仮想。▽俊頼髄脳や奥義抄は、六に例歌として挙げた、古今・春上・大江千里の歌を踏まえたとする。

11 空をかき曇らせて雪が降っていながらも、さすがに春らしく我が家の庭に鶯が鳴いているよ。○初句「きらす」は、「霧る」の他動詞形。○三句　そうではあるが。さすがに。○園　果樹や花などを植えた地。「庭」は、本来物事や作業を行う場を表し、「園」よりも広い意味に用いられていた。庭の意の歌語として、「園」は用例も少なく、多少古語化していたか。▽万葉集八・大伴家持の歌の異伝。後撰・春上に重出。

12 梅の花は、それとも見分けが付かないよ。空をかき曇らせて、雪が辺り一面に降っているので。人麿集。○二句　梅の花と雪との色のまぎれ。○三句「天ぎる」の枕詞。○天ぎる「ぎる」は、「霧る」の連濁。空一面が曇る。「うちきらし」と類似した表現。→一一。▽古今・冬・よみ人知らずに重出。

13 梅の枝に降りかかっているので、この白雪は、花の縁(ゆかり)と見られて、枝は折り取られてしまいそうだ。抄一〇・三句「しら雪も」。延喜十七年(九一七)八月、宣旨による詠進歌。屏風歌か。貫之集。○延喜御時→五。○四句　花の縁故として。「たより」をついでの意に解する説もある。○折らる　雪が花と見られて枝が折られるとする。○べらなる「べらなり」は、「べし」の派生語で、漢文訓読や和歌に用いられた複合助動詞。…ようだ。…しそうだ。平安後期以後は、和歌にあまり詠まれなくなる。

同御時、御屏風に

14 降る雪に色はまがひぬ梅花香にこそ似たる物なかりけれ

躬恒

冷泉院御屏風の絵に、梅花ある家に客人来たる所

15 我が宿の梅の立ち枝や見えつらん思ひの外に君が来ませる

平兼盛

斎院御屏風に

16 香をとめて誰折らざらん梅花あやなし霞立ちな隠しそ

躬恒

桃園に住み侍ける前斎院屏風に

17 白妙の妹が衣に梅の花色をも香をも分きぞかねつる

貫之

題知らず

18 明日からは若菜摘まむと片岡の朝の原は今日ぞ焼くめる

人麿

14 降る雪に、花の色はまぎれてしまった。だが、梅の花の香りに匹敵するものはないのであった。抄九。延喜十七年(九一七)、承香殿女御源和子屛風歌か。延喜十五年、斎院恭子屛風歌とも。→一六。躬恒集。○同御時　前歌と同じ延喜の御時。○色　花の色。四句「香」と照応。○まがひぬ　色のまぎれの趣向。

15 我が家の梅の高く伸びた枝が見えたのだろうか。思いがけなく、あなたが来られたことだ。抄二。冷泉朝内裏屛風歌。○冷泉院　治世は、康保四年(九六七)五月二十五日より安和二年(九六九)八月十三日まで。○立ち枝　高く伸びた枝。○四句　家の主人よりも花見が目的の来訪とする。○来ませる　「ませ」は、尊敬の補助動詞。

16 香りを求めて、誰が折らないことがあろうか、この梅の花は。意味もないので、霞よ、立ち隠しなどするなよ。抄一五。延喜十五年(九一五)、斎院恭子に詠進した屛風歌か。「延喜十五年閏二月廿五日に、春、斎院御屛風歌、依勅奉之」(貫之集)。躬恒集。○斎院　賀茂神社に奉仕する未婚の皇女や女王。○あやなし　道理にあわない、無意味だ、の意。「春の夜の闇はあやなし梅の花色こそ見えね香やは隠るる」(古今・春上・凡河内躬恒)。○五句　霞が花を隠すという類型的な趣向だが、梅の花の例は珍しい。

17 まっ白の、香をたきしめた恋人の衣と、梅の花と、色も香りもどちらのものか区別できないでいるよ。抄三・二句「いもがころもと」・よみ人知らず。○桃園　大内裏北、東大宮大路末の東西にあった皇室の果樹園。清和天皇皇子貞純親王以来、代々の親王や斎院の邸宅地であった。○前斎院　作者が貫之なら、代明親王の同母姉妹の恭子か婉子。または、克明親王の同母姉妹宣子。○下句　白衣と白梅との色(視覚)・香(嗅覚)のまぎれ。両者にわたるのは珍しい。

18 明日からは若菜を摘もうと、片岡の朝の原は、今日、野焼きをしているようだ。人麿集。○若菜　春の野の若草を摘んで食し、健康と長寿を予祝する行事。「子の日の松」(→二三)とも関連深い。○片岡の朝の原　大和国。「明日」「今日」と響き合う。○焼くめる　「焼く」は、野焼き。早春、枯れ草を焼き、発芽をよくする。

恒佐右大臣の家の屛風に

19 野辺見れば若菜摘みけりむべしこそ垣根の草も春めきにけれ

貫之

若菜を御覧じて

20 春日野に多くの年はつみつれど老いせぬ物は若菜なりけり

円融院御製

題知らず

21 春の野にあさる雉の妻恋に己が在りかを人に知れつゝ

大伴家持

大后の宮に宮内といふ人の童なりける時、醍醐の帝の御前に候ひけるほどに、御前なる五葉に鶯の鳴きければ、正月初子の日仕うまつりける

22 松の上に鳴く鶯の声をこそ初ねの日とはいふべかりけれ

題知らず

23 子日する野辺に小松のなかりせば千世のためしに何を引かまし

忠岑

19 野辺を見ると、若菜を摘んでいた。なるほど、垣根の草も春めいているのだな。抄七・三句「うべしこそ」。貫之集「同じ(承平)七年、右大臣殿屏風の歌、梅花、若菜ある所、女その前に出でて見る」。○恒佐右大臣　左大臣藤原良世男。この年、正月二十二日に就任。○三句「むべ」は、なるほど、もっともだ、の意。「しこそ」は、強意。若菜摘みを見て、季節の進行に気づき、垣根の草の生長を納得する。

20 春日野で多くの年、若菜を摘み、年齢も積み重ねてきたけれど、いくら摘んでも老いることのないものは、若菜だったよ。抄・雑上三七六。円融院御集・中務集。○若菜を御覧じて　事実は、中務が円融院に歌を献上した時の答礼の歌。中務が旧作の歌を「若菜」によそえて自卑したのを、円融院が称賛したもの。○春日野　大和国。若菜が景物。春の意も含む。○三句「若菜」の縁語の「摘む」に、「積む」を掛ける。

21 春の野に餌を求めて歩きまわる雉が、妻恋しさに鳴き立てて、自分の居所を人に知られ知られしている。○雉「きぎし」とも。家族を呼ぶ鳴声が詠まれる。○妻恋　妻を思慕して鳴く。鳴くと人に知られ、恋に身を滅ぼす、という余情がある。「春の野の繁き草葉の妻恋に飛び立つ雉のほろろとぞ鳴く」(古今・雑躰・平定文)。▽万葉集八・大伴家持の歌の異伝。

22 松の上に鳴く鶯の声を、初子の日の初音というべきだったよ。○大后の宮　藤原穏子。↓二〇。○童　女の童。裳着以前なら成長していても童になる。○五葉　松の一種。細く柔らかな葉が一つの萼から五本ずつ出る。○初子の日　月の最初の子の日。ここは正月。この日、野に出て小松を根引きし、健康と長寿を予祝する。平安時代中期頃から、若菜と共に行われるようになる。○初ね「初子」に「初音」を掛ける。

23 子の日の祝をする野辺に小松がなかったならば、千代の長寿にあやかる例として、何を引いたらよいだろうか。抄二〇。忠岑集。○子日 ↓三。○せば…まし　反実仮想。○四句　松の寿命は千代、千歳とされる。「ためし」は例。○引かまし「引く」は、根引く、例に引く、の両意を掛ける。▽忠見集にもあり、忠見の歌か。

入道式部卿の親王の子日し侍ける所に

24 千とせまで限れる松も今日よりは君に引かれて万代や経む

大中臣能宣

延喜御時、御屏風に、水のほとりに梅花見たる所

25 梅花まだ散らねども行く水の底にうつれる影ぞ見えける

貫　之

題知らず

26 摘みたむることのかたきは鶯の声する野辺の若菜なりけり

よみ人知らず

27 梅花よそながら見む我妹子がとがむ許の香にもこそ染め

28 袖垂れていざ我が園に鶯の木づたひ散らす梅花見む

24 千歳までと寿命の限られる松も、今日からは、親王の寿命にあやかって、万代までも生きられるのだろうか。抄二。能宣集。○入道式部卿の親王　宇多天皇皇子、敦実親王。○初・二句　松の寿命は千年に限られるとする。○四句　親王にあやかって。「松」の縁語の「引く」を掛ける。○五句　千年の寿命が、万年なる。▽袋草紙や十訓抄一などに、説話が載る。

25 梅の花はまだ散らないけれども、流れ行く水の底に移ろい映っている影がもう見えることだ。抄一八。延喜十八年(九一八)、承香殿女御源和子屏風歌(貫之集)。○下句　「うつれる」は「映る」に、「移る」を重ねる。梅花は散ってないのに、水底に散った花が見えるとする。水面の映像を水底にあると見るのは万葉集以来の発想。

26 摘み集めるのがむずかしいのは、鶯の声がする野辺の若菜だったよ。抄一九。○たむる　ためる。集める。○鶯の声する　鶯は春の草木を愛着し、散らせたり取ったりするのを恨んで鳴くとされた。ここは、若菜を人が摘むのを嫌がって鳴くので、なかなか摘めないのである。○若菜　ここに若菜の歌が入るのは、拾遺抄の配列に左右されたか。

27 梅の花は、離れた所にいながら見よう。私の妻が咎め立てするほどの、香りが染み付くといけないから。抄三。○二句　関係を持たないでの意を潜める。○五句　梅花の香りを、人の薫香の匂いと思われてはいけないので。「梅の花立ち寄るばかりありしより人の咎むる香にぞ染みぬる」(古今・春上・よみ人知らず)。「もこそ」は、不安懸念を表す。▽後撰・春上に重出。

28 袖を垂らして、さあ私の家に行き、庭で鶯が枝を飛び伝って散らす梅の花を見よう。抄一七・五句「むめの花見に」・大和守藤原長平。天平勝宝四年(七五二)十一月二十五日、新嘗会肆宴での応詔歌六首の中の一つ。○初句　袖を垂らして、悠々と歩むさま。当時は「袖付け衣」という、袖先に端(はた)袖の付く手先より長い袖の衣服があった。○園　北野本など「やど」。○四句　木伝う鳥が花を散らすというのは、万葉集以来の類型的な趣向。○梅花　宴席の造花か。▽万葉集十九・藤原永手の歌の異伝。

29 朝まだき起きてぞ見つる梅花夜の間の風のうしろめたさに

兵部卿元良親王

30 吹風を何厭ひけん梅花散りくる時ぞ香はまさりける

躬恒

31 匂をば風に添ふとも梅花色さへあやなあだに散らすな

大中臣能宣

32 ともすれば風のよるにぞ青柳の糸は中〳〵乱れそめける

よみ人知らず

屏風に

33 近くてぞ色もまされる青柳の糸はよりてぞ見るべかりける

大中臣能宣

29　朝早くに起きて見たよ、梅の花を。夜の間の風に散っていないかと心配で。抄一四・よみ人知らず(貞和本以外)。○初・二句　朝早く起きて見た。その理由が下句で提示される。倒置。○夜の間の風　花を散らす風。類型的な趣向だが、梅の花の例は少ない。▽奈良御集にあり。

30　吹く風を、花を散らすものと、どうして嫌っていたのであろうか。梅の花は、風に散ってくる時こそ、香りが増さるものであったよ。抄一六・五句「かはにほひける」。延喜十五年(九一五)閏二月二十五日、斎院恭子屏風歌。→一六。躬恒集。○初・二句　花を散らす風を厭うという類型的な発想。○下句　初二句の発想を逆転させ、散る折に香りが増すとして風を歓迎する。

31　香りを風に連れ添わせたとしても、梅の花よ、色までも、無意味に、はかなく散らすなよ。歌合の歌(能宣集)。○初・二句　花の香りを風に添わせるのは、類型的な趣向。「花の香を風の便りにたぐへてぞ鶯誘ふしるべには遣る」(古今・春上・紀友則)。○下句　香りはともかく、せめて色だけは残したいとする梅花への愛着。梅の香と色を共に詠むのは伝統的な手法。「あやな」は、「あやなし」の語幹。わけもなく。

32　どうかすると風が吹き寄って乱れ始めるようだ。青柳の染め糸は、かえって乱れ始めるようだ。前歌と同じ歌合の歌(能宣集)。○よる「寄る」に、「縒る」を掛ける。「夜」も掛けるか。○青柳の糸　青々と芽吹いた柳の枝を糸によそえる。この趣向は万葉集から見られ、漢語の「柳糸」の訓読という。○五句「乱れ」は、風に柳の枝が乱れるのに、糸が乱れるのを重ねる。「そむ」は「初む」に「染む」を掛ける。「染む」は「縒る」「乱る」と共に「糸」の縁語。

33　近くで見てこそ、色がまさって見える。青柳の糸は、縒るではないが、近寄って見るべきであった。右兵衛督藤原忠君月次屏風歌(能宣集)。○屏風に　能宣集詞書「同じ春、柳の木のもとに女あまた下りゐて、柳の枝を引き垂れてもてあそぶところ」。○色も　上記の詞書により、枝を引く手触りと共に色も。○より「寄る」に、「糸」の縁語「縒る」を掛ける。→三二。

題知らず　　凡河内躬恒

34 青柳の花田の糸をよりあはせて絶えずも鳴くか鶯の声

よみ人知らず

35 花見には群れて行けども青柳の糸のもとにはくる人もなし

子にまかりをくれて侍ける頃、東山にこもりて　　中務

36 咲けば散る咲かねば恋し山桜思ひ絶えせぬ花の上哉

題知らず

37 吉野山絶えず霞のたなびくは人に知られぬ花や咲くらん

天暦九年内裏歌合に　　よみ人知らず

38 咲き咲かずよそにても見む山桜峰の白雲立ちな隠しそ

34　青柳の縹(はなだ)色の糸を縒り合わせて切れにくくなるように、絶えず鳴くのか、鶯の声は。抄三五。○花田　定家本の文字遣い。縹色。薄い藍色。○三句　片糸を縒り合わせて、太い糸を作る。鶯が枝の間を飛び交うさまを、糸を縒り合わすさまにとりなす。上句は、糸の切れにくいことから、「絶えず」を導く序詞。「鶯の糸によるてふ玉柳吹きな乱りそ春の山風」(後撰・春下・よみ人知らず)。○絶えずも　「絶ゆ」は「糸」の縁語。○五句　鶯は万葉集以来、柳と配合される。▽書陵部本躬恒集は、四二と同じ歌合の歌とするが、時期が合わない。

35　花見には群れて行くけれども、青柳の糸のもとには、繰るではないが、来る人もいない。抄三四・二句「むれてくれども」・五句「よる人もなし」。○五句「くる」は「来る」に、「糸」の縁語「繰る」を掛ける。「花見にも行くべきものを青柳の糸手にかけて今日は暮らしつ」(貫之集)。

36　咲けば散るのが気がかりで、咲かなければ、恋しく思う。山桜よ、懸念の絶えることがない、花の身の上だよ。抄二三。中務集。○子に…「まかりをくる」は死別の謙譲語。藤原伊尹との間に光昭を儲けた娘、井殿(いどの)が没した時の詠作か。○三句　娘をよそえる。八代集抄「咲けば散りて、物思はすと也。我が子のあるはなく、なきは恋しき心を、花によそへて詠めり」。○花の上　子の身の上になる。

37　吉野山に絶えず霞がたなびくのは、人に知られていない花が咲くのだろうか。○吉野山　大和国。本来の景物は雪だが、古今集以後、桜が加わった。○霞のたなびくは　たなびく霞が花を隠すのは、類型的な趣向。↓一。○下句「三輪山をしかも隠すか春霞人に知られぬ花や咲くらむ」(古今・春下・紀貫之)を踏まえる。

38　咲いたか咲かないかは、離れた所からでも見ようと思う。だから、山桜の花を、峰の白雲は立ち隠すなよ。抄三三。麗景殿女御荘子女王歌合歌。↓一〇。○天暦九年　十年の誤り。○四句　雲は花を隠す霞の変形か。桜と白雲との配合は、「山桜咲きぬる時は常よりも峰の白雲立ち増さりけり」(後撰・春下・よみ人知らず)。

題知(し)らず

39 吹(ふく)風にあらそひかねてあしひきの山の桜はほころびにけり

菅家万葉集の中

40 浅緑(あさみどり)野辺(のべ)の霞は包(つゝ)めどもこぼれてにほふ花桜(ざくら)哉(かな)

題知(し)らず　　よみ人知(し)らず

41 吉野山消(き)えせぬ雪と見えつるは峰続(つゞ)き咲(さ)く桜(さくら)なりけり

天暦御時、麗景殿女御(れいけいでんのにようご)と中将更衣(ちゆうじやうかうい)と歌合し侍(はべり)けるに　　清原元輔(もとすけ)

42 春霞立(たち)な隔(へだ)てそ花盛(ざか)り見てだに飽(あ)かぬ山の桜(さくら)を

平定文(さだふん)が家の歌合に　　忠(たゞ)岑(みね)

43 春(はる)は猶(なほ)我にて知(し)りぬ花盛(ざか)り心のどけき人はあらじな

39 吹く春風に逆らいきれないで、遅咲きの山の桜は花が開いてしまったよ。○二句　天象によって開花したり紅葉したりすることをいう、万葉集以来の類型的な表現。「春雨に争ひかねて我が宿の桜の花は咲き初めにけり」(万葉集十・作者未詳)。○三句　「山」の枕詞。○五句　「ほころぶ」は、衣服の綻びになずらえて、花が咲く意。

40 浅緑色になった野辺の霞が包み隠しても、その間からこぼれ出て、薄紅色に美しく咲いている花桜だよ。抄三五・五句「山ざくらかな」。寛平五年(八九三)九月以前、寛平御時后宮歌合歌。○菅家万葉集　新撰万葉集。菅原道真編纂とされる私撰集。和歌を万葉仮名で記し、七言絶句の漢詩訳が付く。○浅緑　新芽の色の形容。○三句　花を隠す霞の類型。○四句　野辺の緑に対して、桜花の淡紅をいう。○花桜　桜の花。花の咲いている桜の木。桜の品種の一つとも。あるいは全開の桜花とも。▽俊頼髄脳、今昔物語集二十七などに説話化される歌。

41 吉野山の消えることのない雪と見えていたのは、峰の連なりに咲く桜なのであった。抄二四。○吉野山　大和国。雪も桜も景物。○峰続き　吉野山は大峰山脈北端の尾根の総称。○五句　雪に見紛う桜。「けり」は気づき。「み吉野の山辺に咲ける桜花雪かとのみぞあやまたれける」(古今・春上・紀友則)。

42 春霞よ、立ちたなびいて隔て隠すなよ。花盛りを見ているだけでも飽きない山の桜を。抄三三。村上天皇の御代に、麗景殿女御荘子女王と中将更衣藤原脩子とが主催した歌合の歌。○天暦御時　→六。○初・二句　→四〇。○四句　万葉集に頻出する「見れど飽かぬ」という、褒め言葉の変形。

43 春の人の心というものは、やはり我が身を顧みて分かった。花盛りに、心のどかにいる人は、決していないよ。抄二六。平定文歌合歌。→一。忠岑集。○心のどけき人　花の散るのを気にせずにのどかに見ている人。「世の中に絶えて桜のなかりせば春の心はのどけからまし」(古今・春上・よみ人知らず)。

賀(がの)御屏風に

44 咲(さ)きそめて幾(いく)世経(へ)ぬらん桜花(さくら)色をば人に飽(あ)かず見せつゝ

藤原千景(ちかげ)

天暦御時、御屏風

45 春来(く)ればまづぞうち見るいその神めづらしげなき山田なれども

忠(たゞ)見(み)

題知(し)らず

46 春来(はるく)れば山田の氷打(うち)とけて人の心にまかすべら也

在原元方(もとかた)

承平四年中宮の賀し給(たまひ)ける時の屏風に

47 春の田を人にまかせて我はたゞ花に心をつくる頃(ころ)哉(かな)

斎宮内侍(さいぐうのないし)

宰相中将敦忠(あつただ)朝臣家の屏風に

48 あだなれど桜(さくら)のみこそ旧里(ふるさと)の昔ながらの物には有(あり)けれ

貫(つら)之(ゆき)

44 咲き初めてから、どれほどの世を経ているのだろうか。桜の花は、美しく染めた色を、人に飽きることなく見せ続けている。賀の屏風歌。○初句「そめ」は「初め」に「染め」を掛ける。○幾世　長い時間を表す語。長寿を祝う賀の歌や、老いを嘆く雑の歌の常套的な表現。

45 春が来ると、まず様子を見て耕してみる。石上に古くからあって、珍しいこともない山の田であるけれども。村上朝内裏屏風歌。書陵部本忠見集「石上に、山田打つ人あり」。○天暦御時 →六。○うち見る　ちょっと見る意に、「山田」の縁語となる、耕してみる意を掛ける。○いその神　石上。大和国。「石上布留」という地名から、「古る」「降る」などの枕詞となり、ここも「めづらしげなし」の枕詞とする説がある。また、古い、珍しくないの語感も表すか。

46 春が来ると、山田の氷が解けて、耕す頃になったが、田主は農夫の心に任せて、水を引き、種を播かせるようだ。抄二八・初句「春たてば」。○三句「氷」の縁語の、氷が解ける意に、心が打ち解ける意、さらに「打」は「山田」の縁語、耕す意も掛ける。→四五。○人　四七番歌からすると、ここは実際に農作業する農夫を指し、五句「まかす」の主体は田主になろう。○まかす　人の心に任せる意の「任す」に、「山田」の縁語、種を播く意の「播かす」と田に水を引く意の「漑す」を掛ける。○べら也 →一三。

47 春の田を農夫に任せて水を引き、種を播かせて、私はもっぱら花に心を寄せている日頃だよ。抄二七。承平四年(九三四)三月二十六日、藤原穏子五十賀屏風歌。○中宮　穏子。○まかせて →四六。○下句　賀意を込める。「つくる」は「付くる」に、「田」の縁語「作る」を掛ける。

48 移りやすいけれど、桜だけは、故里の昔のまま変らないものではあったよ。抄二九。天慶二、三年(九三九、九四〇)頃、藤原敦忠屏風歌。当時、敦忠は参議・左近衛権中将。貫之集。○初句「あだなりと名にこそたてれ桜花年にまれなる人も待ちけり」(古今・春上・よみ人知らず)。○旧里「荒れたる宿に人のまできて花見侍るかた侍るところに」(拾遺抄詞書)。○昔ながらの物「あだ」な桜が「昔ながらの物」だとする。

斎院(さいゐん)屏風に、山道行(みちゆ)く人ある所

49 散(ち)り散(ち)らず聞(き)かまほしきをふる里(さと)の花見て帰(かへる)人も逢(あ)はなん　伊(い)勢(せ)

題知(だいし)らず

50 桜狩(さくらがり)雨は降(ふ)りきぬおなじくは濡(ぬ)るとも花の影に隠(かく)れむ　よみ人知(し)らず

51 とふ人もあらじと思(おもひ)し山里(ざと)に花のたよりに人目(め)見る哉(かな)　元(もと)輔(すけ)

円融院御時、三尺御屏風に

52 花の木を植(う)へ(ゑ)しもしるく春来(く)れば我(わ)が宿(やど)過(す)ぎて行(ゆく)人ぞなき　平兼盛

題知(し)らず

53 桜(さくら)色に我(わ)が身は深く成(なり)ぬらん心にしめて花を惜しめば　よみ人知(し)らず

49　散ったのか散らずにあるのか、聞いてみたいものを。故里の花を見て帰ってくる人は、わたしに逢ってほしい。抄三〇・五句「人もあらなん」。延喜十五年(九一五)閏二月二十五日、斎院恭子屛風歌か。→一六。伊勢集。○ふる里の花　詞書に「山道行く」とあるので、古京奈良の桜か。○五句　相手が自分に逢うとする言い方。「修行者逢ひたり」(伊勢物語・九)。▽今昔物語集二十七などに説話化される歌。

50　桜狩で雨が降ってきた。同じ雨宿りをするなら、濡れたとしても、花の蔭に隠れよう。抄三一。○初句　花見。桜の花を求めて山野を遊覧すること。○二句　にわか雨の印象。○下句木を伝い落ちる雫に濡れても花の下に雨宿りしようとする風流。「春雨の花の枝より流れこばなほこそ濡れめ香もや移ると」(後撰・春下・藤原敏行)。▽撰集抄八などに、藤原実方をめぐる説話として載る。

51　訪ねてくる人もあるまいと思った山里に、花見につけてやって来る人の姿を見ることだ。抄三六。元輔集。○山里　寂寥・孤絶の地という印象であったが、拾遺集頃から閑寂な風光の小世界といった美意識が加わる。○四句　花見のついでに。○人目　人は都の貴族。

52　花の木を植えた効果はめざましく、春が来ると、我が家を素通りしていく人はまったくいないことだ。円融朝内裏屛風歌。兼盛集。○円融院　治世は、安和二年(九六九)八月十三日より永観二年(九八四)八月二十七日まで。○三尺御屛風　高さ九十センチほどの小さめの屛風。身近に使用する。○しるく　ききめ、効能がある。○下句　花の美しさについ歩みを止める。「我が宿に咲ける藤波立ち返り過ぎがてにのみ人の見るらむ」(古今・春下・凡河内躬恒)。

53　桜色に、我が身は深く染まっているだろう。心に染み込ませて花を惜しんだので。抄三二・二句「わがみのうちは」・四句「心にしみて」。○桜色　桜の花の色。薄紅色。衣服に染めて、花の形見とする、という類型的な発想もあった。「桜色に衣は深く染めて着む花の散りなむ後の形見に」(古今・春上・紀有朋)。→八一。○深く成ぬらん　我が身は深く桜色に染まるだろう。

権中納言義懐(よしちか)家の桜(さくら)の花惜(を)しむ歌詠(よ)み侍(はべり)けるに

54 身にかへてあやなく花を惜哉(をしむかな)生(い)けらばのちの春(はる)もこそあれ

藤原長能(ながよし)

題知(し)らず

55 見れど飽(あ)かぬ花の盛(さか)りに帰(かへる)雁猶(なほ)ふる里(さと)の春(はる)や恋(こひ)しき

よみ人知(し)らず

56 ふる里(さと)の霞飛(と)びわけ行(ゆ)く雁(かり)は旅(たび)の空(そら)にや春(はる)を暮(く)らさむ

天暦御時、御屏風に

57 散(ち)りぬべき花見る時は菅(すが)の根(ね)の長(なが)き春(はる)日も短(みじか)かりけり

藤原清正(きよただ)

題知(し)らず

58 告(つ)げやらん間(ま)にも散(ち)りなば桜(さくら)花いつはり人に我やなりなん

よみ人知(し)らず

54 我が身をなきになすほど、わけもなく散る花を惜しんだものだ。生きていれば、これから後に来る春もあるというのに。抄四一・二句「あやな花をも」。長能集。○権中納言義懐　藤原伊尹の子。天禄三年(九七二)正月七日、従五位下。花山天皇の外戚で、重臣だった。○初句　身代わりになる、身を他のものに換える、の意が本来だが、ここは身を犠牲にする意。強い花への愛着。→四六〇。○あやなく　思慮なく。→三一。▽長能集に、義懐が下臈の時の詠作とある。

55 見続けても飽きることのない花の盛りに帰っていく雁は、やはり故郷の春が恋しいのだろうか。○初句 →四二。○帰雁　春になると、雁は北国の故郷へ帰る。「春霞立つを見捨てて行く雁は花なき里に住みやならへる」(古今・春上・伊勢)。

56 故郷へと、霞を分けて飛んでいく雁は、旅の空で春の日を過ごすのだろうか。延喜十三年(九一三)三月十三日、亭子院歌合歌・凡河内躬恒。○ふる里　五五と同じく、北国の雁の故郷。ここを冬の間暮らす我が国とする説もある。○旅の空　雁の飛行は、旅にあるとされる。▽歌合では、初句「ふるさとに」・五句「春をすぐらむ」。躬恒集にあり。

57 散りそうな花を見ている時は、長い春の日も短く感じられたものだったよ。抄三九。村上朝内裏屏風歌。清正集。○天暦御時 →六。○御屏風「御」は天皇用屏風への敬意。○三・四句「菅の根の」は「長し」の枕詞。万葉集以来の類句表現。菅の根は、長いものの例にも挙げられる。「おほほしく君を逢ひ見て菅の根の長き春日を恋ひわたるかも」(万葉集十・作者未詳)。○五句　花への愛着が、春の日を短く感じさせるとする。▽元輔集にあり。

58 花盛りを知らせに使いをやっている間にも、散ってしまったならば、桜の花よ、嘘つきの人に、私はなってしまうのだろうか。抄三七。○初句「やる」は人を派遣する意。○下句　自分を嘘つきにさせないように、すぐに散らないでほしいとする。「桜花今ぞ盛りと告げやらむいつはり人になすな春風」(重家集)。

屏風に

59 散りそむる花を見すてて帰らめやおぼつかなしと妹は待つとも

能宣

題知らず

60 見もはてで行くと思へば散る花につけて心の空になる哉

よみ人知らず

延喜御時、藤壺の女御歌合の歌に

61 朝ごとに我がはく宿の庭桜花散るほどは手もふれで見む

荒れはてて人も侍らざりける家に桜の咲き乱れて侍けるを見て

62 浅茅原主なき宿の桜花心やすくや風に散るらん

恵慶法師

北の宮の裳着の屏風に

63 春深くなりぬと思ふを桜花散る木のもとはまだ雪ぞ降る

貫之

59 散り始めた花を見捨てて帰れようか。私のことが気がかりだと、妻が待っていようとも。抄五八九。右兵衛督藤原忠君屏風歌。能宣集。〇二句「我が宿の花を見捨てて往にし人心のうちはのどけからじな」（和泉式部続集）。〇四句　無事でいるかと恋する人を心配する心情。〇下句　自分を待つ人よりも、花への愛着が優先する。「妹」は、三代集で、古今集の三例、後撰集の二例に対して、拾遺集は二十一例と圧倒的に多く、万葉集や古語への関心が深い。

60 見届けもせずに去って行くと思うと、散る花に思いが付いて、心が上の空になることだよ。〇心の空になる　散った花が空にあるのに寄せて、心も上の空になると掛けた。「秋風は身を分けてしも吹かなくに人の心の空になるらむ」（古今・恋五・紀友則）。

61 朝ごとに私が掃く家の庭桜の、花が散り敷く間は、手も触れずに見よう。抄三六。延長八年（九三〇）以前春、近江御息所周子歌合歌。〇延喜御時　→五。〇藤壺の女御　延喜年間に藤壺女御は確認できない。あるいは、嵯峨源氏唱女周子か。醍醐天皇更衣。後撰集などの作者。〇庭桜　山野に自生する桜ではなく、庭に植えた桜。「風だにも吹き払はずは庭桜散るとも春の内は見てまし」（後拾遺・春下・和泉式部）。

62 浅茅の原となった主もいない家の桜の花は、気楽に風に散っているのであろうか。抄四〇。恵慶集。〇浅茅原　浅茅は、平安時代中期頃には、蓬や葎などと共に荒廃した邸宅の景物として使用された。「故里は浅茅が原と荒れ果てて夜すがら虫の音をのみぞ鳴く」（後拾遺・秋上・道命）。〇二句　主人の亡くなった家。〇下句　主人に気を使う必要がないので。

63 春は深くなったと思うのに、桜の花の散る木のもとは、まだ雪が降っているよ。抄四一・よみ人知らず。承平三年（九三三）八月二十七日、康子内親王裳着屏風歌（日本紀略）。〇北の宮　醍醐天皇第十四皇女康子内親王。藤原師輔室で、公季母。〇裳着　女子の成人の儀式。腰に裳を着け、髪を結い上げる。〇五句　花の散るのを、雪の降るのに見立てる。春の深まりに反する季節的な違和感を趣向とする。

亭子院(ていじゐん)歌合に

64 桜散る木の下風は寒からで空に知られぬ雪ぞ降りける

題知らず　　よみ人知らず

65 あしひきの山地(やまぢ)に散れる桜花消えせぬ春の雪かとぞ見る

天暦御時歌合に　　小弐命婦(せうにのみやうぶ)

66 あしひきの山隠れなる桜花散り残れりと風に知らるな

題知らず　　よみ人知らず

67 岩間をも分けくる滝の水をいかで散りつむ花のせきとゞむらん

天暦御時歌合に　　源　順

68 春深み井手の河浪立ち返り見てこそ行かめ山吹の花

64 桜の散る木の下を吹く風は寒くはなくて、空に知られない雪が降っているよ。抄四二。亭子院歌合歌。貫之集。○亭子院　宇多院御所。もと中宮温子の邸第。○木の下風　木の下を吹く風。万葉集の「あらし」を訓み替えた「山下風」に倣った、貫之の造語か。↓二五三。「夏衣薄きかひなし秋までは木の下風も止まず吹かなむ」(貫之集)。○空に知られぬ雪　散る桜の花びらを雪に見立てる。木の下に降るので、空に知られない雪とする。「雪降れば冬ごもりせる草も木も春に知られぬ花ぞ咲きける」(古今・冬・紀貫之)。▽躬恒集にあり。

65 山道に散っている桜の花を、消えることのない春の雪かと見たことだ。抄四三。○あしひきの「山地」の枕詞。○山地　山路。定家本の文字遣い。○消えせぬ春の雪　花の見立て。

66 山に隠れている桜の花よ、散り残っていると風に知られるな。抄四五・五句「風にしらすな」。天徳四年内裏歌合歌。○天暦御時　↓六。○あしひきの「山隠れ」の枕詞。○二・三句　深山に隠れた花。「山隠れ風に知られぬ花しあらば春は過ぐとも折りてながめむ」(好忠集)。○風花を散らす風。

67 岩間をも分けて流れてくる激流を、どうして散り積もった花が塞き止めているのだろうか。抄・雑上三九八。○初・二句　岩の間をも分けてくる激しい流れの水を。「滝」は、「たきつ」という本来の意味で、激流をいう。「行く方もなく塞かれたる山水のいはまほしくも思ほゆるかな」(後撰・恋一・よみ人知らず)。○下句　岩間に集まる散った花が、激流を塞き止めているとの見立て。

68 春が深まったので、井手の川波が立ち返るように、幾度も立ち戻って見ながら行こう、山吹の花を。抄四七。天徳四年内裏歌合歌。順集。○春深み「深み」は、季節の深まりに、水の深さを添えるか。歌合では「春がすみ」。○井手　山城国。山吹の花と蛙の名所。「音に聞く井手の山吹見つれども蛙の声は変らざりけり」(貫之集)。○河浪　川は、木津川支流の玉川。○立ち返り「河浪」と「見てこそ行かめ」の両方にかかる。○五句　万葉集以来の伝統的な歌材。

井手といふ所に、山吹の花のおもしろく咲きたるを見て　恵慶法師

69 山吹の花の盛りに井手に来てこの里人になりぬべき哉

屏風に　元輔

70 物も言はでながめてぞふる山吹の花に心ぞうつろひぬらん

題知らず　よみ人知らず

71 沢水に蛙鳴くなり山吹のうつろふ影や底に見ゆらん

72 我が宿の八重山吹は一重だに散り残らなん春の形見に

亭子院歌合に　坂上是則

73 花の色をうつしとゞめよ鏡山春よりのちの影や見ゆると

69　山吹の花の盛りに井手にやって来て、花に魅せられ、この里人になってしまいそうなことだ。抄哭。恵慶集。〇井手 →六八。〇上句　名所と景物と季節の合致。

70　物も言わずにうっとり眺めて日々を過ごしているよ。山吹のくちなし色の花に、心が移ってしまったからであろう。屛風歌。元輔集。〇物も言はで　山吹の美しさに見とれた状態。山吹の梔子(くちなし)色から、「口無し」を暗示させる。「山吹の花色衣主や誰問へど答へずくちなしにして」(古今・雑躰・素性)。〇二句　山吹を眺めて過ごす。〇三―五句　物も言わないでいるのは、山吹の花に心が移り、口無しになったからとする種明かし。

71　沢水に、蛙の鳴くのが聞える。山吹の花の色あせていく姿が、水底に映って見えるのであろうか。抄咒・四句「うつろふいろや」。亭子院歌合歌。〇題知らず　亭子院歌合は「季春」の題。〇沢水　低湿地で、水の流れている所。「山吹の花影見ゆる沢水に今ぞ蛙の声聞ゆなる」(古今六帖三・作者未詳)。〇二句　蛙が鳴くのを、山吹の花が散るのを嘆き悲しむと見たもの。山吹と蛙は、類型的な配合。〇うつろふ　「移ろふ」と「映ろふ」を掛ける。〇五句　水面に映る影を、水底に見るとするのは当時の通念。

72　我が家の八重山吹は、一重だけでも散り残ってほしい。春の形見になるように。抄哭。〇八重山吹　幾重にも花びらが重なって咲く山吹。実は生らない。「我が宿の八重山吹は散りぬべし花の盛りを人の見に来ぬ」(元真集)。〇三句「八重」に対して「一重」とする。「一重づつ八重山吹は開けなむほど経てにほふ花と頼まむ」(天徳四年内裏歌合・平兼盛)。

73　花の色を鏡に移して、映し留めておくれ鏡山よ。春が過ぎた後も花の姿が見えるかと。抄吾〇。亭子院歌合歌。是則集。〇二句　鏡に花の色を移して、映し留めようとする趣向。「うつす」は、「移す」に「映す」を掛ける。〇鏡山　近江国。「鏡」を連想させ、「映す」「影」「見ゆ」は、その縁語。〇五句　「影」は、花の姿。鏡は、物の姿を宿すとされたので、春を過ぎても、春の花が映って見えるとする。

題知らず　　よみ人知らず

74 春霞立ち別れゆく山道は花こそ幣と散りまがひけれ

75 年の内はみな春ながら暮れななん花見てだにもうき世過ぐさん

延喜御時、春宮御屏風に　　貫之

76 風吹けば方も定めず散る花をいづ方へ行く春とかは見む

同じ御時、月次御屏風に

77 花もみな散りぬる宿は行春のふる里とこそなりぬべらなれ

閏三月侍けるつごもりに　　躬恒

78 常よりものどけかりつる春なれど今日の暮るゝは飽かずぞありける

74　春霞が立ち、春の立ち別れていく山道は、花が幣となって散り乱れていたことだ。抄五〇。○春霞「立ち別れゆく」の枕詞。春は擬人化され、旅人によそえているとも解せる。○四句「幣」は旅人が道中の無事を祈って、道祖神に手向ける、布や紙を細かく切ったもの。紙吹雪のように、撒き散らしたらしい。ここは、花を、去っていく春の手向ける幣と見立てた。

75　一年の内は、すべて春のままで歳の暮になってほしい。花を見ることだけでもして、つらい世の中を過ごしたい。抄五一。寛平御時后宮歌合歌。○上句　一年中が春の花盛りであってほしいという発想。「一年は春ながらにも暮れななむ花の盛りを飽くまでも見む」(兼盛集)。○下句　つらい世の中は、花によって心が慰められることで過ごせるとする。

76　風が吹くと、方角も定めず散ってしまう花なので、どの方向に去って行く春と見ればよいのだろうか。抄五二。延喜十九年(九一九)春、東宮御息所藤原穏子屏風歌。また、十月十一日、東宮女御藤原時平女、叔父藤原忠平四十賀屏風歌とも(日本紀略)。貫之集。○延喜御時　→五。○春宮　醍醐天皇皇子保明親王。母、藤原基経女穏子。延喜四年、立坊、同二十三年没。諡、文彦太子。ここは「春宮御息所」と解する。○下句　花を春と見て、花の散り行く方角を、立ち去る春の行く先として見届けたいが、さまざまな方向に散るので、見当がつかないとする。

77　花も皆散ってしまった家は、行く春の故里となるにちがいないようだ。抄五三。延喜六年(九〇六)二月、内裏屏風歌。貫之集。○下句　花の散った後の家は、春の故里になるとする。「べらなれ」は、→三。

78　いつもよりものんびりとした春だけれど、今日で閏三月が暮れるのは、飽き足りない思いであったよ。抄五四・五句「あかずも有るかな」。躬恒集。○閏三月　醍醐朝では延喜四年(九〇四)のこと。○上句　閏月があったので、春をのどかに過ごせたとする。○下句　上句を反転させ、長かった春でも、終わるのは名残惜しいとする。「桜花春加はれる年だにも人の心に飽かれやはせぬ」(古今・春上・伊勢)。

拾遺和歌集巻第二　夏

天暦(てんりやく)御時の歌合に　　大中臣能宣(よしのぶ)

79 鳴く声はまだ聞かねども蟬の羽の薄き衣はたちぞ着てける

屏風に　　順

80 我が宿の垣根や春を隔つらん夏来にけりと見ゆる卯花(うのはな)

冷泉院(れいぜい)の東宮におはしましける時、百首歌奉れと仰せられければ　　源重之(しげゆき)

81 花の色に染めし袂の惜しければ衣かへうき今日にもある哉(かな)

79 鳴く声はまだ聞かないけれども、蟬の羽のように薄い夏衣は、立夏の衣更えで、裁ち縫って着たことだ。天徳四年内裏歌合歌。能宣集。○天暦御時 →六。○蟬の羽の薄き衣　薄い夏の衣服を、蟬の羽によそえたもの。「蟬の羽のひとへに薄き夏衣馴れば寄りなむものにやはあらぬ」(古今・雑躰・凡河内躬恒)。○五句　夏の初め、四月一日は更衣の日で、夏服に着替える。なお、冬の更衣は、十月一日。「たち」は衣を「裁ち」に、立夏の「立ち」を響かせる。「わがたちて着るこそうけれ夏衣おほかたとのみ見べき薄さを」(後撰・恋六・南院式部卿の親王の女)。

80 我が家の垣根は、春を隔ててしまったのだろうか。垣根には夏がやって来たと見える卯の花が咲いているよ。抄五八。応和元年(九六一)十二月十七日、故朱雀院皇女、冷泉天皇中宮昌子内親王裳着屏風歌(日本紀略)。順集。○垣根　ここは、隔ての表象。春を向こう側に隔てて、夏をこちら側にもたらす。○卯花　うつぎの花。生垣の典型的な植木。初夏の代表的な景物。卯の花は、古今集二例から、後撰集七例、拾遺集九例へと、用例が増大する。時鳥と配合されたり、「憂し」と掛けたりするが、視覚美の用例が多くなるのは、大和絵屏風との関連によるものであろう。

81 花の色に染めた袂が惜しいので、春の形見の衣を更えるのがつらい、今日であることだ。抄五五。冷泉院百首歌。重之集(百首)。○東宮 →四。○百首歌　幾つかの歌題を決めて百首とする題詠の方式。重之のこの百首歌は、春夏秋冬各二十首、恋と恨み各十首からなる。○初・二句　春の末に、花への愛着から、花の色に衣服を染めて、形見としたもの。→五三。「形見とて深く染めてし花の色を薄き衣に脱ぎや替ふらん」(重之女集)。○四句　衣を夏衣に替えるのがつらい。年中行事の「更衣」をいう。衣服・調度を夏用に替えた。○今日　更衣の日の四月一日。

82 夏の初めに詠み侍ける　　盛明の親王

花散ると厭ひし物を夏衣たつや遅きと風を待つ哉

83 百首歌中に　　重之

夏にこそ咲きかゝりけれ藤の花松にとのみも思ける哉

84 円融院御時、御屏風歌　　平兼盛

住吉の岸の藤浪我が宿の松の梢に色はまさらじ

85 　　順

紫の藤咲く松の梢にはもとの緑も見えずぞありける

86 延喜御時、飛香舎にて藤花宴侍ける時に　　小野宮太政大臣

薄く濃く乱れて咲ける藤花ひとしき色はあらじとぞ思

82 花が散るといって嫌ったものなのに、立夏に、夏の衣を裁ち着るや、立つのが遅いと、涼しい風を待つことだ。抄五六。○夏の初め　立夏の日。○初・二句　春に花を散らす風を厭うのは、類型的な発想。○夏衣たつ　「裁つ」に、立夏の「立つ」と、風が「立つ」を掛けるか。○五句　春に嫌った風を、夏には待つとする。

83 夏にかけて咲きかかっていたよ、藤の花は。松にだけかかると思っていたことだ。抄・雑上四〇一。冷泉院百首歌。重之集(百首)。○百首歌→八一。○二句　松だけでなく、夏にもかかるとする。「藤の花松のみならず暮れぬべき春の末にも咲きかかりけり」(頼基集)。○三句　春から夏にかけて咲くが、勅撰集では、通常は春に配置される。夏は、拾遺集のみ。「我が宿の池の藤波咲きにけり山時鳥いつか来鳴かむ」(古今・夏・よみ人知らず)は例外。○松　水辺の松に藤が咲きかかる構図は、大和絵の類型的な画題。和歌にもよく詠まれる。

84 住吉の岸の藤の花も、我が家の松の梢にかかる藤の花に、色は勝るまいよ。円融朝内裏屏風歌。八五も同時の作か。兼盛集。○住吉の岸　摂津国。堀河本「すみの江のきし」。松が景物で、その連想から、藤も景物となったか。平安時代中期頃からの類型。「住吉の岸に咲くてふ藤ならで何をか春の末にかくべき」(相如集)。○藤浪　藤の花。垂れた花房が風に靡く様を波に見立てた。○松の梢　咲きかかる藤花を暗示する。○五句　我が家の藤は、名所のものよりもすばらしいと賛美。

85 紫の藤の花が咲く松の梢は、本来の緑色が覆われて、見えないでいることだ。天元二年(九七九)十(十一とも)月、宣旨によって献上した屏風歌。順集。○紫　松の緑と対照される。

86 薄く濃く乱れて咲いている飛香舎の藤の花に、匹敵する色は他にあるまいと思う。抄・雑上四〇三。実頼集。○延喜御時　→五。○飛香舎　内裏の殿舎。藤壺。○藤花宴　藤花を賞美する酒宴。延喜二年(九〇二)三月二十日の宴があるが、作者藤原実頼はまだ三歳。村上朝の天暦三年(九四九)四月十二日の宴か。○初・二句　藤花への讃美。飛香舎に住む皇妃も讃美することになる。

題知らず

87 手もふれで惜しむかひなく藤花底にうつれば浪ぞ折りける

躬恒

たこの浦の藤花を見侍て

88 たこの浦の底さへにほふ藤浪をかざして行かん見ぬ人のため

柿本人麿

山里の卯花に鶯の鳴き侍けるを

89 卯花を散りにし梅にまがへてや夏の垣根に鶯の鳴く

平公誠

題知らず

90 卯の花の咲ける垣根は陸奥の籬の島の浪かとぞ見る

よみ人知らず

延喜御時、月次御屏風に

91 神まつる卯月に咲ける卯花は白くもきねがしらげたる哉

躬恒

87 手も触れずに惜しんだかいもなく、藤の花の影が水底に映ると、波が折ってしまったことだ。躬恒集。○初句　散らしたくないので、手も触れない。○底にうつれば　水面の映像を、水底に見るとするのは、当時の通念。↓二五。○五句　藤花の影が波に揺れ動くのを、波が手折ったと見立てる。

88 たこの浦の水底でさえ照り映える藤の花を、髪に挿して行こう。見てない人のために。人麿集。○たこの浦　越中国。○二句　水面の花の影を、水底に見たもの。○かざして　草木の花や枝を折り取って、髪や冠に挿す。本来は装飾よりも、草木の生命力にあやかろうとする、健康や長寿を願う感染呪術的行為。▽天平勝宝二年(七五〇)四月十二日、越中守大伴家持らが布勢の海に遊覧し、藤の花を望み見て、各々述懐した歌。万葉集十九・内蔵縄麿の歌の異伝。

89 卯の花を、散ってしまった梅の花に見まがえたのか、夏の垣根に鶯が鳴くよ。抄五七。○卯花　卯の花の白い色から白梅を連想する。拾遺集では生垣の花として、視覚的に詠まれることが多い。↓八〇。○梅にまがへて　卯の花を梅の花に見立てて、鶯と配合する趣向。「鶯の通ふ垣根の卯の花の憂きことあれや君が来まさぬ」(万葉集十・作者未詳)。↓一〇七。

90 卯の花の咲いている垣根は、陸奥の籬の島の波ではないかと見えるよ。抄六〇。○初・二句　垣根から籬の島を連想し、卯の花を波に見立てる。○陸奥の籬の島　陸奥国。塩釜の浦にある小島。籬(ませ)を連想。波が景物。

91 神を祀る四月に咲いている卯の花は、巫覡(きね)が杵で搗いて精米したように、白くなっていることだ。抄五九。醍醐朝内裏屏風歌。躬恒集。○延喜御時　↓五。○月次御屏風　月々の行事や風物を描いた屏風。○神まつる卯月　四月は、十一月と共に神事が行われる月とされ、「四月神祭」など月次絵の画題となり、景物として卯の花が描かれることが多い。○下句　神事に関連して、卯の花を精白した饌米に見立てる。「きね」は、宜禰、巫覡で、巫女のこと。米を搗く「杵」に掛ける。「しらぐ」は、米を精白する意に、白くする意を添える。

92 神まつる宿の卯花白妙の御幣かとぞあやまたれける

貫之

題知らず

よみ人知らず

93 山がつの垣根に咲ける卯花は誰が白妙の衣かけしぞ

94 時分かず降れる雪かと見るまでに垣根もたわに咲ける卯花

95 春かけて聞かむともこそ思しか山郭公遅く鳴くらん

96 初声の聞かまほしさに郭公夜深く目をもさましつる哉

92 神を祭る家の卯の花は、真白の御幣かと見間違えてしまったことだ。醍醐朝内裏屏風歌。○三句　白い色の。「御幣」の枕詞とも。↓九三。○御幣　本来は神への供物の総称だが、特に幣帛を指すことが多い。神事に関連して、卯の花を御幣に見立てる。○五句「見る」と共に、見立ての基本的な表現。

93 山人の垣根に咲いている卯の花は、誰の白栲(しろたえ)の衣を掛けたのかと見えることだ。平定文歌合歌・凡河内躬恒。○山がつ　山人。木樵・炭焼・猟師など、山里に住む人。「垣根」「垣ほ」を伴って詠まれることが多い。○白妙の　ここは本来の楮(こうぞ)の繊維の栲(たえ)で織った布の意か。白い色の、また、「衣」の枕詞とも。○五句　卯の花の垣根を、衣桁に掛けた白い衣服に見立てる。▽躬恒集にあり。

94 時節に関係なく降っている雪かと見るまでに、垣根もたわむほどに咲いている卯の花だ。○初句　季節の区別もなく。「時分かず月か雪かと見るまでに垣根のままに咲ける卯の花」(後撰・夏・よみ人知らず)。○たわに　たわみしなう、折れ曲がる意の擬態語。「たわわ」「とをを」なども同根の語。「枝たわに八重山吹は咲きにけり井出の河辺を思ひやるかな」(兼盛集)。○卯花　卯の花を雪に見立てる。▽後撰・夏に重出。二句「月か雪かと」、四句「かきねのままに」。

95 春から夏にわたって心にかけて聞こうと思っていたのに、山時鳥はどうして鳴かないのだろう。○初句　春から夏の今にかけてずっと。心にかけて、の意も添えるか。「梅が枝に来ゐる鶯春かけて鳴けどもいまだ雪は降りつつ」(古今・春上・よみ人知らず)。○四句　四月中のまだ山里にいる時鳥。○五句「遅く…す」は、「その折になっても…しない」意。↓九三。時鳥はまだ鳴いていない。

96 初声の聞きたさに、時鳥よ、夜がまだ明けない時分に目を覚ましてしまったよ。抄六二。冷泉院百首歌・源重之。○初声　万葉集から、雁など共に聞くことに関心が向かう。○夜深く　暁方。まだ暗く、時鳥の鳴く時。▽重之集(百首歌)にあり。

97

夏山を越(こ)ゆとて

家に来(き)て何(なに)を語(かた)らむあしひきの山郭公(やまほととぎす)一声(ひとこゑ)もがな

久米広縄(ひろなは)

98

延喜御時、御屛風に

山里(ざと)に知(し)る人も哉(がな) 郭公(ほととぎす)鳴(な)きぬと聞(き)かば告(つ)げに来(く)るがに

貫(つら)之(ゆき)

99

題知(し)らず

山里(やまざと)にやどらざりせば 郭公(ほととぎす)聞(き)く人もなき音(ね)をや鳴(な)かまし

よみ人知(し)らず

100

天暦御時歌合に

髣髴(ほのか)にぞ鳴渡(なきわたる)なる郭公(ほととぎす)み山を出(い)づる今朝(けさ)の初(はつ)声

坂上望城(もちき)

101

み山出(い)でて夜半(は)にや来(き)つる郭公(ほととぎす)暁かけて声(こゑ)の聞(きこ)ゆる

平兼盛(かねもり)

97 家に行きついて、何を土産話に語ろうか。山時鳥よ、一声でも鳴いてほしい。抄六二。八八と同じ時の、時鳥が鳴かないのを恨む歌。○三句「山時鳥」の枕詞。○四句　上代では、時鳥の初声を四月立夏の景物ともする。○五句　一声聞いたことが土産話になる。声への関心から、「一声」「二声」という数を表す語が用いられる。→一〇五・一〇六。「もがな」は、願望。▽万葉集十九・久米広縄の歌の異伝。

98 山里に知人がほしい。時鳥が鳴いたと聞けば、すぐに告げに来てくれるように。亭子院歌合歌・藤原興風。○延喜御時　→五。○山里　時鳥は、四月は山里にいるとされた。○来るがに「がに」は、上代語の「がね」が変化したもの。動詞の連体形に付き、期待や願望を表す。「桜花散り交ひ曇れ老いらくの来むといふなる道まがふがに」(古今・賀・在原業平)。▽興風の歌か。

99 山里に宿らなかったならば、時鳥は、聞く人もいない鳴き声を立てて鳴くことになったであろうよ。抄六七。○…せば…まし　反実仮想の構文。○下句　たまたま山里に赴いたので、時鳥は自分という鳴き声の享受者を得たとする。→一〇七。▽伊勢集にあり。

100 かすかな声で鳴き続けているようだ。時鳥の、山を出て来た今朝の初声よ。天徳四年内裏歌合歌。次の歌と番えられた。○天暦御時　→六。○初句　山から飛来したばかりなので、「ほのか」に鳴く。時鳥の鳴き声は「おぼつかなし」「はつかなり」とも詠まれる。「時鳥はつかなる声を聞きそめてあらぬもそれとおぼめかれつつ」(後撰・夏・伊勢)。→一二四。○二句「渡る」は、動作や行為の継続。「なり」は、鳴き声で、鳴いていることを推定。○四句「み山」は深山を意味することがあるが、通常は山の美称。五月になり山から人里に飛来した。▽三奏本金葉・夏に重出。

101 山を出て夜中にやって来たのだろうか。時鳥の、暁方にわたって鳴く声が聞える。抄六五。前歌と同じ内裏歌合の歌で、両者は番えられた。兼盛集。○来つる　山里から五月になり人里に来た。○四句　夜中から暁にかけて。時鳥は、「暁」や「夜深く」に鳴くことが多い。→九六。

寛和二年内裏歌合に

102 宮(みや)こ人寝(ね)で待(ま)つらめや郭公(ほととぎす)今ぞ山辺(べ)を鳴(な)きて出(い)づなる

右大将道綱母(みちつなのはは)

女四(をんなし)の内親王(みこ)の家歌合に

103 山がつと人はいへども郭公(ほととぎす)まつ初声(はつこゑ)は我のみぞ聞(き)く

坂上是則(これのり)

天暦御時の歌合に

104 さ夜更(ふ)けて寝覚(ねざ)めざりせば郭公(ほととぎす)人づてにこそ聞(き)くべかりけれ

壬生忠見(ただみ)

同(おな)じ御時の御屛風に

105 二声(ふたこゑ)と聞(き)くとはなしに郭公(ほととぎす)夜深く目(め)をもさましつる哉(かな)

伊(い)勢(せ)

北宮(きたのみや)の裳着(もぎ)の屛風に

106 行(ゆき)やらで山地(やまぢ)暮(く)らしつ郭公(ほとゝぎす)今一声(ひとこゑ)の聞(き)かまほしさに

源公忠(きんただ)朝臣

102 都の人は、寝ないで待っているだろうか。時鳥は、今まさに山辺を鳴いて出て行くようだ。抄六四・五句「なきてすぐなる」。寛和二年(九八六)六月十日、内裏歌合歌。道綱母集。○初句　都人。定家本の文字遣い。山人の立場からいう。「都人待つほどしるく時鳥月のこなたに今日は鳴かなむ」(実方集)。○下句　五月になり山から出て都へ赴く。山人ゆえに分かる。▽藤原道綱母の旧作を出詠したらしい。

103 山人と人は呼ぶけれども、時鳥の、都人が待つ初声は、まず私だけが聞くのだよ。抄六三。女四宮勤子内親王歌合歌。是則集。○女四の内親王　醍醐天皇第四皇女、勤子。母は、源周子。→六二。○山がつ　→九三。○まつ　「待つ」に、副詞「まづ」を掛ける。○五句　初声を都人よりも先に聞く優越感。

104 夜が更けて寝覚めなかったならば、時鳥の初声は、人伝えで聞くことになるところだった。抄六六。天徳四年内裏歌合歌。○天暦御時　→六。○初句　夜更けて。「夜深く」と時間的に重なるが、前夜からの継続の意識のもの。○寝覚め　眠りから夜に目覚めること。多く恋歌、恋物語で使用される。○下句　時鳥の初声を直接聞けた感動を逆説的に表現。

105 二声と聞くことはなくて、時鳥よ、夜深い時分に、目を覚ましてしまったよ。村上朝内裏屏風歌。伊勢集。村上朝(九四六以降)では伊勢の生存は疑問。○初・二句　二声目はなかなか聞けないとされた。「待ちえてもただ一声を時鳥寝覚めがちにて明かすころかな」(公任集)。○郭公以下、九六と同じ措辞。▽後撰・夏に「夏の夜、しばし物語りして帰りける人のもとに、又の朝遣はしける／伊勢」として重出。元輔集にあり。

106 さっさと行けないで、山道で日を暮らしてしまった。時鳥のもう一声が聞きたいばかりに。抄六九。承平三年(九三三)八月二十七日、康子内親王裳着屏風歌。公忠集。○北宮　→六三。○山地　→六五。○下句　一声聞けたので二声目を望んだ。▽大鏡・公季伝に説話を伴う歌。増抄「或人云、…巧みに言ひたてんとしたる歌のさまにはあらで、時鳥に執ねきこと、是より上は有るまじくや。尤も以て殊勝の姿なり」。

107 敦忠朝臣の家の屛風に

この里にいかなる人か家居して山郭公たえず聞くらむ

貫之

108 延喜御時歌合に

五月雨は近くなるらし淀河の菖蒲の草もみくさ生ひにけり

よみ人知らず

109 屛風に

昨日までよそに思し菖蒲草今日我が宿のつまと見る哉

大中臣能宣

110 題知らず

今日見れば玉の台もなかりけり菖蒲の草の庵のみして

よみ人知らず

111 葦引の山郭公今日とてや菖蒲の草のねにたてて鳴く

延喜御製

107 この山里に、どのような人が家住まいして、山時鳥の声を、いつも聞いているのだろうか。抄六八。天慶二、三年(九三九、九四〇)頃、藤原敦忠屏風歌。貫之集。〇この里　時鳥が鳴く山里。〇家居　家に住む。ここは山荘。「野辺近く家居しせれば鶯の鳴くなる声は朝な朝な聞く」(古今・春・よみ人知らず)。〇下句　時鳥の声を絶えず聞けることへの羨望。

108 五月雨の時節は近くなったらしい。淀川の菖蒲草のもとにも水草が生い茂ってしまったよ。醍醐朝歌合歌。〇延喜御時　→一五。〇五月雨　時鳥と配合され、物思いを表すことが多く、このような叙景の例は珍しい。〇淀河　山城国。沿岸の淀野は、菖蒲や真菰などの水草が景物。「淀河の汀に生ふる菖蒲草いくわたり数さす根なるらん」(正暦四年帯刀陣歌合)。〇菖蒲の草　五月五日の節句に、薬玉にしたり、軒先に葺いたりして、健康や長寿を予祝する。〇五句　水草の生育から、五月雨の時期の到来を知る。

109 昨日までは関わりないと思っていた菖蒲草を、今日五月五日に、我が家の軒の端(まつ)に葺かれ、妻と見ることだ。抄七〇。右兵衛督藤原忠君屏風歌。能宣集。〇昨日　五月四日まで。四句の「今日」と対応。〇五句　軒先の「端」に葺く菖蒲を、掛詞により、「妻」と見る。「七夕の心地こそすれ菖蒲草年に一たびつまと見ゆれば」(実方集)。

110 今日五月五日に見てみると、玉の台もないことだ。菖蒲草を葺いた、草の庵ばかりであって。〇玉の台　漢語の「玉台」を訓読した語。「草の庵」の対として、宝玉をちりばめた楼閣の意。〇草の庵　漢語の「草庵」を訓読した語。草葺きの粗末な家屋の意。菖蒲を軒先に葺いた家屋を、草庵に見立てた。白氏文集十七・廬山草堂夜雨独宿…「蘭省花時錦帳下、廬山雨夜草庵中」。▽賀茂保憲女集の歌。

111 山時鳥は、今日が五月五日ということからか、菖蒲草の根にあやかり、音(ね)を立てて声高く鳴くことだ。抄七一。〇初句　「山」の枕詞。〇四句　「根」に掛けて「音」を導く序詞。五月五日の景物。〇五句　時鳥は、五月に人里に出て声高く鳴くとされた。▽元輔集にあり。

112 誰が袖に思よそへて郭公花橘の枝に鳴くらん

よみ人知らず

天暦御時、御屏風に、淀の渡りする人描ける所に

壬生忠見

113 いづ方に鳴きて行くらむ郭公淀の渡りのまだ夜深きに

114 しけるごと真菰の生ふる淀野にはつゆの宿りを人ぞかりける

小野宮大臣家屏風に、渡りしたる所に郭公鳴きたる
形あるに

貫之

115 かの方にはや漕ぎ寄せよ郭公道に鳴きつと人にかたらん

定文が家の歌合に

躬恒

116 郭公をちかへり鳴けうなひ子がうちたれ髪の五月雨の空

112 誰の袖に思いよそえて時鳥は、花橘の枝で鳴くのだろう。抄七二。○初・二句　薫香をたきしめた昔の恋人の袖を思い出す。○三句　郭公は懐旧を表象。○五句　時鳥が鳴くのは、昔の恋人の袖の香を懐かしんでいると見立てた。「花橘」も追憶、回想の表象。「五月待つ花橘の香をかげば昔の人の袖の香ぞする」(古今・夏・よみ人知らず)。

113 どの方角に鳴いて行くのだろう、時鳥は。淀の渡し場辺りは、まだ夜深い時分なのに。抄七三。村上朝内裏屏風歌。忠見集。○天暦御時　→六。○淀の渡り　山城国。淀川の渡船場。淀川右岸の淀から対岸の美豆を結ぶ。「辺り」を掛ける。詞書の「渡りする」は、渡船する意。

114 敷いたかのように真菰の生え茂る淀野では、露の宿る真菰を刈りではないが、夜殿として仮そめの宿を人が借りることだ。前歌と同じ折の屏風歌。○初句　「敷ける」に、「茂る」を響かせるか。○真菰　淀野の景物。筵を編み、粽を巻く。「茂る」「露」「刈る」は、「真菰」の縁語。○淀野　山城国。「夜殿」を連想させる。「菖蒲草よどのながらのねならねどあれたる宿はつまとこそみれ」(和泉式部集)。○つゆの宿り　仮そめの宿の意に、露の宿る真菰の意を添える。「露」は、はかなさの表象。○かりける　「借り」に、「刈り」を掛ける。▽底本、一一五の詞書の途中まで書き、見セ消チにする。

115 向こう岸に、早く舟を漕ぎ寄せなさい。着いたら、時鳥が道中で鳴いたと人に語ろう。抄七四。天慶四年(九四一)正月、藤原実頼屏風歌。貫之集。○小野宮大臣　実頼。▽貫之集の詞書では、岸辺の木の下に群がっている人たちに、舟に乗って渡る人が、指さしながら物を言っているようだ、その様子は時鳥が鳴いているのを聞いているようだ、とある。

116 時鳥よ、繰り返し鳴け。童児の垂らし髪が乱れているように、降り乱れる五月雨の空に。平定文歌合歌。躬恒集。○三・四句　髪を垂らし、うなじの所でまとめた「うなゐ髪」をした童児のさま。「うなひ子」は、時鳥の別名とも。髪の「乱れ」に掛けて、「五月雨」を導く序詞。

題知らず

117 鳴けや鳴け高田の山の郭公この五月雨に声な惜しみそ

よみ人知らず

118 五月雨は寝こそ寝られね郭公夜深く鳴かむ声を松とて

119 うたて人思はむ物を郭公夜しもなどか我が宿に鳴く

大伴坂上郎女

120 郭公いたくな鳴きそひとり居て寝の寝られぬに聞けば苦しも

中務

121 夏の夜の心を知れる郭公はやも鳴かなん明けもこそすれ

117 鳴けよ鳴け、声高く、高田の山の時鳥よ。この五月雨に声を惜しむなよ。○高田の山　八代集抄本など「高間の山」、異本系統本「高田の森」。石見国か。↓一三九。声の高い意を響かせる。○三句　五月雨と時鳥との配合は類型。この前後にも見られる。○五句　五月雨の音が騒がしいので、よく聞こえるように声を惜しむな。「な…そ」で禁止の語法。

118 五月雨の夜は、よくも寝られない。時鳥が、夜深い頃に鳴こうとする声を待つということで。抄七五・初句「さみだれに」。○二句　寝られないことの強調表現。時鳥の声を待つだけでなく、この時節の物思いもあるせいか。○松　「待つ」。定家本の文字遣い。ただし、時鳥と松との配合は、万葉集から見られる。「時鳥懸けつつ君が松蔭に紐解き放くる月近づきぬ」（万葉集二十・大伴家持）。

119 ああいやだと、人が思うであろうに。時鳥よ、夜に限って、どうして私の家で鳴くのか。○初・二句　「うたて」は「うたた」の転。不快感を表す。「物を」は、逆接の意を含んだ詠嘆の終助詞。時鳥の声を人がなぜ嫌がるとされるかは多様に考えられる。声が聞きたくて寝られないから、独り寝の物思いや人恋しさをかき立てるから、時鳥はあちこちを訪れ多情という印象があるので、我が家で鳴かれるのは困るから、などと解せる。○夜　眠れない夜。

120 時鳥よ、ひどく鳴いてくれるな。独り居て、寝ようとしても寝られないのに、鳴き声を聞くと、つらくなるから。抄・雑上四〇三。○二句　「な…そ」は、↓一一七。ここは、懇願的。鳴くなとする理由は、以下に詠まれる。○三句　独り寝。○五句　時鳥の鳴き声を聞くと、独り寝のわびしさで、物思いをつのらせるので、つらくなる。▽万葉集八・同じ作者の歌。

121 夏の夜の短さという事情を知っている時鳥よ、早くにも鳴いてほしい、夜が明けるといけないから。○鳴かなん　「なん」は、他への願望。○五句　「もこそ」は、不安懸念を表す。時鳥が鳴くのは、多く夜明け前の「夜深き」頃とされていた。「暮るるかと見れば明けぬる夏の夜を飽かずとや鳴く山郭公」（古今・夏・壬生忠岑）。

122 夏の夜は浦島の子が箱なれやはかなくあけてくやしかるらん

延喜御時、中宮歌合　　　よみ人知らず

123 夏来れば深草山の郭公鳴く声しげくなりまさるなり

春宮に候ひける絵に、倉橋山に郭公飛びわたりたる所　　　藤原実方朝臣

124 五月闇倉橋山の郭公おぼつかなくも鳴きわたる哉

題知らず　　　よみ人知らず

125 郭公鳴くや五月の短夜もひとりし寝れば明かしかねつも

西宮左大臣の家の屏風に　　　源　順

126 郭公松につけてやともしする人も山辺に夜を明かすらん

122　夏の夜は、浦島の子の玉手箱なのか。浅はかに開けて悔しい思いをしたように、あっけなく明けて残念なことだろう。抄八一。○浦島の子が箱　日本書紀・雄略紀、丹後国風土記逸文、万葉集九、浦島子伝、続浦島子伝などに伝えられる、浦島伝説によったもの。「箱」は、玉櫛笥、玉手箱。○四句　浦島が玉手箱を開けてたちまち老いたという故事を踏まえる。「はかなく」は、おろかにもの意と、あっけなくの意を掛け、「あけて」は、箱を「開けて」と夜が「明けて」を掛ける。○くやしかる　短夜があっけなく明けて「くやし」に、前歌から、時鳥の声が聞けずに「くやし」の意になるか。

123　夏が来ると、深草山の時鳥は、草が深く茂っていくように、鳴く声が一段と繁くなることだ。亭子院歌合歌。○延喜御時…　醍醐天皇の中宮は穏子だが、本歌合とは無関係か。○深草山　山城国。東山の一つ。草深いと連想させる。○しげく　声が「繁し」と、「深草山」の縁語となる草が「茂し」を掛ける。

124　五月闇の倉橋山の時鳥は、暗いという名のように、はっきりしない声で鳴き続けることだ。抄九九。東宮扇絵歌。実方集。○春宮　居貞親王(後の三条天皇)か。○初句　五月雨の頃の夜の暗さ。「くら(暗)」の付く語の枕詞。○倉橋山　大和国。その名から、暗いと連想させる。

125　時鳥が鳴く五月の短夜も、独りで寝ると、明かしづらいことだ。抄八〇。人麿集・赤人集。○初・二句　万葉集の「時鳥来鳴く五月の」という類句の変形。「時鳥鳴くや五月の菖蒲草あやめも知らぬ恋もするかな」(古今・恋一・よみ人知らず)。▽万葉集十・作者未詳歌の異伝。

126　時鳥が鳴くのを待つついでにか、照射する人も、山辺で夜を明かすのだろう。抄七八。源高明大饗屛風歌。順集。○西宮左大臣　高明。天暦七年(九五三)九月二十五日から康保三年(九六六)正月十七日まで(公卿補任)の、大納言の時に詠進された(順集)。○松　→一八。松明も暗示。○ともし　照射。夏の夜、山中に火を点し、獣を誘い出して射る猟。大和絵の月次絵の五月の画題。○五句　猟師の山での夜明かしを、時鳥の声を聞くついでと解した。

127 延喜御時、月次御屏風に

五月山木の下闇にともす火は鹿の立ちどのしるべなりけり

貫之

128 九条右大臣家の賀の屏風に

あやしくも鹿の立ちどの見えぬ哉 小倉の山に我や来ぬらん

平兼盛

129 女四の内親王の家の屏風に

行末はまだ遠けれど夏山の木の下蔭ぞ立ちうかりける

躬恒

130 延喜御時、御屏風に

夏山の影をしげみやたまほこの道行人も立どまるらん

貫之

131 河原院の泉のもとにすゞみ侍て

松影の岩井の水をむすび上げて夏なき年と思ける哉

恵慶法師

127　五月の山の木の下闇に点す照射の火は、鹿の立っている場所を知らせるものなのであった。
抄六六・よみ人知らず。延喜六年(九〇六)、内裏屏風歌。貫之集。○初句　万葉集以来の歌語。「五月山卯の花月夜時鳥聞けども飽かずまた鳴かぬかも」(万葉集十・作者未詳)。○木の下闇　葉が生い茂り、木の下が暗いこと。○ともす火　照射の火。闇の中に映える。→一二六。○立ちど　立っている場所。「高砂の尾上の萩を折りつれば鹿の立ちどや薄くなるらむ」(元真集)。

128　不思議にも、鹿の立っている場所が見えないことだ。小暗いという小倉山に、私は来たのだろうか。
抄七〇。天暦十一年(九五七)四月二十二日、藤原師輔五十賀屏風歌。兼盛集。○九条右大臣　師輔。○鹿の立ちど　→一二七。○小倉の山　山城国。当時は大井川右岸。その名から小暗いを連想させる。小暗い小倉山だから、鹿の居場所を知らせる照射の火も見えないとする。

129　行く先はまだ遠いけれども、夏山の木の下蔭は、立ち去りづらいことだった。
抄八一・四句「このした影は」。勤子内親王屏風歌。躬恒集。○女四の内親王　→一〇三。○初・二句　行く先の遠さに、賀意が籠もるか。○夏山　草木が繁茂している夏の山。その木陰で涼をとるさまが詠まれる。○木の下蔭　木蔭。納涼の場所。納涼は、大和の月次絵の六月の画題。○五句　底本「けり」の「り」を消し「る」と傍記。

130　夏山の木蔭は生い茂っているので、道行く人も涼もうとして立ち止まるのだろうか。
延喜五年(九〇五)二月十日、藤原定国四十賀屏風歌。貫之集。○初・二句　繁茂する木蔭に、賀意が籠もるか。「…を…み」で原因・理由を表す語法。○影　定家本の文字遣い。蔭。木蔭。○三句「道」の枕詞。

131　松の木蔭にある岩井の清水を掬い上げて、その冷たさに、今年は夏のない年と思ったことだ。
抄八三。○河原院　源融の邸宅。陸奥の歌枕塩釜の浦の景色を模したという逸話で有名。融の死後、末裔の安法法師が住み、歌会が催された。○松影　松蔭。→一三〇。○岩井　石井。井筒が石の井戸。岩間から清水の湧く井戸とも。○下句「夏なき年」は涼しさをいう。

家に咲きて侍ける撫子を人のがり遣はしける　伊勢

132 いづこにも咲きはすらめど我が宿の山と撫子誰に見せまし

題知らず　よみ人知らず

133 底清み流るゝ河のさやかにもはらふることを神は聞か南

藤原長能

134 さばへなす荒ぶる神もをしなべて今日はなごしの祓なりけり

よみ人知らず

135 紅葉せばあかくなりなん小倉山秋待つほどの名にこそありけれ

右大将定国四十賀に、内より屛風調じて賜ひけるに　忠岑

136 大荒木の森の下草しげりあひて深くも夏のなりにけるかな

132 どこにでも咲きはするであろうけれど、我が家の美しい大和撫子を、誰に見せようか。伊勢集。○人のがり　人のもとに。○四句「山と」は、定家本の文字遣い。大和撫子。唐撫子(石竹)に対して、在来種の河原撫子をいう。○五句　あなた以外に見せる人はいないの意。

133 水底が清らかなので、流れる川が澄みきっているように、清浄な心で祓をしたことを、神は聞いてほしい。抄八四・五句「神はしらなむ」。内裏の屏風歌(躬恒集)。○初・二句　祓をする御手洗川の清らかさを示し、「さやかに」を導く序詞にもなる。○はらふること　六月祓。夏越(なごし)の祓。六月晦日に水辺で行った祓で、心身の汚れを清める年中行事。大和絵の月次絵の画題。○南　定家本の文字遣い。「なん」は、他への願望。▽躬恒の歌か。

134 五月の蝿のように騒がしく荒々しい国つ神も、一様に穏やかになるように、どこでも今日は夏越の祓をするのだったよ。抄八五。月次絵の屏風歌(長能集)。○初句　五月の蝿のように、の意で、「荒ぶ」「騒く」などにかかる枕詞。○荒ぶる神　日本書紀・神代下に見える、「さばへなす邪しき神」などの、葦原の中つ国の神をいう。○三句　上下にかかわり、一様にの意と、どこでもの意を掛ける。○なごしの祓　夏越の祓。日本書紀の国つ神平定に起源するという説話を踏まえ、「夏越」に「和し」を掛ける。

135 紅葉すれば、赤く明るくなってしまうだろう。小暗いという小倉山は、秋を待つ間の名であったのだ。○初・二句「あかく」は、「赤し」に、「明かし」を掛ける。小暗い小倉山が紅葉すれば、明るくなるという言語遊戯的な趣向。○小倉山　山城国。→一三八。▽屏風歌で、作者は大中臣能宣か(能宣集)。後拾遺・夏・能宣に重出。

136 大荒木の森の下草が茂り合って、草深く、夏も深くなったことだ。抄八六・左注「此歌躬恒が集にあり」。延喜五年(九〇五)二月十日、藤原定国四十賀屏風歌。忠岑集。○右大将定国　当時、三十九歳で、従三位大納言兼右大将。○内　醍醐天皇。○大荒木の森　大和国。山城国とも。下草が景物。○深く「下草」の縁語の「草深し」と「夏深し」を掛ける。▽躬恒集にあり。

拾遺和歌集巻第三　秋

秋の初めに詠み侍ける　　安法ゝ師

137 夏衣まだひとへなるうたゝ寝に心して吹け秋の初風

題知らず　　よみ人知らず

138 秋は来ぬ龍田の山も見てし哉しぐれぬさきに色やかはると

延喜御時、御屏風に　　貫之

139 荻の葉のそよぐ音こそ秋風の人に知らるゝ始なりけれ

137 夏の衣のまだ単衣でのうたた寝なので、気を配って吹いておくれ。秋の初風よ。抄八七。安法法師集。〇初句　冬の更衣は、十月一日。初秋では、まだ薄い単衣のままである。〇うたゝ寝　仮寝。はかない夢と結び付いて、恋歌に詠まれることが多い。「うたた寝に恋しき人を見てしより夢てふものは頼みそめてき」(古今・恋二・小野小町)。〇四句　寒くならないように配慮して吹け。〇五句　秋風は、立秋の景物。秋の到来は、涼風で知る。

138 秋は来た。紅葉の名所の龍田山も見てみたいものだ。時雨の降る前に、立秋になっただけで、木の葉の色が変るかどうかと。〇秋　ここでは、紅葉をもたらす季節。〇龍田の山　大和国。紅葉の名所。「かくばかりもみづる色の濃ければや錦たつ田の山といふらむ」(後撰・秋下・紀友則)。〇四句　時雨は晩秋から初冬の景物。この時雨は紅葉させるもの。〇五句　立秋になっただけで色が変るのかどうか。「見てし哉」に倒置的にかかる。

139 荻の葉のそよぐ音こそ、秋風が人に気付かれる最初なのであった。抄八八。延喜十八年(九一八)二月、醍醐天皇皇女勤子内親王裳着屏風歌。勤子→一〇三。貫之集。〇延喜御時　→五。〇荻の葉　葦や薄に似た水辺の植物。秋風にそよぐ景物として万葉集から詠まれ、平安時代中期になると、葉音が人の訪れと解され、待つ恋の歌の景物ともなった。「葦辺なる荻の葉さやぎ秋風の吹きくるなへに雁鳴き渡る」(万葉集十・作者未詳)。〇そよぐ音　荻のそよぐ音は、秋の到来を知らせる景物。「いつも聞く風をば聞けど荻の葉のそよぐ音にぞ秋は来にける」(貫之集)。

河原院にて、荒れたる宿に秋来といふ心を、人〳〵詠み侍けるに

140 八重葎茂れる宿のさびしきに人こそ見えね秋は来にけり

恵慶法師

題知らず

141 秋立ていく日もあらねどこの寝ぬる朝けの風は袂涼しも

安貴王

延喜御時、屏風歌

142 彦星の妻待つ宵の秋風に我さへあやな人ぞ恋しき

躬恒

143 秋風に夜の更けゆけば天の河河瀬に浪の立ち居こそ待て

貫之

題知らず

144 天の河遠き渡にあらねども君が舟出は年にこそ待て

柿本人麿

140 幾重にも葎が生い茂る家の荒れてさびしいところに、人の姿は見えないけれど、秋は来たことだった。抄八九。紅葉合歌(恵慶集)。○河原院↓三一。○初句　生い茂った葎をいう歌語。葎は蔓性の雑草の総称。繁茂して人の来訪を妨げるものとして詠まれる。また、「蓬」「浅茅」などと共に邸宅の荒廃を表象する。「訪ふ人もなき宿なれど来る春は八重葎にもさはらざりけり」(貫之集)。○四句　「こそ…ね」は係り結びの逆接的な用法。▽小倉百人一首の歌。

141 立秋になって幾日でもないけれど、この寝起きの明け方の風は、袂涼しく感じられることだ。抄八一。○朝け　「朝明け」の約。夜明け。○五句　袂の涼しさで秋の到来を知るという類型。▽万葉集八・安貴王の歌の異伝。敏行集にあり。

142 彦星が妻の織女星を待つ七夕の宵の秋風によって、私でさえわけもなく人恋しいことだ。抄九〇。醍醐朝内裏屏風歌。躬恒集。○彦星　牽牛星。○妻　ここは、織女星。○妻待つ宵　牽牛星が天の川を渡って来る織女星を待つ夜。日本では彦星が天の川を渡るとするが、ここは中国風に詠む。○秋風　肌寒い秋風。人恋しさをかき立てるもの。「今よりは秋風寒く吹きなむをいかにか独り長き夜を寝む」(万葉集三・大伴家持)。○我　画中で星合を見ている人物。○あやな　形容詞「あやなし」の語幹。↓一六。

143 秋風が吹いて夜も更けてゆくと、天の川の川瀬に波が立つではないが、立ったり座ったりしてあなたを待ちこがれることだ。抄九一・四句「かはべになみの」。延喜六年(九〇六)、内裏屏風歌。貫之集。○三・四句　波の「立つ」に掛けて、「立ち居」を導く序詞。○五句　待つ焦躁をいう。「立つ」は、「秋風」と響き合う。待つのは、織女星。

144 天の川は遠い渡し場ではないけれども、あなたの船出は、一年かけて待つことだ。人麿集。○渡　渡り場。渡り瀬とも。天の川の幅はあまり広くない、と考えている。○君が舟出　牽牛星が船で来るとする。○五句　一年に一度の逢瀬を、一年かけて待つ。▽万葉集十・作者未詳歌の異伝。後撰・秋・よみ人知らずに重出。

145 天河去年の渡のうつろへば浅瀬踏む間に夜ぞ更けにける

よみ人知らず

146 さ夜更けて天の河をぞ出でゝ見る思ふさまなる雲や渡と

湯原王

147 彦星の思ますらん事よりも見る我苦し夜の更けゆけば

人麿

148 年に有て一夜妹に逢ふ彦星も我にまさりて思覧やぞ

延喜御時、月次御屏風に

貫之

149 たなばたに脱ぎてかしつる唐衣いとゞ涙に袖や濡るらん

145 天の川は、去年の渡し場が変ってしまったので、浅瀬をあちこち踏み探している間に、夜が更けてしまったことだ。人麿集。〇三句　淵瀬は変りやすく、浅瀬がなくなってしまったのである。〇四句　浅瀬を探して、川瀬を踏み歩いている間に。ここでは、牽牛星が徒歩で天の川を渡る。「天の川浅瀬白波辿りつつ渡り果てねば明けぞしにける」(古今・秋上・紀友則)。▽万葉集十・作者未詳歌の異伝。

146 夜が更けて天の川を外に出て見る。思うような形の雲がかかっているかと。〇思ふさまなる雲　願い事の成就を予兆する雲。雲気。八代集抄「是は、星に願ある者、天漢の中を見るに、奕々(えきえき)たる正白気あり。五色を輝かす事あるを徴応として、富貴、寿命、子なき者は子など願ふ事、周処が風土記にあり。其の心を詠めり」。〇渡　「天の川」の縁語。

147 彦星が物思いを増していくことよりも、天の川を見遣る私の方がつらい。七夕の夜が更けてゆくので。抄九三・二句「おもひよすらん」。〇思ますらん事　短い逢瀬で満たされない思いが募ること。〇見る我　星合を見ている人。▽万葉集八・湯原王の歌の異伝。

148 一年あって一夜だけ妻に逢う彦星も、自分にまさって物思いするだろうか、いや私ほどではあるまいよ。抄九三・三句「ひこぼしの」。人麿集。〇年に有て一夜　一年に一度だけ。〇五句「やぞ」は、強い反語で、後撰集・拾遺集時代にのみ見られる語法。▽遺新羅使の一人が、故郷に残した妻を思慕して詠んだ万葉集十五の歌の異伝。

149 織女星に脱いで供えた唐衣は、ますます涙で袖が濡れるだろう。抄九四。延喜六年(九〇六)、内裏屏風歌。貫之集。〇たなばた　ここは、織女星。〇かしつる　「貸す」は、供える意。「たなばたにかしつる糸のうちはへて年の緒長く恋ひやわたらむ」(古今・秋上・凡河内躬恒)。〇唐衣　衣服の美称。本来は、外来の中国風の衣服の意。〇いとゞ　程度の深化を表す。貸す時には、すでに涙で濡れていたことになる。「唐衣」の縁語「糸」を掛ける。「脱ぐ」「袖」も「唐衣」の縁語。〇涙　別れの涙。

右衛門督源清蔭(きよかげ)家の屏風に

150 一年に一夜と思へどたなばたの逢ひ見む秋の限なき哉(かな)

左兵衛督藤原懐平(かねひら)家屏風に　　恵慶法師

151 いたづらに過ぐる月日をたなばたの逢ふ夜の数と思はましかば

七夕庚申にあたりて侍(はべり)ける年　　元輔

152 いとゞしく寝も寝ざるらんと思哉(おもふかな)今日の今宵に逢へるたなばた

題知らず　　よみ人知らず

153 逢ひ見ても逢はでも嘆くたなばたはいつか心ののどけかるべき

154 我が祈る事は一つぞ天河(あまのがは)空に知りても違へざら南(なん)

150 一年に一夜の逢瀬と思うけれど、二星が愛情を交わす秋は、限りなく続くことだ。抄九五。天慶二年(九三九)閏七月、右衛門督源清蔭屏風歌。貫之集。○源清蔭　陽成天皇第一皇子。右衛門督は、承平五年(九三五)二月二十三日より天慶三年(九四〇)正月十九日までか(公卿補任)。屏風新調の理由は不明。○下句　年に一度の逢瀬でも千秋万歳と限りないことだ。

151 むなしく過ぎる月日を、二星が逢う夜の数と思えるならば、どれほど嬉しいことだろう。抄九六。藤原懐平屏風歌。○藤原懐平　寛弘元年(一〇〇四)十二月二十九日、左兵衛督。拾遺抄の詞書では、修理大夫。その任期は、永観元年(九八三)十二月十三日より長徳四年(九九八)十月二十三日まで(公卿補任)。○五句　下に「嬉しからまし」といった語句が余意として続く。

152 ますます寝られないだろうと思うことだ。庚申と重なる今日の今宵に、牽牛星に逢う織女星は。抄九七・二句「いもねざらんと」。元輔集。○七夕庚申　元輔の時代の「七夕庚申」は、永観元年(九八三)。「庚申」は、道教に由来する庚申待ちの行事。この夜に寝ると、体内にいる三尸(さんし)という虫が抜け出して、天帝にその人の罪を告げるとも、虫そのものが人の命を危うくするともいわれ、神仏を祭り徹夜する習俗となった。徹夜のため、詩歌管絃の催しも行われた。○初句　「いとどし」は、いっそう度合いが強くなる意。○今日　七夕と庚申が重なった今日。

153 逢えても一夜だけの逢瀬を嘆き、逢えなくても嘆く織女星は、いつ心が落ち着くことがあろうか。抄一〇〇・二、三句「あはでもおもふたなばたの」。延喜十六年(九一六)七月七日庚申、亭子院殿上人歌合歌。○いつか　反語。▽歌合の題は、「たなばたの逢ひての後思ふらむこと」。

154 私が祈ることは、ただ一つだ。天の川よ、天空で上の空に聞いても、祈ったことを違えないでおくれ。抄九九。○祈る　七夕には五色の糸を棹にかけたりして供え、裁縫の上達などの願い事をする。○一つ　愛する人に逢うこと。○空に　天空にと、上の空にとの両意を掛ける。

155 君来ずは誰に見せまし我が宿の垣根に咲ける槿の花

156 女郎花多かる野辺に花薄いづれをさして招くなるらん

157 手もたゆく植へしもしるく女郎花色ゆへ君がやどりぬる哉

158 くちなしの色をぞ頼む女郎花花にめでつと人に語るな

小野宮太政大臣

女郎花多く咲ける家にまかりて

能宣

159 女郎花にほふあたりにむつるればあやなく露や心置くらん

155 あなたが来ないならば、他の誰に見せようか。我が家の垣根に咲いている朝顔の花を。抄一〇三。〇二句　あなた以外に見せたい人はいない。〇槿　桔梗(ききよう)・槿(むくげ)・牽牛子(けにごし＝朝顔の古名)など、諸説ある。拾遺集には、はかないという印象で詠まれた三八三もあるので、現在の朝顔か。「寝起きの朝の私の顔」の意を潜める。

156 女郎花が多く咲いている野辺で、薄の花は、どの花をさして招いているのだろうか。〇初句　当時は、若く美しい女性によそえる。〇三句　薄の花。尾花。ここは、男性によそえる。〇五句　風になびく薄を、人を招くさまに見立てる類型的な発想。「秋の野の草の袂か花薄穂に出でて招く袖と見ゆらむ」(古今・秋上・在原棟梁)。

157 手もだるくなるほどに移し植えたかいがあって、女郎花の色の美しさゆえに、あなたが泊まってくれたことだ。抄一〇四。〇手もたゆく　手が疲れるくらい。労苦の表現。〇植へし　当時は、野山の草花を前栽に移植することが多かった。〇しるく　→五二。〇女郎花色ゆへ　女郎花の花の美しさに魅せられて。女郎花の色に、自身の容色をよそえる。

158 梔子(くちなし)色の、口無しを頼みにしているのだ。女郎花よ、花の美しさに魅せられて愛してしまったと人に語るなよ。抄一〇五。実頼集。〇くちなしの色　梔子の実から採った染料で染めた色。ここは女郎花の黄色。「口無し」となり、無口を連想させる。「耳なしの山のくちなし得てしがな思ひの色の下染めにせむ」(古今・雑躰・よみ人知らず)。→七〇。〇頼む　愛情の秘密を他言せぬように頼む。▽実頼集の詞書は「八月二十八日、嵯峨野の花を御覧じて」。

159 女郎花が美しく咲いている辺りに、親しげに近寄ったので、むやみに露が心隔てをするのだろうか。抄一〇六・四句「あやなくつゆの」。屏風歌(能宣集)。〇三句　親密にしたので。〇露　一六〇と同じく、「露」は女郎花を妻とする。〇五句　他意を持つことだろう。「置く」は、「露」の縁語。作者が、露の妻となる女郎花に親しげにしたので、露が警戒したのであろうとする。作者と露が恋の鞘当てをするという趣向。

題知らず　　よみ人知らず

160 白露の置くつまにする女郎花あなわづらはし人な手触れそ

嵯峨に前栽掘りにまかりて　　藤原長能

161 日暮らしに見れども飽かぬ女郎花野辺にや今宵旅寝しなまし

八月許に雁の声待つ歌詠み侍けるに　　恵慶法師

162 荻の葉もやゝうちそよぐほどなるをなど雁がねの音なかるらん

斎院屏風に　　よみ人知らず

163 かりにとて来べかりけりや秋の野の花見るほどに日も暮れぬべし

題知らず

164 秋の野の花の名立てに女郎花かりにのみ来む人に折らるな

160 白露が身を置く端(まつ)として妻にする女郎花を、ああ、厄介なことになるから、人は手を触れるなよ。○つま　端緒、手がかりの意の「端」に、「妻」を掛ける。○四句　露が疑って面倒を起こすかもしれないので。○な手触れそ　「な…そ」で、禁止の語法。

161 日の暮れるまで見ていても飽きない女郎花だ。この野辺に今宵は旅寝をしようか。抄一〇七・二句「見れどもあかず」。長能集。○嵯峨　山城国。嵯峨野とも。女郎花、萩、薄などの野の花の名所。○前栽掘り　庭に移植する野の花を採取に行くこと。○二句　見飽きない美しさを称賛する慣用的表現。○五句　「なまし」は、どうすべきか迷う心情を表す。美しい花に魅せられて野宿するという類型的な発想。「花に飽かで何帰るらむ女郎花多かる野辺に寝なましものを」(古今・秋上・平定文)。

162 荻の葉もだんだん秋風にそよぐ音を立てる頃になったのに、どうして雁の鳴き声が聞えないのだろう。抄一〇八。恵慶集。○荻の葉　→二三九。○雁がねの音　雁の鳴き声。雁の訪れとしてもよい。「雁がね」は、雁の鳴き声の意から雁そのものを言う。秋風に誘われて、雁が飛来するという通念的な季節意識。「秋風に誘はれ渡る雁がねは雲ゐ遥かにけふぞ聞ゆる」(後撰・秋下・よみ人知らず)。

163 狩りにと言って、仮そめに来るべきだったのか、いやそうすべきではなかったのだ。狩りに来たのに、秋の野の花を見ているうちに、日も暮れてしまいそうだ。○斎院　誰を指すか未詳。○初・二句　狩りではなく、花見のために来るべきであった。「かり」に、「狩り」と「仮」を掛ける。「狩り」は小鷹狩りか。→一六六。

164 秋の野の花の名折れになるから、女郎花よ、仮そめに狩りにだけやって来るような人に折られるな。延長七年(九二九)、藤原保忠四十賀屏風歌。弟の敦忠が主催し、伊勢が詠進した(伊勢集)。○名立て　「名に立つ」の名詞形。評判が立つこと。名折れになること。○かりに　「かり」に、「狩り」と「仮」を掛ける。○折らるな　「折る」は「花」の縁語。契りを交わす意を添える。▽続後撰集・秋上に伊勢歌として重出。

165 かりにとて我は来(き)つれど女郎花(をみなへし)見るに心ぞ思(おもひ)つきぬる

紀貫之

陽成院(やうぜい)御屏風に、小鷹狩(こたかがり)したる所

166 かりにのみ人の見ゆれば女郎花(をみなへし)花の袂(たもと)ぞ露(つゆ)けかりける

亭子院(ていじゐん)の御前(おまへ)に前栽植(う)へ(ゑ)させ給(たまひ)て、これ詠(よ)めと仰言(おほせごと)ありければ

167 栽(うゑ)たてて君が標結(しめゆ)ふ花なれば玉と見えてや露(つゆ)も置(お)くらん

伊(い)勢(せ)

題知(し)らず

168 来(こ)で過(す)ぐす秋はなけれど初雁(はつかり)の聞(き)くたびごとにめづらしき哉(かな)

よみ人知(し)らず

少将に侍(はべり)ける時、駒迎(こまむかへ)にまかりて

169 相坂(あふさか)の関の岩角踏(いはかどふ)みならし山立(た)ち出(い)づる桐原(きりはら)の駒(こま)

大弐高遠(たかとほ)

165　狩りにと言って、仮そめに自分は来たけれど、女郎花を見たら、心には恋の思いがついてしまったよ。延喜十四年(九一四)、醍醐天皇第一皇女勧子内親王裳着屛風歌。裳着は十一月十九日(貞信公記)。貫之集。○初句　「かり」に、小鷹狩りの「狩り」と「仮」を掛ける。底本「のみ」を見セ消チにし「とて」を傍記。

166　狩りのついでに、仮そめにばかり愛する人が姿を見せるので、女郎花の袂は、涙で露っぽくなっていることだ。抄二九。延長七年(九二九)十月十四日、陽成院第一皇子元良親王四十賀屛風歌。妃の醍醐天皇第八皇女修子内親王の主催(日本紀略)。貫之集。○小鷹狩　小型の鷹で、小鳥を捕る猟。冬の大鷹狩りに対して、秋に行われる。○かりに　「狩り」に「仮」を掛ける。○四句　花を衣の袂に見立てる。○五句　「露けし」は、「女郎花」の縁語。

167　わざわざ植えて君が標を結って大切にしている花なので、玉と見えるように、露も置いているのだろうか。抄二〇。伊勢集。○亭子院　宇多上皇の御所。○仰言あり　底本「おほせられ」の「られ」を見セ消チにし、「ことあり」を傍書。○初句　移植すること。「立つ」は、意志的な行為。○標結ふ　土地などを占有する印をつける。花や女性に対しても比喩的に用いられる。○四句　露を玉に見立てる類型的な趣向。▽後撰・秋中に重出。

168　雁が来なくて過ごす秋はないけれども、初雁の声を聞く度ごとに新鮮に感じられることだ。抄三〇。○五句　初雁の声の新鮮さ。

169　逢坂の関の、岩の角を踏みしめ、霧の立つさなかに、山から出で立つ桐原の駒よ。抄一三。高遠集。○少将　藤原高遠は、安和二年(九六九)正月二十七日より天延四年(九七六)正月七日まで、右少将(公卿補任)。○駒迎　毎年八月、諸国献上の馬を、馬寮の役人(少将)が、逢坂の関で迎える行事。この馬を天皇が御覧になるのが、駒牽き。○相坂の関　逢坂。近江国。○三句　踏み馴らし。踏み鳴らしとも。○立ち出づる「桐原」に掛けた「霧」の縁語。○桐原　霧原・切原とも。信濃国。駒の産地。▽西行上人談抄などに次歌と比較した説話がある。

延喜御時、月次御屏風に

170 相坂(あふさか)の関の清水(し)に影見えて今や引(ひ)くらん望月(もち)の駒(こま)　貫(つら)之(ゆき)

屏風に、八月十五夜、池ある家に人あそびしたる所

171 水の面(おもて)に照る月浪をかぞふれば今宵(こよひ)ぞ秋の最中(もなか)なりける　源　順(したがふ)

水に月のやどりて侍(はべり)けるを

172 秋の月浪の底(そこ)にぞ出(い)でにける待(ま)つらん山のかひやなからん　能(よし)宣(のぶ)

廉義公(れんぎこう)の家の紙絵(かみゑ)に、秋の月おもしろき池ある家ある所

173 秋(あき)の月西にあるかと見えつるは更(ふ)けゆく夜半(よは)の影にぞ有(あり)ける　源　景明(かげあきら)

円融院(ゑんゆうゐん)御時、八月十五夜描(か)ける所に

174 飽(あ)かずのみ思(おも)ほえむをばいかゞせんかくこそは見め秋の夜(よ)の月　元(もと)輔(すけ)

170 逢坂の関の清水に満月と鹿毛の駒の姿が見えて、今まさに引いているであろうか、望月の駒を。抄二四。延喜六年(九〇六)、内裏屏風歌。貫之集。○関の清水　近江国。逢坂の関にある清水。「君が代に逢坂山の岩清水木隠れたりと思ひけるかな」(古今・雑躰・壬生忠岑)。○影　満月と馬の姿の意の「影」に馬の毛色の「鹿毛」を掛ける。○引く　駒迎した馬を京に向って官人が引く。なお、宮中の駒牽きは、望月の馬は八月二十三日、他の信濃の馬は、十五日(村上朝以後、十六日)。「望月の駒引き渡す秋の夜は光さやけきよにこそありけれ」(朝忠集)。○望月　信濃。駒の産地。満月を連想する。

171 池の波立つ水面に照り映っている月を見て、月日の数をかぞえてみると、今宵は秋の最中の八月十五夜であったよ。抄二五。天元二年(九七九)十(十二とも)月、内裏屏風歌。順集。○月浪　波の立つ池に映る月。「月次」を掛ける。順の造語か。○秋の最中　秋の真中の八月十五夜。○なりける　「けり」は気づき。

172 秋の月が、波の底に出ていたことだ。月の出を待っていた山の峡は、かいがないことだろう。能宣集。○水に月のやどりて　水に月が映るのを「宿る」とした。能宣集では、「山川の月の映れるを見侍りて」。○三句　能宣集では、「入りにける」。○かひ　「効」に、「峡」を掛ける。

173 秋の月が西の方にあるのかと見えたのは、夜が更けて、池水に映った夜半の月影であったよ。藤原頼忠紙絵歌。○廉義公　太政大臣頼忠のおくり名。○紙絵　絹絵に対して、紙に描いた絵画。また、障子や屏風などではなく、ただ紙に描いた絵とも。○三句　見紛うの趣向。水に映る月を、西の空にあると見間違えた。○夜半　夜中。「よひ」「ゆふ」と同根の語といわれる。

174 満ち足りないとばかり思われるのは、どうしたらよいだろうか。いや、このように飽きることなく見よう、秋の夜の月は。円融朝内裏屏風歌。元輔集。○上句　画中の月を眺める人物の自問。○下句　自問に対する自答。あるいは、側にいる別の人物の回答とも解せる。その場合は、人物相互の問答になる。

延喜御時、八月十五夜、蔵人所の男(をのこ)ども月の宴(えん)し侍(はべり)けるに　藤原経臣(つねおみ)

175 こゝにだに光(ひかり)さやけき秋の月雲の上(うへ)こそ思ひやらるれ

同(おな)じ御時、御屏風に　躬(み)恒(つね)

176 いづこにか今夜(こよひ)の月の見えざ覧(らん)飽(あ)かぬは人の心なりけり

題知(し)らず　兼(かね)盛(もり)

177 終夜(よもすがら)見てを明(あ)かさむ秋の月今宵(こよひ)の空(そら)に雲(くも)なからなん

廉義公家にて、草むらの夜(よる)の虫といふ題を詠(よ)み侍(はべり)ける　藤原為頼(ためより)

178 おぼつかないづこなる覧(らん)虫の音(ね)をたづねば草の露や乱(みだ)れん

前栽に鈴虫(すゞむし)をはなち侍て　伊勢

179 いづこにも草の枕を鈴虫(すゞむし)はこゝを旅(たび)とも思はざらなん

175 ここでさえ光の澄み切っている秋の月は、帝の御前ではどれほど清らかかと思いやられることだ。抄二六。○延喜御時 →五。○蔵人所 内裏の校書殿の西廂にあった蔵人の役所。○男ども 四等官の下に雑役に従事する、雑色、所衆、出納、小舎人などもいた。○月の宴 拾遺抄の詞書では、後(清とも)涼殿の狭間(東の簀子)で催された。○こゝ 蔵人所の男たちが宴をする所。○雲の上 宮中をさすが、ここは帝の御前か。「月」の縁語。

176 どこに、今宵の月の見えない所があろうか。それなのに、見飽きないのは人の心のせいなのであった。抄二七。醍醐朝内裏屏風歌。躬恒集。○同じ御時 前歌と同じく、延喜御時。○初句 反語。○下句 月への貪婪な愛着は、人の心のなせるわざであった。八代集抄「あかぬは人の心にて、方々にあくがるる事よと也」。

177 一晩中見て夜を明かそう、秋の月を。今宵の空に、雲はかからないでほしい。抄二八・下句「こよひはそらに雲なかりけり」。村上朝内裏屏風歌(兼盛集)。○見てを 「を」は、語調を整える間投助詞。○雲 月に雲は、花に霞などと同じく、隔ての類型的な配合。○なからなん 「なん」は、他への願望を表す。

178 気になることよ。どこにいるのだろう。虫の音のする所を探すと、草むらの露は乱れてしまうだろう。貞元二年(九七七)八月十六日、三条左大臣藤原頼忠前栽歌合歌。為頼集。○廉義公 →一七三。○初句 八代集抄「おぼつかなにて、夜の心は詠めるなり」。○草の露や乱れん 美しい露が乱れてしまうだろうから、尋ねてゆけない。歌合本文は、「花の露」。▽「優の体」(古来風体抄)、「やさしき歌」(八代集抄)と評される。

179 どこにでも草の枕をする鈴虫は、この庭を旅の宿とも思わないでほしい。抄二二・三、四句「すずむしのここをたびとは」。伊勢集。○草の枕を 旅寝の枕を。次の「鈴虫」に、「す」を言い掛ける。○鈴虫 現在の松虫という。花月草紙「もとはりんりんと鳴くは松(虫)にて、ちんちろりと鳴くは鈴(虫)なる」。○四句 我が家の前栽を旅先と。「草枕寝る折もなく鈴虫は鳴くを旅寝に飽かずなりけり」(中務集)。

屏風に

180 秋来ればはたをる虫のあるなへに唐錦にも見ゆる野辺哉

貫之

題知らず

181 契剣程や過ぬる秋の野に人松虫の声の絶えせぬ

よみ人知らず

182 露けくて我が衣手は濡れぬとも折てを行かん秋萩の花

躬恒

亭子院御屏風に

183 うつろはむ事だに惜き秋萩を折れぬ許も置ける露哉

伊勢

三条の后の宮の裳着侍ける屏風に、九月九日の所

184 我が宿の菊の白露今日ごとに幾世積もりて淵となる覧

元輔

180 秋が来ると、機(はた)織る虫がいることにより、唐錦にも見える野辺の景色だよ。抄一三。承平七年(九三七)、右大臣藤原恒佐屏風歌。貫之集。○はたをる虫　きりぎりす。きりぎりすは鳴き声による名。「雁がねの羽風を寒みはたおりめくだまく声のきりきりと鳴く」(古今六帖六・作者未詳)。○なへに　時間的な連続や同時進行を表す連語。…につれて。…と同時に。○唐錦　舶来の織物。ここは野の花の見立て。

181 約束した時が過ぎたのであろうか。秋の野に人を待つ松虫の声が、絶えることがない。○人松虫　「松虫」に、「人待つ」と言い掛ける。類型的な趣向。「人」は、恋の相手の男性。約束通りに来なかったのである。▽「来むといひしほどや過ぎぬる秋の野に誰まつ虫ぞ声の悲しき」(後撰・秋上・紀貫之)という類歌がある。

182 露っぽくて、私の袖が濡れたとしても、手折っていこう、秋萩の花を。抄一三。躬恒集。○初句　露と萩との配合は、万葉集以来の類型。「秋の野に咲ける秋萩秋風になびける上に秋の露置けり」(万葉集八・大伴家持)。○衣手　袖。○折てを　「を」は、間投助詞。→一七。

183 色あせることでさえ惜しく思われる秋萩の花なのに、折れそうなほどにも置いている露だよ。抄一三・三句以下「秋はぎに玉と見るまでおけるしらつゆ」。亭子院屏風歌。拾遺抄や伊勢集は、斎院の屏風歌とする。○亭子院　→一六七。○初句　色褪せるのは、花とも葉とも考えられる。八代集抄は、露で色が変ったとする。○三句　「を」は、逆接の接続助詞。詠嘆とも解せる。「に」とする本文も多い。○下句　枝も折れそうなほど多く置く露という類型的な趣向。

184 我が家の菊の白露は、毎年の今日ごとに、幾代積もって淵となるのだろうか。応和元年(九六一)十二月十七日、昌子内親王裳着屏風歌(日本紀略)。元輔集。○三条の后の宮　冷泉天皇中宮、昌子。○裳着　→六三。○九月九日　重陽の節句。○二句　菊の露は積もりて淵となる」(奥義抄)。「仙宮の菊の露は長寿をもたらすとされる。○三句　今日九月九日が来るごとに。▽中務集にあり。この折、藤原朝忠、源順、源信明なども詠進した(各家集)。

題知らず

185 長月の九日ごとに摘む菊の花もかひなく老いにける哉

躬恒

右大将定国家屏風に

186 千鳥鳴く佐保の河霧立ぬらし山の木の葉も色かはり行

忠岑

延喜御時の御屏風に

187 風寒み我が唐衣打つ時ぞ萩の下葉も色まさりける

貫之

三百六十首の中に

188 神なびのみむろの山を今日見れば下草かけて色づきにけり

曽禰好忠

題知らず

189 紅葉せぬときはの山は吹風の音にや秋を聞きわたるらん

大中臣能宣

185 九月の九日ごとに菊酒にするために摘む菊の花も、そのかいがなく老いてしまったことだ。抄一三。躬恒集。○二句　摘むのは菊酒用。あるいは、菊に置いた露をとるためか。その露で身をぬぐうと老いを忘れるとする。○かひなく　菊に不老長寿の効果がなかったとする。

186 千鳥の鳴く佐保川の川霧が、立ったらしい。山の木の葉も色が変って紅葉していくことだ。延喜五年(九〇五)二月十日、藤原定国四十賀屏風歌。忠岑集。○千鳥　秋に河辺で鳴く。千載集から冬の景物になる。○佐保の河　大和国。千鳥や霧を景物とする。「千鳥鳴く佐保の川霧立ち返りつれなき人を恋ひわたるかな」(古今六帖一・凡河内躬恒)。○霧　木の葉を紅葉させる。○山　佐保山。柞(ははそ)の紅葉で知られる。▽古今・賀に重出。五句「色まさりゆく」。

187 風が寒くなったので、私の衣服を砧で打つ折には、萩の下葉も色がまさったことだ。延喜六年(九〇六)、内裏屏風歌。貫之集。○唐衣　→一四九。○打つ　砧に生地を置き、槌で打ち柔らかくすること。擣衣。擣衣が秋の部立の主題になるのは、後拾遺集から。ここは、萩の下葉の紅葉が中心。○下句　萩の下葉の紅葉は、秋の早い時期。「秋萩の下葉色付く今よりや独りある人の寝ねがてにする」(古今・秋上・よみ人知らず)。

188 神奈備の三室の山を今日見ると、下草にかけて色付いていたことだ。○三百六十首　好忠集で、一年三百六十日を四季・十二ヶ月・三旬に分けて、一日一首ずつ日記的に連作した部分。毎月集とも呼ばれる。○神なび　山や森などの神の鎮座する場所。○みむろの山　御室山とも。大和国。紅葉の名所。本来は、神霊が降臨する山をさす普通名詞で、各地にあった。○四句　木だけでなく、下草にかけてまで。

189 紅葉しない、常緑という名を持つ常盤の山は、吹く風の音で、秋であることを聞き分けるのであろうか。歌合歌。○ときはの山　山城国。本来は、普通名詞か。その名から、常緑を連想させる。○聞きわたる　辺り一帯を吹く秋風の音で聞き分ける。目では秋を知ることができないので、耳で聞き分けて秋を知る。▽古今・秋下・紀淑望歌で重出。

190 紅葉(もみぢ)せぬときはの山に住(す)む鹿(しか)はを(お)のれ鳴(な)きてや秋を知(し)る覧(らん)

よみ人知(し)らず

191 秋風の打吹(うちふく)ごとに高砂の尾上(をのへ)の鹿(しか)の鳴(な)かぬ日ぞなき

192 秋風(あきかぜ)をそむく物から花薄(すゝき)行(ゆ)く方をなど招(まね)くなるらん

初瀬(はつせ)へ詣(まう)で侍(はべり)ける道(みち)に、佐保山のもとにまかりやどりて、朝(あした)に霧(きり)の立(た)ちわたりて侍ければ

193 紅葉(もみぢ)見にやどれる我と知(し)らねばや佐保(さほ)の河霧(ぎり)立(た)ち隠(かく)すらん

恵慶法師

題知(し)らず

194 もみぢ葉(ば)の色をし添(そ)へて流(なが)るれば浅(あさ)くも見えず山河の水

よみ人知(し)らず

190 紅葉しない常盤の山に住む鹿は、自分で鳴いて秋を知るのであろうか。抄二〇三。○鹿　秋に、妻を恋い、萩のもとで鳴くとされた。「我が岡にさ牡鹿来鳴く初萩の花妻どひに来鳴くさ牡鹿」(万葉集八・大伴旅人)。○四句　鹿の鳴き声は、秋の季節感の典型。▽重之集にあり。

191 秋風の吹く度ごとに、高砂の尾上の鹿の鳴かない日はない。抄二〇一。○高砂の尾上　播磨国。鹿や松が景物。本来は、普通名詞とも。ここは、声の高さを響かせるか。「誰聞けと声高砂にさ牡鹿の長々し夜を独り鳴くらむ」(後撰・秋下・よみ人知らず)。○五句　秋風に時節を知り、妻を恋うて鳴く。

192 秋風に顔を背けるものなのに、花薄は、秋風の吹いて行く方に向かって、どうして招くのだろうか。○秋風　男性によそえる。○そむく　背を向ける。「秋風の心やつらき花薄吹き来る方をまづそむくらむ」(檜垣嫗集)。○花薄　穂の出た薄。女性によそえる。○五句　吹いて来る方には背くのに、吹き過ぎる方には招くという矛盾した態度をとるのか。「招く」は、靡くさまを、人を招くさまに見立てる。

193 紅葉を見に来て宿泊した私と知らないからか、佐保川の川霧が立って、佐保山の紅葉を隠しているようだ。恵慶集。○初瀬　大和国。ここは、長谷寺。山岳信仰の霊地であったが、観音霊場として女性の信仰も集めた。○佐保山　大和国。柞(ははそ)の紅葉で知られる。「秋霧は今朝はな立ちそ佐保山の柞の紅葉よそにても見む」(古今・秋下・よみ人知らず)。○河霧　→一八六。○五句　紅葉を隠す霧という類型的な趣向。

194 紅葉の葉の深い色を加えて流れているので、浅くも見えない、山川の水は。○初・二句「もみぢ葉の色」は、四句の「浅く」に対して、「深し」を暗示する。「添へて」は、水の色に紅葉色を加えて。「染めて」と同じこと。「水の色に花のにほひを今日添へて千歳の秋のためしとぞ見る」(能宣集)。○四句　深く見える。深浅は、淵瀬に対応するので、深い淵のように見える。▽蔵人所の人たちと大堰川の紅葉見物をした折の能宣の歌(能宣集)。

大井河に人〳〵まかりて歌詠み侍けるに

195 もみぢ葉を今日は猶見む暮れぬとも小倉の山の名にはさはらじ　能宣

題知らず

196 秋霧の立たまくおしき山地哉紅葉の錦織り積もりつゝ　読人知らず

大井河に紅葉の流るゝを見て

197 水のあやに紅葉の錦かさねつゝ河瀬に浪のたゝぬ日ぞなき　健守法師

西宮左大臣家の屏風に、志賀の山越えに壺装束したる女ども、紅葉などある所に

198 名を聞けば昔ながらの山なれどしぐるゝ秋は色まさりけり　順

東山に紅葉見にまかりて、又の日のつとめてまかり帰るとて詠み侍ける

199 昨日より今日はまされるもみぢ葉の明日の色をば見でや止みなん　恵慶法師

195 紅葉を今日はもっと見ていよう。暮れたとしても、小倉山の小暗いという名は差し障りにはなるまい。前歌と同じ頃に、殿上人たちの紅葉見物に同行した折の詠作(能宣集)。○大井河　大堰川。山城国。嵐山付近の名。上流は保津川、下流は桂川。紅葉の名所。○小倉の山　山城国。その名から小暗いと連想させる。平安中期は嵐山を言った。○五句　小倉山の暗さも、紅葉は赤く明るいから見物の支障にはならないとする。

196 秋霧が立つのは惜しいが、立ち帰るのも惜しまれる山路だよ。紅葉の錦が織り積もってずっとあるので。抄三六。○初句「立たまく」に枕詞的にかかるが、紅葉を隠すものでもある。○立たまく「立たむ」のク語法。秋霧が「立つ」に、立ち去るの意の「立つ」を掛ける。「錦」の縁語「裁つ」も添える。○四句　紅葉を錦に見立てた類句。拾遺集にはかなり多く見られる。○五句「織り」は、「錦」の縁語。「つつ」は継続。錦の織物が延々と続くさま。

197 水の綾に、紅葉の錦を重ねて襲にしながら、川瀬に波が立ち、綾や錦を裁たない日はない。○水のあや　波紋。「綾」に見立てる。○二句 →一九六。○かさね「重ね」に「襲」を掛ける。○たゝぬ　波の「立つ」に、「綾」「錦」の縁語「裁つ」を掛ける。

198 名を聞くと、昔ながらの長等山であるけれど、時雨の降る秋は、色がまさるのであった。源高明大饗屏風歌。順集。○西宮左大臣　高明。○志賀の山越え　近江国。京都の北白河から大津へ抜ける山越えの道。志賀寺(崇福寺)参詣などに利用された。○壺装束　女性の徒歩での外出の服装。髪を着こめ、市女笠をかぶり、袿を端折り、また、単衣を頭からかずいたりした。○ながらの山　長等山。近江国。「昔ながら」を言い掛ける。○五句　昔のままでなく、色がまさるとする。▽雑秋に重出。→二三九。

199 昨日より今日はまさっている紅葉の葉の、明日の色を見ないで止めようとするのか。抄三四・五句「みでやかへらん」。○東山　山城国。京の東方。○五句「や」は、疑問。気分としては、詠嘆がこもる。昨日・今日・明日と色の深まる紅葉を、見届けないで帰る無念さを表出。

天暦(てんりやく)御時、殿上の男(をのこ)ども紅葉見に大井にまかりけるに

200 もみぢ葉を手ごとに折(を)りて帰(かへ)りなん風の心もうしろめたきに

源延光(のぶみつ)朝臣

201 枝ながら見てを帰(かへ)らんもみぢ葉(ば)は折(を)らんほどにも散(ち)りもこそすれ

源　兼光(かねみつ)

題知(し)らず

202 河霧の麓(ふもと)をこめて立(たち)ぬれば空(そら)にぞ秋の山は見えける

深(ふか)養(や)父(ぶ)

竹生島(ちくぶしま)に詣(まう)で侍(はべり)ける時、紅葉(もみぢ)の影(かげ)の水に映(うつ)りて侍ければ

203 水うみに秋の山辺(べ)をうつしてははたばり広(ひろ)き錦とぞ見る

法橋観教(くわんけう)

二条右大臣(にでうのうだいじん)の粟田の山里(ざと)の障子の絵(ゑ)に、旅人(たび)紅葉(もみぢ)の下(した)にやどりたる所

204 今よりは紅葉のもとにやどりせじおし(を)むに旅の日数(かず)へぬべし

恵慶法師

200　紅葉の枝を、それぞれが手折って持ち帰ろう。散らそうとする風の心も気がかりだから。○天暦御時 →六。○大井　山城国。→一九五。○四句「風の心」は、類型的な紅葉を散らす風の擬人化。「も」は、紅葉の色も移ろうし、風も散らす。「佐保山の風の心も知らずして紅葉見ずとや今宵明かさむ」(恵慶集)。

201　枝に付いたままを見て帰ろう。紅葉の葉は、折ろうとする間にも、散ってしまうといけないから。○初句　折らずに枝のまま。前歌とは反対で、問答する形になる。「萩の露玉に貫かむと取れば消ぬよし見む人は枝ながら見よ」(古今・秋上・よみ人知らず)。○見てを　「て」は底本補入。「を」は、間投助詞。→一七。○五句「もこそ」は、不安懸念を表す。

202　川霧が麓をとじ込め、立ち込めているので、空に浮かんで秋の山は見えたことだ。深養父集。○二句「こむ」は、麓を閉じ込める意と、霧が立ち込める意を掛ける。深養父の造語か。○秋の山は見えける　紅葉しているはずだが、川霧の上に浮かぶことで秋の山と見えたとする。観察の細やかな具象性のある叙景歌のようだが、機知的な面を無視しがたい。

203　湖水に秋の山辺の景色を映して、横幅の広い錦と見えることだ。抄一二五。○竹生島　近江国。琵琶湖東北の島。島の宝厳寺本尊は千手観音。観音信仰の隆盛で京からの参詣人も多かった。○水うみ　潮海に対していう。琵琶湖の場合が多い。○はたばり　端張り。織物の横幅。歌語には、あまり用いない。○錦　紅葉の錦。▽三奏本金葉・秋に重出。

204　これからは、紅葉のもとに宿りはするまい。散るのを惜しんでいるうちに、旅の日数が経ってしまうに違いないから。抄一三一・三句「やどとらじ」。藤原道兼障子絵歌。○二条右大臣　道兼。○粟田　山城国。道兼の山荘があり、それにちなみ道兼は粟田殿と言われた。○障子の絵襖絵。○おしむ　紅葉への愛着。「もみぢ葉を惜しむ心のわりなきにいかにせよとぞ秋の夜の月」(恵慶集)。○五句　紅葉を見ていて時の経過を忘れ、結果的に旅の日数が増える。「ぬべし」は確実性の強い推量。

題知らず

205 とふ人も今はあらしの山風に人松虫の声ぞかなしき

よみ人知らず

延喜御時、中宮御屛風に

206 散りぬべき山の紅葉を秋霧のやすくも見せず立隠すらん

貫　之

題知らず

207 秋山のあらしの声を聞く時は木の葉ならねど物ぞかなしき

僧正遍昭

208 秋の夜に雨と聞えて降る物は風にしたがふ紅葉なりけり

貫　之

209 心もて散らんだにこそ惜しからめなどか紅葉に風の吹らん

205　訪ねる人も今はあるまい。嵐山の草木を荒らす山風の音と共に、人を待つ、松虫の声がひどく悲しい。抄二三・五句「こゑぞきこゆる」。○二・三句「あらし」は、「今はあらじ」に、「荒らし」と「嵐」を掛ける。「あらしの山」は、嵐山。山城国。嵯峨野の山。「嵐」は、「山風」と文字的に響き合う。「吹くからに秋の草木のしをるればむべ山風を嵐といふらむ」(古今・秋下・文屋康秀)。○人松虫　「人待つ」と「松虫」の掛詞。↓一八一。

206　散ってしまいそうな山の紅葉を、秋霧はたやすく見せないで、立ち隠すのだろうか。抄二七・四句「やすくも見せで」。延長二年(九二四)五月、中宮藤原穏子屏風歌。貫之集。○中宮　穏子の立后は、前年の四月二十六日。○秋霧　霧が紅葉を隠すという類型的な趣向。○五句　「らむ」は、疑問・不審の意。

207　秋山の、吹き荒らす嵐の声を聞く時は、散らされる木の葉ではないけれど、まことに物悲しいことだ。抄二八・五句「我ぞかなしき」。遍昭集。○あらし　「嵐」に、「荒らし」を掛ける。○木の葉　風に散らされる存在。ここは紅葉を暗示する。風に散る紅葉は類型的な趣向。

208　秋の夜に雨音かと聞えて降るものは、風に従って散る紅葉の音であった。抄二九・二、四句「ふりつるは風にみだるる」。寛平御時后宮歌合歌。○二・三句　雨音かと聞く音は、風に散る紅葉の音だとする趣向。漢詩文の影響による発想で、この時期では貫之に特徴的な傾向。「梧楸影中、一声之雨空灑」(和漢朗詠集・秋・落葉・源順)。▽後撰・秋下・よみ人しらずで重出。

209　自分の意志で散ろうとするだけでも惜しいだろうに、どうしてさらに紅葉に風が吹くのだろう。抄五八二。延長七年(九二九)十月十四日、元良親王四十賀屏風歌。貫之集。○初句　紅葉が自分の意志で。○二・三句　「む」は、仮定。「だに」は、我慢できる最低の限度を表す。「こそ…め」は、逆接条件で下に続く用法。○五句　風が吹いて、散る紅葉に追い討ちをかける。「雪とのみ降るだにあるを桜花いかに散れとか風の吹くらむ」(古今・春下・凡河内躬恒)。

嵐の山のもとをまかりけるに、紅葉のいたく散り侍ければ　右衛門督公任

210 朝まだき嵐の山の寒ければ紅葉の錦着ぬ人ぞなき

題知らず　能宣

211 秋霧の峰にも尾にもたつ山は紅葉の錦たまらざりけり

大井に紅葉の流るゝを見侍て　壬生忠岑

212 色〳〵の木の葉流るゝ大井河下は桂の紅葉とや見ん

題知らず　好忠

213 招くとて立も止まらぬ秋ゆへにあはれ片寄る花薄哉

暮の秋、重之が消息して侍ける返事に　平兼盛

214 暮れてゆく秋の形見に置く物は我が元結の霜にぞ有ける

210 早朝に、早くも嵐山の辺りは嵐が吹いて肌寒いので、紅葉の錦を着ない人はいない。抄一三〇・四句「ちるもみぢばを」。法輪寺参詣の折に、嵐山で詠んだ歌(公任集)。○初句　夜が明ける前の「朝まだき」に、早くもの意の「まだき」を掛ける。○嵐の山　山城国。嵐を連想させる。○五句　身に散りかかる紅葉を、衣服として着ると見た趣向。▽公任の三船の才を語る大鏡・頼忠伝に、「小倉山嵐の風の…」の形で載る。

211 秋霧が峰にも尾にも立つ山は、紅葉の錦を裁つから枝に溜まらず、紅葉がよく見えないことだ。歌合歌(能宣集)。○たつ　霧が「立つ」に、錦の縁語「裁つ」を掛ける。○五句　秋霧が隠すのでなく、紅葉の錦を裁つので枝に溜まらず見えないとする独自の趣向。

212 色とりどりの木の葉が流れる大井川だが、下流の桂川では、桂の紅葉と見るだろうか。○初句　色さまざまの。あるいは、さまざまな種類のとも。「色々の木の葉落ち積む山里は錦にとめるなき名立つらん」(忠岑集)。○大井河　大堰川。山城国。→一九五。○下　下流。桂川となる。○桂の紅葉　桂の木の紅葉。桂川からの連想。上流では「色々の木の葉」の紅葉であった。中国の故事で、月に生えているとする桂の木のことを響かす。▽作者は、子の忠見で、屏風歌か(忠見集)。

213 招いたとしても、立ち留まりもしない秋ゆえに、気の毒にも、去る方に片寄りなびく薄の花だよ。好忠集(三百六十首和歌)。○招く　花薄の風になびくさま。「花薄」の縁語。→一五六。○片寄る　あるもののほうに身や心を寄せる。好忠の好んだ語。「絶ゆるよもあらじとぞ思ふ春を経て風に片寄る青柳の糸」(好忠集)。○花薄　女性をよそえ、「秋」が男になる。「招く」「片寄る」も女性の所作である意を添える。

214 暮れ去って行く秋が、形見として残して置くものは、私の元結の霜、白髪であったことだ。抄一三三。○暮の秋　秋の終り。九月末。○重之　源氏。兼盛と親交があった。○元結　結った髻(もとどり)を束ねる紙縒や紐の類。○霜　白髪の見立て。行く秋に、老いをひとしお意識する。

拾遺和歌集巻第四　冬

延喜(えんぎ)御時、内侍(ないし)の督(かみ)の賀の屛風に

215 あしひきの山かきくもりしぐるれど紅葉はいとゞ照(て)りまさりけり

紀　貫之(つらゆき)

寛和二年、清涼殿の御障子(みさうじ)に、網代(あじろ)描(か)ける所

216 網代木にかけつゝ洗(あらふ)唐錦日を経(へ)て寄(よ)する紅葉なりけり

よみ人知(し)らず

時雨し侍(はべり)ける日

217 かきくらししぐるゝ空(そら)をながめつゝ思(おもひ)こそやれ神なびの森(もり)

貫(つら)之(ゆき)

215 山はあたり一面暗くなって時雨れるけれど、紅葉の色は一段と照りまさっていることだ。抄二三六。延喜十三年(九一三)十月十四日、尚侍藤原満子四十賀屏風歌。貫之集。○延喜御時 →五。○内侍の督 尚侍。内侍司の長官。ここは、満子のこと。○初句 「山」の枕詞。○かきくもり 五句の「照りまさり」と対照的になる。「鏡山山かきくもりしぐるれど紅葉の色は照りまさりけり」(素性集)。○三句 時雨は、晩秋から初冬にかけて降るが、平安時代中期頃から、冬十月の景物として固定する。紅葉を染めるものでもある。だから、色は「照りまさりけり」となる。→二三八。

216 網代木に繰り返し掛けて洗う唐錦は、何日もかけてうち寄せた紅葉であったよ。抄二三九。寛和二年内裏歌合歌・大中臣能宣。○清涼殿の御障子 東孫廂北よりに置かれた衝立障子。その南側には手長・足長が描かれた荒海障子が置かれた。「北面、宇治網代布障子、墨絵也」(禁秘抄)。○網代木 漁をするために川に立て並べた杭。宇治川の景物。田上川(→一二三)と共に朝廷の網代があり、九月から十一月まで毎日献上された(延喜式・内膳)。○洗 網代に寄せる紅葉を川水が「洗ふ」とする。蜀の江水で錦を洗うと、色艶を増すという。「貝錦斐成、濯二色江波一」(文選・蜀都賦)。○唐錦 舶来の錦の意。○日を 網代で捕る鮎の稚魚の「氷魚」を掛ける。○寄する紅葉 網代に寄せる紅葉を、水にさらす錦に見立てる。▽能宣集にあり。

217 あたり一面を暗くして時雨れる空を眺めながら、思いやることだ、神なびの森を。抄二三八。寛和二年内裏歌合歌・藤原実方。○四句 時雨が降ると紅葉の色がまさるので、その名所に思いをはせる。○神なびの森 未詳。大和国か。摂津国・山城国説もある。時雨と紅葉の名所。神なび →一八八。「神無月時雨もいまだ降らなくにかねて移ろふ神なびの森」(古今・秋下・よみ人知らず)、「神無月時雨と共に神なびの森の木の葉は降りにこそ降れ」(後撰・冬・よみ人知らず)。

題知らず　　よみ人知らず

218 神無月時雨しぬらし葛の葉のうらこがる音に鹿も鳴くなり

奈良の帝、龍田河に紅葉御覧じに行幸ありける時、御供につかうまつりて　　柿本人麿

219 龍田河もみぢ葉流る神なびのみむろの山に時雨降るらし

散り残りたる紅葉を見侍て　　僧正遍昭

220 唐錦枝に一むら残れるは秋の形見をたゝぬなりけり

延喜御時、女四の内親王の家の屛風に　　貫之

221 流くるもみぢ葉見れば唐錦滝の糸もて織れるなりけり

屛風に　　平兼盛

222 時雨ゆへかづく袂をよそ人は紅葉を払ふ袖かとや見ん

218　十月になり時雨が降っているらしい。葛の葉が裏返って赤く色付くように、妻を恋い焦がれ、紅い涙を流し、声を立てて鹿も鳴いている。○神無月時雨　→二三五。○三句　風に葉が裏返り、白く目立つことから、「裏」にかかる枕詞。「秋風の吹き裏返す葛の葉のうらみてもなほ恨めしきかな」（古今・恋五・平定文）。○うらこがる　葉の裏が色付く。恋い焦がれる意を重ね、紅涙を暗示する。紅葉は、紅涙で染まる衣の袖によそえられる。

219　龍田川に紅葉の葉が流れている。神なびの三室山に時雨が降って、紅葉を散らしているらしい。人麿集。○奈良の帝　人麿の時代なら文武天皇だが、平安時代の意識としては平城天皇か。○龍田河　大和国。流れる紅葉の名所。○神なびのみむろの山　大和国。→一八六。○五句　龍田川に流れる紅葉から、三室山の時雨を推測する。▽古今・秋下・よみ人知らずに重出。

220　唐錦の一匹（らむ）のように、紅葉が枝に一群残っているのは、錦を裁たぬではないが、秋の形見を絶たないためであったよ。抄一三四。遍昭集。○唐錦　舶来の錦。ここは、紅葉の見立て。○一むら　一匹。布二反分を一巻きにしたもの。○紅葉の「一群」を掛ける。○たゝぬ　絶たぬ。「錦」の縁語「裁たぬ」を掛ける。○なりけり「けり」は気づき。

221　流れて来る紅葉を見ると、この紅葉の唐錦は、滝の糸でもって織ったものであったよ。抄五八四・四句「たきのいとして」。延喜十八年（九一八）二月、醍醐天皇第四皇女勤子内親王裳着屏風歌。貫之集。○女四の内親王　→一〇三。○唐錦　→二三〇。○下句　滝を流れ下る水を糸に見立て、紅葉に見立てられた唐錦が織られたとする。

222　時雨が降るゆえに頭にかざす袂を、事情を知らない人は、散りかかる紅葉を払う袖と見るであろうか。抄一三七・五句「袖かとや見る」。九条右大臣師輔家屏風歌（彰考館本兼盛集）。○かづく　時雨を避けて、頭を袖で覆う。○袂　袖。「袖」「袂」の両方を用い、変化を付けている。○四句　風流を解さない行為。▽能宣集にもあるが、兼盛歌の竄入であろう。

百首歌の中に

223 葦(あし)の葉(は)に隠(かく)れて住(す)みし津(つ)の国(くに)のこやもあらはに冬は来(き)にけり

源　重之(しげゆき)

題知(し)らず

224 思(おもひ)かね妹(いも)がり行(ゆ)けば冬の夜の河風寒(さむ)み千鳥(ちどり)鳴(な)くなり

貫(つら)之(ゆき)

225 ひねもすに見れども飽(あ)かぬもみぢ葉(ば)はいかなる山の嵐なるらん

よみ人知(し)らず

226 夜を寒(さむ)み寝覚(ねざ)めて聞(き)けば鴛鴦(をしどり)の浦山(うらやま)しくもみなるなる哉(かな)

227 水鳥の下安(したやす)からぬ思ひにはあたりの水もこほらざりけり

223 葦の葉に隠れて住んだ津の国の昆陽(こや)に建てた小屋も、葦が枯れてあらわになり、はっきりと冬は来たのであった。抄一三五・二、三句「かくれて見えし我がやどの」、五句「冬ぞきにける」。冷泉院百首歌。重之集。○百首歌 →八一。○津の国の　摂津の国の。枕詞的に「こや」を導く。上句が「こや」を導く序詞のようになっている。○こや　昆陽。摂津国。「小屋」を掛ける。○あらはに　小屋があらわになる意に、冬の気配がはっきりする意を掛ける。

224 思いに堪えかね、愛する人のもとに訪れて行くと、冬の夜の川風が寒いので、千鳥もわびしそうに鳴いている。抄五八三。承平六年(九三六)春、左衛門督藤原実頼屛風歌(貫之集)。○妹がり　愛する女性、妻のもとに。○四句　川風が寒いので。冬の寒夜をわびるのは、水鳥の類型。○鳴くなり　「なり」は、聴覚に基づく判断を表す。千鳥の鳴き声を聞き、それと推定する。千鳥も愛する人を求めて鳴くとする。

225 一日中見ていても飽きない紅葉の葉は、どのような山の嵐が吹き寄こしたのだろうか。○もみぢ葉　庭に降り敷かれたもの。○下句　紅葉を吹散らす嵐の風。紅葉を散らす風という類型になる。▽長能集にあり。

226 夜が寒いので、寝られずに目を覚まして聞くと、鴛鴦が羨ましいことに、水に馴れて睦まじくしているようだ。抄一四四・三句「にほ鳥の」。○初・二句　独り寝の様子。○鴛鴦　番いでいることから、夫婦仲のよさに喩えられる。○浦山しく　定家本の文字遣い。羨ましく。その対象は、鴛鴦の「みなる」様子。○みなる　水に馴れる意の「水馴る」に、睦まじく寄り添う意の「見馴る」を掛ける。番いの鴛鴦は寒さを感じず水に馴れ、睦んでいるらしい。「をしどりのみなるる音はつれなきを下苦しとは知るらめや人」(好忠集)。

227 水鳥が、足を水の下でせわしなく動かす、心穏やかでない「思ひ」の火によって、あたりの水も凍らないのであったよ。抄一四五。○二句　心がやすらかでない意に、しきりに足を動かす意を掛ける。○思ひ　「火」を掛ける。○五句　「けり」は、気づき。

228 夜を寒み寝覚めて聞けば鴛鴦ぞ鳴く払もあへず霜や置くらん

定文が家の歌合に

229 霜の上に降る初雪の朝 氷とけずも物を思頃哉

右衛門督公任

題知らず

230 霜置かぬ袖だにさゆる冬の夜に鴨の上毛を思こそやれ

橘行頼

231 池水や氷とくらむ葦鴨の夜深く声のさはぐなる哉

紀友則

232 飛びかよふ鴛鴦の羽風の寒ければ池の氷ぞさえまさりける

228　夜が寒いので、寝られずに目を覚まして聞くと、鴛鴦が鳴く。すっかり払いきれずに、冷たい霜が上毛に置くのであろうか。○初・二句　↓三六。○三句　鴛鴦が鳴く理由は、下句に示される。すなわち、霜をわびしく思って鳴く水鳥という典型的な趣向による。○四句　羽に次々に置く霜を払いのけることができずに。▽後撰・冬に重出。

229　霜の上に降る初雪が朝に氷となって解けないように、心が寛ぐこともなく、物思いするこのごろだよ。抄一四六。平定文歌合歌・下句「とけむほどこそ久しかりけれ」。○上句　霜、初雪、氷と、冷たく凝り固まった冬の景物を並べる。「とけず」を導く序詞。「降る雪は解けずや氷る寒ければつまぎこるよと言ひてしものを」(一条摂政御集)。○とけず　氷が解けずと、心のしこりが解けずを掛ける。▽恋三に重出。↓八四六。

230　霜の置かない袖でさえも冷え切ってしまう冬の夜に、霜の置く鴨の上毛を思いやることだ。抄一五二・三句「冬のよは」。公任集。○さゆる　冷える。○鴨の上毛　鴨の表面の羽。霜が置くものとする。「冬の池の鴨の上毛に置く霜の消えて物思ふころにもあるかな」(後撰・冬・よみ人知らず)。○五句　冷たさを思いやる。

231　池の水は、氷が解けているのだろうか。鴨が、夜深い時分に、鳴き声をあげて騒いでいることだ。○葦鴨　鴨の歌語。鴨は、葦の生えている水辺にいることから。○夜深く　朝からの時間意識だが、夜の気配が濃く、まだ夜明けまでは程遠い時刻。暁の頃。鳥が鳴き始める時分でもある。↓九六。○さはぐ　鴨が活動を始めた様子。万葉集に「葦鴨騒ぎ」「あぢ群(らむ)騒ぎ」という類型表現が見られる。「葦鴨の騒ぐ入江の白浪の知らずや人をかく恋ひむとは」(古今・恋一・よみ人知らず)。

232　飛びまわる鴛鴦の羽風が寒いので、池の氷は冷たさを増すことだ。○初句　あちこちに飛び違う。「飛びかよふ草の螢はいとどしくこの河辺にや光りますらむ」(大斎院前御集)。○羽風　鳥が飛ぶことによって、羽がおこす風。「小夜深く旅の空にて鳴く雁はおのが羽風や夜寒なるらむ」(後拾遺・秋上・伊勢大輔)。

233 水の上に思し物を冬の夜の氷は袖の物にぞ有ける　よみ人知らず

屏風に

234 ふしづけし淀の渡を今朝見ればとけん期もなく氷しにけり　平兼盛

題知らず

235 冬寒みこほらぬ水はなけれども吉野の滝は絶ゆる世もなし　よみ人知らず

恒徳公家の屏風に

236 冬されば嵐の声も高砂の松につけてぞ聞くべかりける　能宣

237 高砂の松に住む鶴冬来れば尾上の霜や置きまさるらん　元輔

233 水の上にあると思っていたものだが、冬の夜の氷は、袖の上のものであったよ。抄一五一・初句「水のうへと」。○冬の夜の氷　寒さで氷った涙。八代集抄「寒夜、堪へがたき泪の袖に氷りたるさま也」。○袖　一人寝の袖。

234 柴(ふし)漬けの仕掛けをした淀の渡し場の辺りを今朝見ると、解ける時もないほど、氷っていたことだ。抄一四〇。藤原師輔家の屏風歌(彰考館本兼盛集)。花山院歌合歌(長能集)とも。○ふしづけ　柴漬け。冬に柴の束を水中に漬けて置き、そこに魚が集まったのを、春になって上げて捕る仕掛け。「泉川水のみわたのふしづけに柴間のこほる冬は来にけり」(千載・冬・藤原仲実)。○淀の渡　→一二三。○期　時。時期。僻案抄、古来風体抄などに、歌語でない旨の指摘がある。→九二九。

235 冬の寒さに、凍らない水はないけれども、吉野の滝は絶える時もない。抄一四一。○初句　語法的には、冬が寒いので、の意。○吉野の滝　大和国。「滝」は激流。○五句　「瀬もなし」とする本もある。吉野の滝が凍らない理由は不明。凍るとする歌もある。「氷こそ今はすらしもみ吉野の山の滝つ瀬声も聞こえず」(後撰・冬・よみ人知らず)。

236 冬になると、嵐の音も高まるので、高砂の松に吹く風音で、冬になったかどうかを聞き分けるべきであったよ。永観元年(九八三)八月一日頃(元輔集)、藤原為光障子絵歌。能宣集。○恒徳公　為光のおくり名。一条殿。○嵐　激しい風。秋から冬にかけての景物。○高砂　播磨国。松や鹿が景物。「嵐の声も高」と言い掛ける。▽この障子絵には、能宣のほかに、源順・清原元輔・源兼澄らも詠進した(各家集)。

237 高砂の松に住む鶴は、冬が来ると、山の尾根と、尾の上に霜の置くのが増えるであろう。抄一四二。前歌と同じ折の障子絵歌(元輔集)。○高砂　→二三六。○鶴　松と、類型的に配合される。○尾上　鳥の尾の上。歌枕「高砂の尾上」を言い掛ける。○霜　鶴と霜との色のまぎれ。八代集抄は「声々已断華亭鶴」(和漢朗詠集・上・霜)を引き、鶴が霜を嫌って鳴かなくなることを詠んだものとする。華亭は、鶴の名所である。

題知らず

238 夕されば佐保の河原の河霧に友まどはせる千鳥鳴くなり

紀友則

239 浦近く降り来る雪は白浪の末の松山越すかとぞ見る

人麿

廉義公家障子

240 冬の夜の池の氷のさやけきは月の光の磨くなりけり

元輔

題知らず

241 冬の池の上は氷にとぢられていかでか月の底に入らん

よみ人知らず

月を見て詠める

242 天の原空さへさえや渡らん氷と見ゆる冬の夜の月

恵慶法師

238　夕方になると、佐保の川原の川霧にまぎれて、友とはぐれた千鳥が鳴くことだ。抄一四三・初句「冬さむみ」。寛平御時の殿上人歌合(友則集)。○佐保の河原　大和国。川霧や千鳥が景物。↓一八六。○四句　友を見失う。「声立てて鳴きぞしぬべき秋霧に友まどはせる鹿にはあらねど」(後撰・秋下・紀友則)。○五句　千鳥が悲しげに鳴く。千鳥が友や妻を呼んで鳴くのは、万葉集以来の類型的趣向。

239　浦近くまで降って来る雪は、白波が末の松山を越すかと見える。寛平御時后宮歌合歌・藤原興風。○初句　沖のほうから海辺近くまで。○白浪　雪の見立て。○末の松山　陸奥国。「君をおきてあだし心を我が持たば末の松山波も越えなむ」(古今・東歌)により、波が決して越えないとされる。変心しないと愛情を誓う恋歌に多く用いられ、このような叙景の例は珍しい。▽古今・冬・藤原興風で重出。興風集にあり。

240　冬の夜の池の氷が清らかなのは、澄み切った月の光が磨くからだった。藤原頼忠障子絵歌。○廉義公　頼忠のおくり名。○さやけき　八代集抄「清明なる也。月に映じて清き心也」。○磨く　磨くは、銅鏡の表面を磨くことを連想させるので、池の氷が鏡に見立てられている。「雲晴れて空に磨ける月影を山の氷と言ひなおとしそ」(重之集)。○なりけり　気づき。

241　冬の池の上は氷に閉ざされているのに、どうして月は底に入ったのだろうか。抄一五三・三句「とぢたるを」・五句「そこに見ゆらむ」。寛平御時后宮歌合歌・坂上是則。○底に入らん　池の水(氷)面に映る影は、底にあるとするのが、当時の通念。▽是則集にあり。

242　広い大空までが一面冷え切っているのであろうか。氷と見える冬の夜の月だよ。抄一五四。歌合歌(恵慶集)。○天の原　広々とした大空の形容。○下句　冬の寒天から、月を氷に見立てる。漢詩文の発想か。「冬の夜の氷と見ゆる月の色は身にしみてこそさえわたりけれ」(重之子僧集)、▽古今六帖では貫之作とし、今昔物語集二十四、古本説話集上では、安法法師の歌とするが、恵慶の歌で間違いないだろう。

243
初雪を詠める

宮こにてめづらしと見る初雪は吉野の山にふりやしぬらん

源景明

244
女を語らひ侍けるが、年ごろになり侍にけれど、うとく侍ければ、雪の降り侍けるに

降るほどもはかなく見ゆるあは雪のうら山しくも打とくる哉

元輔

245
山藍に雪の降りかゝりて侍けるを

あしひきの山藍に降れる白雪はすれる衣の心地こそすれ

伊勢

246
斎院の屛風に

夜ならば月とぞ見まし我が宿の庭白妙に降れる白雪

貫之

247
題知らず

我が宿の雪につけてぞふる里の吉野の山は思ひやらるゝ

能宣

243　都では珍しいと見る初雪は、吉野山ではもう何度も降って、古びてしまったのではなかろうか。抄一四七・二―四句「めづらしくみるはつ雪を吉野の山は」。○めづらし　目新しい。「めづらしと言ふべけれども初雪の昔ふりにし今日ぞかなしき」(小大君集)。○吉野の山　大和国。ここでは、寒い山里とされ、雪が景物。○ふり「古る」に、「降る」を掛ける。

244　降っている時でもはかなく見える淡雪は、羨ましくも、我々の仲とは違い、すぐにうち解けることだ。抄一五七。○語らひ　男女の仲になる。○侍ければ　底本「侍侍ければ」の上の「侍」を見セ消チ。○降る　年を「経る」を掛ける。○あは雪　万葉集では、消えやすい沫(あわ)雪で、平安時代になると、うっすらと積もった淡雪になる。○四句　羨ましくも。定家本の文字遣い。○打とくる　雪が溶ける意に、男女の仲がうち解ける意を掛ける。

245　山藍に降り積もった白雪は、摺り染めた衣のような気がすることだ。抄一五六。伊勢集。○山藍「山藍(やまあゐ)」の約「山藍(やまゐ)」。緑色の染料を採るトウダイグサ科の多年草。藍染するタデ科のアイとは別。「山間」と掛けるとする説や、「山井」と掛けるとする説もある。○あしひきの「山藍」の枕詞。○すれる衣　ここでは、山藍の葉から採った染料で白地の布に摺り染めにした衣。青摺りと言い、神事の小忌(おみ)の衣などに用いる。ここは、山藍に降った雪を、山藍で染めた衣に見立てた。

246　夜ならば、月とでも見るであろう。我が家の庭に、真白に降り積もった白雪は。延喜十六年(九一六)、醍醐天皇第二皇女、斎院宣子内親王屏風歌。貫之集。○斎院　宣子。前年七月、卜定(一代要記)。○白妙に　真白に。○白雪　月光に見立てる。「あさぼらけ有明の月と見るまでに吉野の里に降れる白雪」(古今・冬・坂上是則)。▽後撰・冬・よみ人知らずに重出。

247　我が家に積もる雪につけて、故里の吉野山はどれほどかと思いやられることだ。歌合歌(能宣集)。○ふる里　八代集抄「吉野は天武の皇后の跡なれば、古郷といふ也」。歴史や伝承に彩られた故地。○吉野の山　大和国。雪の名所。

屏風の絵(ゑ)に、越(こし)の白(しら)山描(か)きて侍ける所に　藤原佐忠(すけただ)朝臣

248 我一人越(ひとりこし)の山地(やまぢ)に来(こ)しかども雪ふりにける跡を見る哉(かな)

題知(し)らず　忠(たゞ)見(み)

249 年経(ふ)れば越(こし)の白(しら)山老(お)いにけり多(おほ)くの冬の雪積(つ)もりつゝ

入道摂政(にふだうせつしやう)の家の屏風に　兼(かね)盛(もり)

250 見わたせば松の葉(は)白(しろ)き吉野(よしの)山幾世(いくよ)積(つ)もれる雪にかある覧(らん)

題知(し)らず　人麿(まろ)

251 山里(ざと)は雪降(ふ)りつみて道もなし今日(けふ)来(こ)む人をあはれとは見む

252 あしひきの山地(やまぢ)も知(し)らず白樫(しらかし)の枝にも葉(は)にも雪の降(ふ)れゝば

248 自分一人越の白山に来たけれど、雪が降り積もった跡に、誰かの通った跡を見たことだ。抄一四九・二句「こしのこしぢを」・五句「あとをこそ見れ」。○越の白山　越前国・加賀国。雪の名所。○山地　山路。定家本の文字遣い。越の山路は、白山のこと。○雪ふり　「雪降る」に、行きずりの意の「行きふり」を掛ける。

249 長い年が経過して、越の白山も老いてしまったことだ。多くの冬が行き過ぎ、雪が積もり積もって。抄一五九(諸本で詞書や作者に異同がある)。堀河本作者名「壬生忠峯」。内裏屏風歌か(忠見集)。○越の白山 →二四八。○三句　白山の雪を白髪に見立て、山が年老いたとする。○五句「雪」に、「行き」を掛ける。

250 見渡すと、松の葉が白くなっている吉野山は、幾代積もった雪なのだろうか。抄一四八。永延二年(九八八)三月二十五日、藤原兼家六十賀屏風歌。賀宴は、常寧殿で催された(日本紀略)。兼盛集。○入道摂政　兼家。○二句　長寿の老人の姿の表象か。松そのものが長寿の景物。「松の葉にかかれる雪のそれをこそ冬の花とはいふべかりけれ」(後撰・冬・よみ人知らず)。○吉野山　大和国。雪の名所。○四句「幾世」に、賀の意識がある。吉野山の雪は一年中とけないとされた。雪が消えずに積もるのも、長寿を暗示する。

251 山里は雪が降り積もって道もない。今日来ようとする人を、しみじみと見るであろう。抄一五八。○三句　道も見えない。雪に閉ざされて孤絶するわび住まいも類型的。「我が宿は雪降りしきて道もなし踏み分けて訪ふ人しなければ」(古今・冬・よみ人知らず)。○五句　自分が来客を「あはれ」と見るだろう。「あはれ」は、しみじみ心動かされる意。

252 山路も分からない。白樫の枝にも葉にも、雪が降っているので。抄一五〇。人麿集。○初句「山」の枕詞。○山地 →六五。○白樫　ブナ科の常緑高木。葉の裏が白い。雪の白と白樫の白とのまぎれ。「あしひきの山におひたる白樫の知らじな人を朽ち木なりとも」(後撰・雑一・凡河内躬恒)。○万葉集十・人麻呂歌集(或本、三方沙弥)歌の異伝。

右大将定国家の屏風に　　貫之

253 白雪の降りしく時はみ吉野の山下風に花ぞ散りける

冷泉院御時、御屏風に　　兼盛

254 人知れず春をこそ待て払ふべき人なき宿に降れる白雪

屏風に　　能宣

255 新しき春さへ近くなりゆけばふりのみまさる年の雪哉

右衛門督公任

256 梅が枝に降りつむ雪は一年に二度咲ける花かとぞ見る

屏風の絵に、仏名の所　　能宣

257 をきあかす霜と共にや今朝は皆冬の夜深き罪も消ぬらん

253 白雪が降りしきる時は、吉野山の吹き下ろす風に、花が散ることだ。延喜五年(九〇五)二月十日、藤原定国四十賀屏風歌。貫之集。○み吉野　大和国。雪の名所。○山下風　万葉集の「山下風(やまのあらし)」を訓読した造語。↓七七。○五句　降る雪を散る花に見立てる。▽古今・賀に重出。

254 ひっそりと春を待っているが、雪を払うような人もいない家に、降っている白雪だよ。抄二五五。冷泉朝内裏屏風歌。兼盛集。○冷泉院　↓二五。○二句「こそ」の係り結びの逆接的な用法。○三・四句　山里に独居している趣き。

255 新しい春さえ近くなってゆくので、降りまさって、ただ古くなっていく我が身と本年の雪だよ。抄五四・三、四句「なりぬればふりのみつもる」。屏風歌(能宣集)。○新しき春　新春になれば年齢が一つ増える。○四句　雪の縁語「降る」に、「古る」を掛ける。「古る」は、「新しき」と対になる。「あらたまの年の終りになるごとに雪もわが身もふりまさりつつ」(古今・冬・在原元方)。○年の雪　過ぎ去る年や年齢を雪によそえたもの。白髪を暗示する。「白妙に頭の髪はなりにけり我が身に年の雪積もりつつ」(後拾遺・冬・藤原明衡)。

256 梅の枝に降り積もる雪は、一年に二度咲いた花かと見ることだ。寛和二年内裏歌合歌。公任集。○梅が枝　白梅。○一年に二度咲ける　歳暮の雪の花と、新春の実際の花。「色変る秋の菊をば一年に二度にほふ花とこそ見れ」(古今・秋下・冬・よみ人知らず)。○五句　枝に降り積もる雪を花に見立てて、一年に二度咲く花とする。▽公忠集にあり。

257 起きたまま夜を明かして、置いた霜と共に、今朝は皆、冬の夜のように深い罪障も消えるであろうか。能宣集。○仏名　年の暮に、仏の名を唱えて罪障を懺悔する法会。拾遺集で初めて勅撰集の主題となった。屏風絵では、雪が中心的な景物となる月次絵の画題となり、梅花や導師との別れが構図として配合された。↓二五九。○初句　仏名の行事で。霜が「置く」に、「起く」を掛ける。○深き　「夜深き」に、「深き罪」を言い掛ける。○消ぬ　「霜」の縁語。

延喜御時の屏風に

258 年の内に積もれる罪はかきくらし降る白雪と共に消えなん

貫之

屏風の絵に、仏名の朝に、梅の木のもとに、導師と主とかはらけ取りて別れ惜しみたる所

259 雪深き山地に何に帰るらん春待つ花の蔭に留まらで

能宣

屏風の絵に、仏名の所

260 人はいさ犯しやすらん冬来れば年のみ積もる雪とこそ見れ

兼盛

斎院の屏風に、十二月つごもりの夜

261 数ふれば我が身に積もる年月を送迎と何急ぐらん

百首歌の中に

262 ゆき積もる己が年をば知らずして春をば明日と聞くぞうれしき

源重之

258 年の内に積もった罪障は、空を暗くして降り積もる白雪と共に、消えてほしいものだ。抄一六〇。延喜六年(九〇六)、内裏屏風歌。貫之集。○積もれる罪　仏名の行事を暗示する。仏名の歌としては、もっとも早い用例。積もるのは、罪障と白雪。○消えなん　「なん」を願望の助詞と解したが、確述と推量の助動詞の複合とすれば、消えてしまうことであろう、の意となる。「消え」は「積もる」と共に「白雪」の縁語。

259 雪深い山路にどうして帰るのだろうか。春を待つ花の蔭に留まらないで。抄一六一・二句「山ぢへなにか」。能宣集。○導師　法会などの時、中心となって行事をする僧。○かはらけ取りて　源氏物語・幻に、似た場面がある。○山地　→二六五。ここは導師の山中の住居。○花の蔭　主邸のことだが、「雪深き山地」と対照的な華やかな都も暗示する。

260 人はさあ、罪障を犯すのであろうか。仏名を行った家は、冬が来ると、罪障は積もらず、年ばかりが積もる雪と見ることだ。右兵衛督藤原忠君屏風歌(能宣集)。○四句　「積もる」は、年が積もるに、罪障が積もる意もこめ、「年のみ積もる」で、罪障の積もらないことを暗示する。○雪　年の積もるのをよそえる。▽能宣の歌で、二五七・二五九も同じ時の作か。

261 数えると、我が身に積もっている年月を送り迎えると言って、どうして人はあくせくするのだろうか。抄一六二。兼盛集。○斎院　未詳。婉子内親王とも。兼盛集では、内裏屏風歌。○初句　かかる語句が分かりにくい。数えるのは、送り迎えた年数とする説があるが、「我が身に積もる年」か。「数ふればとまらぬものを年といひて今年はいたく老いぞしにける」(古今・雑上・よみ人知らず)。○年月　「積もる年」と言い掛ける。年月の経過は、年齢の累積でもある。○四句　旧年を送り、新年を迎える。年末のあわただしさ。

262 雪が積もるように、行き積もる自分の年をも気が付かずに、新春は明日だと聞くのは嬉しいことだ。抄一六三・よみ人知らず。冷泉院百首歌。重之集(百首)。○初句　「行き」に「雪」を添える。○明日　元旦。▽宗于集にあり。

拾遺和歌集巻第五　賀

263

天暦御時、斎宮下り侍ける時の長奉送使にてまかり帰らむとて

中納言朝忠

万世の始と今日を祈りおきて今行末は神ぞ知る覧

264

はじめて平野祭に男使立てし時、うたふべき歌詠ませしに

大中臣能宣

ちはやぶる平野の松の枝繁み千世も八千世も色は変らじ

265

仁和の御時、大嘗会の歌

よみ人知らず

蒲生野の玉の緒山に住む鶴の千とせは君が御代の数也

263 万世に続く御代の始まりと、今日を祈っておいて、これからの行末は、神の知るところであろう。抄一六四。朝忠集。○天暦御時 →六。○斎宮 伊勢神宮に仕える未婚の皇女。ここは、村上天皇第六皇女、楽子内親王(一代要記)。天暦十一年(九五七)九月五日、伊勢に下向(日本紀略)。○長奉送使 斎宮の伊勢下向(群行という)の際に同行して見送りをする勅使。中納言・参議が就任した。藤原朝忠は天暦六年に参議(公卿補任)。○まかり帰らむとて 伊勢国多気郡の斎宮寮で饗応を受けて帰京する。その際の歌か。○万世 長寿や御代の安泰を予祝する賀歌の常套表現。○下句 斎宮は原則、御代の交代で退下する。任期は神のみが知るところとなる。

264 平野社の松の枝は繁っているので、千代も八千代も、色は変るまい。抄一六五。○平野祭 平野神社の例祭。四月・十一月の上の申の日に催された。花山天皇の寛和元年(九八五)四月十日より臨時祭が同日に始められ、藤原惟成が勅使に立った(日本紀略、小右記)。○男使 勅使。○うたふべき歌 臨時祭で奉納される東遊(あずまあそび)の求子歌としてうたう歌。○初句 神社である「平野」の枕詞。○松の枝繁み 「松」は長寿を表象する景物。「枝繁み」で繁栄を予祝する。○四句 長久の時間を表す賀歌の常套表現。

265 蒲生野の玉の緒山に住む鶴の、千歳の寿命は、君の御代の数であることだ。○仁和の御時 拾遺集では光孝天皇の御代になるが、ここは仁和三年(八八七)即位の宇多天皇の御代か。その大嘗会は同四年十一月二十二日に行われた。○大嘗会 天皇即位後に一度だけ行う新嘗祭。新嘗祭は、十一月中旬の卯の日に、その年に収穫した穀物を神々に供える祭。○歌 大嘗会には、悠紀(きゆ)・主基(きす)と言って、稲・粟・酒などを献上する国が決められ、その国の地名を詠んだ和歌が詠進された。光孝朝では、悠紀が伊勢、主基が備前だが(三代実録)、宇多朝では悠紀が近江、主基が播磨であった(日本紀略)。○蒲生野の玉の緒山 近江国。鶴が景物。「玉の緒」に命の意を添える。○鶴の千とせ 鶴の寿命は、千年とされた。○君 天皇。

266 贈皇后宮の御産屋の七夜に、兵部卿致平の親王の雉の形を作りて、誰ともなくて歌を付けて侍ける

朝まだき桐生の岡に立つ雉は千世の日つぎの始なりけり

清原元輔

267 藤氏の産屋にまかりて

二葉よりたのもしき哉春日山木高き松の種ぞと思へば

能宣

268 産屋の七夜にまかりて

君が経む八百万世をかぞふればかつ〴〵今日ぞ七日なりける

269 右大将藤原実資産屋の七夜に

今年生ひの松は七日になりにけり残りの程を思こそやれ

平兼盛

270 ある人の産屋にまかりて

千とせとも数はさだめず世中に限なき身と人もいふべく

能宣

266 早朝に霧の立つ、桐生の岡に立つ雉は、千代も続く日嗣の皇子への、貢物の始めなのであった。抄一六六。○贈皇后宮　冷泉天皇女御で、花山天皇母、藤原伊尹女懐子か。天延三年(九七五)四月三日の没後、永観二年(九八四)十二月十七日に、皇太后を追贈された(日本紀略)。○御産屋　出産用の建物の意から転じて、出産祝の儀式をいう。産養(うぶやしない)。三・五・七・九の奇数日に行われた。○七夜　花山天皇誕生とすると、安和元年(九六八)十一月二日。○兵部卿致平の親王　村上天皇皇子。○桐生の岡　肥後説(能因歌枕)、近江説(夫木抄)があるが、未詳。「霧」を言い掛ける。○立つ　「霧」の縁語。○日つぎ　日次。毎日献上する貢物の意。皇位継承者の意の「日嗣」を響かせ、皇子出生を寿ぐ。

267 二葉の時から、頼もしいことだ。春日山の木高く生える松の種と思われるので。抄一六七・三句「かすがのの」、五句「たねとおもへば」。能宣集。○藤氏の産屋　摂関家の七夜の産養の歌か。○二葉　芽吹いたばかりの松。幼児をよそえる。○春日山　大和国。春日神社は藤原氏の氏神。○松の種　新生児の成長の姿を重ねる。

268 若君の生きていく八百万代を数えると、ようやく今日は七日なのであった。抄一六八。能宣集。○産屋の七夜　→二六六。○二句　最大の長久の時間表現。○かつ〴〵　やっと。ともかく。○五句　八百万代の寿命の中で、やっと七日がたち、残りは幾久しいことだとする。

269 今年芽生えた千歳の寿命の松は、やっと七日になっただけだ。残りの齢の久しさを思いやることだ。○右大将藤原実資　極官は右大臣。出生は、天徳元年(九五七)。任右大将は、長保三年(一〇〇一)三月。実資の子の七夜の歌とする説もある。○今年生ひの松　新生児をよそえる。○七日になりにけり　→二六八。○下句　松の千年の寿命を想定して、七夜に余命を思い遣る。前歌と類似した趣向。

270 千歳などと寿命の数は決めない。世の中で限りない身の上と、人も言うことになるように。能宣集。○初句　千歳を超える無限の寿命を暗示する。○限なき身　寿命の長久だけでなく、富や地位も含めた無限の幸いを得る身の上。

271　藤原誠信元服し侍ける夜詠みける

老ぬればおなじ事こそせられけれ君は千世ませ〳〵

源　順

272　三善佐忠冠し侍ける時

結ひそむる初元結の濃紫衣の色にうつれとぞ思

能　宣

273　天暦の帝四十になりおはしましける時、山階寺に金泥寿命経四十巻を書き供養し奉りて、御巻数鶴にくはせて洲浜に立てたりけり。その洲浜の敷物にあまたの歌、葦手に書ける中に

山階の山の岩根に松を植へてときはかきはに祈りつる哉

兼　盛

274　声高く三笠の山ぞよばふなるあめの下こそ楽しかるらし

仲算法師

271 老いてしまったので、同じ言葉を言ってしまうことだ。若君は千代の寿命をお生き下さい。若君は千代の寿命をお生き下さい。抄一六九。順集。○藤原誠信　太政大臣為光男。康保元年(九六四)出生、天延二年(九七四)十一月十八日に叙爵(公卿補任)。元服は、その直前か。○元服　男子の成人式。服を改め、髪を結い上げて冠を着け、幼名から実名に変える。○千世ませ　「ます」は、「あり」「をり」の尊敬語。○下句　四句の反復を老いのせいにして祈願の心情を強調。

272 結い初めする元結の濃い紫色が、出世して衣の色に移れと思うことだ。抄一七〇・四句「ころものうらに」。○三善佐忠　素姓、能宣との関係未詳。○冠し　叙爵をいうが、ここは元服のこと。○初元結　「元結」→二一四。○衣の色　律令で、袍の色は一位が深紫。平安中期には四位以上が紫となり、さらに黒となった。

273 山階の山に根差した岩に松を植えて、長久不変に育つのを祈ったことだ。抄一七一・五句「いのりをぞする」。康保二年(九六五)十二月四日、村上天皇の四十賀歌(日本紀略)。兼盛集。○天暦の帝　村上天皇。○山階寺　興福寺。○金泥寿命経四十巻　金泥で書いた金剛寿命陀羅尼経、また、一切如来金剛寿命陀羅尼経。四十は、年齢にちなむ。○御巻数　僧侶が読誦した経文、陀羅尼などの題名や度数を記した文書。○鶴にくはせて　巻数の巻物を、作り物の鶴にくわえさせた。○洲浜　海浜を象った台に、自然の景物をあしらった飾物。○葦手　水辺の光景の絵に、歌を葦・水・石などの絵文字にして書いたもの。○山階の山　大和国。興福寺のある三笠山。○四句　常磐堅磐に。常磐は、永遠不変の岩。堅磐は、不変堅固な岩。「岩根」「松」と共に賀意を込める。

274 声高く、三笠の山が、万歳と叫んでいるようだ。天下も、安楽であるらしい。抄一七二・初句「声たてて」。前歌と同じ時の歌。○声高く　漢の武帝が嵩山(すうざん)に登った時に万歳の声が聞えたという「山呼(さんこ)」の故事(史記・孝武本紀)を踏まえる。○三笠の山　大和国。「御笠」を連想させる。○あめの下　天の下。「御笠」の縁語「雨」を掛ける。

承平四年、中宮の賀し侍ける時の屏風に

275 色変へぬ松と竹との末の世をいづれ久しと君のみぞ見む

斎宮内侍

同じ賀に、竹の杖作りて侍けるに

276 一節に千世をこめたる杖なればつくともつきじ君が齢は

大中臣頼基

277 君が世を何にたとへんさゞれ石の巌とならんほども飽かねば

元輔

清慎公五十の賀し侍ける時の屏風に

278 青柳の緑の糸をくり返しいくら許の春をへぬらん

279 我が宿に咲ける桜の花ざかり千とせ見るとも飽かじとぞ思

兼盛

275　色を変えない松と竹との行末の世を、どちらが久しいかと、長命な君だけが見ることだ。抄一七三。承平四年(九三四)三月二十六日、藤原穏子五十賀屛風歌。○中宮　穏子。○初句　常緑であること。賀意を込める。○下句　中宮は、松や竹よりも長寿として予祝する。

276　一節に千代の寿命をこめた竹の杖なので、どんなに突いたとしても、尽きようにも尽きまい、君の寿命は。抄一七四。前歌と同じ時の歌。頼基集。○同じ賀　頼基集は、醍醐天皇四十賀の歌とする。○竹の杖　算賀の祝いの品物。これに竹の歌を添えて長寿を予祝する。○千世「千代」に、竹の節と節との間の意の「節(よ)」を掛ける。○つく「突く」に「尽く」を掛ける。

277　君の寿命を何に譬えようか。小石が巌になるくらいの長さとしても、もの足りないので。抄一七五。元輔集。○清慎公　藤原実頼のおくり名。天暦三年(九四九)に五十歳だが(公卿補任)、同年に父忠平が没しており、この年の賀の開催は記録もなく不明。尊経閣本元輔集には、「天徳二年右大臣ももの賀の屛風歌」とあり、ここから「天徳元年(九五七)」の誤写として右大臣師輔の賀説、安和二年(九六九)の師尹の賀説などがある。→二八二。○三・四句「我が君は千代に八千代にさざれ石の巌となりて苔のむすまで」(古今・賀・よみ人知らず)を踏まえ、それでも表現できないほどの長寿とした。

278　青柳が、緑の糸を繰り返したぐるように、あなたは繰り返しどれほどばかりの春を経るのだろうか。安和二年(九六九)十二月九日、実頼七十賀の屛風歌か(元輔集)。→二七七。○初・二句「繰り返し」を導く序詞。「繰り」は「糸」の縁語。○へぬらん「へ」は、時の経過の意の「経」に、織機に縦糸を引き渡す意の「綜」を掛ける。「綜」は「糸」の縁語。

279　我が家に咲いている桜の花盛りは、千歳の間見たとしても、飽きることはあるまいと思うよ。抄一七六。実頼五十賀の屛風歌か(彰考館本兼盛集)。○我が宿　画中の人物の家。○下句　桜を限りなく見続けることに託して、長久の時間を表し、賀意を込める。

同じ人の七十賀し侍けるに、竹の杖を作りて

280 君がため今日切る竹の杖なればまたもつきせぬ世ゝぞこもれる

能宣

281 位山峰までつける杖なれど今万世の坂のため也

一条摂政中将に侍ける時、父の大臣の五十賀し侍ける屏風に

282 吹風によその紅葉は散りくれど君がときはの影ぞのどけき

小野好古朝臣

権中納言敦忠母の賀し侍けるに

283 万世も猶こそ飽かね君がため思心の限なければ

源公忠朝臣

五条内侍のかみの賀、民部卿清貫し侍ける時、屏風に

284 大空にむれたる鶴のさしながら思心のありげなる哉

伊勢

280 君のために、今日切った竹の杖なので、さらに突いても尽きない、長久の世々が、節々にこもっていることだ。抄一七七・下句「またつきもせぬよよぞこめたる」。藤原実頼の七十賀歌。↓二七八。能宣集。○竹の杖 ↓二七六。○つきせぬ世、「尽き」「世々」に、「竹の杖」の縁語の「突き」「節々」を掛ける。

281 位山の最高峰まで突いてきわめた杖であるけれど、今度は万年の寿命の坂を登るための杖なのだ。抄一七八・清原元輔。前歌と同じ時の歌。○位山　諸国に比定されるが、飛驒国。官位を連想させる。○峰まで　実頼が従一位(贈正一位)摂政太政大臣という最高の地位に達したことをいう。○つける　「杖」の縁語「突ける」に、極める意の「尽ける」を掛ける。○今万世　底本「今」の上の「猶」を見せ消チ。○下句　官位を極めたから、今度は永遠の長寿のためとする趣向。▽元輔集にあり。

282 吹く風に、他所の紅葉は散ってくるが、君の常緑の松のような常盤の姿はのどかなことだよ。抄一七九・三句以下「ちりぬれどときはのかげはのどけかりけり」。天暦十一年(九五七)四月二十二日、藤原師輔五十賀屏風歌。○一条摂政　藤原伊尹。賀の折は、左近衛権中将(公卿補任)。妻の一人は、好古女。○父の大臣　師輔。○ときは　「常盤」に「常緑」を掛ける。常緑は、拾遺抄に「松原」とあり、松になる。散る紅葉と対照させ、長寿をよそえる。

283 万代の寿命でも、まだ満ち足りない。あなたのために長寿を思う心は限りないので。抄一八〇。公忠集。○権中納言敦忠母　藤原時平男敦忠の母は藤原国経の妻であった在原棟梁女(公卿補任)とも、本康親王女の廉子(尊卑分脈)ともいう。○思心　長寿を祝う心。▽拾遺抄や公忠集は、敦忠の兄保忠の妻の賀歌とする。

284 大空に群れている鶴は、行く先を目指しながら、尚侍の長寿を祝う心があるように見えることだ。抄一八一。延喜十三年(九一三)十月十四日、尚侍藤原満子四十賀屏風歌。伊勢集。○五条内侍のかみ　満子。○清貫　藤原保則男。○三句「指しながら」に、「然しながら」を掛ける。○思心　無心の鶴に祝意を表す心を見る。

285 春の野の若菜(わかな)ならねど君(きみ)がため年の数(かず)をもつまんとぞ思(おもふ)

天徳三年、内裏に花宴せさせ給(たまひ)けるに

九条右大臣(くでうだいじん)

286 桜(さくら)花今夜(こよひ)かざしにさしながらかくて千(ち)とせの春をこそへめ

題知(し)らず

よみ人知(し)らず

287 かつ見つゝ千(ち)とせの春を過(す)ぐすともいつかは花の色に飽(あ)くべき

亭子院(ていじゐん)歌合に

躬(み)恒(つね)

288 三千年(みちとせ)になるてふ桃(もゝ)の今年(ことし)より花咲(さ)く春にあひにける哉(かな)

康保三年、内裏にて子日(ねのひ)せさせ給(たまひ)けるに、殿上の男(をのこ)ども和歌つかうまつりけるに

藤原惟賢(のぶかた)

289 めづらしき千世(ちよ)の始(はじめ)の子日(ねのひ)にはまづ今日(けふ)をこそ引(ひ)くべかりけれ

285 春の野の若菜ではないけれど、摘むのにあやかって、あなたのために、長寿の年の数をも積もうと思うことだ。抄五八五・二句「わかなならでも」。前歌と同じ時の歌。伊勢集。○若菜 ↓一八。○つまん 「積む」に、「若菜」の縁語の「摘む」を掛ける。「つむ」主体は画中の人物。

286 桜の花を、今宵は挿頭(かざし)として挿しながら、そうしたままこうして、千歳の春を過ごすことにしよう。抄一八二・五句「かずをこそつめ」。天徳三年(九五九)、内裏花宴歌。拾遺抄には康保三年(九六六)三月の九条右大将の作とあるが、この人物は不明。師輔は天徳四年に死去している。師輔集。○花宴　ここは、観桜の宴。○かざし　挿頭。↓八八。○三句　「挿しながら」に「然しながら」を掛ける。↓二八四。

287 一方で花を見ながら、千歳の春を過ごすとしても、いつ花の色の美しさに飽きるであろうか。抄一八三。○初句　次から次と解する説もある。↓八七九。▽是則集にあり。

288 三千年に一度実が成るという桃の、今年から花の咲く春に巡り合ったことだ。抄一八四・五句「あひぞしにける」。亭子院歌合歌・坂上是則。○初・二句　仙女の西王母伝説に、三千年に一度実の成る桃があるとする故事を踏まえる。列仙伝「此桃非二世間所一レ有、三千年一実耳云々」。○三句以下　三千年に一度実の成る桃が咲いたので、今年は三千年続く世の初めだとして、御代を寿ぐ。桃の開花を慶事とした。▽是則集・躬恒集・忠岑集にもあり。

289 珍しい、内裏での、千代に続く始めとなる子の日の行事としては、松を引くように、真っ先に今日の催しを引くべきであるよ。抄一八五・二、三句「千よのねのびのためしには」。康保三年(九六六)二月五日、守平親王らが清涼殿東庭で、子の日の戯れをした時の歌か(日本紀略)。○子日 ↓二三。○殿上の男ども　殿上人たちが。○初句　内裏での子の日の遊びは珍しい。史実では、天慶六年(九四三)一月九日にあった。○千世　子の日に引く松は、千代の寿命があるとされる。○まづ　「松」を響かせるか。○引く　松を「引く」意と、例に「引く」意を掛ける。

290 小野宮太政大臣(をののみやのだいじやうだいじん)家にて子日(ねのひ)し侍(はべり)けるに、下﨟(らう)に侍ける時詠(よ)み侍ける　三条太政大臣(さんでうのだいじやうだいじん)

行末(ゆくすゑ)も子日(ねのひ)の松の例(ためし)には君が千(ち)とせを引(ひ)かむとぞ思(おもふ)

291 延喜(えんぎ)御時、御屏風に　貫之(つらゆき)

松をのみときはと思(おもふ)に世と共(ゝも)に流(なが)す泉も緑(みどり)なりけり

292 題知(し)らず　よみ人知(し)らず

六月(みな)のなごしの祓(はらへ)する人は千とせの命(いのちの)延ぶといふなり

293 承平四年、中宮の賀し侍(はべり)ける屏風　参議伊衡(これひら)

みそぎして思ふ事をぞ祈(いのり)つる八百(やほ)万世(よろづよ)の神のまに〱

294 天暦御時、前栽の宴(えん)せさせ給(たまひ)ける時　小野宮太政大臣

万(よろづ)世に変(かは)らぬ花の色なればいづれの秋か君(きみ)が見ざらん

290 これから先も、長命を願って子の日の松を引く例としては、君の千歳の寿命を引き合いにしようと思う。抄一八六・四句「君がよはひを」。○小野宮太政大臣　藤原実頼。○下臈　身分や地位がまだ低いこと。作者の頼忠は、天慶四年(九四一)正月、十八歳で従五位下、天暦二年(九四八)正月、二十五歳で従五位上右少将(公卿補任)。○松の例　松の長命にあやかる例。「我ぞ引く松の例のあるべくは千世の子の日の花々も見む」(円融院御集)。○引かむ　松を「引く」意に、例として「引く」意を掛ける。

291 松だけを常緑と思っていたのに、絶えず流れ出る泉も、変ることのない緑色なのであったよ。抄四三三・二句「ときはとおもへば」・四句「ながれて水も」。延喜十八年(九一八)、承香殿女御源和子屏風歌。貫之集。○延喜御時　↓五。○ときは　↓二八二。○三句　いつも。絶えず。○泉も緑　松の影を映して緑色であるとする。「川の辺の松」(貫之集)を題として詠まれている。

292 六月の夏越の祓をする人は、千歳の寿齢に延びるということだ。抄一八七。○上句　「なごしの祓」↓一三三。夏越の祓をする人は、この歌を唱え、茅輪(ちのわ)をくぐるという(公事根源)。

293 禊をして願い事を祈ったことだ。効験は八百万代の神の御意に委ねて。抄一八八。承平四年(九三四)三月二十六日、藤原穏子五十賀屏風歌。○みそぎ　罪や汚れを水で洗い清めること。○思ふ事　ここは中宮の長寿。○八百万世の神　通常「八百万の神」で多くの神を表すが、そこに「代」という時間意識を加えたもの。時空を通じた、多数の神。○五句　神の意向にまかせまかせする。「このたびは幣も取り合へず手向山紅葉の錦神のまにまに」(古今・羇旅・菅原道真)。▽伊勢集にあり。

294 万代にわたって変らない花の色なので、いつの秋に、万年の寿命の君がご覧にならないことがあろうか。抄一八九。村上朝前栽宴歌。天暦元年(九四七)八月八日か(日本紀略)。実頼集。○天暦御時　↓六。○前栽の宴　前栽に移植された野の草花を賞美する宴。秋に行われる。前栽合とは別。ここは村上天皇主催なので、場所は内裏。○下句　君が御覧にならない秋はない。

295 廉義公家にて人〳〵に歌詠ませ侍けるに、草むらの中の夜の虫といふ題を

千とせとぞ草むらごとに聞ゆなるこや松虫の声にはあるらん

平兼盛

296 右大臣源の光の家に、前栽合し侍ける負態を、内舎人橘のすけみがし侍ける、千鳥の形作りて侍けるに、詠ませ侍ける

誰が年の数とかは見む行きかへり千鳥鳴くなる浜の真砂を

貫之

297 天暦御時、清慎公御笛奉るとて詠ませ侍ければ

生い初むるねよりぞしるき笛竹の末の世ながくならん物とは

能宣

298 鏡鋳させ侍ける裏に、鶴の形を鋳つけさせ侍て

千とせとも何か祈らんうらに住む鶴の上をぞ見るべかりける

伊勢

299 題知らず

君が世は天の羽衣まれにきて撫づとも尽きぬ巌ならなん

よみ人知らず

295 チトセ、チトセと、草むらごとに聞えてくる。これは長寿の松にあやかる、松虫の声であるようだ。抄一九〇。貞元二年(九七七)八月十六日、三条左大臣藤原頼忠前栽歌合歌。兼盛集。○廉義公→一七三。○草むらの中の夜の虫→一七八。○初句松虫の声を、松の寿命にあやかり、チトセと聞きなす。○三句「なり」は、声などが聞える場合の用法。○松虫　ここは、「松」を連想する。→一七九。

296 誰の年の数と見ようか。行き来して千鳥の鳴いている浜辺の真砂の数を。抄一九一・二、三句「かずとかはみるゆきかひて」。延長五年(九二七)九月二十四日、左大臣藤原忠平前栽合歌。貫之集。○右大臣源の光　源光は、延喜十三年(九一三)没で(公卿補任)、延長五年は、年時が合わない。○前栽合　左右に分かれて秋草の花を合わせ、歌を詠み合う。○負態　勝負事で敗者が勝者に饗応すること。○内舎人　中務省に属し、宮中の雑役や警護に従事した官人。ここは、摂関家の随身として仕えているか。○橘のすけみ　底本「すけすみ」の下の「す」を見セ消チ。抄は「すけなか」。貫之集の内蔵助多治助縄(たじのすけなわ)か。「多治(ちた)」を「たちばな」と見なしたか。忠平の家司とされる。○千鳥の形　洲浜に置かれた千鳥の作り物。「千鳥」は浜辺の景物。○浜の真砂　無数の比喩。千鳥と共に賀意を表す。

297 生え初めた根の時から明らかだ。この竹笛が末の世まで永く鳴る物に成るであろうことは。能宣集。○天暦御時→六。○清慎公　藤原実頼のおくり名。能宣集では、笛の献上は弟の師輔。○ね「根」に「音」を掛ける。○笛竹　竹笛。生命力の強い竹の意を込める。○世　竹の節の間をいう「節(よ)」を掛ける。○ならん「鳴る」に「成る」を掛ける。

298 千歳の寿命としても、何に託して祈ろうか。鏡の裏に鋳付けられた鶴を、浦に住む鶴の身の上としてあやかり、鏡の表を見て祈ればよかったのだ。抄一九二。伊勢集。○うら　銅鏡の「裏」に「浦」を掛ける。○鶴の上　千歳の寿命の鶴の身の上。「上」に鏡の「表」の意を掛け、三句「うら」と呼応して、裏表の意の「裏上」となる。

賀の屏風に　　　元(もと)輔(すけ)

300 動(うご)きなき巌(いはほ)の果(は)ても君(きみ)ぞ見むをとめの袖(そで)の撫(な)で尽(つ)くすまで

299　君の寿命は、天の羽衣を着た天人がたまに地上に下りて来て、その羽衣でいくら撫でても尽きることのない巌のようになってほしい。抄一九三。天徳四年内裏歌合で、洲浜の覆いに、葦手として刺繍された古歌の一つ。○天の羽衣…いわゆる劫(こう)の時間をいうもので、天人が三年に一度地上に下りてきて、三銖(しゅ)の重さの軽い天の羽衣で、方四十里の石を撫で尽くすまでの長久の時間をさすという、仏説による故事(奥義抄)。「銖」は、重さの単位。百粒の黍の重さとされる。○きて　「着て」に「来て」を掛ける。○ならなん　「なむ」は他への願望。▽是則集にあり。

300　動くことのない巌の果ても、君は見ることができよう。天女が、羽衣の袖で撫で尽くすまでも。天暦十一年(九五七)四月二十二日、藤原師輔五十賀屏風歌。元輔集。○初・二句　不動で巨大な巌がすり尽きる果て。仏説の劫の石の果て。○をとめの袖　天女の天の羽衣の袖。↓二九九。

拾遺和歌集巻第六　別

春ものへまかりける人の、あか月に出で立ちける所にて、
留まり侍ける人の詠み侍ける

301 春霞立つあか月を見るからに心ぞ空になりぬべらなる

よみ人知らず

題知らず

302 桜花露に濡れたる顔見れば泣きて別し人ぞ恋しき

303 散る花は道見えぬまでうづまなん別るゝ人も立ちや止まると

別は、前半(三三一まで)が離別の歌、後半が羇旅の歌になる。

301 春霞が立ち、あなたが旅立ちする暁の有明月を見るだけで、心も上の空になってしまうようだ。抄一九四。〇ものへまかりける人　どこか遠くへ旅をする人。地方官に赴任するか。〇あか月に出で立ちける所　当時の旅は、夜に門出して、方角のよい所に渡り、そこから早暁に進発した。〇留まり侍ける人　京に残る女性か。〇春霞　春の暁の光景を形成しながら、枕詞として霞が「立つ」にかかり、旅に「立つ」を響かせる。旅立つ人とする擬人化とも解し得る。〇あか月　暁。定家本の文字遣い。旅立ちの時刻と共に有明の月を暗示する。〇三句「からに」は接続助詞。…するだけで。〇空に　上の空に。「春霞」の縁語。「別れ行く道の雲居になりぬれば留まる心も空にこそなれ」(古今六帖四・作者未詳)。〇べらなる　→一三。

302 桜の花の露に濡れている顔を見ると、泣いて別れた人が恋しくなってくる。抄一九五。〇初句擬人化して、恋する女性の面影を見る。〇露に濡れたる顔　泣き顔を連想する。「露」は朝露か。花を顔として詠む趣向は、「昨日見し花の顔とて今朝見れば寝てこそさらに色まさりけれ」(後撰・春下・藤原定方)、「(李嶠)百詠云、裏レ哀露似二啼粧一。花の露に濡れたるは、人の泣ける顔に似たるなり」(奥義抄)、「長恨歌云、玉顔寂寞涙瀾汗、梨花一枝春帯レ雨云々。是は梨の花の雨に濡れたるを、人の泣ける顔にたとふる也」(和歌色葉)、「古花晨露啼残粉といふ心なり。花を人の顔にたとふる也」(私抄)など。〇四句　早朝の旅立ち(進発)に際して女が泣いたこと。

303 散る花は道が見えなくなるまで埋まってほしい。別れる人も立ち止まるのかと思うので。抄一九六・四句「わかるる人の」。〇三句　埋まってほしい。「なん」は、他への願望。散る花が道を埋め隠すという趣向は、「しひて行く人を留めむ桜花いづれを道と惑ふまで散れ」(古今・離別・よみ人知らず)など。〇五句　立ち止まってくれれば、長く姿を見ていられるから。

ものへまかりける人のもとに、人〳〵まかりて、かはらけ
取りて　　　　　　　　　　　　　　　　　　曽禰好忠

304 雁がねの帰を聞けば別れ路は雲居はるかに思ばかりぞ

天暦御時、小弐命婦豊前にまかり侍ける時、大盤所にて
餞せさせ給ふに、かづけ物賜ふとて　　　　　　御製

305 夏衣たち別るべき今夜こそひとへに惜しき思ひ添ひぬれ

題知らず　　　　　　　　　　　　　　　よみ人知らず

306 忘るなよ別れ路に生ふる葛の葉の秋風吹かば今帰来む

307 別てふ事は誰かは始けんくるしき物と知らずやありけん

308 時しもあれ秋しも人の別るればいとゞ袂ぞ露けかりける

304 雁の北国に帰る鳴き声を聞くと、あなたが別れて行く道は、大空遥かかなたにあると思うばかりだ。抄一九七。○ものへまかりける人 →三〇一。○かはらけ取りて　餞別の宴席で。○初・二句　帰雁の鳴く声を聞く。春に、雁は北国へ帰る。雁の鳴き声は、離別を悲しむ心情の表象になる。○別れ路　別れて行く道。「帰る雁雲居はるかに聞く時は旅の空なる人をこそ思へ」(躬恒集)。○四句　大空遠く。雁の行く方の遠さに、友人の行き先の遠いことを重ねる。

305 夏衣の単衣を裁ち、立ち別れる今宵は、偏に名残惜しい気持が加わることだ。抄一九八。村上御集。○天暦御時 →六。○小弐命婦　村上天皇乳母か。○豊前　福岡県から大分県にかけての九州の国名。○大盤所　台盤所。清涼殿西廂にある女房の詰所。○餞　送別の宴。○かづけ物　ここは餞別の品。○夏衣　縁語の「裁つ」に掛けて、「立つ」を導く枕詞。○ひとへ　ひたすらの意に、「夏衣」の縁語「単衣」を掛ける。

306 忘れないでおくれ。別れ路に生える葛の葉が、秋風が吹くと裏返るように、秋になればすぐにも帰って来るから。抄一九九。○三・四句　葛の葉は、秋風が吹くと裏返ることから、「帰る」を導く序詞。「秋風の吹き裏返す葛の葉のうらみてもなほ恨めしきかな」(古今・恋五・平定文)。○秋風　葛の葉を裏返すもの、また帰る時節を示す。○今　即座にの意。▽坂上是則(是則集)か、源重之(六華集)の歌か。

307 別れということは、誰が始めたのだろうか。苦しいものと分からなかったのであろうか。抄二〇二。○初句　「てふ」は「といふ」の約。○誰かは　ここは、反語ではなくて、強意の疑問。○けん　過去の推量の「けん」を反復使用して、その始源を問うという趣向。

308 時もあろうに、なんと秋に人が別れて去ったので、露と涙でますます袂がしめっぽくなったことだ。抄二〇〇・二句「あきしも君が」・紀貫之。○初句　他にも季節があるのに、時もあろうに。○秋しも　悲秋という季節に。「しも」は強意。「時しもあれ秋やは人の別るべきあるを見るだに恋しきものを」(古今・哀傷・壬生忠岑)。

天暦御時、九月十五日斎宮下り侍けるに

309 君が世を長月とだに思はずはいかに別のかなしからまし　　御製

十月許に物へまかりける人に

310 露にだにあてじと思し人しもぞ時雨降る頃旅に行きける　　忠見

物へまかりける人に馬の餞し侍て、扇遣はしける

311 別れ地を隔つる雲のためにこそ扇の風をやらまほしけれ　　能宣

題知らず

312 別ては逢はむ逢はじぞ定なきこの夕暮や限なるらん　　よみ人知らず

313 別れ路は恋しき人の文なれややらでのみこそ見まくほしけれ

309 あなたの御世を、長月にあやかり、長久であるようにとでも思わなければ、どんなに別れが悲しいことであろうか。抄三〇一。天暦十一年(九五七)に、斎宮楽子内親王が伊勢に下向する時の歌。→二六三。村上御集。○天暦御時　→六。○九月十五日　実際の群行は、九月五日(日本紀略)。○君が世　楽子の人としての世に、斎宮在任中の世を重ねる。楽子は六歳。斎宮は、天皇の譲位や服喪などにより交替するのが原則。○初・二句「長月」は九月。「君が世を長」と言い掛ける。斎宮在任の長さは、帝位の長さになるので、別離の悲しみを辛うじて慰める。

310 露にさえも当てまいと思っていた人に限って、時雨が降る頃に、旅立って行ったことだ。忠見集。○露にだにあてじと思し人　露は、秋の景物。大事に育てた人。忠見の子で、地方官になったか。○下句「時雨」は、冬の景物。秋よりももっとわびしい冬になって旅立つ。

311 別れて行く道を隔てる雲を払うためにこそ、この扇の風をあおぎ送りたいものだ。能宣集。○馬の餞　送別の宴のこと。○別れ地　定家本の文字遣い。○隔つる雲　雲は、隔てるもの。「思ひやる心ばかりは障らじを何隔つらむ峰の白雲」(後撰・離別・橘直幹)。○扇の風　扇は、「あふ」意を込めて餞別の贈り物に用いられる。○下句　隔てる雲を、餞別の品の扇の風であおぎ払うという趣向。

312 別れてしまえば、再会できるか、できないかは、決められない。この夕暮が、あなたと会う最後かも知れないよ。抄三〇三。○二句　無常感があるか。「秋にまた逢はむ逢はじも知らぬ身は今宵ばかりの月をだに見む」(詞花・秋・三条院)は、この歌による。○三句　無常の世なので確かなことはない。

313 別れというものは、恋しい人の手紙なのだろうか。手紙なら破ることなく見ていたいし、あの人も遠くに遣ることなく逢っていたいものだ。抄三〇五。○別れ路　ここは、離別の意。○恋しき人の文　離別を、恋人の手紙に喩え、その理由を謎解きするという趣向。その理由は下句で示される。○やらで「破らで」に「遣らで」を掛ける。

314 物へまかりける人の送り、関山までし侍とて

別ゆく今日はまどひぬ相坂は帰来む日の名にこそ有けれ　　貫之

315 伊勢より上り侍けるに、しのびて物いひ侍ける女のあづまへ下りけるが、相坂にまかりあひて侍けるに遣はしける

行末の命も知らぬ別路は今日相坂や限なるらん　　能宣

316 大江為基あづまへまかり下りけるに、扇を遣はすとて

惜ともなき物ゆへにしかすがの渡と聞けばたゞならぬ哉　　赤染衛門

317 源の嘉種が参河の介にて侍ける、むすめのもとに、母の詠みて遣はしける

もろともに行かぬ三河の八橋は恋しとのみや思ひわたらん

318 兼盛、駿河の守にて下り侍ける、馬の餞し侍とて

別地は渡せる橋もなき物をいかでか常に恋ひ渡べき　　源順

314 別れ行く今日はとまどっている。逢うという名の逢坂の関は、あなたが帰って来る、その日のための名だったのだ。抄三〇四・五句「なにやあるらん」。○関山　近江国。逢坂の関のある逢坂山のこと。東国に旅立つ人を送迎する場所だった。ここは関送り。○二句　逢坂の関で、逢うのではなく、別れなのでとまどうとする。逢坂の地名と離別が矛盾するという趣向。「かつ越えて別れも行くか逢坂は人頼めなる名にこそありけれ」（古今・離別・紀貫之）。○相坂　逢坂。近江国。「逢ふ」を連想。

315 行く末の命も分からない別れは、今日の逢坂の関での出逢いが最後になるだろうか。抄三〇九。能宣集。○まかりあひて　能宣が伊勢から上京した際、ひそかに通っていた女性が東国に下向するのと偶然逢坂で出逢ったのである。○相坂　逢坂。近江国。「逢ふ」を掛ける。出逢う場が、別れになるという趣向。

316 別れを惜しむという訳ではないが、しかすがの渡りを行くと聞けば、さすがに平気でもいられないことだ。抄三一四。寛和元年（九八五）頃、大江為基が三河に赴任した時の歌。→四三四。赤染衛門集。○しかすがの渡　三河国。「しかすが（さすがに）」を掛け、逡巡を表す。

317 一緒に下向して行かない身は、見ることのない三河の八橋を、渡るではないが、恋しいとばかり思い続けるのだろうか。抄三〇七・三句「やつはしを」。○源の嘉種…　嘉種が三河介の時に妻として同行した女子のことを、京都に残った母が思いやって詠んだ歌。○三河　国名に「身」「見」と「川」を掛ける。○八橋　伊勢物語で知られる、蜘蛛手の橋で、杜若（かきつばた）の名所。女子をよそえる。○恋し　泥の意の「こひぢ」を響かせるか。○五句「思ひわたる」に、「川」の縁語「渡る」意を掛ける。

318 別れ行く道は、渡してある橋もないのに、どのようにして常に恋い続けたらいいのであろうか。天元二年（九七九）八月、駿河守に任じられた平兼盛が赴任する際の歌（三十六人歌仙伝）。○別地　別れ路。定家本の文字遣い。○橋もなき　駿河国では大井川などに架橋がない。○恋ひ渡べき　恋い続ける。「渡る」は「橋」の縁語。

信濃の国に下りける人のもとに遣はしける　　貫之

319 月影は飽かず見るとも更級の山の麓に長居すな君

共政朝臣、肥後守にて下り侍けるに、妻の肥前が下り侍ければ、筑紫櫛・御衣など賜ふとて　　天暦御製

320 別るれば心をのみぞつくし櫛さして逢ふべきほどを知らねば

天暦御時、御乳母肥後が出羽の国に下り侍けるに、餞賜ひけるに、藤壺より装束賜ひけるに添へられたりける　　よみ人知らず

321 行く人をとゞめがたみの唐衣たつより袖の露けかるらん

同じ御乳母の餞に、殿上の男ども女房など別れ惜しみ侍けるに　　御乳母少納言

322 惜しむともかたしや別れ心なる涙をだにもえやは留むる

319 月の光は飽きずに見るとしても、更級の山の麓に長居するなよ、君は。抄三〇八・初句「つきかげを」。貫之集。○更級の山　信濃国。姨捨山。田毎の月の名所。姨捨山の月は通常は憂愁を表象する景物。ここは名所の景物として美意識の対象になっている。「我が心慰めかねつ更級や姨捨山に照る月を見て」(古今・雑上・よみ人知らず)。○長居すな　早く帰れの意で、右の古今歌により、心慰む地ではない意を添える。

320 別れるとなると、心を尽くすばかりだ。筑紫櫛を挿すように、何時と指し示して、逢える時を知ることはできないので。抄三一三。村上御集。○共政朝臣…　肥後守共政の下向に同行した妻の肥前に、村上天皇が筑紫櫛や御衣を贈った時の歌。○共政朝臣　藤原在衡男。四八七の詞書にある共政は、同一人物らしいが、金葉集では為政など異文がある。○つくし櫛　筑紫櫛。九州名産の櫛。「心をのみぞ尽くし」を言い掛ける。○さして　再会の時をそれと指示すること。「指して」に、「櫛」の縁語「挿して」を掛ける。

321 行く人を留めがたいので、この形見の衣を裁つことになったが、出立するなりすぐに、袖が濡れることであろう。抄三一〇。○天暦御時…村上天皇の乳母肥後が出羽に下向する際に、藤壺から賜わった餞別の装束に添えられていた歌。○肥後　拾遺抄では備後。○藤壺　皇后安子。○二・三句「とゞめがたみの」に、「形見」を掛ける。「唐衣」は、下賜された装束の美称で、枕詞的に「たつ」を導く。○たつより「唐衣裁つ」に、旅立ちの「立つ」を掛ける。○五句涙に濡れて、湿っぽくなる意。「旅衣いかでたつらむと思ふより留まる袖こそ露けかりけれ」(続古今・離別・村上天皇)。

322 惜しんでも、留めるのは難しいことだ、この別れは。自分の心のままになる涙でさえも、留められはしないのだから。抄三一一・初、二句「をしむことかたしや我が」・五句「えやはとどめぬ」。○同じ　前歌と同じ時の歌。次歌も同様。○心なる　思いのままである。心次第だ。○えやは　できようか、いやできないの意。

323 あづま地の草葉を分けん人よりも遅るゝ袖ぞまづは露けき

女蔵人参河

題知らず

324 別るればまづ涙こそ先に立ていかで遅るゝ袖の濡るらん

よみ人知らず

325 別るゝをおしとぞ思つるぎはの身をよりくだく心地のみして

源弘景ものへまかりけるに、装束賜ふとて

326 旅人の露払ふべき唐衣まだきも袖の濡れにける哉

三条太皇太后宮

橘公頼、帥になりてまかり下りける時、敏貞が継母内侍のすけの馬の餞し侍けるに、装束に添へて遣はしける

327 あまたには縫ひかさねねど唐衣思ふ心は千重にぞありける

貫之

323 東国の道の草葉を分ける人よりも、都に残される私の袖がまずは涙で露っぽいことだ。抄二二二。〇あづま地　東路。定家本の文字遣い。東海道や東山道など東国への道。また、東国。草木が茂り、露深い所とされた。「東路の野路の草葉の露繁み行くも留まるも袖ぞしほるる」(摂津集)。〇五句　草葉の露ではなく、涙に濡れる。「露」は「草葉」の縁語。

324 別れると、まず涙が先立つのに、どうして涙に遅れる私の袖が濡れるのだろう。〇遅る、涙が「先に立つ」のに対して、旅立つ自身は「遅る、」とする。

325 別れるのを、名残惜しいと思う。鴛鴦の剣羽ではないが、剣の刃が身をよじり砕くような気持ばかりして。〇おし「惜(を)し」に、「鴛鴦(をし)」を掛ける。〇つるぎは　剣刃。「剣羽」を掛ける。「剣羽」は、剣先に似る、鴛鴦などの尾の両脇に立つ銀杏の葉の形をした羽。〇よりくだく　縒り砕く。離別のつらさを、剣の刃でいためつけられるのによそえる。

326 旅人が草葉の露を払うはずの衣なのに、旅立つ前から早くも袖が濡れてしまったことだ。抄二二七。忠見集にあり。代作歌か。〇源弘景　抄は「源のひろかず」、北野本は「みなもとのひろかげ」。太皇大后宮の家司か。作者は藤原遵子とすると、寛弘初年はまだ皇太后。あるいは、昌子内親王か。餞別の装束を下賜する際の歌。〇唐衣　衣の美称。歌語。〇まだきも　早々と。旅立つ前に。〇袖の濡れにける「袖」は「草葉」と共に「露」の縁語。

327 多くは縫い重ねなかったけれど、衣に託す君を思う私の心は、千重になっていることだ。抄二二六・五句「ちへにざりける」。公頼が大宰権帥として下向する際、子の敏貞が、同行する継母の典侍に餞別の宴をした時に、装束に添えた歌。貫之の代作。公頼は承平五年(九三五)二月二十三日に大宰権帥となり、翌六年十一月七日に餞の宴が催された(公卿補任)。貫之集。〇初・二句　餞別の品の装束を、僅かばかりと卑下したもの。貫之集によると、この折に、薬や鬘も贈られ、それぞれ歌が添えられた。〇千重　厚意の深さ。「唐衣」の縁語。

題知らず

328 遠く行く人のためには我が袖の涙の玉も惜しからなくに

よみ人知らず

329 惜とて留まる事こそかたからめ我が衣手を干してだに行け

田舎へまかりける時

貫之

330 糸による物ならなくに別れ路は心ぼそくも思ほゆる哉

陸奥国の守これともがまかり下りけるに、弾正の親王の香
薬遣はしけるに

戒秀法師

331 亀山にいく薬のみ有ければ留むる方もなき別哉

藤原の雅正が豊前守に侍ける時、為頼がおぼつかなしとて
下り侍けるに、馬の餞し侍とて

藤原清正

332 思ふ人ある方へ行く別れ路を惜心ぞかつはわりなき

328　遠く旅行く人のためには、私の袖の涙の玉も惜しくはないことだ。貫之集。〇三・四句　八代集抄「蒙求に、蛟人別れ去る時、泣いて珠を出して盤に充てて、亭主に与へしことあり。此の歌、我が袖の涙の玉もといふは、其の心を込めて詠むなるべし」。〇五句　故事を踏まえ、別れに際し涙を惜しまないとする。「なくに」は、打消の「ず」のク語法に逆接の「に」が付いた連語。ここは終助詞的な用法。…ないことだなあ。

329　別れを惜しんだとて、留まることは難しいだろう。せめて涙に濡れた私の袖を干してから、旅立って行け。〇五句　涙は絶えないので袖が乾くことはない。行くなというに等しい命令。

330　糸に縒る片糸というわけでもないのに、別れの道は糸のように細く、心細くも思われることだ。貫之集。〇初・二句　糸は片糸を縒り合わせて作る。片糸の細さから、「細く」を導く序詞。ここの「なくに」は、逆接の確定条件を表す。…ないのに。〇心ぼそく　道の細さを添える。▽古今・羇旅に重出。

331　蓬萊山の生く薬ではないが、行く薬ばかりがあるので、留めようもない別れだよ。抄三五・四句「とどめんかたも」。〇これとも　平維叙(これのぶれ)の誤りか。拾遺抄「これのぶがめ」。〇弾正の親王　弾正台の長官(尹)の親王。冷泉院皇子為尊親王か。拾遺抄「弾正の親王の内方」。〇香薬　膏薬。香料で製した薬、香りのよい香料などの説もある。〇亀山　亀の背にあるとされる蓬萊山。〇いく薬　餞別の香薬を不老不死の薬に見立てる。「生く」に「行く」を掛ける。白氏文集三・海漫漫「山上多生二不死薬一」。

332　気がかりな父のいる方へ行く、君との別れを惜しむ我が心は、一方では理屈に合わないことだ。抄三八。〇藤原の雅正…　雅正が豊前守として赴任していた時、その子の為頼が気がかりに思って父のもとを訪ねて行こうとした折に、雅正弟で叔父の清正が詠んだ歌。〇思ふ人ある方　父雅正のいる豊前。〇別れ路　離別の意だが、旅路の印象もある。〇下句　送別する相手は父のもとに旅立つのに、離別を惜しむ自分の心は、よく考えてみると、どうもそぐわないとする。

肥後守にて清原元輔下り侍けるに、源満中餞し侍けるに、かはらけ取りて

333 いか許　思らむとか思らん老いて別るゝ遠き別れを

元輔

返し

334 君はよし行末遠し留まる身の松ほどいかゞあらむとすらん

源満中朝臣

題知らず

335 遅れゐて我が恋ひをれば白雲のたなびく山を今日や越ゆらん

よみ人知らず

336 命をぞいかならむとは思　来し生きて別るゝ世にこそ有けれ

右衛門

筑紫へまかりける人のもとに言ひ遣はしける

337 昔見しいきの松原事問はゞ忘れぬ人も有と答へよ

橘　倚平

333 どれほど私が思っているのかと、あなたは思って下さるだろうか。年老いて別れる、遠国に赴く別れの悲しみを。抄二九・五句「とほきみちをば」。寛和二年(九八六)、清原元輔が肥後守に任じられた時、源満中(満仲)が餞別の宴を催した折の歌。元輔、七十九歳(三十六人歌仙伝)。満中、七十五歳(尊卑分脈)。元輔集。○上句　老いた者同士、再会できまいと思う。○五句　上句の「思ふ」の反復からすると、抄の「みちをば」より、「別れを」が妥当か。

334 君は良い。道のりも寿命も行く末は遠い。留まる私の身は、待っているあいだ、どのようにしたらいいのであろうか。抄三〇。○二句　肥後への旅程の遠いことに、寿命の長久を込める。○留まる身　満中は、出家したばかりで七十五歳。○松ほど　待つほど。定家本の文字遣い。

335 あとに取り残されて、わたしが恋しく思っていると、あなたは白雲のたなびく山を今日あたり越えているのだろうか。○初句　あなたの旅立ちの後に残されていて。○三句　白雲は、旅の行先を表象する景物。「白雲の八重に重なる遠方にても思はむ人に心隔つな」(古今・離別・紀貫之)。▽万葉集九、大宝元年(七〇一)十月、持統上皇と文武天皇とが紀伊国に行幸した時に、後に残った人の歌の異伝。金葉・別に重出。

336 命をこそどうなるだろうかとは思って来たが、死別どころか、生きて別れる世の中であったのだ。抄三三・四句「ありてわかるる」。○上句　死別することだけ考えて来た。「ぞ…し」で強調逆接法。○四句　離縁などではなく、任地赴任での別れであろう。

337 昔行って見た生の松原が、都のことを尋ねたならば、忘れない人も生きている、と答えてくれ。抄三一。○筑紫　筑前国・筑後国、また、九州のこと。○初句　日向守在任の折か。抄は作者を「前日向守に侍りける人」とする。○いきの松原　生の松原。筑前国。博多湾の浜辺。「生き」「行き」を響かせる。「都へといきの松原いきかへり君が千歳にあはんとすらん」(後拾遺・雑五・源重之)。○三句　言問はば。都のことを聞いたならば。生の松原を擬人化する。

陸奥守にて下り侍ける時、三条太政大臣の餞し侍ければ、

詠み侍ける

338 武隈の松を見つゝやなぐさめん君が千とせの影にならひて　　藤原為頼

陸奥国の白河関越え侍けるに

339 たよりあらばいかで宮こへ告げやらむ今日白河の関は越えぬと　　平　兼盛

実方朝臣陸奥国へ下り侍けるに、下鞍遣はすとて

340 あづま地の木のしたくらくなりゆかば宮この月を恋ひざらめやは　　右衛門督公任

題知らず

341 旅行かば袖こそ濡るれ守山のしづくにのみは負せざらなん　　よみ人知らず

恒徳公家の障子に

342 潮みてるほどに行きかふ旅人や浜なの橋と名づけそめけん　　兼　盛

338 武隈の松を見ながら慰めようか。君の千歳の寿命を持つお姿と恩顧に馴れ親しんで来たので。抄三五・藤原為長(為頼弟)。陸奥守為長の餞は、天元三年(九八〇)十一月三日(小右記目録)。○三条太政大臣　藤原頼忠。○武隈の松　陸奥国。相生と言われる。「武隈の松は二木を都人いかがと問はばみきと答えむ」(後拾遺・雑四・橘季通)。○三句　松を殿と思って慰めよう。○千とせの影　千歳の蔭。頼忠の長寿と、長年の庇護をよそえる。▽為長が作者か(小大君集)。

339 伝(つて)があるならば、どうにかして都へ知らせて遣ろう、今日白河の関を越えたと。抄三六。兼盛集。○白河関　陸奥国。勿来(なこそ)、念珠(ずね)と共に奥羽三関の一つ。▽大和物語などに兼盛陸奥下向のことが見える。麗花集では小野宮実頼家の屏風歌とする。

340 東路は生い茂った木の下が暗くなっていくと、都の月を恋しく思わないことがあろうか。長徳元年(九九五)九月二十七日(日本紀略、権記)、藤原実方が陸奥守として下向する際の餞別の歌(中古歌仙三十六人伝)。公任集・実方集。○下鞍　馬具の一つ。韉。鞍の下に敷く物。○あづま地　東路。定家本の文字遣い。○二句　茂った木の下の暗いこと。草深い東国を暗示する光景。「下鞍」を隠す物名の歌になる。○宮この月　都の月。定家本の文字遣い。都は、東路と違い、花も月も美しい雅の地。

341 旅をして行くと、袖がひどく濡れるけれど、守山の漏れる雫にばかり、その責めを負わせないでほしい。抄二〇六・初句「たびなれば」。○袖こそ濡るれ　強調逆接法。○守山　近江国。その名から、「漏る」を掛詞的に連想させる。「白露も時雨もいたくもる山は下葉残らず色付きにけり」(古今・秋下・紀貫之)。○下句　都に残る私の涙もあなたの袖が濡れる原因とする。

342 潮が満ちている時に行き来する旅人が、浜無(浜名)の橋と名付け初めたのだろうか。永観元年(九八三)八月一日頃、藤原為光障子絵歌。○恒徳公　為光。○浜なの橋　浜名の橋。遠江国。「浜無」を掛ける。潮が満ちて浜が見えない。言語遊戯的な地名起源説を示した趣向。▽兼澄集にあり。

田蓑の島のほとりにて、雨にあひて　　貫之

343 雨により田蓑の島をわけ行けど名には隠れぬ物にぞ有ける

難波に祓し侍て、まかりかへりけるあか月に、森の侍けるに、郭公の鳴き侍けるを聞きて　　伊勢

344 郭公ねぐらながらの声聞けば草の枕ぞ露けかりける

物へまかりける道にて、雁の鳴くを聞きて　　能宣

345 草枕我のみならず雁がねも旅の空にぞ鳴き渡なる

題知らず　　よみ人知らず

346 君をのみ恋ひつゝ旅の草枕露しげからぬあか月ぞなき

源公貞が大隅へまかり下りけるに、関戸の院にて月のあかゝりけるに、別れ惜しみ侍て　　平兼盛

347 はるかなる旅の空にも遅れねばうら山しきは秋の夜の月

343 雨が降ったので難波の田蓑の島を分け行ったけれど、その名前では雨に身は隠れないものであったよ。貫之集。○田蓑の島　摂津国。農業の時に着ける「田蓑」を連想させる。○名には「難波」を隠す。難波は淀川河口一帯をいう。「なにはがた潮みちくらしあま衣田蓑の島にたづなき渡る」(古今・雑上・よみ人知らず)。▽古今・雑上に重出。

344 時鳥の塒(ねぐら)に居ながら鳴く声を聞くと、旅の草枕は涙で露っぽくなることだ。伊勢集。○難波に祓し侍て…　難波で祓をし、帰った暁に、森があり、時鳥の鳴くのを聞いて詠んだ歌。難波は、祓の代表的な場所。→三三。底本「なにはのなには」で、「の」に「に」を重ね書き、下の「なには」を見セ消チ。○郭公　ここは旅情をかき立てる景物。八代集抄「時鳥は不如帰と鳴く故、旅懐を催す鳥也」。○草の枕　旅寝。塒の時鳥と旅寝の我が身との対比。○五句「露けし」は、涙で濡れる意で、「草」の縁語。

345 草枕の自分だけでなく、雁も旅の空でわびしさに鳴き続けているようだ。能宣集。○草枕自分が旅路にあることを表すと共に、四句「旅の空」にも枕詞的に掛かる。○五句「渡」は、時間的にも空間的にも言う。「なり」は聴覚的な推測を表す。

346 あなたのことをだけ恋い続ける旅の草枕が、露でびっしょりと濡れない暁はないことだ。抄三三。○君　別れて都に残して来た女性。○四句「露」も「繁し」も、「草」の縁語。ここは夜露で、一人寝のさびしさで流す涙の比喩。○あか月　暁。定家本の文字遣い。暁は、旅の朝立ちの時間。また、男女・夫婦の別れの時。

347 遥かな旅の空にも取り残されないので、羨ましいのは秋の夜の月だよ。○源公貞　陽成源氏。大隅国下向は未見。○大隅　鹿児島県東南部。○関戸の院　山城国山崎に置かれた宿泊施設。摂津との国境にあった山崎の関による名。東国への旅が逢坂の関で見送られたのに対して、西国への旅は山崎で行われた。○四句　羨ましき。定家本の文字遣い。月は、公貞に遅れず同行できるので羨ましい。▽金葉・別、三奏本金葉・別離に重出。作者を源為成とする。

秋旅にまかりけるに、印南野に宿りて　　能宣

348 をみなへし我に宿かせ印南野のいなといふともこゝを過ぎめや

筑紫へ下りける道にて　　重之

349 舟地には草の枕も結ばねばおきながらこそ夢も見えけれ

帥伊周筑紫へまかりけるに、河尻はなれ侍けるに、詠み侍ける　　弓削嘉言

350 思出でもなきふるさとの山なれど隠れ行くはたあはれ也けり

流され侍て後、言ひをこせて侍ける　　贈太政大臣

351 君が住む宿のこずゑのゆく〳〵と隠るゝまでにかへりみしはや

笠の金岡が唐にわたりて侍ける時、妻の長歌詠みて侍ける返し　　金岡

352 浪の上に見えし小島の島隠れ行く空もなし君に別れて

348 女郎花よ、私に宿を貸しなさい。印南野のいなではないが、否と言っても、ここを通り過ぎたりしようか。能宣集。○初句　若く美しい女性に擬人化するのが通例。○印南野　播磨国。地名を同音反復の枕詞的に用い、「いな」を導く。

349 船路には草枕も結ばないので、沖に居たまま、起きていながら夢も見ることだ。重之集では大弐(藤原佐理か)の歌とする。○舟地　船路。定家本の文字遣い。筑紫へは瀬戸内航路。○二・三句　水上を行く船路は、草の枕を結ぶことがない。寝られないということになる。○おきながら　「沖ながら」に「起きながら」を掛ける。

350 思い出もない故里の山であるけれど、港から離れると、隠れ行くのは、また悲しいことだった。○帥伊周筑紫へ…　長徳二年(九九六)四月二十四日藤原伊周の大宰権帥としての配流が決定、五月四日配所に赴く。しかし、播磨から密かに都に戻っていたのが、十月十日に発覚、再び大宰府に遣られた(日本紀略)。この折に、弓削(大江)嘉言が川尻で詠んだ歌か。○河尻　鴨川尻。淀から山崎の津にかけて。ここから淀川を下ると、ふるさととなる京の山は見えなくなる。▽詞花・雑下・大江正言の作として重出。

351 あなたの住む家の庭の梢が、去り行くにつれ、隠れて見えなくなるまで、何度も振り返り見たことだ。抄三七・二句「やどのこずゑを」、四句「かくれしまでに」。昌泰四年(九〇一)、菅原道真が配所の大宰府から、京に残した妻のもとに贈った歌(日本紀略、大鏡・時平伝)。○言ひをこせて　底本「いひをこせんて」で「ん」を見せ消チ。○三句　行く行くと。去って行くにつれて。○はや　強い感動を表す。

352 波の上に見えた小島が島に隠れてゆく。私は旅の空に立つ気もしない。愛する君に別れて。○三・四句　「行く」は、「島隠れ行く」「行く空もなし」と前後に接続する。「空」は、気持の意で、旅の空の意も響かせる。▽詞書では、笠金岡渡唐時の、妻の長歌に対する返歌だが、万葉集八「天平五年(七三三)癸酉春閏三月、笠朝臣金村、入唐使に贈る歌」の反歌「波の上ゆ見ゆる小島の雲隠りあないきづかし相別れなば」の異伝。

唐にて

353 天飛ぶや雁の使にいつしかも奈良の都に言づてやらん

柿本人麿

353　空を飛ぶ雁を使いにして、すぐにでも奈良の都に言伝てを遣りたいものだ。人麿集。○唐にて　人麿渡唐説は信じられていた(袋草紙)。○天飛ぶや　雁にかかる叙景的な枕詞。○雁の使　いわゆる雁信、匈奴に捕われた蘇武が雁に消息を託したという故事(漢書・蘇武伝)によった趣向。▽万葉集十五の遣新羅使人等の歌「引津(ひきつ)の亭(とまり)に船泊まりして作る歌七首」の中の一首、「天飛ぶや雁を使に得てしかも奈良の都に言告げ遣らむ」(作者未詳)の異伝。天平八年(七三六)派遣、翌年正月、帰国。引津の亭は、現在の福岡県糸島郡志摩町引津という。

拾遺和歌集巻第七　物名

紅梅

354 鶯の巣作る枝を折つればこうばいかでか生まむとすらん

よみ人知らず

さくら

355 花の色をあらはにめでばあだめきぬいざくら闇になりてかざさむ

いはやなぎ

356 旅のいはやなきとこにも寝られけり草の枕に露は置けども

藤原輔相

物名(もののな)は、事物を歌の中に隠し詠む言語遊戯。古今集より部立名となった。隠題ともいう。掛詞と異なり、事物名は歌の中に直接表れない。折句(おりく)や沓冠(くつかぶり)の歌も含める場合がある。事物名は、歌語でないものが多く、日常生活に身近なものが見られ、風俗史的な資料にもなる。事物名を詠み込むのに意を注ぐので、詠風はややぎこちない。作者表記は藤原輔相とするものが圧倒的に多いが、疑問のものがかなり見られる。壬生忠岑など、他も同様。

354 鶯が巣を作る枝を折ってしまったので、卵をいったいどのように生もうとするのだろうか。○鶯の巣作る枝　梅の枝になるが、題が「紅梅」なので、はっきり言わない。○こうば　「子をば」の転。「を」と「う」は音が近い。八代集抄「昔は宇の字を仮名のをに用ふ。宇(う)・遠(を)、声通ずれば也」。▽四句に「こうばい」を隠す。

355 花の色をあけすけに賞美すれば、浮わつこう。さあ、暗闇になってから、挿(かざ)すことにしよう。○花　桜の花に限定せずに言う。○くら闇　暗闇。歌語にはあまり用いない。八代集抄「物の名なればこそあれ、常の歌には好むまじと也」。○かざさむ　挿頭にして愛でよう。→八八。▽四句に「さくら」を隠す。古今六帖六は、素性の歌とする。

356 旅寝では、家屋の無い寝床でも寝られるものだった。草の枕に露が置いたとしても。○いはやなぎ　石(岩)柳。キツネヤナギ。集抄註「前栽に植ゑて見る花也」。「石柳花色見れば山川の水のあやとぞあやまたれける」(近江御息所周子歌合)。○旅のい　旅の寝。野宿をいう。○やなきとこ　屋なき床。○草の枕　旅寝は、草を結んで枕とする。○露　「草の枕」の縁語。▽初・二句に「いはやなぎ」を隠す。

さるとりの花

357 鳴く声はあまたすれども鶯にまさるとりのはなくこそ有けれ

伊勢

かにひの花

358 わたつ海の沖なかにひのはなれ出でて燃ゆと見ゆるは海人の漁りか

よみ人知らず

かいつばた

359 こき色がいつはたうすくうつろはむ花に心も付けざらんかも

如覚法師

さくなむさ

360 紫の色にはさくなむさしのの草のゆかりと人もこそ見れ

よみ人知らず

しもつけ

361 植へて見る君だに知らぬ花の名を我しもつげん事のあやしさ

357 鳴く声は種々あるけれども、鶯に優る鳥の声はないのであったよ。近江御息所周子歌合歌。○さるとりの花　サルトリイバラ。「おほうばら」とも。○鳴く声　色々な鳥の鳴く声。○三・四句　鶯に優る鳥のは。鶯よりも美声の鳥のは。▽四・五句に「さるとりのはな」を隠す。

358 海の沖の中に火が離れ出て燃えている、と見えるのは、海人の漁火なのか。抄・雑上四八三、初句「わたつみの」・五句「あまつ星かも」。延喜五年(九〇五)頃、宇多院物名歌合歌・紀友則。伊勢集。○かにひの花　ジンチョウゲ科のガンピ、ナデシコ科のガンピ、あるいはフジモドキなどとする説があるが、未詳。「かにひの花に付けて／花の色の濃きを見すとてこきたるを疎かにひとは思ふらむやぞ」(伊勢集)。「雁緋(かにひ)の花。色は濃からねど、藤の花といとよく似て、春秋と咲くが、をかしきなり」(枕草子・草の花は)。▽一・二句に「かにひのはな」を隠す。友則の歌であろう。

359 濃い色が、いつかこれもまた薄く色あせよう。今の盛りの花に心を寄せずにいられようか。○かいつばた　カキツバタ。杜若。「い」は「き」の転。○こき色　杜若の花色なら紫か。○はた　これはこれでまた。▽初・二句に「かいつばた」を隠す。

360 紫の色に咲いてはいけない。武蔵野の紫草に縁故があると人が見るかも知れないので。抄・雑上四八二・四句「花のゆかりと」。○さくなむさ　石楠花。語尾は濁音らしい。類聚名義抄「石楠草トビラノキ。俗云サクナンザ」。○三・四句「むらさきの一本(ひともと)ゆゑに武蔵野の草は皆がらあはれとぞ見る」(古今・雑上・よみ人知らず)を踏まえる。底本「ゆかりの」の「の」を見セ消チ、「と」を傍書。○五句「もこそ」は、不安懸念を表す。▽二・三句に「さくなむさ」を隠す。実頼集・義孝集にあり。

361 植えて見ている君さえ知らない花の名を、私が告げようとする不思議さよ。○しもつけ　キシモツケ、またはシモツケソウ。枕草子・草の花は「しもつけの花」。○四句「しも」は、強意。「ん(む)」は、仮定。▽四句に「しもつけ」を隠す。

りうたむ

362 河上に今よりうたむ網代にはまづもみぢ葉や寄らむとすらん

きちかう

363 あだ人のまがきちかうな花植へそにほひもあへず折つくしけり

あさがほ

364 我が宿の花の葉にのみ寝る蝶のいかなるあさかほかよりは来る

けにごし

365 忘にし人のさらにも恋しきかむげにこじとは思ものから

らに

366 秋の野に花てふ花を折つればわびしらにこそ虫も鳴きけれ

362 川上にこれから作ろうとする網代には、まず紅葉の葉が寄ろうとするだろう。○りうたむ　リンドウ。竜胆。古今集の物名の題にも見える。枕草子・草の花は「りんだうは、枝ざしなどもむつかしけれど、異花どもの皆霜枯れたるに、いとはなやかなる色あひにてさし出でたる、いとをかし」。○うたむ　打たむ。網代の杭を打つこと。○網代　氷魚(おひ)を取る宇治川の冬の景物。○もみぢ葉　時雨で散ったものか。↓二六。▽二句に「りうたむ」を隠す。

363 移り気な人の家の垣根近くに、花を植えてはいけない。咲ききらないうちに、折り尽くしたことだ。○きちかう　キキョウ。桔梗。古今集の物名の題に「きちかうの花」として詠まれる。枕草子・草の花は「ききやう」。○あだ人　多情な人。八代集抄「遠慮なき人」。○まがき　籬。竹や柴などを粗く編んで造った垣根。○花　女性に見立てる。○折つくし　「花を折る」は、女性を我が物にすることを暗示する。▽二句に「きちかう」を隠す。

364 我が家の花の葉にばかり寝る蝶が、どうした朝なのか、他所から帰って来るよ。○あさがほ　朝顔。↓一五五。○花　女によそえる。○蝶　男によそえる。○四句　今朝はどういう風の吹き回しか、といった口調。○五句　男の朝帰りとする。▽四・五句に「あさがほ」を隠す。

365 私を忘れ去った人が、今更にも恋しいことよ。まったく来るまいとは思うものの。○けにごし　牽牛子。アサガオ。古今集の物名の題に見える。○三句　「か」は、詠嘆の終助詞。○むげに　(打消の語を伴って)まったく。歌語には通常用いない。僻案抄「歌に詠まねど、隠題のならひなれば、ただの歌には詠むべからず」。▽四句に「けにごし」を隠す。

366 秋の野で、花という花を折ってしまったので、わびしそうに虫も鳴いていることだ。○らに　蘭。藤袴。○花てふ花　花という花。すべての花。「てふ」は、「といふ」の約。○わびしらに　気落ちした様子で。「命とて露を頼むにかたければものわびしらに鳴く野辺の虫」(古今・物名・在原滋春)。▽四句に「らに」を隠す。

367
かるかや
白露のかゝるがやがて消えざらば草葉ぞ玉のくしげならまし
忠岑

368
はぎのはな
山河はきのはながれず浅き瀬をせけば淵とぞ秋はなるらん

369
松むし
たきつ瀬の中にたまつむしら浪は流る水を緒にぞぬきける

370
ひぐらし
今来むといひて別しあしたよりおもひくらしの音をのみぞ鳴く

371
杣人は宮木ひくらしあしひきの山の山彦声とよむなり
貫之

367 白露がかかっているのがそのまま消えないならば、草葉は白玉を散らした美しい櫛箱になるだろう。○かるかや　イネ科の多年草。枕草子・草の花は「刈萱」。○玉のくしげ　「玉」は白玉。玉匣(たまくしげ)。宝石や真珠で飾った櫛箱。「くしげ」は、匣、櫛笥。化粧道具や日用具を入れる箱。▽二句に「かるかや」を隠す。忠岑の子の忠見の歌か(忠見集)。

368 山川は木の葉が流れず浅瀬を堰き止めるので、淵にと秋はなるだろう。○山河　浅い瀬を早く流れる。○きのは　木の葉。歌語としては、普通は「このは」。物名の歌にもう一例ある。→四三三。▽初・二句に「はぎのはな」を隠す。

369 逆巻く早瀬の中に、白玉を積み重ねる白波は、流れる水を緒にして貫き留めたのだった。○松むし　松虫。今のスズムシか。○たきつ瀬　激流。「滝つ瀬」と意識されるようになる。○たまつむ　玉積む。泡立つ水が白玉のようになって集積するさま。○四・五句　流れる水を緒にして、玉を貫き留めているのだった。「けり」は、気づき。▽二・三句に「まつむし」を隠す。

370 すぐまた来ようと言って別れた朝から、あの人を思い続けて日を暮らし、声を立てて泣くことだ。遍昭集。○ひぐらし　蜩。セミの一種。晩夏から初秋にかけて朝夕に鳴く。○今来む　「来む」は、主体の位置によって、行こう、来よう、いずれの意にもなる。「今来むと言ひしばかりに長月の有明の月を待ち出でつるかな」(古今・恋四・素性)。▽四句に「ひぐらし」を隠す。古今・恋五に、作者を遍昭として重出。

371 樵(きこり)たちは、宮木を切り出しているらしい。山の木霊(こだま)の声が響いているよ。抄・雑上四八七・五句「よびとよむなり」。○杣人　樵。「杣」は、用材として、植林された木。○宮木　神殿や宮殿などを建築するための材木。○三句　「山」の枕詞。○山彦　木霊。「天彦(あまびこ)」とも。○五句　山彦の声の響きを、木を伐り出す杣人への掛け声とする。▽二句に「ひぐらし」を隠す。古今・墨滅歌(物名)に重出。五句「よびとよむなり」。

372 松の音(ね)は秋のしらべに聞(きこ)ゆなり高(たか)くせめあげて風ぞひくらし

輔相(すけみ)

ひともとぎく

373 あだなりとひともどきくる野辺(のべ)しもぞ花のあたりを過(す)ぎがてにする

すはうごけ

374 鶯のすはうごけども主(ぬし)もなし風にまかせていづちいぬらん

やまと

375 古道(ふるみち)に我やまどはむいにしへの野中の草はしげりあひにけり

いなみの

376 住吉(すみよし)の岡(をか)の松笠(かさゝ)しつれば雨は降(ふ)るともいなみのはきじ

372 松風の音は秋の調べで聞えてくる。琴柱(ことじ)を高く押し上げて、風が弾いているらしい。抄・雑上四六八・凡河内躬恒。○松の音　松に吹く風の音。琴の音によそえられる。↓四五一。○秋のしらべ　奏楽の律調は、「時の声」といって、季節に合わせた(竜鳴抄)。秋は、平調(ひょうじょう)。○三句　「なり」は、聴覚でとらえたものを表す。○四句　琴柱を押し上げて絃を締め、調子を高くする。○五句　松風を擬人化する。▽五句に「ひぐらし」を隠す。躬恒集にあり。

373 移り気だと他人を非難してやって来た野辺だが、自分までも花の辺りを通り過ぎかねることだ。○ひともとぎく　一本菊。群生ではなく、一本立ちの菊で、茎が高く大輪の花が咲くものか。仁明天皇が好んだ承和菊で、黄菊のことども言う。俊頼髄脳「高く、大きに、広ごりたる菊」。↓一二〇。○三句　底本「のへ」に「ものの一本」と傍書。○五句　花々に移り気になり、通り過ぎできない。▽二句に「ひともとぎく」を隠す。新勅撰集・雑五(物名)に、作者を凡河内躬恒として重出。躬恒集にあり。

374 鶯の巣は動くけれども、宿主の鶯はいない。風に巣をまかせて、どこに行ってしまったのだろう。○すはうごけ　蘇芳苔。赤い色の苔。集抄註「色のちとあかくなりたる苔也」。八代集抄「古説に、蘇芳苔、あかくして、如レ萍(うきくさ)云々」。▽二句に「すはうごけ」を隠す。

375 古い布留の道に、私は迷うだろう。昔の野中の草は、今は道を隠して茂り合っていることだ。抄・雑上四八〇。○やまと　大和国。○古道　大和の地名「布留」を掛ける。▽二句に「やまと」を隠す。流布本続古今集・夏・柿本人麿で重出。人麿集にあり。島根大学本拾遺抄は、作者清原元輔。

376 住吉の岡の松笠を差したので、雨が降っても、否、蓑は着るまい。○いなみの　印南野。播磨国。↓三四八。○住吉の岡　摂津国。○松笠　松の実。「笠」の見立て。松の蔭に居ることの比喩とも(八代集抄)。○五句　否蓑は着じ。笠があるので蓑は不要とする。▽五句に「いなみの」を隠す。

くるすの

377 白浪のうちかくるすのかはかぬに我が袂こそ劣らざりけれ

このしまに尼のまうでたりけるを見て

378 水もなく舟もかよはぬこのしまにいかでかあまのなまめかるらん

在原元方

よどがは

379 植へていにし人も見なくに秋萩の誰見よとかは花の咲きけむ

貫之

380 あしひきの山辺にをれば白雲のいかにせよとかはるゝ時なき

在原業平朝臣

をがはのはし

381 筑紫よりこゝまで来れどつともなし太刀のをがはのはしのみぞある

377　白波が打ちかかる洲が乾かないのに比べても、涙で濡れる私の袂は劣らないのであった。〇くるすの　栗栖野。山城国。愛宕郡、宇治郡の両所にある。〇す　洲。中洲や洲崎。▽二句に「くるすの」を隠す。

378　水もなく、舟も通わないこの島に、どうして海人が海藻を刈るのであろうか。〇このしま　木島神社。山城国。二条大路末にあった。木島に尼姿の遊女がいたか。「太秦の薬師(遊女)がもとへ行く麿を　しきりとどむる木島の神」(梁塵秘抄)。〇初・二句「この島」をいうための措辞。〇あま「海人」に「尼」を掛ける。〇五句「生海布刈る」に、あでやかな姿をさらす意の「なまめかる」を掛ける。「生海布」は、海中に生えているコンブやワカメの類。▽三句に「このしま」を隠す。

379　植えて去った人も見ないのに、秋萩は、誰に見よといって、花が咲いたのであろうか。〇よどがは　淀川。山城国。桂川・木津川・宇治川の三川が合流する淀より下流。〇植へていにし人かつての恋人か。八代集抄「もとの主」。▽四句に「よどがは」を隠す。

380　山辺に住んでいると、白雲が、どのようにせよというのか、晴れる時もない。抄・雑上四七九。〇初句「山辺」の枕詞。〇二句　隠棲しているのであろう。〇五句　天候まで暗鬱で、気分の晴れようがない。▽四・五句に「よどがは」を隠す。古今・物名・紀貫之で重出。

381　筑紫からここまで来たけれど、土産もない。太刀の緒革の切れ端だけがあることだ。〇をがはのはし　小川の橋。未詳。筑紫国か。陸奥とも。枕草子・橋は(三巻本を除き、能因本など)「をがはの橋」。「下り立ちてをがはの橋は渡れども名にはた濡れぬものにぞありける」(和泉式部続集)。〇こ、　未詳。〇太刀のをがはのはし　八代集抄「帯取の革の端也」。緒革は、太刀を腰に下げるための革紐。大和物語二十二段「太刀の緒にすべき革」。私抄「筑紫は革の名所なればかくいふ也」。▽四・五句に「をがはのはし」を隠す。広本系の伊勢物語に、この歌を含む段がある。

くまのくらといふ山寺に賀縁(がえん)法師の宿(やど)りて侍(はべり)けるに、住持(ぢうぢ)し侍ける法師に歌詠(よ)めと言(い)ひ侍ければ

382 身をすてて山に入(いり)にし我なればくまのくらはむこともおぼえず

よみ人知(し)らず

いぬかひのみゆ

383 鳥の子(こ)はまだ雛(ひな)ながら立(た)ちていぬかひの見ゆるは巣守(すもり)なりけり

あらふねのみやしろ

384 茎(くき)も葉(は)もみな緑なる深芹(ふかぜり)はあらふねのみやしろく見ゆらん

輔相(すけみ)

なとりのこほり

385 あだなりなとりのこほりに下(お)りゐるは下(した)より解(と)くる事は知(し)らぬか

重之(しげゆき)

なとりのみゆ

386 おぼつかな雲の通(かよ)ひ路(ぢ)見てしがなとりのみ行(ゆ)けばあとはかもなし

兼盛(かねもり)

382 身を捨てて山に入って籠居した自分なので、熊が私を食らおうとすることも、気にしない。抄・雑上四七五・五句「こともおもはず」。賀縁の求めで、山寺の法師が詠んだ歌。○くまのくらといふ山寺　未詳。○賀縁法師　大鏡・伊尹伝に、極楽往生した義孝を夢に見た、とあり、また、古今著聞集十六に、慈恵僧正の悪口を言った、とあるなどの説話が伝えられる。延暦寺、あるいは三井寺の僧という。○住持　住職。○下句　釈迦が前世で虎に身を施したとする信仰による。寺名から「熊」に言い換えた。▽四句に「くまのくら」を隠す。

383 鳥の子はまだ雛なのに飛び立って行った。卵が見えるのは、孵化しない卵であったよ。抄・雑上四七八・五句「すもりなるべし」・藤原輔相。○いぬかひのみゆ　犬飼の御湯。信濃国(八雲御抄)。○かひ　卵。○巣守　孵化せずに巣に残った卵。▽三・四句に「いぬかひのみゆ」を隠す。

384 茎も葉も皆緑色である根深い芹は、洗う根だけが白く見えるのだろうか。抄・雑上四七六・五句「白くなるらん」。○あらふねのみやしろ　荒船の御社。未詳。筑前国か。上野国などとも。○深芹　深く根ざした芹。私抄「泥の深き所の芹也」。▽四・五句に「あらふねのみやしろ」を隠す。八雲御抄一「藤六が多詠が中に、是は尤躰を得たり。…これは九字のよく隠れたる也」。

385 あさはかだな。鳥が氷の上に下りて居るのは。足もとから解けることは知らないのか。抄・雑上四八一・五句「事をしらぬか」。○なとりのこほり　名取の郡。陸奥国。○初句　二・三句と倒置。▽初・二句に「なとりのこほり」を隠す。

386 気がかりなことよ。雲の通い路を見てみたいものだ。鳥ばかりが飛び行くので、痕跡もない。○なとりのみゆ　名取の御湯。陸奥国。○雲の通ひ路　雲の間を通って天上に通じている道。天人や鳥などが通るとされていた。▽三・四句に「なとりのみゆ」を隠す。大和物語五十八段に藤原恒忠妻の歌として見え、やはり名取の御湯を詠んだ平兼盛の歌「塩釜の浦には海人や絶えにけむなどすなどりのみゆる時なき」との贈答となっている。

387 さはこのみゆ

飽(あ)かずして別(わか)れし人の住(す)む里(さと)はさはこの見ゆる山のあなたか

よみ人知(し)らず

388 つゝみのたけ

かゞり火の所さだめず見えつるは流(ながれ)つゝのみたけばなりけり

紀　輔時(すけとき)

389 むろの木

神なびのみむろのきしや崩(くづ)るらん龍田の河の水のにごれる

高向草春(くさはる)

390 きさの木

怒(いか)り猪(ゐ)の石(いし)をくゝみて嚙(か)み来(こ)しはきさのきにこそ劣(おと)らざりけれ

輔(すけ)　相(み)

391 はなかむじ

五月雨にならぬ限(かぎり)は郭公(ほとゝぎす)何(なに)かはなかむしのぶ許(ばかり)に

仙慶(せんけい)法師

387 満ち足りずに別れたあの人の住む里は、それでは、この見える山の向こうにあるのか。抄・雑上四七七。〇さはこのみゆ　さはこの御湯。陸奥国か。「世と共になべてけしきを陸奥のさはこのみよと言はせてしがな」(海人手古良集)。〇さは　然は。それならば。▽四句に「さはこのみゆ」を隠す。

388 篝火が、所定まらずに見えたのは、流れ流れて焚くからなのであった。抄・雑上四七四。〇つゝみのたけ　鼓の岳。未詳。伊勢・隠岐・筑前などという。抄「つつのみたけ」が妥当か。筒の御岳。未詳。肥後という。〇かゞり火　鵜飼の漁火。〇流つゝ　鵜飼舟が川を下り流れるさま。▽四・五句に「つつのみたけ」を隠す。

389 神奈備の三室の岸が崩れたのであろうか。龍田川の水が濁っている。〇むろの木　榁の木。檉。杜松(ずね)の古名。球形の実は、漢方で杜松子(としょうし)といい利尿剤。「磯の上に立てるむろの木ねもころに何しか深め思ひ初めけむ」(万葉・十一・作者未詳)。〇神なびのみむろのきし　神奈備の三室の岸。大和国。〇龍田の河　龍田川。大和国。三室の下流になる。↓二九。▽二句に「むろのき」を隠す。

390 怒った猪が石を口に含んで噛みながらやって来たのは、象の牙にも劣らない恐ろしさだった。〇きさの木　橒の木。コガネヤナギ。シソ科の多年草で薬用、観賞用。また、この木目模様の整った板。机などに使用される。「尊者只用二赤木机一(略)弁・少納言支佐木也」(小右記・治安元年七月廿五日)。〇怒り猪　猛り狂った猪。私抄「怒りたる猪也」。〇きさのき　象の牙。私抄「ざうげ也。かたき心也」。↓四三。▽四句に「きさのき」を隠す。

391 五月雨の時期にならない以上は、時鳥はどうして声高く鳴こうか。忍び音で鳴くだけで。〇はなかむじ　花柑子(こうじ)。花の咲いている柑子。柑子の花。柑子は、ミカンの一種。↓一三七。〇三句　郭公が五月雨の時期に鳴くのは、類型の一つ。〇四句　何かは鳴かむ。鳴くことはない。反語。〇しのぶ　時鳥は、四月には忍び音で鳴くとされていた。五月になり、声高く鳴く。▽四・五句に「はなかむじ」を隠す。

もゝ　　　　輔(すけ)相(み)

392 心ざし深(ふか)き時には底(そこ)のもゝかづき出(い)でぬる物にぞ有(あり)ける

はしばみ　　　　よみ人知(し)らず

393 面影(おもかげ)にしばしば見ゆる君なれど恋しき事ぞ時ぞともなき

ねりがき　　　　輔(すけ)相(み)

394 いにしへはを(お)ごれりしかどわびぬればとねりがきぬも今は着(き)つべし

おはり(を)ごめ

395 池をはりこめたる水の多(おほ)かれば井(ゐ)樋(ひ)の口(くち)よりあまるなるべし

まつたけ

396 あしひきの山下(した)水に濡(ぬ)れにけりその火まづたけ衣あぶらん

392 好意が深い時には、海の底の藻も潜って取り出したものであったよ。○も丶　桃。○心ざし深き　「深し」は、「底」の縁語。○底のも　海の底に生える海藻。○四句　水中に潜って取り出す。苦労も厭わない意に、食膳に出す意も込めるか。「わたつ海のかざしに挿すといはふ藻も君がためには惜しまざりけり」(伊勢物語八十七段)。▽三句に「もも」を隠す。

393 面影にたびたび見える君であるけれど、恋しいことは、時を定めないのであった。○はしばみ　ハシバミ。榛。ドングリ状の実をつける。○面影　思慕や追想などによって現れる想像の顔や姿。幻影。○五句　「しばしば」ではなく、いつと限らない。八代集抄「時をも分かぬ心也」。▽二句に「はしばみ」を隠す。

394 昔は心おごりしていたけれども、落ちぶれてしまったので、舎人(とねり)の衣服も、今は着ることにしよう。○ねりがき　練柿。木に生ったまま熟した柿。木練柿とも。集抄註「あいし柳(未詳)也。或説云、こねりとて、自然に渋もなき柿かと云々」。○とねり　舎人。雑役に従事する下級の官人。同じ狩衣(かりぎぬ)でも、白張(はくちょう)、退紅(たいこう)などといった、それと判る衣服を着用した。私抄「下がりたる者なれば也」。▽四句に「ねりがき」を隠す。

395 池に張りこめた水が多いので、樋(いと)の口から余って流れ出ているようだ。輔相集。○おはりごめ　尾張米。米は尾張の名産。新猿楽記・四郎の君の条、諸国の産物の中に見える。○はりこめ　張り込め。水を一杯に張ること。八代集抄は、氷が張り込めた、とする。○井樋　楲。水を田などに引くため地中に埋めた樋。▽初・二句に「をはりごめ」を隠す。

396 山下の谷水に濡れてしまった。その火をまず焚いてくれ。着物を焙って乾かそう。○まつたけ　松茸。○初句　「山下水」の枕詞。○山下水　山間を流れる谷川の水。木隠れて、音高く激しく流れる、という印象がある。「あしひきの山下水の木隠れてたきつ心を堰きぞかねつる」(古今・恋一・よみ人知らず)。○三句　谷川を徒渉して濡れたさまか。▽四句に「まつたけ」を隠す。

397 いとへどもつらき形見(かたみ)を見る時はまづたけからぬ音(ね)こそ泣(な)かるれ

くゝたち

398 山高(たか)み花の色をも見るべきにくゝたちぬる春霞(がすみ) 哉(かな)

こにやく

399 野を見れば春めきにけり青(あを)つゞらこにやくまし若菜(わかな)つむべく

そやしまめ　　高岳相如(すけゆき)

400 いさりせし海人(あま)の教(をし)へしいづくぞやしまめぐるとてありといひしは

きじのをどり　　輔(すけ)相(み)

401 河ぎしのをどりおるべき所あらば憂(う)きに死(し)にせぬ身は投(な)げてまし

397 避けていたけれども、見るのもつらい形見の品を見る時は、まず心弱く声立てて泣かれることだ。○形見　恋歌によく用いられる歌語。死者よりも、別れた恋人の遺した品か。○たけからぬ　猛からぬ。弱々しく。○泣かるれ　「るれ」は自発で、「こそ」の結び。▽四句に「まつたけ」を隠す。

398 山が高いので、花の色をもここから見られるはずなのに、憎らしく立ってしまった春霞だよ。○くゝたち　茎立。アブラナ科の野菜。青菜。茎が伸びて立つことからの名という。「上野(かみつけ)の佐野のくくたち折りはやし我(あれ)は待たむゑ今年来ずとも」(万葉集十四・作者未詳)。○初句　「…み」は原因・理由を表す。三句にかかる。○春霞　花を隔て隠す類型的景物。▽四句に「くくたち」を隠す。

399 野を見ると、春めいていることだ。青つづらを籠に編もうか。若菜を摘めるように。○こにやく　蒟蒻(こんにゃく)。○三句　蔓性低木のツヅラフジ。「山がつの垣ほに這へる青つづら人は来れども言伝てもなし」(古今・恋四・寵(うっく))。○四句　籠にや組ままし。青つづらを組んで、籠に編もうか。「同じ人の許に、青つづらを籠に組みて、棗(なつめ)・栗・欙(まがり)など入れて、花こき交ぜて」(恵慶集)。○若菜　→一八。▽四句に「こにやく」を隠す。

400 漁をしていた海人が教えてくれたのは、どこだろうか。「島巡りをしようとして居た」と、海人が言った場所は。○そやしまめ　そやし豆。もやしにする豆。○二・三句　都から来て、海人に配流の人の居所を訪ねる、という設定。○四句　「わたの原八十島かけて漕ぎ出でぬと人には告げよ海人の釣舟」(古今集・羇旅・小野篁)、「思ひきや鄙の別れにおとろへて海人の縄たきいさりせむとは」(同・雑下・同)などによったか。▽三・四句に「そやしまめ」を隠す。

401 川岸で、飛び下りられる所があれば、つらさにも死にそうもない身を、投げしてしまおうかしら。輔相集。○きじのをどり　雉の雄鳥。○憂きに死にせぬ身　恋の苦しさを味わっても死ねずに、むざむざと生き長らえる身。▽初・二句に「きじのをどり」を隠す。

山がらめ

402 もみぢ葉に衣の色は染みにけり秋のやまからめぐり来し間に

かやくき

403 何とかやくきの姿は思ほえてあやしく花の名こそ忘るれ

つぐみ

404 我が心あやしくあだに春来れば花につく身となどてなりけん　大伴黒主（くろぬし）

405 咲く花に思ひつくみのあぢきなさ身にいたつきの入るも知らずて

つばくらめ

406 難波づはくらめにのみぞ舟は着く朝（あした）の風のさだめなければ　輔相

402 紅葉の葉で、着物の色は染まってしまった。秋の山から山へと巡って来た間に。○山がらめ　山雀め。ヤマガラ。「め」は、鳥類を表す接尾語。増抄「或人云、俗、鳥を呼びて、めと言ひし少なからず。鴒をヒメといひ、鵐をシメといひ、鷗をカモメといひ、雀をスズメといひ、燕をツバクラメといひしが如き、これなり」。○やまから　山から。「山々」と解する説もある。▽四・五句に「やまがらめ」を隠す。

403 何と言ったか。茎の形は覚えていて、妙なことに花の名は忘れている。抄・雑上四六五・詞書「かやくきのす」。輔相集。○かやくき　カヤクグリ。鶡。顕昭註「かやくきは小鳥なり。鶡と書けり。籬鶡と云ふなり」。「かやくきのとくこ(ら)と頼む花薄あだし鳥をば招かざらなん」(能宣集)。▽初・二句に「かやくき」あるいは「かやくきのす」を隠す。

404 私の心は不思議に浮わついて、春が来ると、花に執着する身に、どうしてなってしまうのだろう。抄・雑上四六六・二句「あやしやあだに」・五句「など成りにけむ」・藤原輔相。○つぐみ　ツグミ。鶫。十月下旬頃、シベリアから大群で飛来する。焼鳥にする。○あだに　誠実さがない。浮気だ。○花につく身　八代集抄「花に執着する心也。着也」。▽四句に「つぐみ」を隠す。

405 咲く花に心の執着する身の無益さよ。身に病気が取り付くのも解らないで。○いたつき　心身を煩うこと。病気。煩悩。風に当たると邪気が体内に入り病気になるとされた。奥義抄「いたづきは煩也。煩は悩也、苦也」。▽二句に「つぐみ」を隠す。古今・仮名序の六義のかぞへ歌(物名の歌)の例歌として見える。「つぐみ」のほかに、「あぢ」「たづ」という鳥の名が隠され、矢尻の一種の「平題箭(いたつき)」と「射る」が縁語として掛けられているともされる。

406 難波の港は、暗くなる頃に限って、船は着く。朝吹く風の向きが定まらないので。○つばくらめ　ツバメ。燕。○難波づ　難波津。難波港。「つ」は津、船着き場。○くらめ　暗め。暗い時分。ここは、朝に対するから、日暮れ時。○朝の風　逆風などで、寄港や碇泊が困難なのだろう。▽初・二句に「つばくらめ」を隠す。

はらか

407 み吉野も若菜つむ覧わぎもこがひばらかすみて日数へぬれば

元輔

さけからみ

408 あしぎぬはさけからみてぞ人は着るひろや足らぬと思なるべし

輔相

火ぼしのあゆ

409 雲まよひほしのあゆくと見えつるは螢の空に飛ぶにぞ有ける

をしあゆ

410 はしたかのをき餌にせんとかまへたるをしあゆかすな鼠とるべく

つゝみやき

411 わぎもこが身を捨てしより猿沢の池のつゝみやきみは恋しき

407 吉野でも若菜を摘んでいるだろう、私の妻が。檜原に霞が立って日数が経っているので。元輔集。○はらか　腹赤。ニベ。鯇。マスとも。元旦の節会用に肥後国から献上された。○み吉野　大和国。○若菜 ↓一八。○三句　我妹子が。異文「まきもくの(巻向の)」の方が意味は通じやすい。「巻向の檜原」は、大和国。○かすみて　立春の景物。▽四句に「はらか」を隠す。

408 あし絹は裂けたのを絡みつかせて人は着る。布の寸法が足りないと思うに違いない。○さけからみ　八代集口訣「鮭搦也。鮭といふ魚を塩引といふものにして、藁もて搦みて、身を損なはさず、風に吹きならさせて、味を失はじのためにしおくこと也」。○あしぎぬ　絁。粗い絹糸で平織りにした粗製の織物。貧しい人が着る。○さけからみてぞ　口訣「裂けたる衣を、縫ひ絡みて着る也」。○ひろ　尋。長さの単位。寸法。▽二句に「さけからみ」を隠す。

409 雲が乱れ動き、星が揺らぐと見えたのは、螢が空に飛ぶのであった。○火ぼしのあゆ　火乾しの鮎。火で焙り乾燥させた鮎。延喜式二十四・主計上「火乾年魚」。○あゆく 「あよく」の転。▽初・二句に「ひぼしのあゆ」を隠す。

410 鷂(はしたか)の餌にしようと用意した罠を動かすなよ。鼠が獲れるように。○をしあゆ　おしあゆ。押鮎。塩漬けにした鮎。土佐日記に見える。○はしたか　ハイタカ。鷂。鷹狩に用いた、小型の鷹。○をき餌　招き餌。鷹を呼び寄せるための餌。○をし　おし。押機。罠の一種で、重しで押し殺すような仕掛けのもの。○あゆかすな　揺らし動かすな。「あゆく」の他動詞形。▽四句に「おしあゆ」を隠す。

411 愛する乙女が身を投げてから、猿沢の池の堤を、君は恋しいだろうか。抄・雑上四九二・よみ人知らず。輔相集。○つゝみやき　包焼。裹焼。炰。魚や肉を濡れた紙や葉に包み、熱い灰の中に入れて蒸し焼きにする。○猿沢の池　大和国。○きみ　平城(なら)の帝。▽四・五句に「つつみやき」を隠す。大和物語一五〇段の、帝の寵愛の薄さを嘆いて猿沢の池に身投げした采女(うねめ)を憐れみ、柿本人麿などが歌を詠んだという説話を踏まえる。↓二六九。

うるかいり

412 この家はうるかいりても見てし哉(がな)主(あるじ)ながらも買(か)はんとぞ思(おもふ)

重之(しげゆき)

したゞみ

413 あづまにて養(やしな)はれたる人の子(こ)はしたゞみてこそ物は言(い)ひけれ

よみ人知(し)らず

さはやけ

414 春風のけさはやければ鶯の花の衣もほころびにけり

まがり

415 霞わけいまかり帰(かへる)物ならば秋来(く)るまでは恋(こ)ひやわたらん

とち　ところ　たちばな

416 思ふどちところも変(か)へず住みへなんたちはなれなば恋(こひ)しかるべし

輔相(すけみ)

412 この家は売るだろうか、入って見たいものだ。主人ともども買おうと思う。抄・雑上四九三・藤原輔相。〇うるかいり　鰭煎。魚の鰭のうま煮か。鮎をまるごと煮たものとも。「うるか」は鮎の内臓。顕昭註「鮎といふ魚を煮るに、腹の中にうるかといふものを取り出でずして煮るを云ふなり」。〇四句　女主人であろう。戯れたのである。▽二句に「うるかいり」を隠す。輔相集にあり。

413 東国で養育された子女は、言葉が訛って物を言うことだ。〇したゞみ　小蠃子。小螺。キサゴ。小型の巻貝の総称とも。万葉集十六などに見える。「しただみもあはびさだえもはまぐりもかきあつめたりみなながらみよ」(国基集)。〇したゞみ　舌訛み。言葉が訛る。▽四句に「しただみ」を隠す。輔相集にあり。

414 春風が今朝はげしかったので、鶯の花の衣も綻び、梅の花が開いたことだ。抄・雑上四九〇・四句「花のころもは」・藤原輔相。〇さはやけ　黄菜。大根の若芽。乾燥した菜とも。口訣「菘は…タカナともウキナとも訓ず。菜を蒸して乾して置きて、用次第に、常に食する也。たとへば乾菜といふ物の類也」。うつほ物語・祭の使に「さはやけの汁」と見える。〇鶯の花の衣　梅花を鶯が着る衣に見立てる。〇ほころび　花が咲く。また、「綻ぶ」は「衣」の縁語。↓三九。▽二句に「さはやけ」を隠す。

415 霞を分けて、今雁が帰ってしまうものならば、秋に戻って来るまで、私は恋い続けるのであろうか。〇まがり　糫餅。まがりもちひ。米や麦の粉を練って細く伸ばしたものを、種々の形に曲げ、油で揚げた菓子。「くり返しまがきの内に花つめばいとまかりにもありとやは思ふ」(恵慶集)。〇いまかり帰　今雁帰る。帰雁を詠んだもの。↓五五。▽二句に「まがり」を隠す。

416 気の合った者どうしが、場所も変えずに住み続けたいものだ。離れ離れになれば、恋しく思うであろう。抄・雑上四八九。〇とち　トチノキ。栃。橡。〇ところ　トコロ。野老。ヤマノイモに似た蔓草。↓一〇三一。〇たちばな　橘。〇三句「なん」は願望。▽初句、二句、四句に「とち」「ところ」「たちばな」を隠す。

くちばいろのおしき

417 あしひきの山の木の葉の落ち口はいろのおしきぞあはれなりける

あしがなへ

418 津の国の難波わたりに作る田はあしかなへかとえこそ見わかね

むなぐるま

419 鷹飼のまだも来なくにつなぎ犬の離れていかむなくるまつほど

いかるがにげ　　躬恒

420 事ぞとも聞きだにわかずわりなくも人のいかるかにげやしなまし

ねずみのことのはらにこをうみたるを　　輔相

421 年をへて君をのみこそねすみつれことはらにやはこをばうむべき

417 山の木の葉の落ち始めは、その色の惜しさにしみじみすることだ。○くちばいろのおしき　朽葉色の折敷。朽葉色は、赤みがかった黄色。折敷は、折板(へぎいた)で造った四角い盆。集抄註「折敷の面に色々の文をして、禁裏・仙洞其外の貴人の御前には参らする也。色どり折敷ともいへり」。○あしひきの　「山」の枕詞。○三句「落ち朽ちば」に作ると、詞書の「朽葉」と意味が重なる。▽三・四句に「くちばいろのをしき」を隠す。

418 津の国の難波辺りに作る田は、葦か苗かと、見分けがつかないよ。抄・雑上四九四・四句「あしかなへかも」。輔相集。○あしがなへ　鼎。二つの耳と三本の脚が付いた鍋。○津の国の難波わたり　摂津国。葦の名所。○四句　葦と稲とがまぎれる趣向。共にイネ科。▽四句に「あしがなへ」を隠す。

419 鷹飼がまだ来ないのに、繋いだ犬は離れて行きそうだ。汝の来るのを待つ間に。○むなぐるま　空車。人の乗っていない車。また、荷車。○鷹飼　鷹狩用の鷹を飼い慣らし、鷹狩に従事する人。○つなぎ犬　繋いだ犬。鷹狩で、獲物を追い出すための犬。○なくる　汝来る。汝は、鷹飼。また、待つ人。「殴る」と解する説もある。▽四・五句に「むなぐるま」を隠す。

420 何事と聞き分けもしないで、むやみに人が怒ることだ。逃げてしまおうかしら。抄・雑上四九五。躬恒集。○いかるがにげ　斑鳩二毛。馬の毛並みの色の一つ。未詳。二毛は騅(いす＝鼠色の馬)という。鼠毛(名語記)。また、黒・白まじった毛とも。平家物語五・五節之沙汰「二毛の馬」。▽四・五句に「いかるがにげ」を隠す。

421 年月を経て、あなたとだけ共寝して住んできた。他の女性の腹に子を生ませられようか。○ねずみの…　鼠が琴の胴に子を生み付けたという出来事が題となる。○三句　寝住みつれ。夫婦として生活してきたこと。○下句　「ことはら」は、異腹。他の女性の腹。妻の恨み言に対して、夫が弁解するという設定か。▽物名としては、三句、四句に「ねずみ」「ことはら」をそれぞれ隠し、「子を生む」を詠み込む。

月のきぬをきて侍けるに

422 久方のつきのきぬをばきたれども光はそはぬ我が身なりけり

きさのきのはこ

423 世と共に塩焼く海人の絶えせねばなぎさのきのはこがれてぞ散る

ながむしろ

424 鶯のなかむしろには我ぞ泣く花のにほひやしばし留まると

へうのかは

425 底へうのかは浪わけて入りぬるか待つほど過ぎて見えずもあるかな

かのかはのむかばき

426 かのかはのむかはぎ過ぎて深からば渡らでたゞに帰る許ぞ

422 月々の衣を着ているけれども、光は添うことのない我が身であったよ。○月のきぬをきて 月が暈(かさ)を被る光景か。集抄註「曇るを、衣とも、笠とも言ふなり」。○久方の 「月」の枕詞。○つきのきぬ 月々に着る衣の意か。八代集抄「一説、月々の衣有り。桃の衣は三月、卯の花の衣は四月等の類、是を月の衣と云ふ」。○下句 我が身は月ではないので光は添わない。不遇の身をいう。▽二・三句に「月のきぬをきて」を隠す。僻案抄「この歌、大方心得ず」。

423 世と共に、塩を焼く海人が絶えないので、渚の木の葉は焦げて散ることだ。○きさのきのはこ 象牙の箱。→三九〇。○こがれて 焦げて。葉が赤茶けて。焼くので葉が焦げるとする。海岸の紅葉の所以を塩焼きに求めた。▽四・五句に「きさのきのはこ」を隠す。

424 鶯が鳴こうとする代わりに、私が泣くよ。花の色香がしばらくでも留まるかと。○ながむしろ 長筵。丈の長い筵。堤中納言物語・よしなしごとなどに見える。○鶯 花を愛する鳥。「花の散ることやわびしき春霞たつたの山の鶯の声」(古今・春下・藤原後蔭)。○しろ 代。代わりを勤める者。○下句 「散る花の鳴くにしとまるものならば我鶯に劣らましやは」(古今・春歌下・典侍洽子)の趣向によるか。▽二句に「ながむしろ」を隠す。

425 水底へ鵜が川波を分けて入ってしまったか。待つ時間が過ぎても姿が見えないことだ。○へうのかは 豹の皮。虎の皮より高級とされた。共に舶来品。▽初・二句に「へうのかは」を隠す。

426 あの川が向こう脛(ねず)を過ぎて深かったならば、渡らないで、そのまま帰るだけだ。○かのかはのむかばき 鹿の皮の行縢。行縢は、馬に乗るときに、腰に着けて垂らし、足の前の部分を覆うもので、獣の毛皮で作る。「すごも敷き青菜煮てこむうつはりに行縢かけて休めこの君」(万葉集十六・作者未詳)。○むかはぎ 向こう脛。僻案抄「胻のむかひすね」。川を徒歩で渡ろうとする時に、水深が脛を越えるのを危険と思ったのである。▽初・二句に「かのかはのむかばき」を隠す。

かのえさる

427 かのえさる舟待てしばし事問はん沖の白浪まだ立たぬ間に

恵慶法師

かのとといふことを

428 さをしかの友まどはせる声すなり妻や恋しき秋の山辺に

よみ人知らず

ね　うし　とら　う　たつ　み

429 一夜ねてうしとらこそは思ひけめうきなたつみぞわびしかりける

むま　ひつじ　さる　とり　いぬ　ゐ

430 むまれよりひつしつくれば山にさるひとりいぬるに人ゐていませ

四十九日

輔相

431 秋風の四方の山よりをのがじしふくにちりぬる紅葉かなしな

427 あの江を去る舟よ、しばらく待ってくれ。しばし物を尋ねたい。沖の白波がいまだ立たない間に。○かのえさる　庚申。干支(えと)の一つ。▽初句に「かのえさる」を隠す。

428 牡鹿の、友とはぐれて鳴く声がする。妻が恋しいのか。秋の山辺で。抄・雑上四九一・三句「声するは」。恵慶集。○かのと　辛。十干の一つ。○さをしか　さ牡鹿。鹿の妻恋いの声は、万葉集以来の類型。○まどはせる　見失う。→三三八。▽初・二句に「かのと」を隠す。

429 一夜共寝して、不満となど思ったのだろう。もう訪ねて来ないのに、恋沙汰があったとの噂が立つ我が身が情けないことだ。○ね…　子・丑・寅・卯・辰・巳。十二支の前半。○うしとら　憂しと等。「ら」はやや特異な語法だが、八代集抄により「等」と解しておく。○うきなたつ　浮き名立つ。恋歌の常套的な趣向。▽初句、二句、四句に、十二支の前半を隠す。

430 生まれた時から櫃を作っているので、山に去る。一人で行くので、女の人を連れていらっしゃい。○むま…　午・未・申・酉・戌・亥。十二支の後半。○むまれより…　上句は文意が明瞭ではない。集抄註に「幼けれども、己が業なれば、山に入りて、材木を取りて、櫃を作るとなり」とあるのに依った。○ひつ　櫃。上ぶたの付く大型の木箱。○いぬる　「寝ぬる」とも解せる。○五句　人率て坐せ。「います」は、尊敬の補助動詞。▽各句に、十二支の後半を隠す。堀河本には「むまよりはひつじばかりはあるものをとりにいぬるかかゐてきぬらむ」が加わる。それの方が意味は通じやすいが、「さる」が欠けている。

431 秋風が四方の山からそれぞれ吹くので、散ってしまった紅葉がいとおしいことだ。抄・雑上四九六・五句「もみぢかなしも」。輔相集。○四十九日　喪明け。人の死後四十九日間は、霊魂が現世と来世との間をさまよっている期間。なななぬか。中陰。中有。八代集抄「中陰の果てなるべし」。○三句　各自の思うままに。めいめい。▽三・四句に「四十九日」を隠す。

拾遺和歌集巻第八　雑上

月を見侍(はべり)て　　中務卿具平親王(ともひらしんわう)

432 世にふるに物思ふとしもなけれども月にいくたびながめしつらん

清慎公(せいしんこう)家屏風に　　貫之(つらゆき)

433 思ふ事有(あり)とはなしに久方の月夜(よ)となれば寝(ね)られざりけり

妻(め)に遅(おく)れて侍(はべり)ける頃(ころ)、月を見侍て　　大江為基(ためもと)

434 ながむるに物思(おもふ)事のなぐさむは月は憂(う)き世の外よりや行(ゆ)く

432 この世に生きてきて、物思いをとくにするわけではないけれども、ひと月に何度月を眺めて物を思ったであろうか。抄・雑下四九七・初句「よにふれば」。〇初句　「経る」に「古」を掛ける。〇物思ふとしも　「しも」は強意。〇四句　「月」に、天象の月と暦月の月を掛ける。〇五句　「ながむ」は、視覚的な眺めをいうが、物思いによるしぐさでもある。私抄「物思ふ人こそ秋一夜月を見るやうなれ。我はさやうにもなけれども、物思ふやうに月を見るとなり」。▽四四二まで月の歌が並ぶ。

433 物思うことは、有りはしないが、月夜となると、寝られないのであった。抄・雑下四九八。天慶二年(九三九)四月、右大将藤原実頼屏風歌。「家に女月をみる」(貫之集)。〇清慎公　実頼。この年、四十歳。四十賀の屏風歌ともいわれる。〇久方の　「月夜」の枕詞。〇五句　通常は、物思いによるが、ここは夜もすがら美しい月を眺めてしまうため。

434 眺めていると物思いすることが慰められるのは、月は憂き世の外を巡って行くからだろうか。抄・雑下四九九。〇妻に遅れて侍ける頃　妻を亡くした時期は未詳。三河守になった頃に妻を亡くしたとする説があるが、それは弟の定基のこととの混線か。→三九五。〇初句　「ながむ」と二句「物思ふ」とは、縁語のように近接した歌語。〇下句　「より」は、通過の場所を示す。月を憂き世の埒外のものとする。「あだにちる花につけてぞ思ほゆる春は憂き世の外に暮れなむ」(高遠集)。▽道済集・公任集・玄玄集に見える「三河入道」は弟の定基のこと。その妻のことは、今昔物語集十九、発心集二などに見える。

435
法師にならんと思ひたち侍ける頃、月を見侍て
かく許へがたく見ゆる世中にうら山しくもすめる月哉
藤原高光

436
冷泉院の東宮におはしましける時、月を待つ心の歌、男ども詠み侍けるに
有明の月の光を待つほどに我が世のいたくふけにける哉
藤原仲文

437
参議玄上が妻の、月の明き夜、門の前をわたるとて、消息いひ入れて侍ければ
雲居にてあひ語らはぬ月だにも我が宿過ぎてゆく時はなし
伊勢

438
花山にまかりて侍けるに、駒牽の御馬を遣はしたりければ
望月のこまより遅く出でつればたどる〳〵ぞ山は越えつる
素性法師

439
屏風の絵に
常よりも照りまさる哉山の端の紅葉をわけて出づる月影
貫之

435 これほど過ごしがたく見える世の中に、羨ましくも住み留まって、澄み輝いている月だよ。抄・雑下五〇〇。応和元年(九六一)十二月五日に出家した頃の藤原高光の歌。高光集。○二句　出家前年に、父師輔が没している。○四句　羨ましくも。定家本の文字遣い。○すめる「住める」に「澄める」を掛ける。▽高光の出家は、大鏡・師輔伝、栄花物語・月宴などに語られている。

436 有明の月の光を待ち、東宮の即位を期待している間に、夜がたいそう更けて、我が世もずいぶんとたけてしまったことだ。抄・雑下五〇一。仲文集。○冷泉院の東宮…　冷泉院の東宮時代の仲文は、四十三歳から六十歳まで。↓四。○有明の月の光　東宮即位による恩寵を暗示する。「光」は、王権の表象。○下句「夜の…更け」に「我が世の…更け」を掛ける。月を待つことに、我が身の不遇と老いの訴嘆を託す。

437 空にあって語り合わない月でさえも、私の家を素通りして行く時はないのだよ。抄・雑下五〇二・五句「行くときは見ず」。伊勢集。○参議玄上　藤原玄上。○雲居　空と宮中の意とを掛ける。○下句「宿」は、家の意に、月の影が映る「宿る」意を添える。月でさえ「宿る」のに、宮中で親しくした友人のあなたが立ち寄らないのはどうしてかと戯れた。

438 望月の駒ではないが、満月が木の間から出て来なかったので出発が遅れ、手探りしながら夜の東山を越えたことです。素性集。○花山　花山寺。京都市山科区北花山にあり、素性の父、遍昭が住持していた。○駒牽の御馬…　帝が素性を召すために献上された馬を遣わした。↓六九。○初句「望月の駒」に「満月の木間」を掛ける。↓一七〇。○遅く出でつれば　月が出なかった意に、自分の出立が遅れた意を掛ける。召しに遅参した弁解。▽後撰・雑一に重出。

439 平常よりも照りまさることだ。山の端の紅葉をかき分けて出る月の光は。抄・雑下五〇三。延喜十四年(九一四)十一月十九日、勧子内親王裳着屏風歌。貫之集。○二句　照る紅葉に月が一段と照り映えるとする。賀意を込める。○月影　勧子をよそえ、成人を祝福する。

440 久方の天つ空なる月なれどいづれの水に影宿るらん

躬恒

廉義公後院に住み侍ける時、歌詠み侍ける人〳〵召し集めて、水上秋月といふ題を詠ませ侍けるに

441 水底に宿る月だに浮かべるを沈や何のみくづなるらん

左大将済時

442 水の面に月の沈を見ざりせば我ひとりとや思はてまし

式部大輔文時

除目の朝に、命婦左近がもとに遣はしける

443 年ごとに絶えぬ涙や積もりつゝいとゞ深くは身を沈むらん

元輔

円融院御時、御屏風歌奉りけるついでに、添へて奉りける

444 ほどもなく泉許に沈身はいかなる罪の深きなるらん

順

440 天空にある月だけれど、何処の水に光を映しているのだろう。詞書はないが、前歌と別の折の作。抄・雑下五〇四・三句「つきなれば」・五句「かげなかるらん」。躬恒集。○初句　「天つ空」の枕詞。○二・三句　すべてに恩恵をもたらす月。○下句　自分は光の恩恵に浴しない意を潜める。「影」は恩恵の意を掛ける。

441 水底に宿る月でさえ水面に浮かんでいるのに、沈んでいるのは、どのような身の、水屑なのであろうか。三条左大臣藤原頼忠前栽歌合歌。○廉義公　頼忠。○後院　天皇退位後の御所。ここは、四条後院。日本紀略・天元四年(九八一)七月七日条に、円融天皇が四条坊門大宮の頼忠邸に遷御し、後院にしたとある。○水上秋月　水の上の秋の月。○初・二句　水面に映る月を水底にあると見た。○沈　沈淪、不遇。「浮かべる」水底の月との対照。○何のみくづ　「何の身」に「水屑」を掛ける。▽ここから沈倫の歌。

442 水面に月が沈むのを見なかったならば、沈むのは自分一人だけと思いつめたことだろう。抄・雑下五〇五。前歌と同じ歌合の歌。○初・二句　前歌同様、水面に映る月を底に沈むと見た。「沈む」は、沈淪の意を掛ける。月も自分と同じく沈淪の境遇と見る。

443 年ごとに耐え切れず、とめどない涙が積もり積もって、ますます深く我が身を涙の海に沈めるのであろう。抄・雑下五〇六。元輔集。○除目　大臣以外の官職任命の儀式。地方官任命の春の県召(あがためし)と中央官任命の秋の司召(つかさめし)がある。ここは前者。○命婦　中級の女官。○絶えぬ　「耐えぬ」を掛ける。○涙　任官できずに流す涙。「深し」「沈む」は、その縁語。「沈む」は、沈淪。不遇の訴嘆。

444 何程でもなく、泉ほどの水に沈む身は、どのような前世の罪の深さなのであろうか。天元二年(九七九)十(十二とも)月、内裏屏風歌に添えた、円融天皇への献上歌。順集。○初・二句　「泉」に「和泉」を掛ける。和泉国は下国なので「ほどもなく」とする。順は、康保四年(九六七)正月和泉守になってから、この年正月能登守に任命されるまで閑職だった。○沈　「深し」と共に「泉」の縁語。不遇の身を訴嘆。

権中納言敦忠が西坂本の山庄の滝の岩に書きつけ侍ける　伊勢

445 音羽河せき入れておとす滝つ瀬に人の心の見えもする哉

中務

446 君がくる宿にたえせぬ滝の糸はへて見まほしき物にぞ有ける

題知らず　貫之

447 流れくる滝の白糸たえずしていくらの玉の緒とかなるらん

延喜十三年、斎院御屏風四帖が歌、仰せによりて

448 流くる滝の糸こそ弱からし貫けど乱れて落つる白玉

大学寺に人〳〵あまたまかりたりけるに、古き滝を詠み侍ける　右衛門督公任

449 滝の糸は絶えて久しく成ぬれど名こそ流て猶聞えけれ

445 音羽川の水を堰き入れて落とす滝の流れに、これを造った人の心がうかがい知られることだ。抄・雑下五〇七。伊勢集。○権中納言敦忠　藤原時平男敦忠。○西坂本　比叡山の西麓、修学院辺の地。音羽川や音羽山の名も、山科や清水寺などと共に、この地にある。○滝の岩に書きつけ　直接庭の景石に書いたか。○人の心　敦忠の風流な心。▽「滝つ瀬に人の心を見ることは昔に今も変らざりけり」(新古今・雑下・出羽弁)など、この歌を踏まえた詠歌は多い。ここから滝の歌。

446 あなたが来る山荘に、絶えることのない滝の、糸を長く延ばしたような流れを、いつまでも見ていたいものであった。前歌と同じ折の作。抄・雑下五〇八。○初句　「来る」に「繰る」を掛ける。○たえせぬ　糸の「絶ゆ」を添える。○滝の糸　滝の筋のような流れを、「糸」に見立てたもの。「糸」に副詞「いと」を掛ける。○はへて　「延ふ」は、引き延ばす意。「へて」は経糸を機にかける意の「綜(ふ)」の連用形に接続助詞「て」が付いた「綜て」を掛ける。「綜て」は、「繰る」「絶ゆ」「延ふ」と共に「糸」の縁語。

447 流れくる滝の白糸は絶えなくて、どれほどの玉を貫く緒となるだろうか。抄・雑上四四一。○初句　「繰る」を掛ける。○滝の白糸　→四四六。○三句　糸の「絶ゆ」を添える。「絶ゆ」は「繰る」と共に「糸」の縁語。○玉の緒　玉を貫く糸。「玉」は白玉、真珠。

448 流れくる滝の糸は、弱いらしい。貫いても切れて、乱れ落ちる白玉だよ。延喜十六年(九一六)、斎院宣子内親王屏風歌。延喜十三年は誤り。貫之集。○初句　→四四七。○三句　「弱かるらし」の約。○白玉　→四四七。

449 滝の糸は絶えて久しくなったけれど、名声は伝わって、なお聞えることだ。長保元年(九九九)九月十二日、藤原道長嵯峨遊覧の折の歌。公任集。○大学寺　嵯峨野の大覚寺。滝殿は景勝を誇ったが、この頃は荒廃していた。○初句　北野本の「滝の音は」が原形であろう。○絶えて　「糸」の「絶ゆ」を添える。▽千載・雑上に、「滝の音は」として重出。小倉百人一首の歌。

題知らず

450 大空をながめぞくらす吹風の音はすれども目にも見えねば

躬恒

野宮に斎宮の庚申し侍けるに、松風入二夜琴一といふ題を詠み侍ける

451 琴の音に峰の松風通ふらしいづれのおより調べそめけん

斎宮女御

452 松風の音に乱るゝ琴の音をひけば子日の心地こそすれ

天暦御時、名ある所を御屛風に描かせ給て、人〳〵に歌奉らせ給ひけるに、高砂を

453 尾上なる松の梢は打なびき浪の声にぞ風も吹きける

忠見

延喜御時、御屛風に

454 雨降ると吹松風は聞ゆれど池の汀はまさらざりけり

貫之

450 大空を眺めながら、過ごすことだ。吹く風の音はするけれども、目には見えないので。抄・雑下五二〇・五句「めにし見えねば」。躬恒集。〇下句　音信のみで、姿を見せない男性を「風」によそえるか。▽ここから風の歌。

451 琴の音色に、峰の松風の音が似通っているようだ。松風は、どの山の尾、どの琴の緒から、奏で始めたのだろうか。抄・雑下五二四・三句「かよふなり」・五句「しらべそむらん」。斎宮女御集。〇野宮　斎宮が伊勢下向の前に精進潔斎する仮宮。〇斎宮　ここは村上天皇皇女規子内親王。母は、斎宮女御徽子女王。貞元元年(九七六)九月二十一日野宮に入り、翌年九月十六日、母と共に下向。この頃の作か。〇庚申　庚申待ち。↓一五三。〇松風入夜琴　八代集抄「百詠詩句題也」。李嶠(りきょう)百詠を句題としたもの。「松の音を琴にしらぶる松風は滝の糸をやすげてひくらん」(古今六帖五・作者未詳)。〇通ふ　似通う。〇四句　山の「尾」に琴の「緒」を掛ける。

452 松風の音に入り乱れる琴の音を弾くと、子の日の小松を引く心地がすることだ。前歌と同じ折の詠作。抄・雑下五二五。斎宮女御集。〇乱るゝ　乱れ紛れる。前歌の「通ふ」と同じ発想。松風の音に、琴の音が紛うという趣向。〇ひけば　琴を「弾く」に、子の日の小松の「根」を「引く」を掛ける。「松風」からの連想。↓三二。

453 高砂の尾上に立つ松の梢はなびき、波の音に紛れて、松風も吹くことだ。抄・雑下五二七・伊勢。村上朝内裏屏風歌。〇天暦御時　↓六。〇名ある所を…　名所絵屏風歌。〇高砂　播磨国。松が景物。海に近い。〇尾上　山の上。「高砂の尾上」と詠まれることが多い。〇下句　波の音に松風の音が紛うという趣向。▽伊勢歌ではない。

454 雨が降る音かと、吹く松風の音は聞えるけれど、池の汀の水は増さらなかったよ。抄・雑下五二八。延喜十八年(九一八)、承香殿女御源和子屏風歌。絵柄は、「人の家の池のほとりの松の下に居て、風の音聞ける」(貫之集)。〇延喜御時　↓五。〇三句　視覚による見立てではなく、聴覚による聞きなし。〇池の汀　池の水際。〇五句　降雨はないので、水位は上がらない。

455 同じ御時、大井に行幸ありて、人〳〵に歌詠ませさせ給けるに

大井河河辺の松に事問はむかゝる行幸やありし昔も

456 住吉に国の官の臨時祭し侍ける舞人にて、かはらけ取りて詠み侍ける

音にのみ聞き渡つる住吉の松の千とせを今日見つる哉

457 五条の内侍のかみの賀の屏風に、松の海にひたりたる所を　伊勢

海にのみひちたる松の深緑いくしほとかは知るべかるらん

458 物へまかりける人に幣遣はしける衣箱に、浮島の形をし侍て　能宣

わたつみの浪にも濡れぬ浮島の松に心を寄せて頼まん

455 大井川の川辺の松に尋ねよう。このような盛儀の行幸は、あったであろうか、昔も。抄・雑上四一六。延喜七年(九〇七)九月十日、宇多上皇大井川御幸の折の作。○同じ御時　前歌と同じ御代。○大井河　大堰川。山城国。→一九五。○行幸　上皇の場合は御幸となるので、編者は、醍醐天皇のこととしたか。○事問はむ　言問はむ。松を擬人化して問い掛ける趣向。○五句　倒置構文。▽ここから松の歌。

456 噂にばかり聞き続けてきた住吉の松の、千歳に及ぶ長久の姿を、今日見たことだ。○住吉　ここは住吉神社のこと。摂津国。○国の官　摂津守。○臨時祭　例祭以外の時に、臨時に催される祭。○舞人にて…　舞人として奉仕し、献杯の折に歌を詠んだのである。○住吉の松　住吉の代表的な景物。○松の千とせ　松の寿命は、千歳とされていた。▽梁塵秘抄二・住吉十首に、四句「松を舞ふ舞ふ」として収められている。

457 海の水ばかりに浸っている松の葉の深緑色は、幾度潮水で染めたか、知ることができようか。抄・雑下五一六・二句「ひたれる松の」。延喜十三年(九一三)十月十四日、尚侍藤原満子四十賀屛風歌。伊勢集。○五条の内侍のかみ　満子。○四句「しほ」は、海水の「潮」に、染物の回数を表す「入」を掛ける。海に浸る松を、染料に浸して染めたものと見立てた。「かは」は、反語。

458 海の波にも濡れない浮島の松に心を寄せて、旅の無事と再会を願おう。能宣集。○物へまかりける人　「浮島」とあるので、陸奥に行く人か。○幣　→七四。○衣箱　衣装箱。旅の装束を餞別の品にして入れ、幣と共に贈ったのであろう。○浮島　陸奥国。塩釜の浦にあり、松が景物。ここは水に浮かび、風波にも沈まないということで、旅の無事を表象する歌語として使用される。八代集抄「浮島は潮満ちても沈まぬ物なれば、波にも濡れぬと詠めり」。○形をし侍て　「をし」は、「押し」。絵を描き付けなどしたのであろう。浮島の作り物を作って付けたとする説もある。○わたつみ　海。○松　無事の帰還を願う「待つ」を添えるか。

題知らず　　よみ人知らず

459 加古の島松原ごしに鳴く鶴のあななが〳〵し聞く人なしに

あひ語らひ侍ける人、陸奥国へまかりければ　　能宣

460 いかで猶我が身にかへて武隈の松ともならむ行人のため

河原院の古松を詠み侍ける　　源道済

461 行末のしるし許に残るべき松さへいたく老いにける哉

題知らず　　よみ人知らず

462 世中を住吉としも思はぬになにをまつとて我が身へぬらん

官たまはらで嘆き侍ける頃、人の草子書かせ侍ける奥に書きつけ侍ける　　貫之

463 いたづらに世にふる物と高砂の松も我をや友と見るらん

459 加古の島の松原を越えた向こうで鳴く鶴の声の、ああ、長々しいことだ。聞く人もいないのに。○加古の島　播磨国。加古川付近にあった島。松と鶴が景物。○なが〳〵し　鶴の鳴き声を長いとする。▽伊勢集の地名古歌群に、下句「あたら長声聞く人もなみ」とする類歌がある。

460 どうにかして、やはり私の身に換えて、武隈の松になって待とう、陸奥に行く人のために。能宣集。○あひ語らひ侍ける人　恋愛関係にあった人。○二句　我が身と武隈の松を取り換えての意。○武隈の松　陸奥国。→三八。▽三奏本金葉・別離に重出。

461 将来、河原院跡の僅かな目印として残るべき松でさえも、たいそう年老いてしまったことだ。道済集。○河原院　→一三。○古松　河原院の名物。安法法師集、今昔物語集二十四、古本説話集上に見える。○しるし　目印。証拠の品。○下句　荒廃した河原院に残る松も老木となり、将来どうなるか分からないという感慨を込める。▽三奏本金葉・雑上に重出。

462 世の中を住みやすいとも思わないのに、住吉の松ではないが、何を待つと言って、我が身は生きてきたのだろう。○住吉　表記の地名の「住吉」が裏の意味で、掛詞の「住み良し」が表の意味。「住吉の松」が物名的になる。○まつ　「待つ」に「松」を掛ける。▽敦忠集に、下句「待つことなしに我が身経ましや」とする類歌がある。

463 無駄に世に長らえている者として、高砂の松も、私を同類と見るだろうか。抄・雑下五一九。貫之集。○官たまはらで嘆き侍ける頃　土佐から帰京した翌年の承平六年(九三六)正月頃、藤原忠平に、子の日の和歌の序に添えて、献上した詠作か、と言われる。猟官の歌。○草子　巻子本に対して、綴じ合わせた本をいう。○書かせ侍ける　底本「かゝせける」に「侍」を傍書補入。○奥　本の末尾。○高砂　播磨国。景物の松は、老後の無為孤独の表象とされる。貫之集「いたづらに老いにけるかな高砂の松や我が世の果てを語らむ」。→三六。○下句　老残で閑職の我が身は、高砂の松と同類の存在だとして訴嘆する。

明石の浦のほとりを舟に乗りてまかりけるに　源　為憲

464 世と共に明石の浦の松原は浪をのみこそよると知るらめ

題知らず　よみ人知らず

465 藻刈舟今ぞ渚に来よすなる汀の鶴の声さはぐなり

466 うちしのびいざ住の江の忘草忘れて人のまたや摘まぬと

山寺にまかりける暁にひぐらしの鳴き侍ければ　左大将済時

467 あさぼらけひぐらしの声聞ゆなりこや明けぐれと人の言ふらん

天暦御時、御屏風の絵に、長柄の橋柱のわづかに残れる形ありけるを　藤原清正

468 葦間より見ゆる長柄の橋柱昔の跡のしるべなりけり

464 いつの世も夜になっても明るい明石の浦の松原は、波の寄ることばかりを「よる」と知っているのだろう。抄・雑下五二七・二句「あかしのはまの」。○明石の浦　播磨国。「明かし」を連想させる。○世と共　つねづね。「世」に「夜」を掛ける。○下句　明石の浦に「夜」はないので、波の「寄る」しか知らないだろうとする。

465 藻を刈る舟が、今ちょうど、渚に寄せて来たようだ。汀の鶴の声が騒がしい。抄・雑下五〇九。○初句　食用の海藻を刈り取り運ぶ舟。「藻刈舟沖漕ぎ来らし妹が島形見の浦に鶴翔る見ゆ」(万葉集七・作者未詳)。○下句　鶴の鳴き騒ぐ声で、舟の到来を知る。

466 こっそりと、さあ住の江に住もう、私を忘れて、あの人が再び忘れ草を摘まないかどうかを確かめに。延喜六年(九〇六)、内裏屏風歌(貫之集)。○二句「住の江」は、摂津国。住吉に同じ。「いざ住み」を言い掛ける。○忘草　萱草。住の江の景物。忘却の表象。また、同音反復により、「忘れ」を枕詞的に導く。○五句　忘れ去ることを、忘れ草を摘むによそえる。摘まなければ、まだ忘れられていないことになる。

467 明け方に、ひぐらしの声が聞えてくる。これを明け暗れと、世間の人が言うのであろう。抄・雑下五三三。○山寺にまかりける暁　参籠して夜通し祈願したその朝方。○初句　明け方。ここは、詞書の「暁」に対応。○ひぐらし　蟬の一種。カナカナと鳴く。「日暮らし」を連想させる。○明けぐれ　明け方のほの暗い状態や時刻をいう。「暮れ」を響かせる。暁にひぐらし(日暮らし)が鳴く矛盾を、「明け」「暮れ」だからと納得し、「明け暗れ」の語源を言語遊戯的に理解する。▽これ以後の配列やや不統一。

468 葦の間から見える長柄の橋柱は、昔建っていた跡を示す手引きなのであった。抄・雑下五二六。村上朝内裏屏風歌。○天暦御時　→六。○長柄の橋柱　摂津国。長柄橋は、古いものの表象。「橋柱」は橋脚。「世の中に古りぬるものは津の国の長柄の橋と我となりけり」(古今・雑上・よみ人知らず)。○初句　葦は、長柄の橋のあった難波の景物。○五句　底本「けり」は「る」に「り」を重書。

大江為基がもとに、売りにまうで来たりける鏡の、包みたりける紙に書きつけて侍ける

469 今日までと見るに涙のます鏡なれにし影を人に語るな

よみ人知らず

橘の忠幹が人のむすめにしのびて物言ひ侍ける頃、遠き所にまかり侍とて、この女のもとに言ひ遣はしける

470 忘るなよほどは雲居に成ぬとも空行月の廻あふまで

題知らず

471 年月は昔にあらず成ゆけど恋しきことは変らざりけり

貫之

清慎公月林寺にまかりけるに、遅れてまうで来て詠み侍ける

472 昔我が折し桂のかひもなし月の林の召しに入らねば

藤原後生

469 今日までが私の物だと思って見ると、涙が増す真澄の鏡よ、映し慣れてきた私の姿を、人に語ってくれるな。抄・雑下五二〇。○大江為基　説話では、弟の定基(寂昭)となっている。↓四三四。○三句　真澄鏡。澄み切った鏡。「涙の増す」と言い掛ける。「影にだに見えもやすると頼みつるかひなく恋をます鏡かな」(後撰・恋四・よみ人知らず)。○五句「人」は、鏡を買った人。鏡には自分の影が宿るので、その貧しい姿を、買った人に映し出さないでほしい。▽今昔物語集二十四、古本説話集上、宝物集二、十訓抄十、古今著聞集五、沙石集五などに、歌を見た定基の発心譚として伝えられる。

470 忘れないでおくれ。我々の間は空遠くに隔たっても、空を行く月が巡ってもとに帰るように、再びめぐり逢うまでは。抄・雑下五二六。○橘の忠幹　駿河介在任中に盗賊に殺害された記録が残る(朝野群載二十二)。○人のむすめ　抄は「人のめ(妻)」。○四句「廻あふ」を序詞的に導く。○廻あふ　再会するに、月の運行する意を掛ける。▽伊勢物語十一段に見える。八代集抄「此歌、伊勢物語なるを、忠幹今思ひ合はせて用ゐたる也。業平より遥か後の人なれば也」。ここから月の歌。

471 年月は昔のようではなくなっていくけれど、恋しいことは、昔と変らないのであった。抄・雑下五二九・三句「成りぬれど」。貫之集。○下句　年月の経過は変っても、思慕の情は不変とする。▽続千載集・恋四に、作者を源宗于として重出。宗于集にあり。

472 昔、私が折った月の桂で才名を上げたかいもない。月林寺の催しの召しに、入らなければ。○清慎公　藤原実頼。康保四年(九六七)に月林寺で花見をしている。○月林寺　山城国。月輪寺とも。修学院離宮近くに伝存する。勧学会の会場とされていた。○遅れて「遅れて…する」で「…しない」意ともとれるが、「まうで来て詠み」からすると、ここは遅参であろう。○折し桂「月の桂を折る」とは、官吏登用試験に及第して、進士(文章生)や秀才(文章得業生)になること。○月の林　月林寺。月に生えていると考えられていた、桂の林を連想させる。

菅原の大臣冠し侍ける夜、母の詠み侍ける

473 久方の月の桂も折る許家の風をも吹かせてし哉

題知らず　　　　　　　　　　　　人麿

474 月草に衣はすらん朝露にぬれての後はうつろひぬとも

475 ちゝわくに人はいふとも織りて着む我がはた物に白き麻衣

476 久方の雨には着ぬをあやしくも我が衣手の干る時もなき

477 白浪はたてど衣にかさならず明石も須磨もをのがうら〳〵

473 月の桂も折り、才名を上げるくらいのことをして、儒学の家風をも高めてほしいものだ。抄・雑上四三八。○菅原の大臣　菅原道真。○冠　ここは、元服の意。貞観元年(八五九)、十五歳。↓二七一。○母　伴氏。○久方の　「月」の枕詞。○月の桂も折る　↓四七二。○家の風　家風。ここは儒学の家業。「千代を祈る心のうちのすずしきは絶えせぬ家の風にぞありける」(赤染衛門集)。○五句　「吹く」は、「家の風」の縁語。家業を振興させることをいう。

474 露草の花で、あなたの衣を摺って染めよう。朝露に濡れた後には、色褪せてしまうとも。人麿集。○月草　露草。花汁を染料にする。水に溶けやすく、色がすぐに褪せる。○すらん　摺らん。「摺る」は、形木に布を置き、染料を擦りつけて染める、草木染めの方法。○朝露にぬれて　男が女のもとから帰ること。○うつろひ　色が褪せる意に、心変わりする意を掛ける。▽万葉集七・作者未詳歌。古今・秋上・よみ人しらずで重出。ここから衣の歌。

475 あれこれと人は言っても織って着よう。私の機で織った白い麻の衣は。人麿集。○初句　千ぢに。さまざまに。万葉集の「干各(かにかくに)」を「千分」と誤記し、それを訓読して作られた語。○三句　自分の意志を貫こう。○はた物　機物。織物。▽万葉集七・人麻呂歌集歌「かにかくに人は言ふとも織り継がむ我が機物の白き麻衣」の異伝。

476 雨降りには着ていないのに、不思議なことに、私の袖は乾く時もない。人麿集。○久方の　「雨」の枕詞。○衣手　袖。▽万葉集七・作者未詳「久方の雨には着ぬをあやしくも我が衣手は干(ふ)る時なきか」の異伝。

477 白波は立っても、裁った衣のように重ねられない。明石も須磨も、別々の浦であるように、波も別々。人麿集。○たてど　「立てど」に「裁てど」を添える。○明石　播磨国。○須磨　摂津国。○五句　「浦々」に「裏々」を掛けるか。私抄「明石も須磨も浦は裏にて、表にはならぬと云ふ理也」。▽「独り寝のさまを詠んだものか」「共寝をしない相手を嘆いた歌か」など諸説ある歌。栄花物語・浦々の別れに引用。

唐へ遣はしける時詠める

478 夕されば衣手寒しわぎもこが解き洗ひ衣行てはや着む

流され侍ける道にて詠み侍ける

479 天つ星道も宿も有ながら空に浮きてもおもほゆる哉

贈太政大臣

浮木といふ心を

480 流れ木も三とせ有てはあひ見てん世のうき事ぞかへらざりける

官取られて侍ける時、妹の女御のもとに遣はしける

481 うき世には門させりとも見えなくになどか我が身の出でがてにする

平定文

中宮長恨歌の御屏風に

482 木にも生ひず羽も並べでなにしかも浪路隔てて君を聞くらん

伊勢

478 夕方になると、袖が寒い。私の妻が解き洗いした衣を、家に帰って早く着たいものだ。人麿集。○夕されば　「さる」は、時が移り巡ってくる意。○衣手　袖。○三句　我妹子が。我が妻が。○解き洗ひ衣　糸をほどいて洗い張りし、仕立て直した衣。▽万葉集十五の遣新羅使の歌の一首。→三五三。ここから旅の歌。

479 天の星よ、自分には道も宿もありながら、お前のように、空に浮いて頼りなく思われることだ。昌泰四年(九〇一)正月二十五日、大宰権帥に左遷された菅原道真が、下向の道中で詠んだとする伝承歌。○浮きて　不安定なさま。空の星を、自分の心情と重ねて、浮かぶと見た。

480 流れ木も、三年漂えば、もとのように見られよう。この世の流罪というつらい事実は、もとに戻らないのであった。前歌と同じ折の詠作。○浮木　「流れ木」に同じ。「流れ」に流罪の我が身をよそえる。○三とせ　流罪は三年経てば許される。獄令「(除名以外の流人は)三載以後聴仕」。○うき事　流罪になったこと。「憂き」に「浮き」を掛ける。

481 つらいこの世では、門を閉ざしているとも見えないのに、どうして我が身は門を出ることができないのだろう。○官取られて　職を解任されて。平中物語・初段に見える。○妹の女御　未詳。父好風の従姉妹に、宇多天皇の女御(十世王女、孚子内親王母)がいる。○門させり　逼塞する我が身を表象する。○出でがてに　「出で」は出門(出家)する意。「がてに」は、…できないで。▽古今・雑下に重出。

482 連理の枝に生まれず、比翼の鳥にもならず、どうして、波路を遠く隔てて、君の伝言を聞くことになったのだろう。伊勢集。○中宮　七条后藤原温子。○長恨歌の御屛風に　白楽天の長恨歌を画題とした屛風絵歌。○初・二句　比翼連理。二羽の鳥の翼、二本の木の枝が結合して一体となった状態。男女の仲が睦まじいことをいう。長恨歌「在㆑天願作㆓比翼鳥㆒、在㆑地願為㆓連理枝㆒」。○下句　死後蓬萊の島に住む楊貴妃が、幻術士によってもたらされた玄宗皇帝の文を見る場面があり、それを楊貴妃の立場で詠んだもの。

483 大津の宮のあれて侍けるを見て　人麿
さゞなみや近江の宮は名のみして霞たなびき宮木守なし

484 初瀬へまで侍ける道に、佐保山のわたりにやどりて侍けるに、千鳥の鳴くを聞きて　能宣
暁の寝覚めの千鳥誰がためか佐保の河原にをちかへり鳴く

485 物へまかりける人のもとに、幣を結び袋に入れて遣はすとて
浅からぬ契結べる心葉は手向の神ぞ知るべかりける

486 初瀬の道にて、三輪の山を見侍て　元輔
三輪の山しるしの杉は有ながら教へし人はなくて幾世ぞ

487 対馬守小野のあきみちが妻隠岐が下り侍ける時に、共政の朝臣の妻肥前が詠みて遣はしける
沖つ島雲居の岸を行かへり文かよはさむまぼろしも哉

483 近江の大津の都の宮殿は荒れて名前ばかりで、霞がたな引き、宮木を引く人もいない。人麿集。○大津の宮　歌の「近江の宮」に同じ。天智天皇の造営した志賀の都の宮殿。○さゞなみや「近江の宮」の枕詞。楽浪で、地名でもある。○たなびき　宮木を「引く」を響かす。○宮木守　内裏の用材を管理する官人。ここは、転じて、宮殿を護衛する衛府の官人。

484 暁の寝覚めに、千鳥の声が聞えてくる。千鳥は誰のために、佐保の川原で、繰り返し鳴いているのか。能宣集。○初瀬　大和国。長谷寺がある。→一九三。○まで　詣で。参詣。○佐保山　大和国　→一八六。○千鳥　佐保川の景物。○暁の寝覚め　ここは、夜中に目覚めて眠れないこと。恋歌的な雰囲気を持った歌句。○をちかへり　→一二六。

485 浅くないあなたとの縁を結んだ心を、結び袋の心葉に込めたことは、手向けの神も分かってくれるはずだろう。能宣集。○物へまかりける人　能宣集では、日向守として下向する菅原逸倫（としとも）。○幣　→七四。○結び袋　口が紐で締まるようになった袋か。糸で編んだ袋とも。○結べる　結び袋の意を添える。○心葉　贈物の箱などに付ける小物の装飾。金・銀・糸で作った造花に、総角結びの組緒を添えたりする。「心」を掛ける。○手向の神　道中を守護する道祖神。

486 三輪の山の目印の杉はありながら、そのことを歌で教えた人は亡くなって、幾代経たであろうか。元輔集。○初瀬　大和国。○三輪の山　大和国。山がご神体。○しるしの杉　「我が庵は三輪の山もと恋しくはとぶらひ来ませ杉立てる門」(古今・雑下)を踏まえる。「しるし」は、神の降臨の徴とも。○教へし人　古今集の歌を詠んだ人。袋草紙などに、三輪の明神とする。

487 沖の島の遥か遠い岸を往来して、文を通い合わせられるような幻術士がいればよいのに。○対馬守小野のあきみち　二度本金葉集、小槻のあきみち。○隠岐　内裏女房か。○共政の朝臣　二度本金葉集、為政朝臣。→三一〇。○沖つ島　隠岐を隠す。○まぼろし　幻。幻術士。長恨歌で、玄宗皇帝と亡き楊貴妃との仲立ちをする。→四八二。

詠天

488 空の海に雲の浪立ち月の舟星の林にこぎかくる見ゆ

人麿

藻を詠める

489 河の瀬のうづまく見れば玉藻刈る散り乱れたる河の舟かも

山を詠める

490 鳴神の音にのみ聞く巻向の檜原の山を今日見つる哉

詠葉

491 いにしへに有けむ人も我がごとや三輪の檜原にかざし折けん

題知らず

492 人知れず越ゆと思らしあしひきの山下水に影は見えつゝ

貫之

488 空の海に雲の波が立ち、月の舟が星の林に漕ぎ隠れるのが見えるよ。人麿集。○詠天　天を詠める。○初・二句　空を海に、雲を波に見立てる。○三・四句　月を舟に、星を林に見立てる。「星の林」は、星の数の多いことから。懐風藻・文武天皇・詠月「月舟移二霧渚一」など、漢詩文的表現の摂取が見られる。「天の海に月の舟浮け桂楫かけて漕ぐ見ゆ月人をとこ」(万葉集十・作者未詳)。▽万葉集七・人麻呂歌集歌の異伝。以下四首、詠物の形を取る。

489 川の瀬が渦巻くのを見ると、川藻を刈り、散り乱れている川の舟だよ。人麿集。○三句「玉藻」は、藻の美称。五句に続き、「玉藻刈る…河の舟」となる。藻刈舟。→四六五。○下句　舟のこととすると不審。「かも」は、「かな」の古語。▽万葉集九・間人宿禰「川の瀬の激ちを見れば玉かも散り乱れたる川の常かも」の異伝。

490 噂ばかりで聞いていた巻向の檜原の山を、今日見たことだ。人麿集。○鳴神の　「音に聞く」の枕詞。○二句　噂に聞く。→四五六。○巻向の檜原の山　大和国。三輪山の西北部。万葉集では、「まきむく」。檜の木立ちの名所。「檜原」は本来檜の生えている原の意だが、万葉集では、初瀬・三輪・巻向の景となっている。▽万葉集七・人麻呂歌集歌の異伝。

491 昔にいたであろう人も、私と同じように、三輪の檜原で、檜の葉を、挿頭(かざし)として折ったであろうか。人麿集。○三輪の檜原　大和国。前歌と同じ。○かざし　→八八。▽万葉集七・人麻呂歌集歌の異伝。

492 人に知られずに山越えをすると思っているだろう。山の下を流れる川の水に、姿は見え見えしているのに。延喜六年(九〇六)二月、内裏屏風歌。貫之集。○題知らず　屏風歌の画題は、「志賀の山越え」。→一九八。○二句　主体は、画中の自分を見る他の旅人か。兼輔集や異本系統などの「こゆと思ひし」のほうが分かりやすい。この場合の主体は作者で、人に知られずに越えると思っていたが、何と山下水に影を映していたとする。○あしひきの　「山」の枕詞。○山下水　→三九六。▽書陵部本貫之集や兼輔集では、藤原兼輔との贈答歌となっている。

伊勢の行幸(みゆき)にまかりとまりて

493 麻生(おふ)の海に舟乗(ふなのり)すらんわぎもこが赤裳(あかも)の裾(すそ)に潮(しほ)みつらんか　人麿(まろ)

天暦十一年九月十五日、斎宮(さいぐう)下(くだ)り侍(はべり)けるに、内より硯調(すゞりてう)じて賜(たま)はすとて

494 思事(おもふ)なるといふなる鈴鹿(すゞか)山越(こ)えてうれしき境(さかひ)とぞ聞(き)く　御製(ぎょせい)

円融院御時、斎宮下(くだ)り侍(はべり)けるに、母の前斎宮(ぜんさいぐう)もろともに越(こ)え侍て

495 世にふれば又も越(こ)えけり鈴鹿(すゞか)山昔の今になるにやあるらん　斎宮女御

飛鳥(あすか)の女王(ぢよわう)を(を)おさむる時詠(よ)める

496 飛鳥川(あすかゞは)しがらみ渡(わた)し塞(せ)かませば流(なが)るゝ水ものどけからまし　人麿(まろ)

493 麻生の海で、舟に乗っているであろう。我が妻の赤い裳の裾に、潮が満ちているであろうか。人麿集。○伊勢の行幸に…　持統天皇の伊勢行幸に同行せず、飛鳥京で伊勢の恋人を思い遣った歌。○麻生の海　伊勢国。万葉集の「嗚呼見之浦」の訛伝したもの。○赤裳　「裳」はスカート状の女性衣装。▽万葉集一・柿本人麿「あみの浦に舟乗りすらむ娘子(をとめ)らが玉裳の裾に潮満つらむか」の異伝歌。同十五にも類歌。

494 思うことが、鳴らすと成就するという鈴、その名を持つ鈴鹿山は、越えるのが喜ばしい国境と聞くことだ。抄・雑上四三。天暦十一年(九五七)九月五日斎宮楽子内親王の伊勢下向の折の詠作。村上御集。○硯調じて賜はすとて　餞別の品として硯を贈ったか。歌や「調じ」からすると鈴がふさわしい。○二句　「成る」に、「鈴」の縁語「鳴る」を掛ける。後の「なる」は、伝聞。○鈴鹿山　伊勢国。近江との国境を成す。「鈴」を連想。○下句　越えて斎宮が伊勢にとどまれば国家安泰をもたらし喜ばしい。▽以下二首、斎宮下向にかかわる歌。

495 世に長らえると、またも越えたことだ、鈴鹿山を。昔が今になったのであろうか。抄・雑上四四・下句「むかしやいまになりかはるらむ」。貞元二年(九七七)九月十六日、徽子が子の斎宮規子の下向に同行した時の詠作。→四五一。斎宮女御集。○初句　「経れば」に、「鈴」の縁語の「振れば」を掛ける。○二句　徽子は、天慶元年(九三八)九月十五日に斎宮として、伊勢に下向していた。○鈴鹿山　→四九四。○五句　「成る」に、「鈴」の縁語「鳴る」を掛ける。

496 飛鳥川に柵(しがらみ)を渡して水を塞き止めたならば、流れる水もゆったりとするであろう。文武四年(七〇〇)四月、明日香皇女が没した時の、柿本人麿の挽歌。人麿集。○飛鳥の女王　天智天皇の皇女、明日香皇女。○おさむる　遺体を葬儀まで殯宮(あらきのみや)に安置する。○飛鳥川　大和国。○しがらみ　柵。杭を打ち、木の枝や竹をからませて、水を塞き止める。○三句　「…ませば…まし」は、反実仮想の語法。皇女の死をとどめることができたならばの思いを込める。▽万葉集二・柿本人麿の歌の異伝。

小一条左大臣まかり隠れて後、かの家に侍ける鶴の鳴き侍けるを聞き侍て

小野宮太政大臣

497 遅れゐて鳴くなるよりは葦鶴のなどか齢をゆづらざりけん

左大臣の土御門の左大臣の婿になりて後、したうづの型を取りにをこせて侍ければ

愛宮

498 年をへてたちならしつる葦鶴のいかなる方に跡とゞむらん

大弐国章ごくの帯を借り侍けるを、筑紫より上りて返し遣はしたりければ

元輔

499 行末の忍草にも有やとてつゆの形見も置かんとぞ思

題知らず

中務

500 植へて見る草葉ぞ世をば知らせける置きては消ゆる今朝の朝露

497 生き残っていて鳴いているよりは、葦鶴は、どうして千年の寿命を、生前に譲らなかったのだろうか。抄・雑下五三二・四句「などてよはひを」。安和二年(九六九)十月十五日、小一条左大臣藤原師尹が没した頃の詠作。実頼集。〇鳴くなる「なる」は、鳴き声を聞く場合の用法。鳴くのを哀悼と聞き、そうするよりは自身の長寿を譲ればよかったのにとする。〇葦鶴　鶴。葦辺にいることからの歌語。〇齢　鶴の寿命は、千歳、千代。〇五句「けん」は過去推量。ここは生前のことをいう。▽以下二首、鶴の歌。

498 長年こちらの潟に立ち馴れていた葦鶴が、今度はどちら方の潟に、足跡を留めようとするのだろうか。〇左大臣の…後　左大臣藤原道長が、土御門左大臣源雅信女の倫子と結婚して婿になった後。詞書からすると、これ以前に、道長は、西宮左大臣源高明女の明子と結婚していた。作者も母愛宮ではなく明子か。栄花物語・さまざまの慶びでは、道長の結婚は倫子が先。〇したうづ　したぐつのウ音便。下沓、襪。束帯の時に、靴に履く足袋に似たもの。〇二句「立ち」に「裁ち」を掛ける。〇葦鶴　道長をよそえる。「したうづ」のウ音が表記されない「したづ」を隠す。〇いかなる方に「方」に「潟」を掛ける。また、「型」を響かす。

499 行く末の、家の者が私を偲ぶよすがにもなるかと、はかない形見でも、手元に置こうと思うことだ。元輔集。〇大弐国章　藤原国章。大宰大弐の任期は、天元五年(九八二)まで。〇ごくの帯　玉の帯。束帯時に着用する、玉の装飾の付いた革帯。石帯(せきたい)。〇忍草　ノキシノブの類の植物。「偲ぶ種」の意を添える。〇つゆのほんの僅かの。「露」は「草」の縁語。〇五句　自分の形見として、あなたの元に置きたいとする説もある。▽今昔物語集二十四は、藤原道信が帯を国範(素姓未詳)に返す時の歌とする。以下、無常の主題を中心とした露の歌が並ぶ。

500 植えて見ている草葉が、無常の世のありようを知らせることだ。置いては消える今朝の朝露だよ。〇朝露　はかない草葉の朝露に、世の無常を見る。▽小大君の歌か。小大君集詞書「世の中はかなき頃、前栽の露を見て」。

田舎(ゐなか)にてわづらひ侍(はべり)けるを、京より人のとぶらひにを(お)こせて侍ければ

501 露の命(いのち)惜(を)しとにはあらず君を又見でやと思(おもふ)ぞかなしかりける

弓削嘉言(ゆげのよしとき)

神明寺の辺に無常所まうけて侍けるが、いとおもしろく侍ければ

502 惜(を)しからぬ命(いのち)やさらに延(の)びぬらんをはりの煙しむる野辺(のべ)にて

元輔(もとすけ)

二条右大臣(にでうのうだいじん)、左近番長佐伯清忠(きよただ)を召(め)して歌詠(うたよ)ませ侍けるを、望(のぞ)むこと侍けるが叶(かな)ひ侍らざりける頃(ころ)にて、詠(よ)み侍ける

503 限なき涙の露(つゆ)にむすばれて人のしもとはなるにやあるらん

加階(かかい)し侍(はべる)べかりける年(とし)えし侍らで、雪の降(ふ)りけるを見て

504 憂(う)き世には行(ゆき)隠(かく)れなでかき曇(くも)りふるは思ひのほかにもある哉(かな)

元輔(もとすけ)

501 露のような命が惜しい、というわけではない。君を再び見ることはないのでは、と思うのが、ひどく悲しいのだ。嘉言集。○田舎　未詳。京の近郊でも田舎になる。○とぶらひ　手紙での見舞い。○君　男女は不明。

502 惜しくない命が、さらに延びるであろう。命の終わりの煙が身に染み付く野辺にいるので。抄・雑下五四五。元輔集。○神明寺　山城国。京の西、紙屋川近くにあった。創建・現在比定地など未詳。「今ハ昔、京ノ西ニ神明ト云フ山寺有リ」(今昔物語集一二ノ三五)。○無常所　臨終を迎えるための庵や堂。火葬場、墓地とする説もある。○いとおもしろく　浮世離れした風景の面白さ。○三句　命が延びると感じたのは、庵で心静かに暮らし、辺りの情趣が心に染みたから。私抄「ここのおもしろさに命も延びさうなるとなり」。また、能宣集に、「元輔が桂の家にて、後の世のために法事し侍る…」とあり、死者を弔うさまを見て後世を思い、その功徳によってとする説もある。○四句　火葬の煙。野辺の煙。○しむる　染むる。▽能宣集にあり。

503 限りない、不遇を悲しむ涙が、露になって結び、さらに霜となるではないが、人の下になずむ身になるのだろうか。抄・雑下五四七。○二条右大臣　藤原道兼。○左近番長　左近衛府の舎人の長。定員六名。○望むこと　官位昇進。○叶ひ侍らざりける頃　不遇の身をかこつ頃。○涙の露に…　涙の露が、霜となる。八代集抄「大戴礼云、露陰陽之気也。陰気勝、則凝而為レ霜云々」。○下句　「しも」は、「下」と「霜」を掛ける。人の下位に甘んじる境遇を訴嘆する。▽以下三首、不遇を主題にした歌。

504 憂き世では、行き隠れることができないで、雪が空をかき曇らせて降るように、暗い気持で世に経るのは、予想外のことであったよ。元輔集。○加階し侍べかりける年　位階が上がるはずであった年。一定の年功などによって位階は上がるのが原則。叙位は正月の行事。○行隠れなで　「雪」を添える。○ふるは　「降る」に「経る」を掛ける。○下句　昇進の叶わなかった我が身を述懐する。

官申に賜はらざりける頃、人のとぶらひにをこせたりける返事に

505 わび人はうき世中に生けらじと思事さへかなはざりけり

源景明

題知らず

506 世中にあらぬ所も得てし哉年ふりにたる形隠さむ

よみ人知らず

507 世中をかく言ひ〳〵の果て〳〵はいかにやいかにならむとすらん

男侍ける女をせちに懸想し侍て、男の言ひ遣はしける

508 いにしへの虎のたぐひに身を投げばさかとばかりは問はむとぞ思

505 落ちぶれた人は、つらい世の中に生きていたくないと思うことさえ、叶わないのであった。抄・雑下五〇六。○官申　官職の任命を願って、申し文などで奏上すること。○とぶらひ　→五〇一。○わび人　失意落胆の人。任官が叶わなかった人。○生けらじ　生きていたくない。死にたい。「生く」の命令形＋存続の「り」＋打消意志の「じ」。「逢ひ見ずは生けらじとのみ思ふ身のさすがに惜しく人知れぬかな」（貫之集）。▽ここから、不遇より厭世の主題に転じる。

506 世の中にない所を得たいものだ。年老いてしまった我が容貌をそこに隠そう。○世中にあらぬ所　別世界。隠棲の地。「憂き世にはあらぬ所のゆかしくてそむく山路に思ひこそ入れ」（源氏物語・横笛）。○三句　「てしがな」は、願望。○五句　老醜で世を厭い、隠遁を思う。

507 世の中を、このようにあれこれと言い言いしたあげくの果ては、いったいいったいどのような身になろうとするのだろう。抄・恋下三七五。○初句　拾遺抄は恋下の部立に収めているが、このあたりは哀傷歌的な歌が並ぶので、「世の中」を男女の仲の意に限定する必要はない。○言ひ〳〵　以下「果て〳〵」「いかにやいかに」の反復が、心情を律調的に強調して、誹諧歌的な誇張も感じられる。「世中はいかにやいかに風の音をきくにも今は物やかなしき」（後撰・雑四・よみ人知らず）。▽哀傷に重出。→一三一四。

508 昔の、釈迦のように虎の類に身を投げたならば、そうなのかというくらいには同情して、消息してくれるだろうと思うことだ。抄（貞和本朱書）・雑上五九九・二句「とらのたとへに」。○上句　釈迦が前世に飢えた虎に我が身を与えたという故事を踏まえる。釈迦が前世で摩訶薩捶王子といった頃、竹林で七匹の子を生んだ虎が飢えていたのを見て、自ら身を投げて虎に与えたという話で、三宝絵上などに見える。もとは、金光明最勝王経・捨身品の釈迦前世譚。○三句　「つれもなき人のつらさを見るよりも身を投げつるといづれまされり」（躬恒集）。○四句　「然か」に、「釈迦」を添える。○問はむ　見舞う。消息をする。▽拾遺抄の貞和本朱書は、雑恋三三七の返歌とする。

拾遺和歌集巻第九　雑下

ある所に、春秋いづれかまさると、問はせ給けるに、詠みて奉りける

紀貫之

509 春秋に思みだれて分きかねつ時につけつゝ移る心は

元良の親王、承香殿のとし子に、春秋いづれかまさると問ひ侍ければ、秋もおかしう侍りと言ひければ、おもしろき桜を、これはいかゞ、と言ひて侍ければ

510 おほかたの秋に心は寄せしかど花見る時はいづれともなし

509　春秋の優劣に思い乱れて、判断しかねている。時節に応じて、移り変る私の心は。抄・雑下五二一。貫之集。○ある所に　以下に敬語使用があるので、後宮の高貴な女性の居所か。○春秋いづれかまさる　春秋優劣についての論議は、古事記・中の春山霞壮夫と秋山下氷壮夫の求婚争い、万葉集一の春山万花の艶と秋山千葉の彩とを比較した額田王の歌、論春秋歌合、宰相中将君達春秋歌合、源氏物語の薄雲・少女・胡蝶・御法、更級日記の源資通との対話の場面、皇后宮春秋歌合などに見られる。本集も、以下三首同一の主題による詠作。○三句　判断ができかねた。優劣の評価は保留。貫之は、古今集の春の部立に、自作を多く詠み加えて、春秋の均衡を計ったか。○下句「移る心」は、個人のものだけでなく、人の世の習いとしても納得される。

510　大体のところは秋に心を寄せているけれど、春の花を見る時は、どちらがよいということもない。醍醐御集。○元良の親王　陽成天皇皇子。○承香殿　醍醐天皇女御の光孝天皇女源和子か藤原定方女能子。○とし子　右馬允藤原千兼の妻。○春秋いづれかまさる →五〇九。○おもしろき桜　造花ではなく、生花であろう。○五句　秋を推奨していたが、盛りの花の美に共感して、春にも関心を寄せる。前歌の「移る心」のありよう。春に心を寄せるものとして、「中将、中務、秋の寝覚めのあはれ、ことふるめかしう、あらためてさだむるに、中将、春の曙なむまさる、とあらがひての頃、中将山里に籠もり居たるに、中務言ひ遣る／山里に有明の空をながめてもなほや知られぬ秋のあはれは。返し、中将／秋の夜の外山の里の寝覚めにも霞過ぎにし空ぞ恋しき」(大斎院御集)など。

題知らず

511 春はたゞ花のひとへに咲く許物のあはれは秋ぞまされる

よみ人知らず

円融院の上、鶯と郭公といづれかまさると申せと仰せられければ

512 折からにいづれともなき鳥の音もいかゞ定めむ時ならぬ身は

大納言朝光

躬恒、忠岑に問ひ侍ける

513 白露は上より置くをいかなれば萩の下葉のまづもみづらん

参議伊衡

答ふ

514 さ牡鹿のしがらみふする秋萩は下葉や上になりかへるらん

躬恒

515 秋萩はまづさす枝より移ろふを露の分くとは思はざらなむ

忠岑

511 春は単に花がもっぱら咲くだけだ。季節の情趣は、秋のほうが勝れている。○初句　春秋優劣論での類型的な措辞。「秋はただ野辺の色こそ錦なれ香さへにほへる春はまされり」(論春秋歌合)。○ひとへに　偏に。ひたすら。花の縁語の「一重」を掛ける。○物のあはれ　世の事象に対して感じる情趣や情感。土佐日記「楫取り物のあはれも知らで」が、早い用例。視覚的な美よりも心情的情趣を優先し、秋を支持する。

512 折により、どちらがよいとも言えない鳥の声も、どうして判定できようか。時を得ない我が身では。朝光集。○円融院の上　円融天皇。書陵部本中務集に、中務に円融院から同じ下問があったことが記され、同じ折のことが能宣集にもある。朝光集では、円融天応皇后四条宮遵子からの下問とされている。○五句　時宜を得ることのない不遇な身。不遇は、虚構かも知れない。私抄は、「花鳥の情をも知らぬ身」とする。

513 白露は草葉の上から置くのに、どうして萩の下葉の方が先に紅葉するのだろうか。抄・雑上四〇八。躬恒集・忠岑集。○躬恒、忠岑に問ひ侍ける　以下十一首が、藤原伊衡が凡河内躬恒と壬生忠岑とに質問する形の問答歌になる。○白露　露が紅葉を染めるという類型的な概念による。○上　葉の上。○萩　初秋から黄色く紅葉する。○五句　露は上葉から置いて紅葉させるはずなのに、なぜ下葉から色づくのかと、問う。

514 雄鹿が足にからませて倒す秋萩は、下葉が上に引っ繰り返しになるから先に紅葉するのだろう。抄・雑上四〇九・三句「萩なれば」。躬恒集・忠岑集。○さ牡鹿　雄鹿。「さ」は、美称の接頭語。○二句　足にからませて倒す。○下句　前歌の問いに、鹿のせいで葉の上下が逆になるからだ、と答える。

515 秋萩は真先に差し出た枝から色づくので、露が分け隔てして下葉から染めるとは思わないでほしい。抄・雑上四一〇・二句「まづさすはより」。躬恒集・忠岑集。○さす枝　「さす」は、枝が伸びる、差し出る意。○下句　五一三の問いに、和歌の類型に反して、露は下葉から格別染めているわけではない、と答える。

又問(と)ふ　伊(これ)衡(ひら)

516 千(ち)とせふる松の下葉(したば)の色(いろ)づくは誰(た)がしたかみにかけて返(かへ)すぞ

答(こた)ふ　躬(み)恒(つね)

517 松といへど千(ち)とせの秋にあひくれば忍(しの)びに落(お)つる下葉(したば)なりけり

又問(と)ふ　伊(これ)衡(ひら)

518 白妙の白(しろ)き月をも紅の色をもなどかあかしと言(い)ふらん

答(こた)ふ　躬(み)恒(つね)

519 昔より言(い)ひしきにける事なれば我らはいかゞ今は定(さだ)めん

又問(と)ふ　伊(これ)衡(ひら)

520 影(かげ)見れば光(ひかり)なきをも衣ぬふ糸(いと)をもなどかよると言(い)ふらん

516 千歳を経るという松の下葉が色づくのは、誰が足にからませて、下を上に引っ繰り返したのか。躬恒集・忠岑集。○千とせふる　松の寿命は千年とされていた。→二九〇など。○松の下葉　萩の下葉からの連想か。○したかみに　下上にか。異本系統、躬恒集や忠岑集では「しがらみに」とする本文があり、この形だと足にからませての意になる。○返すぞ　萩の下葉は鹿が引っ繰り返すが、松の下葉は誰がそうするのか、と問う。

517 長寿の松といえども、千年の間、秋に会ってきたので、ひっそりと落ちる下葉なのであったよ。躬恒集・忠岑集。○二句「秋」に「飽き」を響かせる。○下句　常緑の松なので、人目につかないように下葉は色づいて落ちると答える。

518 真白い月も、紅の色も、どうして同じく「あかし」と言うのだろうか。躬恒集・忠岑集。○初句　白い。「白き」と同義の語を枕詞的に重ねて、白色を強調したもの。○五句「あかし」は「明かし」と「赤し」を掛ける。同音異義を利用して、白い月と紅の色という、正反対のものを、同じ形の語で言うことの矛盾を問う。

519 昔から言いならわしてきたことなので、我々はどうして今になって判定できようか。躬恒集。○言ひしき「言ひ頻く」であろう。○下句　躬恒は問いに応じた適当な返答ができないので、論理的な返答を放棄する。▽躬恒集や忠岑集では、忠岑が「紅に(を)照る日の色にたとふ(くらぶ)れば月の光(心)もいかが答へ(離れ)む」と答えている。日光を紅と言うように、月光も紅色と言えないか、と答える。

520 日の光を見ようとすると、光のない状態をも、衣服を縫う糸をも、どうして同じく「よる」と言うのだろうか。躬恒集・忠岑集。○初句「影」は人や物の形の意もあるが、ここは夜のことを言うので、日の光。躬恒集・忠岑集の「影くれて」のほうが通りやすい。○よる「夜」に「縒る」を掛ける。▽「よる」の同音異義を利用して、暗い夜と糸を縒るという異なった物事を、同じ形の語で言うことの理由を問う。

答ふ　躬恒

521 むばたまの夜は恋しき人にあひて糸をもよればあふとやは見ぬ

又問ふ　伊衡

522 夜昼の数は三十にあまらぬをなど長月と言ひはじめけん

答ふ　躬恒

523 秋深み恋する人の明かしかね夜を長月と言ふにやあるらん

歌合のあはせずなりにけるに　よみ人知らず

524 水の泡や種となる覧浮草のまく人なみの上に生ふれば

この歌貫之が集にあり

草合し侍ける所に　恵慶法師

525 種なくてなき物草は生いにけりまくてふ事はあらじとぞ思

521 夜は恋しい人に逢って、糸をも縒ると合う、どちらも「あふ」で合うと見られないか。躬恒集。○初句「夜」の枕詞。○四句　糸は、片糸を縒り合わせて作る。○五句　ここの「あふ」は、糸が縒り「合ふ」意と、恋しい人に「逢ふ」意を掛けるか。「夜」は恋人に「逢ふ」、片糸は「縒る」ことで「合ふ」、だから、両者には「あふ」の共通性があるので、共に「よる」と言うのだと答える。

522 夜昼の数は三十以上にならないのに、どうして九月を長月と言い始めたのであろうか。躬恒集・忠岑集。○三十にあまらぬを　陰暦では、大は三十日、小は二十九日で、三十日を越えることはない。○下句「長月」を日が多くて月が長くなる意にとりなす。他の月と日数は変らないのに、なぜ九月を長月と言うのかと問う。

523 秋が深まるので、恋する独り寝の人が、夜の明けるのを持て余すから、夜の長い、長月と言うのであろう。躬恒集・忠岑集。○初句　九月は晩秋。○下句「長月」に「夜を長」を言い掛ける。問いの月の長さではなく、独り寝の夜の長さから「長月」と言うとして答える。

524 水の泡が種となるのであろうか。浮草は種を蒔く人がいないのに、波の上に生えるので。―歌合はなかったので、負ける人がいない。○歌合の…　予定されていた歌合が中止になったか。○浮草「種」「播く」「生ふ」は縁語。○四句「まく」は「蒔く」に「負く」、「なみ」は「波」に「無み」を掛ける。歌合が中止になったので、「負く人無し」を隠す。▽左注に貫之集にあるというが、現存伝本には見当たらない。

525 種がなくて、なきもの草は生えてしまった。これならば、種を蒔くということも、草合に負けるということも決してあるまいと思う。抄・雑下五三二。恵慶集。○草合　物合の一つ。珍しい草を左右で競う遊び。○なき物草　類のない草か。草合のこと、浮草のこと、珍品奇物、など諸説ある。「種」「生い」「蒔く」は「草」の縁語。→一〇三八。○下句「まく」は「蒔く」に「負く」を掛ける。草合に「負くてふ事はあらじ」と鼓舞する歌か。

なぞ〳〵物語しける所に

526 我が事はえもいはしろの結松千とせをふとも誰か解くべき

曽禰好忠

題知らず

527 あしひきの山の小寺に住む人は我が言ふこともかなはざりけり

よみ人知らず

健守法師仏名の野伏にてまかり出でて侍ける年、言ひ遣はしける

528 山ならぬ住みかあまたに聞く人の野伏にとくも成にける哉

源経房朝臣

返し

529 山伏も野伏もかくて心みつ今は舎人のねやぞゆかしき

屏風に、法師の舟に乗りて漕ぎ出でたる所

530 わたつ海は海人の舟こそありと聞けのり違へても漕ぎ出でたるかな

右大将道綱母

526 我々の謎の答は、あなたがたは言うことはできまい。岩代の結び松の寿命の千年を経たとしても、誰が解くことができようか。抄・雑下五三三。天元四年(九八一)四月二十六日、故右衛門督藤原斉敏君達謎合歌。某年五月、同後度謎歌合にも。好忠集。○なぞ〳〵物語　謎合。左右に分かれ、謎々に対して歌で答え合う、歌合形式で行う。○二・三句「えも言はじ」「岩代の結松」を言い掛ける。岩代は、紀伊国。万葉集二、有間皇子の死を悼む長意吉麿の歌を踏まえる。→八五四。○五句　相手方は誰も謎を解けまいとして謎合の勝利を誓う。

527 山の小さな寺に住む人は、他人の願いごとはさて置き、自分が仏に申す訴えも叶わないのであった。○初句「山」の枕詞。○四句　寺の維持などにかかわる訴えごとなどであろう。▽以下四首、法師の歌。

528 山でない住処が数多くあると聞く人が、野伏に早くもなってしまったことだ。○仏名→二五七。○野伏　山野に宿り、仏道修行をする僧。ここは、仏名に野外で奉仕する僧。○山ならぬ住みか「山」は比叡山か。僧侶が寺以外に持つ家。車宿とも。○下句　仏名で野伏になったことを、野宿する者の意にして揶揄した。

529 山伏も野伏もこうしてやってみた。今度は舎人の閨に伏したいものだ。○山伏　野伏に同じ。ここは、山寺に住む意。○野伏→五二八。○舎人のねや　舎人の寝所に僧侶が忍び込むという物語があり、それを踏まえたか。「何ぞ君の、内に入りて、舎人の閨の法師のやうにては逃げたまふぞ」(うつほ物語・蔵開下)。○下句　山にも野にも宿ったので、今度は舎人の閨に泊まりたいと応酬した。

530 海には海人の舟があると聞いているが、尼ならぬ法師は、法の舟ではなく海人舟に乗り間違えても彼岸に漕ぎ出したのだな。抄・雑下五二四・五句「こぎてけるかな」。道綱母集。○屏風絵柄は補陀落渡海のようなものか。○海人　漁師。「尼」を添える。○四句「乗り」に、仏法の意の「法」を掛ける。以下、法師が舟にいる理由を推察する。▽麗花集は広幡御息所(庶明女計子)作とする。

内(うち)より、人の家に侍(はべり)ける紅梅を掘(ほ)らせ給(たまひ)けるに、鶯(うぐひす)の巣(す)くひて侍ければ、家主(あるじ)の女まづかく奏(そう)せさせ侍ける

531 勅なればいともかしこし鶯の宿(やど)はと問はばいかゞ答(こた)へむ

かく奏(そう)せさせければ、掘(ほ)らずなりにけり

ある所に、説経(せきやう)し侍ける法師の従僧(ずそう)ばらのゐて侍けるに、簾(すだれ)の内(うち)より、花を折りて、と言(い)ひ侍ければ　寿玄法師(じゆげんほうし)

532 いな折(を)らじ露(つゆ)に袂(たもと)の濡(ぬ)れたらば物思(おもひ)けりと人もこそ見れ

月を見侍(はべり)て　能宣(よしのぶ)

533 梓弓(あづさゆみ)はるかに見ゆる山の端(は)をいかでか月のさして入(いる)らん

賀茂(かも)にまうでて侍ける男(をとこ)の見侍て、今(いま)はな隠(かく)れそ、いとよく見てき、と言(い)ひをこ(お)せて侍ければ　伊勢(いせ)

534 そら目(め)をぞ君はみたらし河の水浅(あさ)しや深(ふか)しそれは我かは

531　勅命なので、従わないのは、まことに畏れ多い。もし、鶯が、私の宿はどうなったのかと、問うたならば、どのように答えようか。○内より…　宮中からある人の家の紅梅を掘り取って献上させようとしたところ、鶯が巣を作っていたので、女主人がまずこのように奏上させた歌。○勅なれば　勅命なので。命令の内容は、紅梅の献上。○かく奏せさせければ…　この歌を奏上したら、掘ることは沙汰やみになった。いわゆる鶯宿梅の故事。▽大鏡・昔物語には、村上天皇の命で、歌の作者は紀貫之女とある。

532　いや、花は折るまい。折る際に露で袂が濡れたならば、物思いしていたのだと人が見ると困るから。抄・雑下五三三。○ある所に…　ある所で説経していた法師の従者たちが控えていたところに、御簾の内から(女性の声で)、「花を折って」と言ったので。○簾　説経を聞きに来た女性たちの控える場に垂らした簾。○一・三句　袂が濡れるのは、物思いの涙のせいとするのが常套的発想。僧ゆえに、そう思われるのは困る。○もこそ　不安・懸念を表す。→二七。

533　梓弓を張るではないが、遥かかなたに見える山の端を、どうして月が、弓を射るように、目指して入るのだろうか。能宣集。○梓弓　「張る」の枕詞。○入らん　「入る」に「射る」を掛ける。「照る月を弓張としもいふことは山の端さして入ればなりけり」(大和物語一三二段)。

534　見間違いを、あなたはしたらしい。御手洗川の水は浅いか、いや深いことだ。そのように深く姿を隠しているので、あなたの見たそれは、私であろうか。伊勢集。○賀茂に…　賀茂神社に参詣した男が自分を見て、「今となっては、もう逃げ隠れするな。たいそうじっくり見たことだ」と、言って寄こしたので、返した歌。○みたらし河　御手洗川。神社の境内に流れ、身を清めるための川。賀茂神社のが、よく知られる。「見たらし」を掛ける。○浅しや深し　「浅し」「深し」は「河」の縁語。「深し」に、相手から見られないように、深く姿を隠している意を込める。

能宣に車のかもを乞ひに遣はして侍けるに、侍らずと言ひて侍ければ

藤原仲文

535 鹿をさして馬と言ふ人ありければかもをもをしと思なるべし

返し

能宣

536 なしといへばおしむかもとや思覧鹿や馬とぞ言ふべかりける

廉義公家の紙絵に、あお馬ある所に葦の花毛の馬ある所

恵慶法師

537 難波江の葦の花毛のまじれるは津の国がひの駒にやあるらん

津の守に侍ける人のもとにて詠み侍ける

忠見

538 難波潟しげりあへるは君が世にあしかるわざをせねばなるべし

津の国にまかれりけるに、知りたる人にあひ侍て

539 宮こには住みわびはてて津の国の住吉と聞く里にこそ行け

535 鹿を指して馬と言う人があったので、あなたも鴨を鴛鴦と思い、かもを貸すのは惜しいと思うのだろう。抄・雑下五四二。能宣集。○能宣に…　大中臣能宣に車のかもを借りに使を遣わしたところ、無いと言ったので贈った歌。○かも　車の轂(こしき)に付け、車軸による摩滅を防ぐ金具の釭(かりも)説と、毛織の敷物の氈説がある。○上句　史記・秦始皇本紀の、趙高が謀反を企て、二世皇帝に鹿を贈って馬と言い、それに対する臣下の反応を見て、自分に同調するかどうかを探ったという故事。○四句　「鴨」「鴛鴦」に、車の「かも」と「惜し」を掛ける。

536 無いと言うと、惜しんでいるのかもと思うだろう。それならば、鹿を馬と言った人のように、貸すと嘘を言えばよかったのだ。抄・雑下五四三。能宣集。○二句　「惜しむかも」に「鴛鴦」「鴨」を隠す。○鹿や　「然や」を掛ける。

537 葦花毛の馬が青毛の馬の中に交じっているのは、摂津の国で飼われた馬であろうか。抄・雑下五四〇。藤原頼忠紙絵歌。○廉義公　頼忠。○紙絵　屏風絵・障子絵や絵巻・絵冊子に対して、一枚の紙に描く小品の絵。ここは、白馬節会の絵か。○あお馬　青みを帯びた毛の馬。灰色のような毛の馬とも。○葦の花毛の馬　葦花毛。黄色の毛の混じった葦毛の馬。葦毛は、青白い雑毛の馬。○初句　ここは難波の景物「葦」にかかる枕詞的な働き。○下句　摂津は、淀川沿いに御牧がある。難波の葦から、葦花毛の馬は摂津で飼われたとした。▽以下五首、難波の歌。

538 難波潟に葦が繁り合い、国が繁栄しているのは、あなたの治世に、葦刈るではないが、悪しかる業をしないからであろう。忠見集。○難波潟　摂津国。難波江・難波津より広い範囲を指す。○二句　難波の葦が繁り合うことに、国の繁栄をよそえる。○君が世　摂津守の治世。○あしかる　「葦刈る」に「悪しかる」を掛ける。

539 都には住むのがすっかり厭になって、摂津の国の住みよいと聞く住吉の里に行くところだ。○津の国に…　摂津の国へ下向する途中で、知人に逢って、詠んだ歌。○二句　「わぶ」の語意からすれば、生活の困窮であろう。○住吉　摂津国。「住み良し」を連想させる。

難波に祓しにある女まかりたりけるに、もと親しく侍ける男の、葦を刈りてあやしきさまになりて道にあひて侍けるに、さりげなくて、年ごろはえあはざりつる事など言ひ遣はしたりければ、男の詠み侍ける

540 君なくてあしかりけりと思にもいとゞ難波の浦ぞ住みうき

返し

541 あしからじよからむとてぞ別れけんなにか難波の浦は住みうき

伊勢の御息所生み奉りたりける親王のなくなりにけるが、描き置きたりける絵を、藤壺より麗景殿の女御の方に遣はしたりければ、この絵返すとて

542 なき人の形見と思にあやしきはゑ見ても袖の濡るゝなりけり

麗景殿宮の君

地獄の形描きたるを見て

543 みつせ河渡水竿もなかりけり何に衣を脱ぎてかくらん

菅原道雅女

540 あなたがいなくなって、葦を刈る暮らしに落ちぶれてしまった、と思うにつけても、ますます難波の浦は住み辛くなってしまった。抄・雑下五三〇・三句「おもふには」。○難波に…　難波で祓えをしようと、ある女が出かけたところ、昔親しくしていた男が、葦を刈るような仕事をしていて、みすぼらしい様子になっていたのに道中で出逢い、さりげなく、ここ数年逢えなかったことだなどと言ってやると、その男が詠んだ歌。○難波に祓　→三四。○二句「悪しかりけり」に「葦刈りけり」を掛ける。いわゆる蘆刈説話の歌。大和物語一四八段を始め諸書に語られている。○難波の浦　摂津国。

541 葦を刈る境遇のように悪くはなるまい、良かろう、ということで別れたのでしょうに。どうしてあなたは難波の浦が住みにくいのでしょうか。抄・雑下五八・二、三句「とてこそひとにわかれけめ」、五句「うらにしもすむ」。○初句「葦刈らじ」を響かせる。▽大和物語一四八段では、後人の感想の歌になっている。

542 亡き親王の形見と思うと、不思議なのは、絵を見ても、笑みても袖が涙で濡れることだった。○伊勢の御息所…　伊勢が出産した宇多天皇の皇子が亡くなったが、皇子の描き残した絵を、伝えられた藤壺（村上天皇皇后藤原師輔女安子説・冷泉院皇女宗子内親王説がある）から麗景殿女御（醍醐天皇皇子代明親王女荘子女王説・宗子妹の円融院女御尊子内親王説がある）が借覧し、返す時に添えた歌。○なき人　伊勢が生んだ皇子。西本願寺本伊勢集では五歳で亡くなったとある。○ゑ見て　「絵見て」に「笑みて」を掛ける。▽以下二首、死にかかわる歌。

543 三途の川を渡る舟に棹もなかった。竿もなかったので何に衣を脱いで掛けるのだろう。○地獄の形　地獄絵。六道絵の一種。○初句　三瀬川。三途の川。渡り川。冥土の途中にあり、亡者が初七日に渡るが、緩急の三つの瀬があり、生前の罪業により径路に差があった。重罪人の渡る瀬には脱衣婆（だつえば）と懸衣翁（けんえおう）とが居て、亡者の衣服を剝ぎ、衣領樹（えりょうじゅ）に掛けるとされる（十王経）。○水竿　舟を漕ぐ棹。三途川で重罪人が架ける「竿」を掛ける。

去年の秋むすめに遅れて侍けるに、むまごの、後の春兵衛佐
になりて侍ける喜びを、人〴〵言ひつかはし侍ければ

皇太后宮権大夫国章

544 かくしこそ春の始はうれしけれつらきは秋の終りなりけり

源重之が母の近江の国府に侍けるに、むまごのあづまより
夜上りて、急ぐ事侍て、えこのたび逢はで上りぬること、
と言ひて侍ければ、祖母の女の詠み侍ける

545 親の親と思はましかば訪ひてまし我が子の子にはあらぬなるべし

題知らず

人麿

546 山高み夕日かくれぬ浅茅原後見むために標結はましを

貫之

547 名のみして山は三笠もなかりけり朝日夕日のさすをいふかも

544 このように今年の春の始めは、孫の昇進もあって嬉しいことだ。悲しいのは、昨年に娘と死別した秋の終わりなのであった。抄・雑下五六八。○去年の秋…　去年の秋に娘（源惟正室、惟章母）に先立たれて悲しんでいたところに、孫（惟章）が今年の春に兵衛佐になった祝いを、人々が言って寄こしたので、詠んだ歌。○春の始　「秋の終り」と対照させる。春到来の喜びと、秋の終りの哀愁という伝統的な季節感を、我が身の体験から納得する。「春ならば呼子鳥をも聞きてましつらきは秋の終りなりけり」（清慎公集）。▽以下二首、孫の歌。

545 親の親と私を思うならば、訪ねてくれただろう。そうしないあなたは、我が子の子ではないに違いない。抄・雑下五三一。重之集。○源重之が母の…　重之の母が近江の国府（勢多橋の東方）に滞在していたところ、孫が東国より夜に上京して来て、「急用があって、今回は逢えずに上京した」と言ったので、祖母が詠んだ歌。○親の親　祖母。○ましかば　下の「まし」と呼応して反実仮想の構文になる。○我が子の子　孫。「親の親」と共に、重ね言葉を対句的に用いた。○下句　訪問しなかった孫への皮肉。

546 山が高いので、夕日が隠れてしまった。この浅茅原を、後に見るために、標縄を張って置くのだったよ。人麿集。○浅茅原　平安時代では、蓬や葎と共に荒廃を表す景物になる。この歌は万葉集の歌なので、美意識の対象として、思慕する女性の表象になっている。○五句　「標」は、神聖な箇所、占有の場所などを示すために、縄を張るなどして標識とすること。「ましを」は、願望を表す語法。▽万葉集七・作者未詳歌の異伝。以下二首、山の歌。

547 名前ばかりで、山には御傘もないのであった。朝日や夕日が射すのを、傘を差すのに見立てて、みかさ山と言ったのだろう。抄・雑下五三五・よみ人しらず。○三笠　三笠山。大和国。春日山の別称。その名から、「御傘」「御笠」を連想させる。○さす　日が「射す」と傘を「差す」を掛ける。「三笠山」という名辞から連想した「傘」「笠」と現実との齟齬を、「さす」の掛詞で合理化する。

548 名のみして生れるも見えず梅津河井堰の水ももればなりけり

よみ人知らず

549 名にはいへど黒くも見えず漆河さすがに渡水はぬるめり

雨降る日大原河をまかりわたりけるに、蛭のつきたりければ

550 世中にあやしき物は雨降れど大原河のひるにぞありける

恵慶法師

かうぶり柳を見て

551 河柳糸は緑にある物をいづれか朱の衣なるらん

仲文

548 名前ばかりで、梅の実が生っているのも見えない。それは、梅津川の堰の水も漏れ、梅の実も捥ぎ取られるからであったのだ。○梅津河　山城国。大堰川下流、桂川上流。その名から梅を連想させる。○井堰　用水にするために、川を塞き止めた所。「梅津川井堰の水ももる仲となりにけるみをまづぞ恨むる」(和泉式部集)。○下句「もれ」は、「水が漏る」と「実を捥ぐ」意を掛ける。梅津川という名辞から連想した梅の実が、生っていないということを、「もれば」の掛詞で納得した。▽以下四首、川の歌。

549 名前には言っても、漆のように黒くも見えない、漆川は。しかしさすがに名前どおり、渡る水は、塗るならぬ、ぬるんでいるようだ。○漆河　筑前国。その名から漆を連想させる。○渡水　徒渉する。○ぬるめり「温めり」と「塗るめり」を掛ける。漆川は、漆のように色は黒くはないが、「ぬるめり」で、共通点があったとする。

550 世の中で分からないものは、雨が降っても大原川が干る、そして、蛭が吸い付くことだった。抄・雑下三三七・禅慶法師。○大原河　山城国。比叡山の麓、大原を流れる。○ひる「干る」と「蛭」を掛ける。雨降りの日の大原川の「蛭」を、雨が降っても川が「干る」と洒落た。

551 川柳の枝は緑色であるのに、かうぶり柳と名前には言っても、どこが朱の衣の袍なのであろうか。抄・雑下五四一・恵慶法師。○かうぶり柳　高槻市大冠町の淀川の岸にあった川柳。「かうぶり」から、叙爵を連想させる。叙爵は、五位に叙せられることで、袍の色が六位の緑色から、朱色、緋色に変る。八代集抄「一説、河柳也。一説、津国冠里にある柳也」、「かうぶり柳に到りたまひて、大宮/名にし負はば朱の衣は解き縫はで緑の糸を縒れる青柳」(うつほ物語・菊の宴)。「粉川に詣でたりしに、舟にて、かうぶり柳」(公任集)。○河柳　ネコヤナギをさすことが多いが、ここは川辺の柳の意か。○糸　芽吹いた細長い柳の枝を糸に見立てた語。○下句「かうぶり」という名前があっても、柳は朱色ではなく緑色であるという矛盾を衝いたもの。▽恵慶集にあり。

天暦御時、一条摂政蔵人頭にて侍(はべり)けるに、帯(おび)をかけて御碁(ご)あそばしける、負(ま)け奉(たてまつ)りて御数多(かずおほ)くなり侍ければ、帯(おび)を返し給(たま)ふとて

552 白(しら)浪の打やかへすと待(ま)つほどに浜(はま)の真(ま)砂(さご)の数(かず)ぞ積(つ)もれる

御　製

内侍馬が家に、右大将実資がわらはに侍ける時、碁(ご)うちにまかりたりければ、物(もの)書(か)かぬ草子(さうし)をかけ物にして侍けるを見侍て

553 いつしかと開(あ)けて見たれば浜(はま)千鳥跡あることに跡(あと)のなき哉(かな)

小野宮太政大臣

返し

554 とゞめても何(なに)にかはせん浜千鳥ふりぬる跡(あと)は浪に消(き)えつゝ

題知(し)らず

555 水底(みなそこ)のわく許(ばかり)にやくゝるらんよる人もなき滝(たき)の白糸(しらいと)

よみ人知(し)らず

552 白波(白石)が打ち返すかと待つうちに、浜の真砂の数が積もるように、上石(あげいし)の数は多くなってしまったよ。抄・雑下五三二・三句「おもふまに」、五句「かずぞまされる」。村上御集。○天暦御時… 村上天皇の御代、一条摂政藤原伊尹が蔵人頭であった時、帯を賭けて帝が碁を打たれ、伊尹が負けて、帝の勝った数が多くなったので、帯をお返しになる、といって詠んだ歌。○白浪　白石の伊尹を喩える。当時は黒石が上位者。○二句　「打」に碁をする意、「かへす」に劣勢を盛り返す意を掛ける。○浜の真砂　「浜」に盤上から取り上げた相手の石の上石、「ご」に「碁」を掛ける。「浜」は「白」「打」と共に「碁」の縁語。▽以下三首、浜の歌。

553 早く見たいと賭物の草子を開けて見ると、賭物の草子は先例のあることなのに、文字が書かれてないのは例のないことだった。抄・雑下五三三。実頼集。○内侍馬… 馬内侍の家に、右大将藤原実資が童であった時に、碁を打ちに行き、何も書いていない草子を、賭物にしたのを見て詠んだ歌。拾遺抄では、小弓を射た折。○三句　ここは「跡」の枕詞。○跡ある　前例のある。○跡のなき　この「跡」は文字・筆跡の意を掛ける。浜千鳥の足跡は文字に喩えられる。

554 文字を記して手元にとどめても、何になろうか。浜千鳥の足跡が波に消えるように、古びた文字は残っていないのだ。抄・雑下六〇二・四句「ふみおくあとは」。実頼集。○初句　文字に留めると、手元に留める意を掛ける。○四句　浜千鳥の足跡の意と、文字の意を掛ける。昔の詠歌の意を添える。自分の歌を残しても何のかいもないので、白紙の草子を賭物にしたとする。

555 水底が湧き返るほどに潜るのだろうか、近寄る人もいない滝の水は。—枠に括るだけなのだろうか、縒る人もいない滝の白糸は。○わく　「湧く」と、糸を巻き取る道具の「枠」と掛ける。○くゝる　「潜る」と「括る」を掛ける。「繰る」を掛けるとも解せる。○よる　「寄る」と「縒る」を掛ける。○五句　「滝の白糸」から、掛詞によって、「糸」の縁語「枠」「括る」「縒る」を連ねる言語遊戯的な趣向。▽忠見集にあり。以下二首、滝の歌。

清原元輔肥後守に侍ける時、かの国のつゞみの滝といふ所を見にまかりたりけるに、ことやうなる法師の詠み侍ける

556 音に聞くつゞみの滝をうち見ればたゞ山河のなるにぞ有ける

三位国章小さき瓜を扇に置きて、藤原かねのりに持たせて、大納言朝光が兵衛佐に侍ける時遣はしたりければ

557 音に聞くこまの渡の瓜作りとなりかくなりなる心哉

返し

558 定めなくなるなる瓜のつら見ても立ちや寄りこむこまのすき者

陸奥国名取の郡黒塚といふ所に、重之がいもうとあまたありと聞きて言ひ遣はしける　　兼盛

559 陸奥の安達の原の黒塚に鬼こもれりと聞くはまことか

556 噂に聞く鼓の滝を見物してみると、ただ山と川が滝となって、音を立てているのであった。檜垣媼集・重之集。〇清原元輔…　元輔が肥後守の時、その国の鼓の滝という所を見物に行った折、異様な法師が詠んだ歌。〇つゞみの滝　鼓の滝。所在地未詳。肥後国か。鼓を連想し、「音」「うち」「なる」と「鼓」の縁語を連ねて趣向とする。〇うち　接頭語「うち」に鼓の縁語「打ち」を掛ける。〇なる　「成る」と「鳴る」を掛ける。

557 噂に聞く狛の辺りの瓜作りは、瓜があある生りこう生るように、あれこれと心が定まらなくなるものだ。〇三位国章…　藤原国章が、小さな瓜を扇に置き、藤原かねのりに持たせて、大納言藤原朝光が兵衛佐であった時に遣わしたので、朝光の詠んだ歌。〇二・三句　狛の渡し辺りの瓜作り。狛は、山城国。相楽郡の木津川の北。催馬楽・山城「山城の狛のわたりの瓜作り我を欲しと言ふいかにせむなりやしなまし瓜立つまでに」を踏まえるので、朝光は国章女に求婚していたか。〇下句　「なる」はすべて、「成る」に「生る」を掛ける。さまざまに生る瓜に、あれこれと心が移る瓜作りをよそえる。

558 変りやすくさまざまに生るという瓜の顔を見ても、立ち寄って来るだろう、狛の好色者は。国章の返歌。〇定めなくなるなる　前歌の「となりかくなり」を受ける。上の「なる」は「成る」に「生る」を掛ける。下の「なる」は伝聞。〇瓜のつら　瓜の顔。瓜を女の顔に見立てたか。〇五句　狛の好色者。前歌引用の催馬楽・山城を踏まえ、求婚した朝光を好色者とする。

559 陸奥の安達の原の黒塚に、鬼が隠れ住んでいると聞くのは、ほんとうか。抄・雑下五三八。〇陸奥国…　陸奥国名取郡黒塚という所(福島県二本松市安達ヶ原辺)に、源重之の姉妹が大勢住んでいると聞いて、詠み贈った歌。〇鬼こもれり　重之の妹を鬼とした。黒塚の真弓山観世寺の縁起に、神亀三年(七二六)、有徳の僧が鬼女と出会ったという伝説がある。歌はこの鬼女伝説を踏まえたか。▽大和物語五十八段では重之の娘たちの説話になっている。

廉義公家の紙絵に、旅人の盗人にあひたる形描ける所　藤原為頼

560 盗人のたつたの山に入にけり同じかざしの名にやけがれん

561 なき名のみたつたの山の麓には世にもあらじの風も吹かなん

高尾にまかりかよふ法師に名立ち侍けるを、少将滋幹が聞きつけて、まことかと言ひ遣はしたりければ　八条の大君

562 なき名のみたかをの山と言ひたつる君はあたごの峰にやあるらん

御岳に年老いてまうで侍て　元輔

563 いにしへも登りやしけん吉野山山より高き齢なる人

560 盗賊が立ち出るという龍田山に入ってしまった。盗賊の仲間という悪い評判で身が汚れるのであろうか。抄・雑下五三九・五句「なをやのこさん」。藤原頼忠紙絵歌。為頼集。○廉義公家の紙絵 →一七三・五三七。○盗人のたつたの山に　龍田山は、大和国。「盗人の立つ」と言い掛ける。「風吹けば沖つ白波たつた山夜半にや君が一人越ゆらむ」(古今・雑下・よみ人知らず)の「白波」を、盗賊の意として、龍田山を盗賊の出る山と解する説がある。○同じかざし　同じかざしを挿すことで同類の意。○五句　盗賊の横行する龍田山に入ったので、同じ仲間と評判になるのを恐れるというのであろう。▽以下五首、山の歌。

561 あらぬ評判ばかりが立つ、龍田山の麓の私の家には、この世に生きていたくないので、我が身を吹き払う嵐の風でも吹いてほしい。抄・雑下五三四・よみ人知らず。○たつたの山　龍田山。大和国。「なき名のみ立つ」と言い掛ける。○世にもあらじ　「嵐の風」に言い掛ける。○吹かなん　吹いてほしい。「なん」は、他への願望。▽拾遺集の配列では、前歌と同じ折の為頼の詠作になるが、拾遺抄では時期も作者も未詳という無関係な歌になっている。拾遺抄が妥当か。人麿集にあり。

562 悪い噂ばかりを声高に高尾の山と言い立てるあなたは、愛宕の峰ならぬ私の仇敵なのであろうか。抄・雑下五三五・四句「人はあたごの」。○高尾に…　高尾に行き通う法師との悪い噂が立ったのを、少将藤原滋幹(作者の異腹の弟)が聞きつけて、まことなのかと言ってよこしたので、詠み贈った歌。○たかをの山　高尾山。山城国。神護寺がある。「なき名のみ高」と言い掛ける。○あたごの峰　愛宕の峰。山城国。「あた(仇敵)」を掛ける。高尾にちなみ「高尾の山」の西にある「愛宕の峰」を詠み込む。

563 昔も登ったであろうか、この私のように、吉野山の山よりも高い年齢の人が。抄・雑下五三六。元輔集。○御岳　大和国。○吉野山　大和国。ここは、御岳、すなわち吉野の金峰山。○高き齢　元輔七十九歳以前。この時、源兼澄も同行した(兼澄集)。

大隅守桜島の忠信が国に侍ける時、郡の官に頭白き翁の侍けるを、召しかむがへんとし侍ける時、翁の詠み侍ける

564 老いはてて雪の山をばいたゞけどしもと見るにぞ身は冷えにける

この歌によりて許され侍にけり

旋頭歌

565 ます鏡底なる影にむかひゐて見る時にこそ知らぬ翁にあふ心地すれ

566 ます鏡見しがと思妹にあはむかも玉の緒の絶えたる恋のしげきこの頃

柿本人麿

567 かの岡に草刈る男しかな刈りそありつゝも君が来まさむみまくさにせん

564 老い果てて、雪の山を頭に載せているけれど、霜を見ると身は冷えて、刑罰の笞を見ると、ひやりとしたことだ。抄・雑下五四四。○大隅守桜島の忠信が…　忠信が任国にいた時、郡司で、頭が白くなった老人がいたのを呼び出して罪を究明して罰しようとした時、その老人が詠んだ歌。○初句「老い果てて頭の髪も白河のみづはくむまでなりにけるかな」(檜垣嫗集)。○雪の山白髪をよそえる。○しもと「霜と」に、「笞(しもと)」を掛ける。○五句　身体が冷える意に、恐怖で身震いする意を掛ける。笞の恐怖を訴えた。▽俊頼髄脳、今昔物語集二十四、古本説話集上、宇治拾遺物語九、十訓抄十などに、歌徳説話として伝えられている。

○旋頭歌　五七七、五七七と、片歌を繰り返す形式の歌体。

565 真澄の鏡の底にある姿に向かい居て見る、その時には見知らない老人に会う気持がすることだ。躬恒集。○初句　澄みきった鏡。→四六九。○底なる　映像は底にある、と受け取るのが当時の通念。○五句　鏡に映る我が身を見て、その老衰ぶりに別人と思ったとする。

566 見たいと思うあの人に、逢いたいものだ。絶えていた恋心が激しくなったこの頃だ。人麿集。○初句　ここは、「見る」の枕詞。○見しが見たい。「しが」は、願望。上代では、清音。○妹　愛する人。○あはむかも　逢いたいものだ。「む」は、意志。「かも」は、「かな」の古い形。詠嘆。○四句「絶ゆ」の枕詞。○五句　一時収まっていた思慕の情。○六句　恋が再燃したこの頃。▽万葉集十一・古歌集の歌の異伝。

567 あの岡で草を刈っている男よ、そのように全部刈らないでおくれ。そのまま残しておいて、あの人がおいでになる折の馬の飼葉にしよう。人麿集。○三句　そんなに刈るな。「な…そ」は、禁止。その理由は、六句に詠まれる。○ありつゝも「あり」は、そのままにする、の意。○みまくさ　秣(まぐさ)の美称。飼葉。▽万葉集七・人麻呂歌集歌の異伝。

女のもとにまかりたりけるに、とく入りにければ、朝に　　源　景明

568 梓弓思はずにしていりにしをさもねたく引きとゞめてぞ臥すべかりける

長歌

吉野の宮に奉る歌　　人　麿

569 ちはやぶる　我が大君の　きこしめす　天の下なる　草の葉も　うるひにたりと
山河の　すめる河内と　御心を　吉野の国の　花ざかり　秋津の野辺に　宮柱
ふとしきまして　もゝしきの　大宮人は　舟ならべ　朝河わたり　舟くらべ　夕
河わたり　この河の　絶ゆる事なく　この山の　いや高からし　玉水の　たきつ
の宮こ　見れど飽かぬかも

反歌

570 見れど飽かぬ吉野の河の流ても絶ゆる時なく行かへり見む

568 思いもよらず、あなたは奥に入ってしまった。まったく癪だ、引き留めて、共寝すべきであった。抄・雑上五四(四句を欠き短歌形式)。○女のもとに… 女性のもとに訪問したところ、早々に引っ込んでしまったので、翌朝贈った歌。○梓弓 「入る」の枕詞。以下、「はず(筈)」「いり」「引き」は、「弓」の縁語。○思はず 「はず」は、弦をかける弓の両端の「筈」を掛ける。○いり 「入り」に「射り」を掛ける。○さもねたく 底本「抄無此句」と傍書。○引き 弓を「引き」に「引きとゞめ」を掛ける。

○長歌 五七の句を反復して続け、末尾を五七七の形で結ぶ長い形式の歌体。

569 我が大君が、お治めなさる天下には、民草の葉も潤ったと、山も川も清らかに澄みきった土地だとして、御心をお寄せになる吉野の国の、花盛りの秋津の野辺に、宮殿の柱をしっかりとお建てになったので、大宮人は、舟を並べて朝の川を渡り、舟を競って夕べの川を渡る、この川のように絶えることなく、この山のようにいよいよ高く建つであろう、美しい水の激しく流れる宮殿は、いくら見ても見飽きないことだ。○初句 「大君」の枕詞。底本傍書「万葉ヤスミシル」。○きこしめす 「しろしめす」に同じ。○草の葉も 底本傍書「クニハシモ」。○河内 川のある土地。○御心を 「吉野の国」の枕詞。ここは、「心を寄す」という意も採った。○吉野の国 大和国。○花ざかり 万葉集は「花散らふ」で、「秋津」の枕詞。この花は稲の花。○秋津の野辺 大和国。離宮近くの地名だろう。○ふとしきまして しっかりと立てなさって。○もゝしきの 「大宮人」の枕詞。○玉水 清らかな水。○たきつの宮こ 滝のある宮殿。宮滝の離宮。「たきつ」は、激しく流れる意を掛ける。○結句 土地などに対する褒め詞の慣用句。▽万葉集一、持統天皇の吉野行幸の折に、柿本人麿が詠んだ歌の異伝。

570 見ても飽きない吉野川の流れて絶える時もないように、この宮殿を、絶えず行き帰りして見よう。人麿集。○下句 行幸の永続を予祝する。

571

身の沈みけることを嘆きて、勘解由判官にて　　源　順

あらたまの　年のはたちに　足らざりし　時はの山の　山寒み　風もさはらぬ藤衣　二度たちし　朝霧に　心も空に　まどひそめ　みなしご草に　なりしより物思ことの　葉をしげみ　消ぬべき露の　夜はをきて　夏はみぎはに　燃えわたる　螢を袖に　拾ひつゝ　冬は花かと　見えまがひ　このもかのもに　降りつもる　雪を袂に　集めつゝ　ふみみて出でし　道は猶　身のうきにのみ　有ければこゝもかしこも　葦根はふ　下にのみこそ　沈みけれ　誰九つの　沢水に　鳴く鶴の音を　久方の　雲の上まで　かくれなみ　高く聞ゆる　かひありて　言ひながしけん　人は猶　かひもなぎさに　満つ潮の　世にはからくて　住の江の　松はいたづら　老いぬれど　緑の衣　脱ぎすてむ　春はいつとも　しら浪の　浪路にいたく　行きかよひ　ゆも取りあへず　なりにける　舟の我をし　君知らばあはれ今だに　沈めじと　海人の釣縄　うちはへて　引くとし聞かば　物は思はじ

571 年が二十歳に足りなかった時は、常盤の山が寒くて風も防げない藤衣を二度も父母との死別で裁ち着て、立つ朝霧に心もうつろに惑い始め、孤児草になってから物思うことが葉の茂るように頻繁となり、消えそうな露が夜置くように消え入る思いをした。夜は起きて、夏は汀一面に燃える螢を袖に拾いつつ、冬は花かと見まごうあちこちに降り積もる雪を袂に集めつつ、書物を見て踏み出した学問の道はやはり沼地のように不遇であったので、ここかしこも葦根が這うように下積みに沈んでいた。誰が九つの沢水に鳴く鶴の声を雲の上まで隠れなく高く申し上げ、かいあるよう言い伝えようか。我が身はやはりかいもなく、貝もない渚に満ちる潮のように世には辛い思いで住み、住の江の松のごとくむなしく老いたけど、緑の衣を脱ぎ捨てる春はいつ来るとも知らず、白波の波路にひどく行き来して、溜まった水を汲み出せなくなった舟のような私を、君が知ってくれて、ああまだ沈めまいと漁師の釣縄を長く延ばして曳く、と聞くならば、物思いはあるまいに。順集。○身の… 沈淪の身を嘆いた歌。勘解由判官は国司交替時に解由(事務引継書類)の審査等をする勘解由使の従六位下相当の三等官。○初句 「年」の枕詞。○時はの山 山城国。「常盤の山」を掛ける。○藤衣 喪服。○たちし 「裁ち」に、「霧」の縁語「立ち」を掛ける。次の「空」も縁語。○みなしご草 孤児の比喩。○葉をしげみ 物思いをよそえる。○をきて 「起きて」に、「露」の縁語「置きて」を掛ける。○螢を袖に 以下、螢雪の功を踏まえる。○冬は花かと 雪の見立て。○ふみ 書物の「文」と「踏み」を掛ける。○身のうき 「憂き」に沼地の「うき(泥)」を掛ける。○葦根はふ 「下」の枕詞。○九つの沢水に… 詩経・小雅・鶴鳴「鶴鳴㆓于九皐㆒声聞㆓于天㆒」を踏まえる。○久方の 「雲」の枕詞。○かひもなぎさ 「貝も渚」に「効も無き」を掛ける。○からくて 塩からいに辛いを掛ける。○松 老いの表象。○緑の衣 六位の袍の色。卑官の表象。○しら浪 「知らなみ」を掛ける。○ゆ 湯。舟に入った水。○引く 舟を曳くに贔屓にする意を掛ける。

返し　　　　　　能宣

572 世中を　思へば苦し　忘るれば　えも忘られず　誰もみな　同じみ山の　松が枝と　枯るゝ事なく　すべらぎの　千世も八千世も　仕へんと　高き頼みを　隠れ沼の　下より根ざす　あやめ草　あやなき身にも　人なみに　かゝる心を　思ひつゝ　世にふる雪を　君はしも　冬は取りつみ　夏は又　草の螢を　集めつゝ　光さやけき　久方の　月の桂を　折るまでに　時雨にそほち　露に濡れ　へにけむ袖の　深緑　色あせがたに　今はなり　かつ下葉より　紅に　移ろひはてん　秋にあはゞ　まづ開けなん　花よりも　木高き蔭と　仰がれん　物とこそ見し　塩釜の　うらさびしげに　なぞもかく　世をしも思ひ　なすの湯の　たぎるゆへ(ゑ)をも　かまへつゝ　我が身を人の　身になして　思ひくらべよ　もゝしきに　明かし暮して　常夏の　雲居はるけき　みな人に　遅れてなびく　我もあるらし

572　世の中を思うと辛いことだ。忘れようとしても忘れられない。誰も皆同じ身の上で、深山の松の枝のように枯れることとなく、宮廷から離れることなく、帝に千代も八千代も仕えようと高い望みを懸けて、隠れ沼の下に根ざす菖蒲草のような、つまらない我が身にも、人並にこのような願いを思いながら、世に過ごしているのだ。降る雪を、君は、冬は取り積み、夏はまた草の螢を集めながら、光の清らかな月の桂を折るまでに才名を上げ、時雨に濡れ、露に濡れて、暮らしてきた袖の深緑も色褪せる頃に今はなり、一方下葉から紅色にすっかり変る秋に会ったならば、まず開こうとする花よりも、木高い蔭と仰がれるであろうものと見た。それなのに塩釜の浦ではないが、心寂しげに、どうしてこのように世の中を思いなすのか。那須の湯のようなたぎる思いの理由も考えながら、我が身を人の身に置き換えて思い比べてみよ。君は宮廷に明かし暮らしているが、不変の宮中から遥か遠く皆の人に遅れて、撫子のように靡く私も居るようなのだよ。能宣集。〇同じみ山の　「同じ深山」に「同じ身」を掛ける。〇枯る、　「離るる」を掛ける。〇高き頼み　高位高官への望み。〇隠れ沼の　「頼みを懸く」を言い掛ける。以下「あやめ草」まで、「あやなき」を導く序詞。〇か丶る心　「高き頼み」をかける心。〇世にふる雪を　「経る」に「降る」を掛ける。以下、「螢を集めつ丶」まで、螢雪の功の故事を踏まえる。〇久方の　「月」の枕詞。〇月の桂を折る　官吏登用試験に合格する。→四七二。〇袖の深緑…　「紅に移ろひはてん」まで、五位への昇進の可能性を述べる。緑は六位、紅は五位の袍の色。「下葉」は下積みの境遇の表象。五位から貴族。〇木高き蔭　頼りにされる存在。〇塩釜のうらさびしげに　「うらさびしげに」に、「塩釜の浦」を言い掛ける。塩釜は、陸奥国。〇なすの湯　那須の湯。下野国。「思ひなす」を言い掛ける。〇たぎるゆへ　は沸騰する湯の意に、悲しみがこみ上げる理由の意を掛ける。〇人の身　能宣自身を指す。〇も丶しき　宮中。〇常夏　「雲井」の永遠を表す。〇雲井　宮中。〇なびく　「雲」の縁語。

ある男のもの言ひ侍ける女の、忍びて逃げ侍て、年ごろありて消息して侍けるに、男の詠み侍ける

よみ人知らず

573 今はとも　言はざりしかど　八少女の　立つや春日の　ふるさとに　帰りや来ると　まつち山　待つほど過ぎて　雁がねの　雲のよそにも　聞えねば　我はむなしき　玉梓を　書く手もたゆく　結び置きて　つてやる風の　便だに　なぎさに来ゐる　夕千鳥　うらみは深く　満つ潮に　袖のみいとゞ　濡れつゝぞ　あとも思はぬ　君により　かひなき恋に　なにしかも　我のみひとり　うき舟の　こがれて世には　渡るらん　とさへぞ果は　蚊遣火の　くゆる心も　つきぬべく　思なるまで　をとづれず　おぼつかなくて　返れども　今日水茎の　跡見れば　ちぎりし事は　君も又　忘れざりけり　しかしあらば　誰もうき世の　朝露に　光待つ間の　身にしあれば　思はじいかで　常夏の　花のうつろふ　秋もなく　同じあたりに　住の江の　岸の姫松　根を結び　世ゝを経つゝも　霜雪の　降るにも濡れぬ　仲となりなむ

573 今はお別れとも言わずに去ったけれど、八少女の立ち舞う春日の故里に帰り来るかと待乳山の待つ時が過ぎて、雁がはるか遠い所にいて声が聞こえないように音信は途絶えたので、私はむなしい手紙を書く手もだるくなるまで結び置いて、伝え遣る風の便宜もないのであった。渚に来て居る夕千鳥が浦を巡るではないが、恨みは深く満ち、満つ潮に袖ばかりひどく濡れながら、後のことも思わないあなたのせいで、かいのない恋にどうして自分一人、浮舟の漕がれるように、恋焦がれて世を渡るのだろうかとさえ、果ては蚊遣火の燻るように、後悔する心も尽きそうに思うまで、あなたは訪れなかった。気がかりなまま年は返ったけれども、今日届いた手紙をみると、愛情を誓ったことは、あなたもまた忘れないのであったのだ。それならば、誰にも憂き世の、朝露に日の光を待って消える間の、はかない身の上なのだから、あなたを恨み思うまい。どうにかして常夏の花の移ろうような秋の飽きもなく、同じ辺りに住み、住の江の岸の姫松が根を結ぶように、しっかりと世々を過ごしながら、霜や雪が降っても濡れない家を構える仲となりたいものだ。○初・二句　詞書「忍びて逃げ」を受ける。○八少女　神楽を舞う八人の少女。○春日のふるさと　春日は、大和国。男の住まいがあるか。○まつち山　待乳山。大和国と紀伊国の境。「待つ」の枕詞。○雁がねの…　蘇武の雁信の故事を踏まえる。→三五三。○玉梓　手紙。○なぎさに　「渚」に「無き」を掛ける。○うらみ　「恨み」に「浦見」を掛ける。○満つ潮　「深く満つ」を掛ける。○あと　千鳥の「跡」を掛ける。○かひなき　「貝」を掛ける。○うき舟　「憂き」を掛ける。○こがれて　「漕がれ」に「焦がれ」を掛ける。○蚊遣火の　「くゆる心」の枕詞。○くゆる　くすぶる意に後悔する意を掛ける。○水茎の跡　筆跡。女からの手紙。○朝露に光待つ間の身　はかない身。○常夏の花　撫子の花。「常」に愛情の不変を込め、妻の表象とする。→一〇七九。○秋　「飽き」を掛ける。○住の江の岸の姫松　住の江は、摂津国。景物の姫松は、美称で小さい若松。○根を結び　夫婦の固い絆を表す。

574

円融院御時、大将はなれ侍て後、久しく参らで奏せさせ侍ける　　東三条太政大臣

あはれ我　五つの宮の　宮人と　その数ならぬ　身をなして　思ひし事は　かけまくも　かしこけれども　頼もしき　蔭に二度　遅れたる　双葉の草を　吹風のあらき方には　あてじとて　せばき袂を　ふせぎつゝ　塵も据へじと　みがきては　玉の光を　誰か見むと　思心に　おほけなく　上つ枝をば　さし越えて　花咲く春の　宮人と　なりし時はは　いかばかり　しげき蔭とか　頼まれし　末の世までと　思つゝ　九重の　その中に　いつき据へしも　言出しも　誰ならなくに　小山田を　人にまかせて　我はたゞ　袂そをつに　身をなして　二春三春過しつゝ　その秋冬の　朝霧の　絶え間にだにも　と思しを　峰の白雲　横ざまに　立ちかはりぬと　見てしかば　身を限りとは　思ひにき　命あらばと　頼みしは　人に遅るゝ　名なりけり　思ふもしるし　山河の　皆下なりし　諸人も動かぬ岸に　まもりあげて　沈むみくづの　はて／＼は　かき流されし　神無月うすき氷に　とぢられて　とまれる方も　なきわぶる　涙沈みて　かぞふれば冬も三月に　なりにけり　長き夜な／＼　しきたへの　臥さず休まず　明け暮らし　思へども猶　かなしきは　八十氏人も　あたら世の　ためしなりとぞ　さは

574 ああ、私は五の宮の宮人となり、取るに足らない身として思ったことは、心にかけて思うのも畏れ多いけれども、頼もしい蔭に二度も先立たれた双葉の草を、吹く風の荒々しい方には当てまいとして狭い袂で防ぎながら、塵も据えまいと磨いては、玉の光を誰が見ようかと思う心で、身の程も弁えず上の枝を差し越えて、花咲く春の宮人となった時は、どんなにか常葉木が頼もしい蔭と頼みに思ったことだ。末の世まで仕えようと思って、九重のその中に崇め奉ったのも、言上したのも、他ならぬ私だった。それなのに、小山田を人に任せて、私はただ袂を濡らす案山子に身をなして、二春、三春を過ごしながら、その秋冬の朝霧の絶え間にだけでもと思ったのに、峰の白雲が横暴にも立ち替わったと見たので、我が身をこれが限りと思ったことだ。命があればと頼みにしたことは、人より昇進の遅れるという評判なのであった。案の定、山川の皆下流にいた人をも、動かない岸に護り上げて、沈む水屑の行き着く果ては、押し流された十月の薄い氷に閉ざされて、身を寄せる方もなく泣きわびる涙に沈んで、数えると冬も三月になってしまったことだ。長い夜々を臥さず休まず明かし暮らし、思ってもなお悲しいのは、諸氏の人々も、もったいない世の残念な例だと騒ぐことだ。まして春日の杉群の藤原氏に、私のようにいまだ枯れた枝はあるまい。大原野辺の壺菫を摘み取るではないが、罪の犯しがあるものならば、照る日も照覧あれということを、年の終わりに晴らせないならば、我が身は遂に朽ち果ててしまうだろう。谷の埋もれ木のような我が身は、春が来ても、このままで終わってしまうに違いない。年の内に春吹く風も、心があるならば、袖の氷を解かせと吹いてほしい。

○円融院御時…　円融院の御代、大将を解任されて参内せずに奏上した歌。貞元二年(九七七)十月十一日、右大将から治部卿に左遷。○五つの宮　村上天皇の第五皇子、守平親王。後の円融天皇。○蔭に二度遅れ　五の宮は、応和四年(九六四)、母后安子に六歳で、康保四年(九六七)、父帝に九歳で死別した。○上つ枝をばさし越えて　五の宮が、兄宮の広平親王、致平親王、為平親

ぐなる　まして春日の　杉むらに　いまだ枯れたる　枝はあらじ　大原野辺のつぼすみれ　罪をかしある　物ならば　照る日も見よと　いふことを　年のをはりに　清めずは　我が身ぞつゐに　くちぬべき　谷のむもれ木　春来とも　さてや止みなむ　年の内に　春吹風も　心あらば　袖の氷を　解けと吹かなむ

これが御返、たゞ、稲舟の、と仰られたりければ、又御

返し

575 如何せむ我が身下れる稲舟のしばし許の命堪へずは

王を差し置き、康保四年立坊し、兼家も兄兼通を超えて昇進した。○春の宮人となりし時はは 「春の宮」は、東宮。兼家は、康保四年、東宮権亮、安和二年(九六九)、東宮大夫。「時はは」に「常葉」を掛ける。○いつき据へ 「いつく」は、斎く。天皇として崇め奉ること。円融天皇は、安和二年八月十三日に即位。○小山田を人にまかせて 他人に政権を奪われること。即位の日、藤原実頼、摂政。天禄元年(九七〇)藤原伊尹、摂政。「まかす」→四六。○袂そをつ 「そほつ(濡れる)」に、「そほづ(案山子)」を掛ける。○朝霧の絶え間 天禄三年、伊尹没。○峰の白雲… 政権交替があったこと。天禄三年十一月二十七日、兼通は、大納言兼家を超え、中納言から関白内大臣へと異例の昇進をした。○皆下なりし諸人も… 兼家よりも位官の下の人が、確固とした地位に昇進したこと。○沈むみくづの 「水屑」に「沈む身」を掛ける。○神無月 貞元二年に左遷された月。○なきわぶる 「泣き」に「無き」を掛ける。○冬も三月に 大将罷免の年から冬の三ヶ月が過ぎた。○しきたへの 「臥す」の枕詞。○春日 藤原氏の氏神春日神社。○大原野辺のつぼすみれ 「摘み」に係り、「罪」を導く序詞。大原野は、山城国。大原野神社がある。「つぼすみれ」は、菫の一種。○谷のむもれ木 不遇の身をよそえる。○年の内に… 古今・春上の巻頭二首を踏まえる。年内復権への願い。兼通は、十一月に死去していた。

---

575 どうしようか。我が身が、下る稲舟のように落ちぶれているので、この月ばかりは待てという暫くの間だけでも命が耐えきれなかったならば。○稲舟の 「最上川上れば下る稲舟のいなにはあらずこの月ばかり」(古今・東歌)を踏まえる。兼家の訴えに、円融天皇は「この月ばかり」待てと慰めた。兼家は、翌貞元三年六月二十一日、謹慎も解けて参内し、十月二日、従二位右大臣に昇進する(大鏡・兼通伝裏書)。○初句 初句切れで以下と倒置。○二・三句 「最上川」の歌を踏まえ、「暫しばかり」を導く序詞。「我が身下れる」を言い掛ける。

拾遺和歌集巻第十　神楽歌

576 榊葉(さかきば)にゆふしでかけて誰(た)が世にか神の御前(みまへ)に斎(いは)ひそめけん

577 さか木葉(ば)の香(か)をかぐはしみ尋(と)め来(く)れば八十(やそ)氏(うぢ)人ぞまとゐせりける

578 みてぐらにならまし物を皇(すべ)神の御手(みて)にとられてなづさはましを

神楽歌は、広くは、神前で舞楽と共に唄われる歌謡を言うが、狭くは、宮中で行われる神事歌謡を言う。大別して、採物(神おろし。五七六―五八三)・前張(神あそび。五八五―五八六)・星(神あがり。五八四)より成る。神を招き、神と共に楽しみ、神を送るという構造になっている。五八七からは、神にかかわる神祇(じんぎ)の歌になる。

576　榊の葉に木綿の四手を懸けて、誰の世に、神の御前に祭り始めたのだろうか。○榊葉　採物の際に、神楽の楽人が手に持つ。○ゆふしで　木綿四手。「木綿」は、楮の繊維を糸状にしたもの。「四手」は、神に捧げる幣の一種で、榊や注連(しめ)縄に付けて垂らす。○五句　神楽の始原を問う。「斎ふ」は、身を清め、神に奉仕する。神を祭ること。▽歌謡の神楽歌では、本文が四句「神の御室と」となっており、榊を神の降臨する場所としている。

577　榊の葉の香がよいので、その場所を求めて尋ねてみると、多くの氏の人たちが楽しそうに寄り集まっていることだ。○初句　→五七六。○二句　よい香がするので。○八十氏人　多くの氏姓の人々。「八十」は、多数の意。○五句　「まとゐ」は円居。団欒。人々が輪になって、神楽をしている光景であろう。神の立場からの把握になる。

578　神に捧げる幣になりたいものだ。神の御手に取り持たれて、馴れ親しみたいことだ。○みてぐら　採物の幣。神に捧げ奉るもの。ここは幣帛の類。○二句　「まし」は、仮想。もしなれるものならば、幣になりたいものだ、の意。○皇神　すめかみ。ここは神の尊称。皇祖神、すなわち伊勢神宮の内宮に祀られる天照大神とも。○五句　「なづさふ」は、本来は水に浸り、漂うことを言い、水に浸るように、人にまつわり付く意。

579 みてぐらは我(わ)がにはあらず天(あめ)にます豊岡姫(とよをかひめ)の宮のみてぐら

580 相坂(あふさか)を今朝(けさ)越(こ)えくれば山人の千(ち)とせ突(つ)けとて切(き)れる杖(つゑ)也

581 四方(よも)山の人のたからにする弓(ゆみ)を神の御前(みまへ)に今日(けふ)たてまつる

582 いその神ふるや男(をとこ)の太刀(たち)も哉(がな)組(くみ)の緒(を)しでて、宮地(みやぢ)かよはむ

583 銀(しろがね)の目貫(めぬき)の太刀(たち)をさげはきて奈良(なら)の宮(みや)こをねるや誰(た)が子(こ)ぞ

579 この幣は、私が作ったものではない。天におられる豊岡姫の宮の幣だ。○みてぐら →五七八。○豊岡姫 未詳。○二句 我が作にはあらず、の意。○豊岡姫 梁塵愚案抄は、大ひるめのみこと、すなわち天照大神とし、神楽歌入文は、豊受姫の訛伝とする。豊受姫は、伊勢神宮の外宮に祀られ、五穀を司る神。

580 逢坂山を今朝越えて来ると、山人が、千歳も突けと言って、私に切ってくれた杖だ。○相坂 逢坂山。近江国。○二句 主体は神になる。○山人 山に住む人。神楽では、神に奉仕する役。○杖 採物の杖。神霊が憑いて邪悪なものを祓い清める呪力があるとされた。▽歌謡の「逢坂を今朝越え来れば山人の我にくれたる山杖ぞこれ山杖ぞこれ」と「皇神の深山の杖と山人の千歳を祈り切れる御杖ぞ」とが混同して訛伝されたもの。

581 四方の山の人が宝とする弓を、神の御前に今日捧げ奉る。○四方山の人 「四方」は、四方八方。四方の山を守護する山人。○たからにする 神宝にする。歌謡では、「守りに頼む」「守りにする」。○弓 採物の弓。武器であり、邪霊を退治する呪具でもある。▽歌謡の「四方山の守りに頼む梓弓神の宝に今しつるかな」と「四方山の人の守りにする鉾を神の御前に斎ひ立てたる」とが、混同して訛伝されたもの。

582 石上布留の男の剣がほしいなあ。組緒を垂らして、御所への路を通おう。○いその神ふる 石上布留。大和国。「いその神」は「ふる」にかかる枕詞。○男 壮士。勇者。梁塵後抄は、「ふるや男」として、古屋という名の勇士とする。○太刀 採物の剣。石上神社の神体の剣か（色葉和難集）。○組の緒 糸や紐を組み、剣の装飾としたもの。○しでて 垂らして。○宮地 宮路。御所へ通う路。

583 銀製の目貫で飾った剣を、腰に吊り下げて、奈良の都を練り歩くのは、誰の家の若者か。○目貫 刀身を柄にはめて固定するための金具。銀製のものは、上等で洒落ている。○太刀 採物の剣。○三句 下げ佩きて。剣を腰に吊して、身に付ける。○ねる ゆっくりと練り歩く。○子 若者。青年。

584 我が駒は早く行かなん朝日子がやへさす岡の玉笹の上に

585 さいばりに衣は染めん雨降れど移ろひがたし深く染めてば

586 しなが鳥猪名のふし原飛びわたる鴫が羽音おもしろき哉

587 住吉のきしもせざらん物ゆへにねたくや人に松といはれむ

ある人のいはく、住吉明神の託宣とぞ

584
私の馬は早く行ってほしい。朝日が幾重にも射す岡の笹の上に。○朝日子　朝日。「子」は、親しみを示す接尾語。「朝日子がさすや岡辺の松が枝のいつとも知らぬ恋もするかな」(古今六帖一・作者未詳)。○やへさす　八重射す。「八重」は、多数の重なりの意。○玉笹　笹の美称。▽ひるめの歌「いづこにか駒を繋がむ朝日子が射すや岡辺の玉笹の上に」の訛伝か。ひるめの歌は、日霊女、すなわち天照大神を詠んだ歌で、夜が明けてから奏せられる、神上がりの歌である星に位置づけられる。

585
榛の染料で、衣服を染めよう。雨が降って濡れても、色褪せにくい。深く染めてしまったから。○さいばり　榛。ハンノキ。樹液を、茶、黒の系統の色の染料にする。○四句　色が褪せにくい。榛の染料は、変色しにくかったか。○五句「桜色に衣は深く染めて着む花の散りなむ後の形見に」(古今・春上・紀有朋)。▽大前張の歌。前張は、民謡風で、娯楽的な歌。大前張は、破格で通俗的な小前張に対して、短歌形式が核となる、格調の整った正雅なもの。

586
猪名の柴原の辺り一面に飛ぶ鴫の羽の音は、風情のあることだ。○初句「し」は息で、息の長い鳥の意という。にほどり。カイツブリ。居並ぶことから、「猪名」にかかる枕詞。「しなが鳥猪名の柴原青山にならむ時にを色は変はらん」(猿丸集)。○猪名　摂津国。柴や笹が多く詠まれる。○ふし原　柴原。○四句　神楽歌入文は、鴫が朝夕に一風変った飛び方をすると指摘する。▽大前張の歌。↓五八五。歌謡の、「しながとるや猪名の柴原あいそ飛びて来る鴫が羽音は音おもしろき鴫が羽音」の訛伝か。ここまでが神楽歌。

587
住吉の岸ではないが、あなたはまったく来もしないものだから、くやしいことに、世間の人から、岸の松のように、私はむなしく人を待つと言われるだろう。抄・雑上四三四。○住吉のきし　摂津国。「岸」に「来し」を掛ける。○三句　ここは順接の確定条件を表す。○松　住吉の景物。「待つ」を掛ける。○住吉明神の託宣　拾遺抄、俊頼髄脳、袋草紙なども、住吉明神の託宣とする。▽以下、神祇の歌。

左兵衛督高遠、賀茂に七日詣でける果ての夢に、御社よりとて、ちはや着たるをうなの文を持てまで来たりけるを、あけて見侍ければ、かく書きて侍ける。その後、大弐になりて侍ける

588 木綿襷かくる袂はわづらはしゆたけに解けてあらむとを知れ

住吉に詣でて

589 天くだるあら人神のあひをひを思へば久し住吉の松

安法ゝ師

590 我問はば神世の事も答へなん昔を知れる住吉の松

恵慶法師

箱崎を見侍て

591 幾世にか語り伝へむ箱崎の松の千とせの一つならねば

重之

588 木綿の襷を掛けている袂は窮屈だ。ゆったりとほどけることになろう、と思い知れ。高遠集。○左兵衛督…　藤原高遠が賀茂社に七日詣でて満願の夜の夢に、御社よりと言って、小忌衣(おみごろも)を着た嫗が文を持って来たのを、開けて見ると、このように神託の歌が書いてあった。その後、大宰大弐になったということだ。「ちはや」は、巫女が着る白色の単衣の衣。○初句　神事の際、袂をからげるのに用いた木綿の襷。「木綿」→五七六。○ゆたけに　豊けに。寛けに。ゆったりと。○解けてあらむとを知れ　願が叶うことのお告げ。▽高遠集「去寛弘元年十二月七日夜夢想、見三歳四十許女人捧二青色紙文一称二賀茂上御社使一来言、此文可レ奉レ殿者、取レ之開見、有二和歌一首一。其詞云」。寛弘元年(一〇〇四)十二月に大宰大弐に任ぜられた(中古歌仙三十六人伝)。

589 天下った現人神の住吉の神と共に生い育ったことを思うと、いく久しい齢の住吉の松だよ。抄・雑上四三五・三句「おひあひを」。○あら人神　現人神。人の姿で現れる神。住吉の神をいう場合が多い。「かけまくもゆゆし畏し住吉の現人神船の舳にうしはきたまひ」(万葉集六・作者未詳)。○あひをひ　相生。共に生育すること。北野本「おいあひ」。「高砂、住の江の松も相生のやうにおぼえ」(古今集仮名序)。○住吉　摂津国。松は、その景物。

590 私が尋ねたならば、神代のことも答えてほしい、昔を知っている住吉の松は。抄・雑上四三六・三句「かたらなむ」。恵慶集。○二句　現人神として降臨した昔の事。○五句　住吉の松は住吉の神と相生とされた。前歌と同じ時の詠作か。「住吉に詣でて、住吉の松といふことを果てに、人々詠むに」(恵慶集)。

591 幾代まで語り伝えるのだろうか。箱崎の松が千歳の寿命で、一本だけではないのだから。重之集。○箱崎　筑前国。八幡宮。八代集抄「古、戒定恵の箱を埋めるゆゑ、箱崎といへり。其の箱のしるしに松を植ゑたり。今、八幡宮の神社あり。又、箱崎の縁起には、白幡四流、赤幡四流、天くだれり。其のしるしに松を植ゑたり。此の故、八幡の御名有り云々」。

源遠古（とほふる）朝臣子（こ）うませて侍けるに

592 生（お）ひしげれ平野（ひらの）の原のあや杉（すぎ）よ濃（こ）き紫にたちかさぬべく

元（もと）輔（すけ）

日吉（ひえ）の社（やしろ）にて詠（よ）み侍（はべり）ける

593 ねぎかくる日吉（ひえ）の社の木綿（ゆふ）襷草（だすきくさ）のかき葉（は）も言（こと）やめて聞（き）け

僧都実因（じついん）

恒徳公（こうとくこう）家障子

594 大淀（おほよど）のみそぎ幾世（いくよ）になりぬらん神さびにたる浦の姫（ひめ）松

源兼澄（かねずみ）

粟田右大臣（あはたのうだいじん）家の障子に、唐崎（からさき）に祓したる所に網引（あみひ）く形描（かたか）ける所

595 みそぎする今日（けふ）唐崎（からさき）におろす網（あみ）は神のうけひくしるしなりけり

平祐挙（すけたか）

題知（し）らず

596 ちはやぶる神のたもてる命（いのち）をば誰（たれ）がためにか長くと思はん

人（ひと）麿（まろ）

592 生い茂れ。平野の原の綾杉にあやかる源氏の赤子よ。その緑の上に濃い紫色の袍を裁ち重ねられるように。元輔集。○子うませて　産養の折の歌。○平野　山城国。平野神社。祭神の一つの今木神は、源氏の氏神。○あや杉　綾杉。椹(さわら)の変種。小さい杉とも。神木で新生児の喩え。布の「綾」を掛ける。○濃き紫　ここは三位以上の袍の色を暗示。○五句　「立ち」に「裁ち」を掛ける。「裁ち」「重ぬ」は「綾」の縁語。▽梁塵秘抄二・平野には、五句「違はるべくも」とあり、紫を藤原氏の表象として、藤原氏と遜色ないくらいに、という意になる。

593 願をかける、日吉神社の木綿襷に掛けた言葉を、草の片葉もささやきをやめて聞け。○日吉の社　近江国。山王権現。○初句　願ぎ掛くる。「かく」は、襷を懸ける意を掛ける。○三句　↓五八八。○草のかき葉　草の片葉。一枚の葉。祈願の言葉の意も添える。「草の片葉をも言止めて」(祝詞・大殿祭)。▽梁塵秘抄二・日吉では、下句「草の片葉はとよ珍しき」と、祈願の言葉の賛美としている。

594 大淀での禊は幾代になったであろう。古び神々しくなっている浦の姫松だよ。永観元年(九八三)八月一日頃、藤原為光障子絵歌。兼澄集。○恒徳公家　為光邸は、後に一条院内裏となった一条邸が知られる。○大淀　伊勢国。斎宮の禊の場所。○五句　大淀の景物。

595 禊をする今日、唐崎に下ろす網は、引くことで、神が祈願を承引する徴なのであった。藤原道兼障子絵歌。○粟田右大臣家　道兼邸は町尻殿(二条殿)の他に粟田に山荘があった。↓二〇四。○唐崎　近江国。禊の場所。七瀬霊所のひとつ。○網引く形　地引網の絵柄。禊の際には網を引いた。○五句　神が承引する。「網」の縁語の「泛子(うけ)」「引く」を掛ける。

596 神が保っておられる御寿命は、誰のために長くあれと思っているのか。貴方が長寿にあやかれということなのだ。人麿集。○初句　「神」の枕詞。▽万葉集十一・人麻呂歌集歌の「ちはやぶる神の持たせる命をば誰がためにかも長く欲りせむ」の異伝。

597 千早振神も思ひのあればこそ年へて富士の山も燃ゆらめ

大中臣能宣

安和元年、大嘗会風俗、長等の山

598 君が世の長等の山のかひありとのどけき雲のゐる時ぞ見る

599 さゞなみの長等の山のながらへて楽しかるべき君が御世哉

よみ人知らず

岩蔵山

600 うごきなき岩蔵山に君が世を運びをきつゝ千世をこそ積め

能宣

三上の山

601 ちはやぶるみ神の山のさか木葉は栄えぞまさる末の世までに

597 神も恋の「思ひ」の火があるので、年を経て、富士の山も燃えるのだろう。○初句　「神」の枕詞。○神　駿河の富士山には、木花開耶姫(このはなさくやひめ)などを祭神とする浅間神社を祀る。○思ひ　「燃ゆ」の縁語「火」を掛ける。神も恋の思いがあるために、富士の山が燃えるとする。

598 君の御代が、長く続く甲斐あるものと、長等山の峡にのどかな雲がたたずんでいる時に見ることだ。能宣集。安和元年(九六八)、冷泉天皇の大嘗会の風俗歌。この年、新穀を奉る悠紀・主基の国郡が、それぞれ近江国野洲郡・播磨国飾磨郡になり、十一月二十四日に大嘗会が行われた(日本紀略など)。○長等の山　近江国。三井寺背後の山。「長(し)」を連想させる。○かひあり　「甲斐」に山の縁語「峡」を掛ける。○のどけき雲　御代の安泰の表象。▽以下、六〇八まで、この折の歌。

599 長等の山の「ながら」ではないが、ながらく続いて、満ち足りるに違いない君の御代だよ。○初句　琵琶湖の西南部一帯の古名。ここは「長等」の枕詞。○二句　同音の反復によって、序詞的に「ながらへて」を導く。▽兼盛集にあり。

600 動くことのない磐座(いわくら)である岩蔵山の蔵に、君の御代を運び置きして、千代までに積み上げよう。○初句　堅固な御代を暗示。○岩蔵山　近江国蒲生郡。神の居る磐座と、蔵を連想させる。○四句　不動の御代を財物に見立て、蔵に運び置くとすることで、長久・豊饒を予祝する。▽能宣集にあり。

601 御神がおはします三上山の榊の葉は、いよいよ繁り御代は栄えまさることだ、末の世までも。○三上の山　近江国野洲郡。「御神」の意を添える。三上山は、源平盛衰記四十五に、元正天皇の養老年間(七一七—七二四)に、三上明神が天降り、日本第二の忌火(いむこ)であるとされ、増鏡四・三神山に、中国の三神山に倣って、不老不死の薬のある所とされている。○初句　「み神」の枕詞。○さか木葉　榊葉。神事に用いる。榊の繁茂に、御代の繁栄を予祝する。「さか木」と、続く「栄え」に、同音反復の律調的な効果もある。▽能宣集にあり。

602 万代(よろづよ)の色も変(か)はらぬさか木葉(ばゝ)はみ神の山に生(お)ふるなりけり　よみ人知(し)らず

603 万(よろづ)世をみかみの山のひゞくには野洲(やす)河の水澄(す)みぞあひにける　元(もと)輔(すけ)

大蔵山(おほくらやま)

604 みつき積(つ)む大蔵(おほくら)山はときはにて色(いろ)も変(か)はらず万(よろづ)世ぞへむ　能(よし)宣(のぶ)

水尾山(みおやま)

605 高島(たかしま)や水尾(みお)の中山杣(そま)たてゝ作(つく)りかさねよ千世(ちよ)のなみ蔵(くら)　よみ人知(し)らず

鏡山(かゞみやま)

606 みがける心もしるく鏡山くもりなき世(よ)にあふが楽(たの)しさ　能(よし)宣(のぶ)

602 万代にわたって色も変らない榊の葉は、御神のおはします三上山に生えるのであった。〇上句　榊は常緑で、万年も色は変らないとして祝意を込める。〇み神の山　→六〇二。〇なりけり　気づきの意。▽元輔集にあり、元輔の歌か。

603 万代を見る三上山が響きわたると、野洲川の水もそれに応じて澄みわたるのであった。元輔集。〇みかみの山　「万代を見」と言い掛ける。→六〇一。〇ひゞく　八代集抄は、嵩山に万歳の声が聞えたという山呼の故事を踏まえるとする。→二七四。〇野洲河　近江国。三上山麓から琵琶湖に流入する。〇澄みぞあひにける　「山」が「響き」と、「河」が「澄み」を照応させる。共に祝意がこもる。八代集抄「拾遺記に、黄河千年に一度澄みて、聖人生ず、と云ふ心なるべし」。

604 貢ぎ物を積み上げる大きな蔵の大蔵山は、常磐の常緑で、色も変らずに、万代を経るであろう。能宣集。〇大蔵山　近江国甲賀郡。大きな蔵を連想させる。〇みつき　古代・中世は清音。「みつき」は、調、すなわち諸国からの献上物。貢物。ここは、大蔵山にかかる枕詞的な用法。〇ときは　常緑と常磐の意を掛け、御代の長久を予祝する。

605 高島の水尾の中山から切り出した材木で建てて、作り重ねなさい。千代に続く、立ち並ぶ蔵を。〇水尾山　近江国高島郡。〇高島　近江国の郡名。琵琶湖西岸の地。〇杣　杣山から切り出した材木。杣は木材を切り出す山。〇なみ蔵　立ち並ぶ蔵。千代も続く、立ち並ぶ蔵によって、御代の長久と繁栄を予祝する。

606 磨きあげた人の心もはっきりと映る鏡山の、曇りのない御代に出会うのが楽しいことだ。能宣集。〇鏡山　近江国蒲生郡。鏡を連想させる。→七三。〇初句　鏡を「みがき」と、心を「みがき」を掛ける。「みがく」は、和歌初学抄で鏡の縁語とする。銅鏡は曇りやすいので、常に布で磨く必要がある。みがく主体は天皇か。〇くもりなき世　鏡に曇りのない意と、公明正大な世の意を掛ける。

松が崎

607 千とせふる松が崎にはむれゐつゝ鶴さへあそぶ心あるらし　清原元輔

おものの浜

608 とゞこほる時もあらじな近江なるおものの浜のあまのひつぎは　兼盛

天禄元年、大嘗会風俗、千世能(の)山

609 今年より千とせの山は声たえず君が御世をぞいのるべらなる　能宣

弥高の山

610 近江なる弥高山のさか木にて君が千世をばいのりかざさん　兼盛

三上の山

611 いのりくるみ神の山のかひしあれば千とせの影にかくて仕へん　能宣

607 千歳を経る松のある、松が崎には、群がりいながら、鶴まで遊ぶ心があるらしい。○松が崎 歌語では山城国が多いが、ここは近江国蒲生郡。琵琶湖東岸。松を連想させる。○初句 松の寿命は千代、千歳とされる。○三句 群れているとするところに賀意がこもる。○鶴 鶴の寿命も、松と同じ。松と鶴の配合は、類型。○あそぶ よき御代の現れとなる。▽能宣集にあり。北野本も六〇六を受け能宣作。

608 滞り絶える時もあるまいな。近江にある御膳という名を持つおものの浜の、海人が毎日奉る貢物も、皇位も。抄・雑上四三一・二句「ときもあらじを」・元輔。兼盛集。○初・二句 ここで倒置。○おものの浜 陪膳浜。近江国志賀郡。天皇の食事「御膳(御物)」を連想させる。○五句 海人の日次は。「日次」は毎日献上する貢物。天照大神より続く皇位の意の「天の日嗣」を掛ける。→二六六。▽元輔集にもあり、元輔の歌か。

609 今年から千とせの山は、声を絶やさず君の御代の千歳の長久を祈るようだ。能宣集。天禄元年(九七〇)、円融天皇の大嘗会の風俗歌。この年の三月に、悠紀・主基の国郡が、近江国坂田郡と丹波国氷上郡にされ、十一月十七日に大嘗会が行われた(日本紀略など)。○千世能山 近江国。丹波国説もある。千代を連想させる。○千とせの山 千世能山の言い換え。千歳を連想させる。○五句 擬人化された千とせの山が祈るとする。▽以下、六一七まで、この折の歌。

610 近江にある弥高山の、ますます高く生育する榊にあやかって、君の御代の千代の永続を祈り、挿すとしよう。○弥高山 近江国坂田郡。「いや高(し)」を連想させる。○五句 「かざす」は、植物の生命力にあやかる呪術的行為。榊の常緑によって千代を予祝する。→六八。

611 祈ってきた御神のおはします三上山の峡があるように、祈るかいがあるので、千歳も続く君の恩寵に縋って、こうしてお仕えしよう。能宣集。○三上の山 →六〇一。○かひ 山の「峡」に、効験の「甲斐」を掛ける。○千とせの影 「影(蔭)」には恩寵、あるいは庇護の意が込められる。○五句 天皇への忠誠の誓い。

岩蔵山

612 今日よりは岩蔵山に万代をうごきなくのみ積まむとぞ思　中務

鏡山

613 万代をあきらけく見む鏡山千とせのほどは塵もくもらじ　兼盛

大国の里

614 年もよし蚕がひもえたり大国の里頼もしく思ほゆる哉

吉田の里

615 名にたてる吉田の里の杖なればつくともつきじ君が万世

泉河

616 泉河のどけき水の底見れば今年は影ぞ澄みまさりける

612　今日からは、岩蔵山の蔵に、万代にわたって揺るぐことのない長久の御代を積み重ねようと思う。能宣集。○岩蔵山　蔵に見立てる。→六〇〇。○三句「万代」は天皇の長久の御代の意になるとともに、五句の「積まむ」にかかる。○四句　岩蔵山の岩から「うごきなく」とする。

613　万代まで、長久の賢き御代を明らかに見よう。鏡山の明鏡は、千歳の間、塵ほども曇ることはあるまい。○鏡山　→六〇六。○初句　→六一二。○あきらけく　明らかの意に、御代の賢さの意を重ね、三句の「鏡」に明鏡の意を込める。○五句　明鏡のゆえん。鏡(銅鏡)は曇りやすい。「年を経て花の鏡となる水はちりかかるをや曇るといふらむ」(古今・春上・伊勢)。

614　実りも良い。蚕飼いの収穫も得た。大国の里は、その名のとおり、国も里も頼もしく思われることだ。○大国の里　近江国愛知郡。大きく豊かな国を連想させる。○初句「よし」は五穀が稔ること。豊年。○蚕がひ　蚕を飼って、繭を得ること。○頼もしく　衣食が足りて、国も豊かであるから頼もしい。御代を寿ぐ。

615　評判となっている吉田の里の吉(よ)い杖なので、いくら突いても、尽きることはあるまい、君の万代までの御代には。○吉田の里　近江国愛知郡。「吉し」を連想させる。○杖　算賀の歌や神楽歌で長寿を予祝するものになる。→二七六など。ただし、ここは「田」からすると「杖」ではなく、堀河本の「稲」か。○つくとも　杖を突いても。堀河本なら、稲を舂いても。大嘗会悠紀主基和歌に「稲舂歌　吉田郷」とあり、稲舂歌になる。○つきじ　尽きまい。▽以下三首能宣集にあり、能宣の歌か。

616　泉川ののどかな水の底を見ると、今年は水に映る影も澄みまさっていることだ。○泉河　近江国甲賀郡。山城国が有名だが、ここは同郡水口町の川。「泉」を連想させる。○のどけき水　御代の安泰を暗示。○底　水面に映る影を底に見るのは、当時の通念。○今年　大嘗会のある今年。○五句　のどかに澄み切った水や影に御代の安穏・安泰を見る。「澄む」は、「水」や「影」と共に「泉」の縁語。▽能宣集にあり。

617 松が崎

鶴の住む松がさきにはならべたる千世のためしを見するなりけり

618 延長四年八月廿四日、民部卿清貫が六十賀、中納言恒佐妻し侍ける時の屏風に、神楽する所の歌

あしひきの山のさか木葉ときはなる影にさかゆる神のきねかな

貫之

619 旅にて詠み侍ける

おほなむちすくなみ神の作れりし妹背の山を見るぞうれしき

人麿

620 延喜廿年、亭子院の春日に御幸侍けるに、国の官廿一首歌詠みて奉りけるに

めづらしき今日の春日の八少女を神もうれしとしのばざらめや

藤原忠房

617 鶴が住む、松が崎の松の梢には、相並べた千代の寿齢の例を見せていることだ。○松が崎 →六〇七。○松がさき　地名の松が崎だが、松の木の意識があるか。○三・四句　鶴も松も寿命は、千代、千歳、その鶴と松が相並ぶ光景で、御代の長久を予祝する。▽能宣集にあり。

618 山の榊の葉の常磐に常葉である木蔭に、栄える神に仕える人たちだよ。貫之集。延長四年(九二六)八月二十四日、藤原清貫六十賀屏風歌。○恒佐妻　大納言清貫女で、中納言藤原恒佐の妻が、父の算賀のため、貫之に屏風歌を依頼した。画題は、神楽。○初句　「山」の枕詞。○さか木葉　「榊は」とも。神楽の採物の場面になる。○三句 →六〇四。○影 →六一二。○きね　巫覡(ふげき)。神に仕え、神楽を担当する人。巫は女性、覡は男性。ここは巫女か。榊の「木根」を響かせる。▽「霜八度置けど枯れせぬ榊葉の立ち栄ゆべき神の巫覡かも」(古今集・神遊びの歌)を踏まえる。

619 大汝と少彦名の神が作られた妹背山を見るのは嬉しいことだ。人麿集。○おほなむち　大汝。大国主命。出雲神話の神。○すくなみ神　少御神。少彦名(すくなびこな)。底本「少御神」と傍書。大国主命と国土経営に当たった。万葉集で、両神は物事の起源をいう場合に並立して詠まれることが多い。○妹背の山　紀伊国。両神が妹背山を作った説話は、他にない。▽万葉集七・人麻呂歌集歌の異伝。

620 珍しい今日の御幸で春日の八少女が舞う姿を、神も嬉しいと賞美されないことがあろうか。抄・雑上四三。延喜二十一年(九二一)三月七日、宇多法皇が京極御息所藤原褒子と共に春日神社に参詣した時に、大和守藤原忠房が献上した二十首の歌の中の冒頭の歌。帰京後、この二十首の歌に対して、返歌合として、京極御息所褒子歌合が催された。→一〇四四。○延喜廿年　二十一年の誤り。○亭子院　宇多法皇。→六四。○春日　春日神社。大和国。○国の官　国司。忠房のこと。○廿一首　二十首の誤り。ただし、二十巻本歌合では、二十一首とも解せる。○八少女　神楽を舞う八人の少女。巫女。→五七三。○五句　「しのぶ」は、賞美する。「や」は、反語。

拾遺和歌集巻第十一　恋一

天暦(てんりやく)御時歌合　　　　壬生忠見(ただみ)

621 恋(こひ)すてふ我(わ)が名はまだき立(たち)にけり人知(し)れずこそ思(おもひ)そめしか

平兼盛(かねもり)

622 しのぶれど色に出(い)でにけり我(わ)が恋は物や思(おもふ)と人の問(と)ふまで

題知(し)らず　　　　貫之(つらゆき)

623 色(いろ)ならば移(うつ)る許(ばかり)もそめてまし思(おもふ)心を知(し)る人のなさ

621 恋をしているという私の浮き名は、早くも立ってしまったことだ。人に知られないように、恋しはじめたのに。抄二二八。天徳四年内裏歌合歌。○天暦御時 →六。○初句 「てふ」は「といふ」の約。○名 噂、評判。○人知れず 忍ぶ恋を表す恋歌の慣用語句。「人」は、恋する相手の場合が多いが、ここは第三者。「知る」は、下二段活用で、知られる意。○五句 「思ひ初め」は恋の初期の段階。この係り結びは逆接の用法で、倒置。▽内裏歌合では次歌と番えられ、微妙な判定で負となったが、後世の評価はかえって高く、拾遺抄も巻頭に置いている。小倉百人一首に収められ、沙石集五では勝敗にこだわって忠見が悶死した説話となっている。

622 心深く秘めていたけれど、表情に現れてしまったことだ。わたしの恋は、「物思いしているのか」と、人が尋ねるほどにまでなって。抄二二九。天徳四年内裏歌合歌。兼盛集。○初句 「忍ぶ」は、思慕の情を心中に秘める、忍ぶ恋を直接表す歌語。恋の苦悩に耐えることでもあり、その思いに耐え切れず表情や態度に現れるといった形で詠まれることが多い。○二句 「色に出づ」は、心中の思いが表情や態度に現れる意を表す恋歌の慣用語句。万葉集からすでに用いられている。ここで倒置。▽前歌参照。この歌も、小倉百人一首に収められる。奥義抄は、古歌「恋しきをさらぬ顔にて忍ぶれば物や思ふと見る人ぞ問ふ」を踏まえたとする。

623 恋の思いが、色であったならば、周りの物に染み込むほどまで染めて見せるのに。色ではないから、私の思い初(そ)めた心を知ってくれる人はいないことだ。抄二三〇・五句「しる人のなき」。貫之集。○初句 三句の「まし」と呼応して反実仮想になる。○移る 色が染み付く。○そめ 色を「染め」に、「思ひ初め」の「初め」を響かす。○五句 「人」は、恋する相手を意識。定家本系統の幾つかと堀河本は、「なき」。底本「後撰之やは見せける」と傍書。▽後撰・恋二に、五句「えやは見せける」の本文で重出。

女のもとに初めて遣はしける　　　　平　公誠

624 しのぶるも誰ゆへならぬ物なれば今は何かは君に隔てむ

題知らず　　　　よみ人知らず

625 嘆きあまりつゐに色にぞ出でぬべき言はぬを人の知らばこそあらめ

626 逢ふことを松にて年の経ぬる哉身は住の江に生ひぬ物ゆへ

627 音に聞く人に心をつくばねのみねど恋しき君にもある哉

628 天雲の八重雲隠れ鳴る神の音にのみやは聞き渡るべき

人　麿

624 恋の思いを耐え忍ぶのも、誰のためでもなく、浮き名の立つのを惜しんでのことなので、耐え切れなくなった今は、どうしてあなたに恋心を隔て隠していられようか。○初めて遣はし　初めて恋文を贈る「言ひ初め」になる。○二・三句　誰のせいでもなく、自分のためなので。○今は　忍びきれなくなった今は。

625 忍ぶ恋を嘆くあまり、ついには態度に現れてしまいそうだ。口に出して言わない思いを、あの人が知ってくれるならば、このままでいられるのだが。抄二四一。○色にぞ出でぬべき　→六三三。○…こそあらめ　「…ならば…でよいのだが、そうでないから…」の意を表す連語。

626 逢瀬を待つことで、松のように年が経ってしまったことだ。我が身は住の江に生い育った松というわけでもないのに。抄三三一。○松　「待つ」に「松」を掛ける。松は、住の江の景物。○住の江　摂津国。○五句　「ものゆゑ」は、逆接。「秋ならで逢ふことかたき女郎花天の川原に生ひぬものゆゑ」(古今集・秋上・藤原定方)。

627 噂に聞く人に思いをかけて、筑波嶺の峰ではないが、逢い見ないけれども、恋しいあなたであることだ。○初句　噂に聞くだけで、逢ったこともない人を思う恋。万葉集以来の恋歌の慣用語句。○つくばねのみね　筑波嶺の峰。常陸国。「心を付く」と「見ねど」とを前後に掛け、「見ねど」に対しては、枕詞的になる。○みねど恋しき　まだ逢い見ぬ人への恋も類型的発想。▽下句を「見ねども思ふ(へ)思はむや(よ)君」(古今六帖五・道命集)とする類歌がある。落窪物語の道頼の言ひ初めの歌「君ありと聞くに心をつくばねのみねど恋しき嘆きをぞする」もある。

628 空の雲の、幾重にも重なった雲に隠れて鳴る雷の音のように、あなたのことを噂にばかり聞き続けるだけでよいのだろうか。人麿集。○上句　「音」を導く比喩的な序詞。「鳴る神」は、雷。「八重雲隠れとは、必ず八重と云ふにあらず。雲厚しといふ心也」(和歌童蒙抄)。○下句　逢いたい意を添える。音に聞く恋。→六二七。▽万葉集十一・作者未詳歌の異伝。

629 見ぬ人の恋(こひ)しきやなぞおぼつかな誰とか知(し)らむ夢(ゆめ)に見ゆとも

よみ人知(し)らず

630 夢よりぞ恋しき人を見初(そ)めつる今はあはする人もあらなん

631 かくてのみありその浦の浜千鳥よそになきつゝ恋(こ)ひやわたらむ

632 よそにのみ見てやは恋(こ)ひむ紅の末摘(すゑつむ)花の色(いろ)に出(い)でずは

まさたゞがむすめに言(い)ひはじめ侍(はべり)ける、侍従に侍ける時

権中納言敦忠(あつただ)

633 身にしみて思(おもふ)心の年経(ふ)ればつゐ(ひ)に色にも出(い)でぬべき哉(かな)

629 逢ったことのない人が恋しいのは、なぜなのか。どういう女性か気になることだ。どこの誰と分かろうか。夢に見えようとも。平定文歌合歌。○見ぬ人の恋しき →六二七。○五句　夢に見ても、逢ったことのない人だから分からないという。▽躬恒集にあり。

630 夢によって、恋しく思う人と初めて契りを交わせた。今度は、夢合わせではないが、実際に逢わせてくれる人もいてほしいものだ。○見初め　男が初めて女と契ること。○あはする人「逢はす」に、夢解きの「合はす」を掛ける。八代集抄「夢合に言ひかけて、恋しき人に逢はす人あれかしと也」。

631 このようにばかりしていて、荒磯の浦の浜千鳥のように、遠く隔たったまま、泣きながら恋い続けるのだろうか。○初句「あり」と次に言い掛ける。恋の相手に逢えないままで、の意。○ありその浦　荒磯の浦。越中国。本来は、普通名詞。景物の「浜千鳥」を伴って、「よそになきつつ」を導く序詞を形成する。○よそに　隔てを表す、恋歌の常套的な語彙。○なきつつ、「泣く」に「鳴く」を掛ける。「鳴く」は「渡る」と共に、「浜千鳥」の縁語。

632 遠く隔たって見ているだけで、恋い続けるのだろうか。紅色の末摘花のように、恋の思いを態度に表さなかったならば。○よそに →六三一。○四句「末摘花」は、染料にする紅花のこと。「色」を導く序詞。「人知れず思へば苦し紅の末摘花の色に出でなむ」(古今・恋一・よみ人知らず)。○五句 →六三三。▽万葉集十・作者未詳歌の異伝。人麿集にあり。

633 身に染みつくほど切実に思う心のまま年が経ったので、ついに態度に現れてしまいそうになったことだ。○まさたゞがむすめ　藤原雅正女か。○言ひはじめ　初めて懸想文を贈る。言ひ初め。○侍従　延喜二十三年(九二三)正月十二日任官(公卿補任)。○初句「しみ」は「色」の縁語。○つゐ「緋」を掛ける。○色にも出でぬべき哉 →六三二。八代集抄「侍従は五位なれば、赤衣の心にて、色にも出でぬべきと詠めり」。恋の思いが「色に出づ」と、侍従になり緋色の袍を着るようになったのを重ねる。

侍従に侍ける時、女に初めて遣はしける

634 いかでかは知らせそむべき人知れず思心の色に出でずは

邦正

635 いかでかはかく思てふ事をだに人づてならで君に知らせむ

権中納言敦忠

堤の中納言の御息所を見て遣はしける

636 あな恋しはつかに人をみづの泡の消えかへるとも知らせてし哉

小野宮太政大臣

返し

637 長からじと思心は水の泡によそふる人の頼まれぬ哉

題知らず

638 港出づる海人の小舟のいかり縄くるしき物と恋を知りぬる

よみ人知らず

634 どうして恋心をあなたに知らせる切っ掛けが得られようか。人に知られず恋しく思う心が、染めた緋色のように、現れなければ。○侍従邦正は、今昔物語集二十八などに青経(常)という渾名で登場し、青侍従とも呼ばれる人物だが、侍従になった時期は未詳。○初句　強い反語。○二句「初む」と「色」の縁語「染む」を掛ける。○五句　この「色」も、前歌と同じく、侍従の袍の緋色になる。

635 どうにかして、このように恋い慕っているということだけでも、人伝ではなく、あなたに伝えたいものだ。敦忠集。○初句　意志や願望を表す。なんとしてでも。○思てふ「てふ」は「といふ」の変化形。▽後撰集・恋五や大和物語九十二段に収められ、そこでは藤原忠平女の貴子に通っていたという設定になっている。

636 ああ、恋しい。わずかにあなたの姿を見かけてから、水の泡のように、すっかり消え入るような思いでいると、知らせたいものだ。○堤の中納言の御息所　藤原兼輔女で、醍醐天皇更衣、章明親王母の桑子。堤中納言は、兼輔。○あなかに　感情の高まりにより発する語。多く下に形容動詞の語幹(シク活用は終止形)を伴なう。○はつかに　僅かに。○三句「人を見つ」を言い掛け、枕詞的に「消え返る」を導く。愛情の苦悶の比喩。○消えかへる「返る」は動詞の連用形に付いて動作や状態のはなはだしいことを表す。すっかり…する。

637 長く愛情は続くまいと思うあなたの心は、見てとれました。水の泡に心をよそえる人は信頼できないのですよ。○初句　長く続くまいと思う主体を相手の男と解した。○水の泡　贈歌を受けて、「見つ」を言い掛け、はかなさの表象とする。

638 港を出る漁師の小舟の碇(いかり)の縄を手繰るではないが、苦しいものと恋を知ったことだ。○上句「碇縄」を「繰る」に掛けて、「苦しき」を導く序詞。○いかり縄　碇を繋ぐ縄。当時は多く木碇。絵巻物で舳先に置かれた光景が描かれる。伊勢新名所絵巻では、岸に木碇を置き、縄に重しの石を置いた様子が見える。○くるしき物　言い初めしたことで募る恋の苦悩。

639 大井河下す筏の水馴棹見なれぬ人も恋しかりけり

人麿

640 水底に生ふる玉藻のうちなびき心を寄せて恋ふるこの頃

よみ人知らず

641 音にのみ聞きつる恋を人知れずつれなき人にならひぬる哉

642 如何せむ命は限りある物を恋は忘れず人はつれなし

女のもとに男の文遣はしけるに、返ごともせず侍ければ

643 山彦もこたへぬ山の呼子鳥我ひとりのみなきやわたらむ

639 大井川を下す筏を操る水に馴染んだ棹ではないが、見馴れていない人でも恋しく思われるのだった。〇上句「水馴棹」から同音反復で、「見馴れぬ人」を導く序詞。比喩的でもある。〇三句　水に馴れた棹。舟や筏の棹。「大井川下す筏の水馴棹さし出づるものは涙なりけり」（和泉式部集）。〇見なれぬ人　馴染のない人。まだ逢ったことのない人。

640 水底に生える美しい藻のように、あなたにうちなびき心を寄せて恋い慕っている今日この頃だ。人麿集。〇初・二句　掛詞によって、「うちなびき」を導く序詞。〇玉藻　藻の美称。しなやかな女性の比喩。〇うちなびき　藻がなびくのと、心がなびくのとを掛ける。「飛鳥川瀬々の玉藻のうちなびき心は妹に寄りにけるかも」（万葉集十三・作者未詳）。〇四句　思いを向けて。「寄す」は、「玉藻」の縁語。▽万葉集十一・人麻呂歌集歌の異伝。

641 噂にだけ聞いていた恋のつらさを、人知れず、薄情なあの人によって思い知ったことだ。〇音にのみ聞きつる恋　ここは恋歌の慣用句「音に聞く」とは違い、他人事として聞いていた恋のつらさの意。〇人知れず →六二。〇五句「ならふ」は、「習ふ」で、自得する意。

642 どうしようか、どうしようもない。寿命には限度があるというのに、恋の思いはいつまでも忘れられず、あの人は薄情なままだ。抄三八・四句「恋はわりなし」。〇命は…　八代集抄は荘子の「吾生也有レ涯（かぎり）、而知（おもふこと）也無レ涯、以レ有レ涯、随レ無レ涯、殆已（あやふきのみ）」を引く。〇物を　逆接の確定条件。〇下句　ままならぬ終わりのない恋の嘆き。

643 山彦も答えない山の呼子鳥のように、自分一人だけ泣き続けるのだろうか。抄二九三。〇山彦　木霊（こだま）。天彦（あまびこ）とも。返事をしない相手の女性によそえる。「四方山の山の山彦なければや我が呼ぶ声に答へだにせぬ」（古今六帖二・作者未詳）。〇呼子鳥　春の景物で、カッコウなどといわれるが、未詳。古今伝授の三鳥の一つ。「呼ぶ」を連想させる。ここは、男性によそえる。〇五句「泣く」に「鳴く」を掛ける。

題知らず

644 山彦は君にも似たる心哉 我声せねばをとづれもせず

645 あしひきの山下とよみ行水の時ぞともなく恋ひ渡哉

646 いかにしてしばし忘れん命だにあらば逢ふよのありもこそすれ

647 貫き乱る涙の玉もとまるやと玉の緒許 逢はむと言はなん

648 岩の上に生ふる小松も引きつれど猶ねがたきは君にぞ有ける

644 山彦は、あなたに似ている心のようだこと。私が声を掛けないと、何の消息もしてくれない。抄二九四。○山彦 →六四三。○君 相手の女か。○心 ここは、性格、気質。○五句 消息をすることもない。女からの文もない。「君」を男とすると、訪問もしてくれない、と解せるが、拾遺集恋一では逢瀬に到っていない恋の段階なので、無理であろう。「山彦は君にぞあるらし試みに我問ひ止めば訪れもせず」(古今六帖二・作者未詳)。

645 山の下を鳴り響かせて流れ行く水のように、時を分かつことなく、私は恋い続けることだ。抄二九五・五句「こひやわたらん」。○初句「山下」の枕詞。○二句 山の下を鳴り響く。ごうごうと音を立てて流れ。激しい恋の喩え。○上句 比喩的に「時ぞともなく」を導く序詞。○四句 時を定めず。絶え間なく。▽万葉集十一・作者未詳歌の異伝。万葉集には、この他に二・三句を同じくした類想歌がある。「三輪山の山下とよみ行く水のみをし絶えずは後も我が妻」(万葉集十二・作者未詳)。人麿集にあり。

646 どうにかして、しばらくは物思いを忘れよう。恋死せずに命さえあれば、いつか逢う時もあるだろうから。○二句 恋心を忘れられるなら、恋死しなくてすむ。○逢ふよ 「逢ふ世」と解したが、「逢ふ夜」とも解せる。

647 貫いた緒を抜いて乱れるように、落ち乱れる涙の玉も留まるかと、玉の緒ほどの短い間でも、逢おうと言ってほしいものだ。○貫き乱る 抜き乱るとも。貫いてある緒を抜き取って、玉を乱れ散らす。○涙の玉 涙を玉に見立てたもの。○玉の緒 玉を貫く紐。短いことに譬えられる。▽類歌「貫き乱る涙もしばし止まるやと玉の緒ばかり逢ふよしもがな」(貫之集)、「死ぬる命生きもやすると試みに玉の緒ばかり逢はむと言はなむ」(古今・恋二・藤原興風)。

648 岩の上に生えた小松も引き抜いたけれども、小松の根が堅かった以上に寝難いのは、あなたであったことだ。○小松 子の日の小松引きか。→三。○ねがたき君 「寝難き」に、「根堅き」を掛ける。なびき難い相手の女性。

649 たなばたも逢ふ夜ありけり天の河この渡には渡る瀬もなし

九条右大臣

650 さわにのみ年は経ぬれどあしたづの心は雲の上にのみこそ

よみ人知らず

651 大空はくもらざりけり神無月時雨ごゝちは我のみぞする

652 しのぶれど猶しひてこそ思ほゆれ恋といふ物の身をし去らねば

男の詠みてをこせて侍ける

653 あはれとも思はじ物を白雪の下に消えつゝ猶もふる哉

649 織女星でも、牽牛星と逢う夜はあったよ。天の川で。でもこの辺りの渡し場には、渡って逢える浅瀬もない。○たなばた　織女星。○逢ふ夜　織女星と牽牛星とが出逢う七夕の夜。○天の河　ここは、隔ての表象。○この渡　「辺り」に渡し場の意の「渡り」を掛ける。○五句　徒歩で渡るのに適当な浅瀬がない。逢いにゆけるすべもない。▽後撰集・秋上に、作者を藤原兼三として重出。

650 沢辺でのみ多くの年を経て来たけれど、葦鶴の心はあなたのいる雲の上だけに憧れて、上の空でいることだ。師輔集。○初句　「沢」に、「多(さは)」を掛ける。「沢」に、臣下の意を込める。○あしたづ　葦鶴。葦辺に住む鶴。作者師輔をよそえる。八代集抄は、詩経・小雅「鶴鳴」を踏まえた趣向とする。↓五七二。○下句　後撰集の詞書「女四の皇女に贈りける」によれば、「雲の上」は、宮中にいる醍醐天皇第四皇女勤子内親王をさす。心が上の空になっている意も添える。▽後撰・恋三に、上句を「葦鶴の沢辺に年は経ぬれども」として重出。

651 大空は曇らないのであった。神無月になって、時雨れているような気持は、恋に涙がちな私だけがすることだ。○神無月　時雨の時節。↓三八。○時雨ごゝち　時雨めいた空模様。恋の涙に濡れている気分の表象。「人しれぬ時雨ごこちに神無月我さへ袖のそほちぬるかな」(玉葉・雑一・具平親王)。▽貫之集にあり。

652 人目を憚っているけれど、やはりむしょうに恋しく思われてしまう。恋というものが、我が身を離れないのだから。○初句　↓六三三・六四。○三句　自発。○四句　恋を物に見立てる。

653 あなたは私のことを何とも思わないだろうが、白雪が下で消えながらなおも降るように、消え入るような思いで、生きながらえていることだ。○物を　↓六四三。○三句　枕詞的に、「下に消えつゝ」を導く。「消ゆ」「降る」は「白雪」の縁語。○四句　今にも消え入りそうなほど、恋の思いに苦悶するさまの表象。「かきくらし降る白雪の下消えに消えて物思ふ頃にもあるかな」(古今・恋二・壬生忠岑)。○ふる　「経る」に、「降る」を掛ける。

返し　　中務

654 ほどもなく消えぬる雪はかひもなし身をつみてこそあはれと思はめ

題知らず　　よみ人知らず

655 よそながら逢ひ見ぬほどに恋ひ死なば何にかへたる命とか言はむ

656 いつとてか我が恋やまむちはやぶる浅間の岳の煙絶ゆとも

大原野祭の日、榊にさして女の許に遣はすとて　　一条摂政

657 大原の神も知るらむ我が恋は今日氏人の心やらなむ

返し　　よみ人知らず

658 さか木葉の春さす枝のあまたあればとがむる神もあらじとぞ思ふ

654 すぐにも消えてしまう雪のようでは何の頼りにもならない。雪を積むではないが、身を抓(つね)って人の思いを知ろうとするのなら、いとしいと思おう。○四句「身を抓む」は、我が身を抓って人の痛さを知るという当時の諺的な慣用表現。雪の「積む」を掛ける。「とりかへて下に焦るるなげきをば我が身を抓みて知る人のなき」(深養父集)。

655 遠く隔たって逢い見ないうちに恋死したならば、何に引き換えた命と言おうか。○初句　隔てを表す。↓六三一。○下句　恋に命を換えるのは、恋歌の類型的な発想。「人知れず逢ふを待つ間に恋ひ死なば何に換へたる命とか言はむ」(天徳四年内裏歌合・本院侍従(平兼盛とも))。

656 いつと言って、私の恋が止むであろうか。浅間の山の煙が絶えたとしても。○ちはやぶる「浅間の岳」の枕詞。八代集抄「浅間も神あれば、千早振と云ふ也。富士と同体云々」。○浅間の岳　浅間山。信濃国。活火山なので、煙が絶えない。「信濃なる浅間の岳に立つ煙をちこち人の見やはとがめぬ」(新古今・羇旅・在原業平)。▽貫之集にあり。

657 大原の神も知っているだろう、私の久しい恋心は。祭りの今日、氏人の私の苦しみを払って心を晴らしてほしい。伊尹集。○大原野祭の日　京の西にある大原野神社の祭日。二月上の卯の日と十一月中の子の日。ここは、二月の祭日。○榊　神事に用いる常緑木。祭にちなんで折枝にする。↓五七六。○大原の神　相手の女性をよそえる。○知るらむ　照覧するであろう。○今日　これまで思慕が久しい。○氏人　氏子。大原野神社は藤原氏の氏神の春日明神を勧請したので、伊尹は氏人になる。○心やらなむ　恋の願いをかなえて心を慰めてほしい。

658 榊の葉の春に芽生える枝が数多くあるので、あなたの願いを、気にとめる神もあるまいと思う。○春さす枝「さす」は、枝や根が生えて伸び広がること。○三句　多情をよそえる。○下句「とがむ」は気にとめる。あなたの願いを気にとめる神はいるまいとして求愛を拒否する。

題知らず

659 天地の神ぞ知るらん君がため思心の限りなければ

660 海も浅し山もほどなし我が恋を何によそへて君に言はまし

人麿

661 奥山の岩垣沼の水隠りに恋ひや渡らん逢ふよしをなみ

大嘗会の御禊に、物見侍ける所にわらはの侍けるを見て、又の日遣はしける

寛祐法師

662 あまた見し豊の禊の諸人の君しも物を思はする哉

題知らず

よみ人知らず

663 玉簾糸の絶え間に人を見てすける心は思かけてき

659 天神地祇も知っているであろう。あなたのために思い悩む恋の思いが限りないので。○天地の神　天神地祇。あらゆる神。「数々に頼めしことを天地の神も聞きけんものにやはあらぬ」(長能集)。○知るらん ↓六五七。以下と倒置。「天地の神に理りなくはこそ我が思ふ君に逢はず死にせめ」(万葉集四・笠女郎)。

660 海も浅い、山も高さはない。私の恋の思いを、何にたとえてあなたに伝えようか。○初・二句　思慕の切実さは、海の深さや山の高さにまさる。

661 奥山の岩で囲まれた沼の水の中に隠れるように、人目を憚って恋い続けるのであろうか。逢う手立てがないので。人麿集。○初・二句　序詞的に「水隠りに」を導く。「岩垣沼」は、周囲が岩石で囲まれた沼。「思ひつつ岩垣沼のあやめ草みごもりながら朽ちや果てなん」(狭衣物語・巻二)。○水隠りに　水中に深く沈んで見えないさま。忍ぶ恋の比喩。「人づてに知らせてしかな隠れ沼の水隠りにのみ恋ひやわたらん」(朝忠集)。▽万葉集十一・作者未詳歌の異伝。

662 数多く見た、大嘗会の御禊を見物した人々の中で、君だけが恋の物思いをさせることだ。抄三・二句「とよのあかりの」。○大嘗会の御禊　大嘗会の前月、十月下旬に天皇が賀茂川で禊ぎをして身を浄める儀式。「豊の禊」「河原の御祓」などという。綺語抄「おほやけの御はらへなどをいふ」。抄の「とよのあかりの」だと、御禊の日から離れすぎる。「大嘗会」↓三六五。○わらは　ここは、稚児か。八代集抄「美少年なるべし」。○又の日　翌日。○あまた見し　「諸人」に掛けて解した。八代集抄は、「けふの御禊をあまた見し人の中に」とし、数多くの人が見たと、「豊の禊」に掛ける。○諸人　多くの人。御禊の見物人たち。○下句　僧侶の稚児愛。

663 簾の糸の切れ目からあなたを見て、私のあだめいた心は思慕するようになってしまった。○玉簾　簾の美称。また、玉飾りの付いた簾。たまだれ。○二句　簾の隙間からのかいま見。○すける心　好色心。「好ける」に「玉簾」の縁語「透ける」を掛ける。○思かけてき　懸想してしまった。「かく」は、「玉簾」の縁語。

664 玉簾のすける心と見てしよりつらしてふ事かけぬ日はなし

665 我こそや見ぬ人恋ふる病すれあふ日ならでは止む薬なし

666 玉江漕ぐ孤刈舟のさしはえて浪間もあらば寄らむとぞ思

667 みるめかる海人とはなしに君恋ふる我が衣手のかはく時なき

668 み熊野の浦の浜木綿百重なる心は思へどたゞに逢はぬかも

柿本人麿

664 簾から透けて見えるように、あなたはあだめいた心だと見て取ってから、つらい、という言葉を口にしない日はない。○初句「透ける」に掛けて「好ける」を導く枕詞。→六六三。○すける心 →六六三。○つらし 薄情な相手に対する恨み。恋の苦痛や懊悩を表す典型的な心情語の一つ。○かけぬ「かく」は、言及する意。「玉簾」の縁語。

665 自分こそが、まだ見ていない人を恋う病をすることだ。逢う日という名の葵でなければ、この恋の病を治す薬はない。○二句 見ぬ人への恋。→六二七。○あふ日「逢ふ日」に「葵」を掛ける。フユアオイは、薬用にする。○止む薬 治癒する薬。「思ふ仲酒に酔ひにし我なれば葵ならでは止む薬無し」(古今六帖六・作者未詳)。

666 玉江を漕ぐ菰刈り舟が、棹差して波の絶え間に漕ぎ寄るように、よい機会があれば、それと目指して、あの人に言い寄ろうと思う。○玉江 摂津国。越前国とも。○二句「菰刈舟」は刈り取った菰を運ぶ舟。以下の「さす」「波間」「寄る」は、「舟」の縁語。ここまで「さしはへて」の序詞的な働きをする。○三句 特定の対象を目指して、わざわざ…する意。棹を「さす」を掛ける。○浪間 波のない間。隙、機会をよそえる。○寄らむ 近寄る。近付く。舟と自分との行動を重ねた表現。

667 海松布を刈る海人ではないが、見る目もなく、あなたを恋い慕う私の袖は涙に濡れて、乾く時もない。亭子院歌合歌。○初句「海松布刈る」に、逢瀬の意の「見る目」を掛ける。「海松布」は、食用にする海草の一種。みる。○衣手 袖。「手」は衣の袖をおおう部分。

668 熊野の浦の浜木綿の、幾重にも重なった葉のように、百重にも私の心はあの人を慕っているけれど、直接には逢えないことだ。人麿集。○初・二句「百重なる」の序詞。○み熊野の浦 紀伊国。伊勢国とも。「み」は、美称。○浜木綿 ヒガンバナ科の多年草。白色の葉柄が幾重にも重なる。「み熊野の浦の浜木綿ももがさね心はあれど逢はぬ君かな」(兼輔集)。▽万葉集四・柿本人麿の歌の異伝。

669 朝な〳〵けづれば積もる落髪の乱れて物を思頃哉

貫之

懸想し侍ける女の、さらに返事し侍らざりければ

藤原実方朝臣

670 我がためはたな井の清水ぬるけれど猶かきやらむさてはすむやと

返し

よみ人知らず

671 かきやらば濁りこそせめ浅き瀬の水屑は誰かすませても見む

題知らず

672 人知れぬ心の内を見せたらば今までつらき人はあらじな

女のもとに遣はしける

小野宮太政大臣

673 人知れぬ思ひは年も経にけれど我のみ知るはかひなかりけり

669 毎朝、櫛梳ると落ち積もる抜け毛のように、乱れて物思いをするこの頃だこと。〇初句　朝ごとに。毎朝。〇けづれば　櫛梳れば。すけば。〇三句　抜毛の。この三句まで「乱れて」を導く序詞。▽類歌「朝な朝な梳れば溜まる我が髪の思ひ乱れて果てぬべらなる」(貫之集)。

670 私にとっては、たな井の清水は温いけれど、やはり掻き流そう。そうすれば水が澄むかと。—私に対して、あなたの愛情は浅いけれど、やはり消息を書いて贈ろう。そうすれば通い住めるかと。〇たな井　諸説ある。「種井」で、苗代に蒔く種籾を、発芽を促すために浸けておく井戸。「田な井」で、田の中の井戸。「棚井」で、棚を設置した井戸。「秋刈りしむろのおしねを思ひ出でて春ぞたなゐに種もかしける」(散木奇歌集)。〇三句　春に水が温むけれど。愛情が浅いことの比喩。〇かきやらむ　「掻き遣る」に「書き遣る」を掛ける。「かきやらんと思ふ心はありながら苗代水のしばしよどむぞ」(道命阿闍梨集)。〇すむ　「澄む」に「住む」を掛ける。

671 掻き回せば、濁りもしよう。浅い瀬の水屑は、誰が澄ませて見られようか。—私は、愛情の浅い人を、どうして通い住ませて逢い見ることをしようか。〇初句　↓六七〇。〇二句　浅瀬の水は濁りやすい。〇浅き瀬の水屑　浅瀬の水に浮かぶごみ屑。愛情の浅さをよそえる。「淵ながら人かよはさじ涙河わたらば浅き瀬をもこそ見れ」(後撰・恋五・よみ人知らず)。〇すませて　「澄ます」に「住ます」を掛ける。

672 人に知られない心のうちを見せることができたならば、今に至るまで薄情な人はあるまいことだ。抄二三四・二句「こころのほどを」。〇初句以下初句揃え。「人知れず」と共に、忍ぶ恋を表す恋歌の慣用語句。↓六二一。〇心の内　心中の思いのほど。心のたけ。〇つらき　薄情な。冷淡な。ここは、「つれなし」と同じ。

673 人に知られない恋の思いは、何年も経過したけれど、自分だけ知っているのは、何のかいもないことだった。抄二四〇・二句「おもひはとしを」。実頼集。〇女　実頼集では、女御。醍醐天皇女御、三条御息所能子で、大和物語に逸話がある。

女のもとに遣はしける　　よみ人知らず

674 人知れぬ涙に袖は朽にけり逢ふよもあらば何に包まむ

返し

675 君はたゞ袖許をやくたすらん逢には身をもかふとこそ聞け

題知らず

676 人知れず落つる涙は津の国のながすと見えで袖ぞ朽ちぬる

677 恋と言へば同じ名にこそ思らめいかで我が身を人に知らせん

天暦御時歌合に　　中納言朝忠

678 逢ふ事の絶えてしなくは中〳〵に人をも身をも怨ざらまし

674 人に知られず流した恋の涙で、私の袖は朽ちてしまった。あなたに逢える折がもしあったならば、嬉し涙を何に包もうか。抄三三六・三句「くちはてぬ」。〇三句　腐ってしまった。涙で袖が朽ちるとするのは、恋歌の常套的表現。〇逢ふよ　→六四六。〇五句　袖がないので。「嬉しきを何に包まむ唐衣袂豊かに裁てと言はましを」(古今・雑上・よみ人知らず)を踏まえる。

675 あなたはただ袖くらいを朽ちさせる程度だろう。逢うためには、身をも引き換えにすると聞いているのに。抄三三七。〇くたす　腐す。朽ちさせる。〇逢には身をもかふ　恋歌の類型的な発想。「命やは何ぞは露のあだものを逢ふにし換へば惜しからなくに」(古今・恋二・紀友則)。→六五五。

676 人に知られずに落ちる涙は、津の国の長洲ではないが、流すと見えないで、袖は朽ちたことだ。〇津の国のながす　「津の国の」は「長洲」に掛けて、「流す」あるいは「泣かず」を導く枕詞的な働きをする。大意は「流す」で解した。「泣かず」とすれば、下は「見えて」になるが、「長洲」と清濁は異なる。長洲は、摂津国。「命だになかすにあらば津の国のなにはの事もうれしからまし」(相模集)は、「長(なが)」を掛ける。

677 恋と言えば、どれも同じ名目と思うだろう。どうにかして、他の人とは異なる我が身を、あなたに分かってもらいたい。抄三三九。〇人　恋する相手。

678 逢うということが全く絶えてなくなったならば、かえって薄情な相手も、不運なわが身をも恨むまいものを。抄三三五。天徳四年内裏歌合歌。朝忠集。〇初句　八代集抄は、「此の歌、百人一首にては、逢不レ会恋と、古人の説也。此の集の部立は、未レ逢恋也」とする。拾遺集では、まだ逢瀬が叶わぬ嘆きを詠んだ歌になるが、愛情の跡絶えを嘆く歌と解することもできる。〇絶えてし　下に否定表現を伴う。全く。少しも。「し」は、強意。〇中〳〵　なまじっか。かえって。「なかなかにつらきにつけて忘れなば誰も憂き世を嘆かざらまし」(高遠集)。▽小倉百人一首などに収められる名歌。

題知(し)らず　　　　兼(かね)盛(もり)

679 逢事(あふ)はかたゐざりする児(ご)のたゝむ月にも逢(あ)はじとやする

680 逢(あ)ふことを月日にそへて松(まつ)時は今日(けふ)行末になりねとぞ思(おもふ)　　　　よみ人知(し)らず

681 逢(あ)ふ事をいつとも知(し)らで君が言(い)はむ時はの山の松(まつ)ぞ苦(くる)しき

682 命(いのち)をば逢(あふ)にかふとか聞(き)きしかど我やためしにあはぬ死(しに)せん

683 行末はつゐ(ひ)に過(す)ぎつゝ逢事(あふ)の年月なきぞわびしかりける　　　　貫(つら)之(ゆき)

679 逢うことは難しい。片膝立てて這い歩きする幼児が立とうとする、その来月になっても、逢うまいとするのか。天徳四年内裏歌合歌(兼盛集)。○一・三句「逢事は難(し)」と言い掛けて、「たたむ月」を導く序詞を形成し、事態の停滞を暗示する。「かたゐざりする」は、乳幼児の移動するさま。片膝を立て、もう片膝を擦って、這い歩きすること。「みどり児」は、幼児。大宝令では、三歳以下の男・女児を緑と称するとしている。養老令は「黄」。○たゝむ月到来する月。来月。「みどり児の立つ」に言い掛ける。

680 逢うことを月日のたつのに従って待っている時は、今日、逢瀬の叶う行末の日になれと思うことだ。○三句　待つ時は。定家本の文字遣い。▽貫之集にあり。

681 逢うことができるのを、何時とも分からずに、あなたが逢うと言ってくれる時を、常盤山の松ではないが、待つのはつらいものだ。○時はの山の松　常盤の山の松。常盤山は、山城国。「時は」と「待つ」を前後に掛け、序詞的な働きをする。

682 命を逢うのに引き換えるとかと聞いたけれども、私は、その先例に合わない、逢えないつらさに、恋死してしまおう。抄三三。○初・二句恋歌の類型的な発想。→六五。「命やは何ぞは露のあだ物を逢ふにしかへば惜しからなくに」(古今・恋二・紀友則)。○ためしにあはぬ「ためし」は先例。「あはぬ」は、「例に合はぬ」と「逢はぬ」を掛ける。「逢はぬ死」は「恋死」を言い換えたもの。逢うことができず、恋い焦がれて死ぬこと。→六六五。

683 逢うことを期待した行末はとうとう過ぎてしまって、将来の逢える日の年月が不明になったのは、ひどくわびしいことだ。貫之集。○行末逢うことを期待した、あるいは約束を頼りにしていた、その時点から見て将来の時。→六八〇。○年月なきぞ　逢瀬の時期が不明である。いつ逢えるか期待ができない。○五句「わびし」は、失意や落胆を意味し、恋の苦悩を表す典型的な心情語の一つ。将来の逢瀬がないことに慄然とする。

684 生きたれば恋する事の苦しきを猶命をば逢ふにかへてん

よみ人知らず

685 恋ひ死なむ後は何せん生ける日のためこそ人の見まくほしけれ

大伴百世

686 あはれとし君だに言はば恋ひわびて死なん命も惜しからなくに

源　経基

懸想し侍ける女の家の前をわたるとて、言ひ入れ侍ける

687 人知れず思心を留めつゝいくたび君が宿を過ぐらん

よみ人知らず

題知らず

688 時雨にも雨にもあらで君恋ふる年のふるにも袖は濡れけり

684 生きていれば、恋することがままならずつらいから、やはり命をこそ逢うのに引き換えて、死んでしまおう。○下句 →六五五。○かへてん 「てむ」は意志の強調。

685 恋死してしまう、その後は、何になろうか。生きている日のためにこそ、あなたと逢いたいものなのだ。抄二四七・四句「ためこそ人を」。○初句 恋の思いのつらさに耐えかねて、死ぬとしたら。恋死の発想は、万葉集からあり、古今集に数多く詠まれ、中世にも引き継がれる。ここでは、恋死を否定する、現世肯定的な趣き。「恋ひ死なむ命はことの数ならでつれなき人の果てぞゆかしき」(後拾遺集・恋一・永成法師)。○五句「まくほし」は、「まほし」の古形。▽前歌への反論の趣き。万葉集四・大伴百代の歌の異伝。人麿集にあり。

686 「あはれ」とだけでも、あなたが言ってくれるならば、恋いあぐねて、死のうとする命も惜しくはないのに。抄二四四・四句「しなむいのちの」。○あはれ かわいそうだ、いとしいというような、共感や愛情のこもった言葉を期待したもの。源氏物語の若菜下や柏木で、柏木が女三の宮に「あはれとだにのたまはせよ」と再三言っている例が、語感として近い。○下句 「逢ふに命を換ふ」の変形。せめて同情の言葉をかけて貰えば、命も惜しくない、という切実な訴え。▽前々歌と前歌を受ける。

687 人に知られず慕う恋心を、ここに留めながら、幾度あなたの家の前を通り過ぎるのだろうか。○懸想し侍ける… 思慕している女性の家の前を通り過ぎようとして、詠み入れた歌。○人知れず →六二一。○留めつゝ 心を女の家に留める。未練・執着の思い。○宿 家の歌語。

688 時雨でも雨でもなくて、あなたを恋しく思う年が「経(ふ)る」につけて袖は濡れたのであった。○時雨にも雨にも どちらも、「降る」ものであり、「袖を濡らす」ものである。「時雨にも雨にもあらで君恋ふる我が衣手の濡るる頃かな」(中務集)。○年のふる 「経る」に、時雨や雨の「降る」を掛ける。○五句 思慕する年が経ることで、袖が濡れる。

契りけることありける女に遣はしける　菅原輔昭

689 露許頼めしほどの過ぎゆけば消えぬ許の心地こそすれ

返し　よみ人知らず

690 露許頼むることもなき物をあやしや何に思をきけん

題知らず

691 流てと頼むるよりは山河の恋しき瀬ゞに渡りやはせぬ

692 逢ひ見ては死にせぬ身とぞなりぬべき頼むるにだに延ぶる命は

693 いかでかと思心のある時はおぼめくさへぞうれしかりける

689 ほんの露ほど頼みにさせた逢瀬の時も過ぎて行くので、消え入りそうなほどのつらい恋の気持ちのすることだ。○契りけること…　逢瀬を約束したことのあった女に遣わした歌。○初句　僅かの意の「つゆ」に、天象の「露」を掛ける。○頼めし　下二段活用の「頼む」は、頼みにさせる意。愛情を誓う。逢瀬を約束する。○消えぬ許の心地　思慕の情が募って、今にも死にそうな気分でいるさま。「消ゆ」は、「露」の縁語。

690 ほんの露ほども約束したこともないのに、訳の分からぬことだ。あなたは何を思い込んでいたのだろう。○初句　否定表現を伴って、「少しも…ない」の意を表す「つゆ」に「露」を掛ける。○頼むる　↓六八九。○あやしや　挿入句。相手の態度が理解できない意。○五句　「思ひ置く」は、愛情の約束を忘れずにこだわること。「置く」は、「露」の縁語。

691 流れて行く、この先の逢瀬をあてにさせるよりは、私が恋しく思う折々に、山川の瀬々を渡り、逢瀬を持とうとされないのか。○初句　川の行方に、愛情の行末を重ねる。「つらしとも思ひぞはてぬ涙河流れて人を頼む心は」(後撰・恋二・橘実利)。○頼むる　↓六八九。○三句　「瀬々」の枕詞。○瀬々　川の瀬々に、節々の意を掛ける。○五句　「渡る」は、愛情を交わす意。「流る」「瀬々」と共に「山川」の縁語。「やは」は、反語。渡ろうとしないのか、渡ってほしい。

692 あなたに逢い契りを交わせたら、死なない身になるに違いない。逢瀬を期待させるだけで、延びる気のする私の命は。抄二四五・五句「のぶる命を」。素性集。○初句　「逢ふ」も「見る」も契りを交わす意。○死にせぬ身　不死の身。○頼むる　↓六八九。

693 どうにかして逢いたいと思う心のある時は、あなたのぼかした返事があるだけで、嬉しいのであった。抄二四二。○初句　どうにかしてと。「逢はむ」というような語句が、省略されている。○四句　「おぼめく」は、それと知らぬふりをする、そらとぼける意。「さへ」は、そんなことまでが、といった語感。

694 わびつゝも昨日許（ばかり）は過（す）ぐしてき今日（けふ）や我（わ）が身の限（かぎ）りなるらん

人麿（まろ）

695 恋（こ）ひつゝも今日（けふ）は暮（く）らしつ霞立（たつ）明日（あす）の春日（はる）をいかで暮（く）らさん

696 恋（こひ）つゝも今日（けふ）は有（あり）なん玉（たま）くしげ明（あ）けんあしたをいかで暮（く）らさむ

よみ人知（し）らず

697 君をのみ思（おもひ）かけごの玉（たま）くしげ明（あ）けたつごとに恋（こ）ひぬ日はなし

694 うちひしがれながらも、昨日までは恋死せずに過ごしてきた。今日はもう、我が身の最期なのであろう。抄二四九。○初句「わぶ」は、失意・落胆の心情や態度を表す。○今日「昨日」と対比させる。○我が身の限り 自分の命の限界。恋死することをいう。▽以下、「昨日」「今日」「明日」の対比を詠む歌が並ぶ。

695 恋しく思いながらも、今日は過ごせた。霞の立つ明日の春の長い一日を、どのように暮らそうか。抄二四八。人麿集。○霞立 ここでは、「霞」は、憂愁の表象。○春日 春の一日は長く、なかなか暮れない。「霞立ちながき春日を恋ひ暮らし夜のふけゆけば妹に逢へるかも」（古今六帖五・作者未詳）。○五句 晴らしがたい恋の思いを心中に秘めて、長い春の一日をもてあます。▽万葉集十・作者未詳歌の異伝。次の歌と、初句揃え・結句揃えになる。

696 恋しく思いながらも、今日は過ごせよう。一夜明けた明日を、どのように暮らそうか。人麿集。○玉くしげ「開く」に掛けて、「明く」を導く枕詞。「くしげ」は、櫛笥で、櫛などの化粧道具を入れて置く箱。「玉」は、美称。「君に逢はでふたよになりぬ玉くしげ今宵いかでかあけむとすらん」（古今六帖五・作者未詳）。▽万葉集十二・作者未詳歌の異伝。前歌の類歌。赤人集にあり。次の歌と三句を揃える。

697 あなたばかりに思いを懸け、懸子のある櫛笥を開けるではないが、夜が明けるたびごとに、恋しく思わない日はない。○かけご 懸籠。懸子。外箱の縁に懸けて嵌め込むように作った、平たい内箱。二重構造の箱。「思ひ懸け」を言い掛ける。○玉くしげ ここは「かけごの玉くしげ」と序詞的な形で、「明け立つ」を導く。懸籠構造の櫛笥の意。→六九六。

拾遺和歌集巻第十二　恋二

題知らず

698 春の野に生ふるなきなのわびしきは身をつみてだに人の知らぬよ

よみ人知らず

699 なき名のみたつたの山の青つゞら又くる人も見えぬ所に

人麿

700 無名のみたつの市とはさはげどもいさまた人をうるよしもなし

698 春の野に生える菜を摘むではないが、私に立つ無き名がやるせないのは、身を抓って他人の痛みを分かろうとすることさえ人が知らないことだよ。〇春の野に生ふる　「菜」を導く序詞。〇なきな　無き名。あられもない噂。愛情を交わしてもいないのに、評判が立つこと。「菜」を言い掛ける。「水葱(なぎ)」を掛けるとも。私抄「なぎな草也。水葱と書く也。小水葱が花なども読む也」。〇わびしき　ここは、困惑・憮然のさま。やるせない。〇四句　「つみ」は、「抓む」。「菜」の縁語の「摘む」を響かせる。「身を抓む」は、我が身を抓って、人の痛さを知る、という諺的な慣用表現。↓六五四。

699 無き名ばかりが立つことだ。龍田の山の青つづらを繰るではないが、重ねて来る人も見えない私の所なのに。〇なき名　↓六九八。〇二・三句　蔓を「繰る」に掛けて、「来る」を導く序詞。「たつたの山」は龍田山。大和国。「立つ」を言い掛ける。「青つづら」は、ツヅラフジ。山野に生える蔓草の一種。↓三九九。「無き名のみたつたの山のさねかづらくる人ありと誰か言ふらむ」(古今六帖六・作者未詳)。〇下句　特に来る男の人もいない私の所なのに。無き名の立つ理不尽さ。「くる人」は男女関係では、男性。

700 無き名ばかりが立つ、辰の市だと騒ぐけれども、さあ、どうだか、やはり、噂の人を得るすべもないよ。人麿集。〇無名　↓六九八。〇たつの市　辰の市。大和国添上郡に立った市。平城京左京九条の地にあたる。辰は、開催日、方角の両説ある。「立つ」を言い掛ける。市の騒々しさを、噂の頻りなことによそえる。〇うる　「得る」に、「市」の縁語「売る」を響かせる。

701 なき事をいはれの池のうきぬなはくるしき物は世にこそ有(あり)けれ

よみ人知(し)らず

702 竹の葉に置(お)きゐる露のまろび合(あ)ひて寝(ぬ)るとはなしに立(たつ)我(わ)が名(な)かな

人麿(まろ)

703 あぢきなや我(わ)が名(な)はたちて唐衣身にもならさでやみぬべき哉(かな)

よみ人知(し)らず

704 唐衣我は刀(かたな)のふれなくにまづたつ物はなき名なりけり

705 染(そめ)河に宿借(やどか)る浪のはやければなき名立(たつ)とも今は怨(うらみ)じ

源重之(しげゆき)

701 根拠の無いことを言われ、磐余の池に浮く蓴菜(ぬなわ)を繰るではないが、苦しく思うものは、憂き世の中であった。〇いはれの池　磐余の池。大和国。「言はれ」を言い掛ける。〇三句　浮いている蓴菜(じゅんさい)。「憂し」を響かせる。一・三句は、「繰る」に掛けて、「苦しき」を導く序詞。→八四。〇世　世の中。恋歌の部立にあるので、男女の仲になるか。

702 竹の葉に置いている露のように、もつれ合って共寝をしたわけではないのに、立った私の噂であることだ。人麿集。〇初・二句　露の玉の転がり合うさまから、「まろび合ひて」を導く序詞。〇まろび合ひて寝る　転がり合って寝る。男女の共寝のさま。催馬楽・総角「総角や尋(ひろ)ばかりや離(さか)りて寝たれども転び合ひけりか寄り合ひけり」。

703 にがにがしいことだ。私の噂は立って、裁った衣もあの人も肌身に馴れ親しませずに、二人の仲は終わってしまいそうだ。〇たちて　名が「立つ」に、「唐衣」の縁語「裁つ」を掛ける。〇三句　舶来の衣服。衣服の美称。「身に馴らす」を枕詞的に導く。〇四句　身に「馴らす」は、衣を身に付ける意に、共寝をする意を掛ける。〇五句　「やむ」は、愛情が終わる意。

704 唐衣を裁つ刀に私は手も触れていないのに、まず立つものは無き名なのであった。〇唐衣　「刀」で「裁つ」に掛けて、四句の「立つ」を導く。→七〇三。〇刀　ここは、裁縫の道具。「かたな」は、両刃(もろは)の刀剣類に対して、片刃(かたは)の刃物の意。〇たつ　「立つ」に、「刀」の縁語の「裁つ」を掛ける。〇なき名　→六九八。

705 染川に宿る波が早く流れるように、心に染めた思いが早くも外に現れてしまったので、無き名が立っても、今は怨むまい。〇染河　染川。筑前国。染色を連想させ、「思ひ染む」「色に出づ」などを暗示する。〇二句　川の水が波立つさま。「宿借る」と言ったのは、行きずり、あるいは共寝の印象か。二句まで、「はやし」を導く序詞。〇はやければ　激流なので。八代集抄「早く色に出でたればとの上句也」。〇なき名　→六九八。

706 木幡(こはた)河こは誰(た)が言(い)ひし事(こと)の葉(は)ぞなき名(な)すゝがむたきつ瀬(せ)もなし

よみ人知(し)らず

女のもとに遣(つか)はしける

707 君が名の立(たつ)にとがなき身なりせばおほよそ人になして見ましや

藤原忠房(ただふさ)朝臣

題知(し)らず

708 夢かとも思(おもふ)べけれど寝(ね)やはせし何(なに)ぞ心に忘(わす)れがたきは

よみ人知(し)らず

709 夢(ゆめ)よゆめ恋(こひ)しき人に逢(あ)ひ見すなさめての後(ゝち)にわびしかりけり

710 逢(あ)ひ見ての後(ゝち)の心にくらぶれば昔は物も思(おも)はざりけり

権中納言敦忠(あつただ)

706 これは誰が言った言葉なのか。木幡川には、無き名を濯ぐような早瀬もない。〇木幡河　木幡川。山城国。同音反復で、「こは誰が」を導く枕詞的な働きをする。〇事の葉　言の葉。噂話。〇なき名　→六六八。〇すゝがむ　濯ぐ。雪ぐ。「木幡川」の縁語。〇たきつ瀬　早瀬。激流。汚名を濯ぐ場所。

707 あなたに私との噂が立っても、非難されない我が身であったならば、無関係な人としてあなたを見ていたであろうか。〇女　後撰集では「女五の皇女に」とあり、宇多天皇皇女依子内親王のこととする。〇とがなき身なりせば　結婚の相手として非難されない私の身分であったならば。臣下との結婚を非難される内親王の御身でなかったならば、と解する説がある。〇下句　非難される身分なので、迷惑を掛けることを恐れて、無関係な人として接するという。「いづくにか目のとまりけむ行き過ぐるおほよそ人とかつは見ながら」(赤染衛門集)。▽後撰・恋四に重出。

708 夢の逢瀬かと思うべきだけれど、寝たのであろうか、いや寝てはいなかった。それなのに、どうして心に染みてあなたを忘れがたいのか。〇夢　逢瀬を暗示することが多い。〇三句　眠れなかったので夢ではない。

709 夢よ夢、決して恋しい人に逢い見せるな。覚めた後には、がっかりしたことだった。〇夢よ夢を擬人化して、呼びかけたもの。〇ゆめ　決して。禁止や打消しの語を伴う。「夢」を響かせる。〇三句　恋人との逢瀬を持つような夢を見せるな。〇後に「後は」とする本文もある。

710 逢瀬が叶った後の今の心に比べてみると、逢う以前の昔は、物思いとは言えないほどであったよ。抄三五七。敦忠集。〇逢ひ見ての後の心「逢ひ見る」は、男が女に逢い、契りを交わす意。逢瀬の後に募る恋慕の情や、次の逢瀬を待つまでのつらさ。「逢ひ見ての恋」の主題の歌。〇昔　後朝の現在に対して、逢瀬以前をさす。〇物も思はざりけり　現在の思慕の切実さに比較すれば、以前の思慕は、物思いとは言えないような、軽い程度のものであったとする。▽小倉百人一首に収められる名歌。

711 逢(あ)ひ見(み)ては慰(なぐさ)むやとぞ思(おもひ)しをなごりしもこそ恋(こひ)しかりけれ

坂上是則(これのり)

712 逢(あ)ひ見でもありにし物をいつのまにならひて人の恋(こひ)しかるらん

よみ人知(し)らず

713 我(わ)が恋は猶(なほ)逢(あ)ひ見ても慰(なぐさ)まずいやまさりなる心地のみして

初(はじ)めて女の許(もと)にまかりて、あしたに遣(つか)はしける

714 逢事(あふこと)を待(ま)ちし月日のほどよりも今日(けふ)の暮(くれ)こそ久(ひさ)しかりけれ

能宣(よしのぶ)

715 暁のなからましかば白露のおきてわびしき別(わかれ)せましや

貫之(つらゆき)

711 契りを交わせば、心慰められるかと思ったのに、逢瀬の名残が後を引いて、恋しくてたまらないことだ。是則集。○初句 →七一〇。○慰むや 逢瀬の願いが叶って、心が休まるかと。○なごり 名残。後朝の別れをした後に尾を引く思い。「夜もすがらなづさはりつる妹が袖なごり恋しく思ほゆるかな」(古今六帖五・作者未詳)。▽後撰・恋三に重出。詞書に、「人のもとより帰りまで来て、遣はしける」とある。

712 逢い見なくてもいられたものを。いつの間に、習慣となって、あの人が恋しいのだろう。抄三五五。○初句 →七一〇。○二句 そうしていれば、いられたものを。「うち出ででもありにしものを中中に苦しきまでも嘆く今日かな」(和泉式部日記)。○ならひて 慣れて。習慣となって。「恋しかるらん」に掛かる。

713 私の恋は、やはり契りを交わしても、慰められない。逢った後もますます募る思いばかりして。抄三五九。○逢ひ見て →七一〇。○いやまさりなる いよいよ増す。「かはとのみ渡るを見るに慰まで苦しきことぞいやまさりなる」(後撰・恋五)。○五句 八代集抄「逢ひ見ての後の心にくらぶればに似たる心なり」。

714 逢うことを待っていた月日の長さよりも、逢えた翌朝の、今日の暮を待つ方が久しく思われることだ。抄三五六。○初めて… 初めて契りを交わし、翌朝自宅に帰ったあと贈った歌。後朝の歌になる。○ほど 程度。久しく感じられる度合。○今日の暮 暮や宵は、恋する女性を訪問し逢う時刻である。○五句 八代集抄「後朝也。行き見む暮を待ち侘ぶる心也」。

715 暁がなかったならば、白露の置く朝に起きて、つらく侘しい涙の別れをするだろうか。貫之集。○暁 早朝で、まだ暗い時分。鶏の声が聞え、鐘の音も聞こえる。一夜を共に過ごした男女が別れる時刻。○三句 「置く」を掛け、「起く」を導く枕詞的な働きをする。「涙」も暗示する。「常よりもおき憂かりつる暁は露さへかかる物にぞ有りける」(後撰・恋五・よみ人知らず)。▽後撰・恋四に重出。

716　逢ひ見ても猶慰まぬ心哉幾千夜寝てか恋のさむべき

人　麿

717　むばたまの今宵な明けそ明けゆかば朝行く君を待つ苦しきに

よみ人知らず

718　ひとり寝し時は待たれし鳥の音もまれに逢ふ夜はわびしかりけり

719　葛木や我やは久米の橋作り明けゆくほどは物をこそ思へ

本院の五の君の許に初めてまかりて、あしたに

平　行　時

720　朝まだき露分け来つる衣手のひるま許に恋しきやなぞ

716 契りを交わしても、やはり慰むことのない心だこと。どれほど多くの夜を共寝すれば、恋の思いが冷めるのだろうか。抄三六八・五句「恋はさむらし」・よみ人知らず。麗景殿女御荘子女王歌合歌。○逢ひ見て →七一〇。○幾千夜　幾千代だと、どれほど多くの年の意。

717 今夜は、明けてくれるな。夜が明けてゆけば、朝帰って行くあなたを、また逢う時まで待つのがつらいので。人麿集。○初句　「今宵」の枕詞。○四句　後朝の別れをして帰って行く君を。「君」は男。▽万葉集十一・人麻呂歌集歌の異伝。

718 独り寝をした時には、待たれた鶏の鳴き声も、たまに逢って共寝をする夜は、別れの時刻を知らされ、つらく侘しいことだ。○鳥の音　鶏の声。夜明け、すなわち暁の別れの時刻を告げるもの。○四句　久しぶりの逢瀬の夜は。「恋ひ恋ひてまれに逢ふ夜の暁は鳥の音つらきものにざりける」(古今六帖五・作者未詳)。▽後撰・恋五・小野小町姉で重出。小町集にあり。

719 私は久米の橋作りをした葛城の鬼神ではないか。夜が明けてゆく頃は、物思いをすることだ。○葛木や　葛城の。葛城は、大和国。「久米の橋作り」に続く。役の行者小角(おづの)が、葛城の一言主神などの鬼神に命じて、葛城山と吉野の金峰山との間に、蔵王権現が渡る橋を架けさせたという、日本霊異記上や三宝絵中などに見られる伝説を踏まえる。鬼神は容貌の醜さを恥じて夜しか仕事をしなかったので、橋は完成しなかったという。→三〇一。○我やは　「やは」は反語とも解せる。○久米の橋作り　葛城の鬼神をさす。この橋は岩橋、久米(路)の橋という。○下句　夜明けを厭う鬼神に重ね合わせ、暁のつらい別れに物思いすることをいう。

720 朝早く露を分けて帰り来て、濡れた袖の乾く昼までの、短い時がたっただけなのに、恋しいのはどうしたことか。○本院の五の君　本院は、藤原時平。その五女か。○上句　「ひるま」を導く序詞的な役割をしている。○初句　早朝。○衣手　袖。袖が濡れるのも恋歌の常套的発想。○四句　「昼間」に、「干る間」を掛ける。「朝まだき」から「昼間」ほどまでのあいだに。

本院の東の対の君にまかり通ひて、あしたに

721 二つなき心は君に置きつるを又ほどもなく恋しきやなぞ

大納言源清蔭

題知らず

722 いつしかと暮を待つ間の大空は曇るさへこそうれしかりけれ

よみ人知らず

女の許にまかり初めて

723 日のうちに物を二度思哉とく明けぬるとをそく暮るゝと

大江為基

題知らず

724 百羽がき羽かく鴫も我がごとく朝わびしき数はまさらじ

貫之

725 うつゝにも夢にも人に夜し逢へば暮れゆく許うれしきはなし

よみ人知らず

721 二つとない心はあなたのもとに留め置いて帰ってきたのに、また間もなく、恋しい心になるのはどうしてなのか。○本院の東の対の君　藤原時平邸の東の対に住む女君。未詳。○二つなき心　心は一つだけということだが、純愛の意も表すか。「飽かずして今朝の帰り路思ほえず心一つを置きて来しかば」(新撰万葉集・下・作者未詳)。○恋しき　思慕の情から恋しく思われるのだから、もう一つ心があるとする。

722 早く暮れないかと、暮を待つ間の大空は、曇るのまでが、夕暮になったようで嬉しく思われることだ。抄二五〇。○初句　これから起こるであろう事を待ち望む気持ち。早く…しないか。ここは、逢える夕暮に早くならないかと気を揉むこと。○暮　逢瀬の時刻。→七一四。○曇る　曇ると空が暗くなり、日暮れに似ているので、嬉しい。

723 一日の中に物を二度も思い嘆くことだ。早く明けてしまう時と、遅くなかなか暮れない時と。○まかり初めて　通い初めて。「まかる」は、「行く」の謙譲語。女の家に初めて通う。○四句　別れの時の到来。○五句　暮を待つ思い。

724 百回も羽ばたきする暁の鴫も、私のような、朝の別れの侘しさの数に比べたら、増さることはあるまい。抄二六五。貫之集。○初・二句「暁の鴫の羽がき百羽がき君が来ぬ夜は我ぞ数かく」(古今・恋五・よみ人知らず)を踏まえる。鴫の羽ばたきの数の多さをいう。本歌では、寝返りの数の比喩に用いられている。○朝　あした。共寝した夜の翌朝。暁の別れの時である。○わびしき　女の、帰る男を見送る侘しさ。○五句　暁の別れのわびしさの数を、鴫の羽ばたきの数に増さるとする。

725 現実でも夢でも、恋する人に夜に逢うので、暮れてゆくほど、嬉しいことはない。抄二六六。亭子院歌合歌・凡河内躬恒。○初・二句「駿河なるうつの山辺のうつつにも夢にも人を見てややみなん」(忠岑集)。○人　恋慕する人。○三句　夜はどのような形でも、とにかく恋慕する人に逢えるとする。▽躬恒の歌。躬恒集に「同じ院の歌合(亭子院歌合)の、左方にてよめる」の詞書の歌群の一首として見える。

726 暁の別の道を思はずは暮れ行空はうれしからまし

727 君恋ふる涙のこほる冬の夜は心とけたる寝やは寝らるゝ

女に物言ひはじめて、さはる事侍てえまからで、言ひ遣はし侍ける

728 かゝらでも有にし物を白雪の一日もふればまさる我が恋

在原業平朝臣

女に遣はしける

729 朝氷とくる間もなき君によりなどてそほつる袂なるらん

能宣

730 身をつめば露をあはれと思哉暁ごとにいかでおくらん

よみ人知らず

726 暁の別れの帰り道を考えなければ、暮れてゆく空は、どんなに嬉しいことであろう。○初・二句　八代集抄「暮れて逢はむとするより、暁の別れの思ひ遣らるる心也」。「逢はぬ夜はわびても寝にき暁の別の道はまどはれぞする」(陽成院親王二人歌合)。・

727 あなたを恋して流す涙の凍る冬の夜は、心安らかに寝ることができようか。抄三〇四・二句「なみだのかかる」。○二句　思慕の涙の氷の冷たさによって、安眠できないとする。「冬の夜の涙にこほる我が袖の心解けずも見えし君かな」(兼輔集)。○五句　寝ることができようか、できない。涙も凍る、冬の夜のわびしい独り寝だから。「逢はぬ夜も逢ふ夜もあかず君がためおほかたやすき寝やは寝らるる」(江帥集)。

728 こんなに恋しくなくいられたのに、契りを交わしてからは、逢えずに一日も経ると、ひとしお増さる私の恋しさだ。業平集。○女に…　ある女性とはじめて逢う仲になり、差支えがあって行くことができなくて、詠み贈った歌。○初・二句　逢う以前は、これほどまでに恋しいとは思わずにいられたのに。「かからでもありにしものをなぞもかく思ひにもゆる我が身なるらん」(風葉和歌集・恋一・かはほりの少将)。○三句　「降れば」に掛けて、「経れば」を導く枕詞。

729 朝氷が解けるではないが、うち解ける間もないあなたなのに、どうしてびっしょり濡れてしまった袂なのだろう。抄三〇五。○朝氷　「解く」を導く枕詞的な働きをしている。→三九。○とくる　氷が「解く」に掛けて、うち解けることをいう。○そほつる　びしょびしょに濡れる。氷が解けないのに、なぜ袂が濡れるのかという趣向。「心にもあらでそほつる袂かないかに言ひてか乾すべかるらん」(重之女集)。▽書陵部本業平集にあるが、「能宣也」の注記がある。

730 我が身を抓ってみると、露をかわいそうと思うことだ。朝ごとに、どうして置き、つらい暁起きをするのだろう。抄二五一。○初句　→六五四。○おくらん　「置く」に、暁起きの「起く」を掛ける。露も、毎朝暁起きをすると思い遣る。○「露」は男の比喩で、女の歌か。

731 うしと思物から人の恋しきはいづこを偲ぶ心なる覧

732 よそにても有にし物を花薄ほのかに見てぞ人は恋しき

733 夢よりもはかなきものは陽炎のほのかに見えし影にぞありける

天暦御時歌合に　忠見

734 夢のごとなどか夜しも君を見む暮るゝ待つ間もさだめなき世を

順

735 恋しきを何につけてか慰めむ夢だに見えず寝る夜なければ

731 つらいと思うものの、あの人が恋しいのは、どこを思い慕う、自分の心なのだろう。抄三〇六。○うし　鬱屈した心情。相手の無情な態度を、恨めしく思う。恋歌の典型的な心情語の一つ。○いづこを偲ぶ心　相手はつれないのに、これ以上どこを恋い偲ぶのかと、自分の心に第三者的に質問する。▽恋五に重出。→九四四。

732 無関係なままであり得たものを、花薄の穂ではないが、仄かに逢い見てからは、あの人が恋しくてたまらない。抄二五三・初句「よそに見て」。○初句「よそ」は、関係のないこと。無縁な者。○二句　過ごしていたものを。以前の状況をいう。○三句「穂」に掛けて、「ほのかに」を導く枕詞。○四句　僅かに逢ったこと。「見る」は、契りを交わす意。

733 夢よりもはかないものは、陽炎のように、仄かに逢い見た、あの人の姿であった。抄二六三・五句「かげにざりける」。○陽炎「かぎろひ」の転。強い日差しで熱せられた空気がちらちらと揺れ動いて見える現象。はかないものの一つ。ここは「ほのか」の枕詞。「あはれとも憂しとも言はじ陽炎のあるかなきかに消ぬる世なれば」(後撰・雑二・よみ人知らず)。○影　人の姿。

734 夢のように、どうして夜に限って、あなたを逢い見ようとするのか。昼間も逢いたいものだ。日の暮れるのを待つ間も無常な世の中だから。抄二六四・五句「さだめなきよに」。麗景殿女御荘子女王歌合歌。忠見集。○天暦御時　→六。○夢　ここは夜のものとして例示。○見む　逢瀬。○暮る、待つ間　日暮までが今日という時間意識。○「明日知らぬ我が身と思へど暮れぬ間の今日は人こそ悲しかりけれ」(古今・哀傷・紀貫之)。▽新拾遺集・恋三に重出。

735 恋しさを、何によって慰めようか。あの人を夢にさえ見られない、物思いで寝られる夜もないから。抄二六五。天徳四年内裏歌合歌・大中臣能宣。○五句　物思いで夜は寝られないので、夢に見て慰める手段もないとする。「夢にだに見る事ぞなき年をへて心のどかに寝る夜なければ」(後撰・恋一・よみ人知らず)。▽能宣集にあり。

女のもとより暗きに帰りて、遣はしける

736 明けぐれの空にぞ我は迷ぬる思心の行かぬ間に〳〵

源公忠朝臣、日ゝにまかり逢ひ侍けるを、いかなる日にかありけむ、逢ひ侍らざりける日、遣はしける

737 たまほこの遠道もこそ人は行けなど時の間も見ねば恋しき

貫之

題知らず

738 身に恋のあまりにしかばしのぶれど人の知るらん事ぞわびしき

よみ人知らず

739 しのびつゝ思へば苦し住の江の松の根ながらあらはれなばや

忠房がむすめのもとに久しくまからで、遣はしける

740 住吉の松ならねども久しくも君とねぬ夜のなりにける哉

大納言清蔭

736 暁の暗い空に帰る時、私は心が惑い、道に迷ってしまった。あなたを思う心が満たされず、足も進まないままに。○明けぐれ →四六七。○三句　道に迷う意と、心が惑う意を掛ける。○行かぬ　心が満たされない意と、足が進まない意を掛ける。▽能宣集にあり。

737 遠くの道であっても、親しい相手に別れて、人は出かけて行くのに、どうして私は、一時でもあなたを目にしないと、恋しくなるのだろうか。貫之集。○源公忠朝臣　天慶三年(九四〇)頃、貫之と公忠は共に朱雀院別当であった(貞信公記・五月十四日条)。公忠は、翌年三月に近江守として赴任する。○初句　「遠道」の枕詞。○遠道　遠路。地方への下向が念頭にあるか。遠路では長いことと愛する人に逢えない。○もこそ　ここは、強調。○時の間　一時の間。○五句　ここは恋愛感情にも似た、男同士の友情。

738 我が身に恋の思いが有り余ってしまったので、心に秘めてはいるものの、世間の人が知りそうになることが、具合の悪いことだ。亭子院歌合歌・紀貫之。○恋　愛情を交わした相手が冷淡なことからの、物思いか。○三句　「忍ぶ恋」の歌になるが、拾遺集の配列では「逢ひて逢はぬ恋」になるか。○人　世間の人。○わびしき　ここは、困惑の意。▽歌合では初句「君恋ひの」。

739 心に秘めながら恋い慕うとつらい。住の江の松が根のまま波に洗われるように、共寝している仲がそのまま世間に知られてほしいものだ。○住の江の松　摂津国。松は、景物。「根」を導く序詞。○根ながら　海岸の松は波に洗われて、根が顕わになる。「寝ながら」を掛ける。○五句　「顕る」に、「洗はる」を掛ける。世間に忍ぶ仲を明らかにしたいという思い。

740 住吉の松ではないが、長いことあなたと共寝しない夜が続いてしまったことだ。○忠房がむすめ　藤原忠房女。東の方と呼ばれる。○住吉　摂津国。景物の松は久しいものの表象。堀河本は「すみの江」。○ねぬ夜　松の縁語「根」に「寝」を掛ける。▽大和物語十一段は、源清蔭が、醍醐天皇皇女韶子内親王と結婚して夜離れが続いた折の、忠房女との贈答歌とされる。

返し

741 久(ひさ)しくも思(おも)ほえねども住吉の松や二度(ふたゝび)生(お)ひかはるらん

ある男(をとこ)の松を結(むす)びて遣(つか)はしたりければ　よみ人知(し)らず

742 何(なに)せむに結(むすび)初(そ)めけん岩代(いはしろ)の松は久(ひさ)しき物と知(し)る〳〵

題知(し)らず

743 片(かた)岸の松のうきねとしのびしはされば よつゐ(ひ)にあらはれにけり

人　麿(まろ)

744 逢(あ)ひ見ては幾久(いくひさゝ)さにもあらねども年月のごとおもほゆる哉(かな)

745 年を経(へ)て思ひ〳〵て逢(あ)ひぬれば月日のみこそうれしかりけれ

741 久しい夜離れとは思えないけれども、その間に、住吉の松は二度生え変ったでしょう。○三句　堀河本「すみの江の」。○下句　長寿の松が二度生え変るほどの時間が過ぎただけだとの皮肉。「いかばかり年は経ねども住の江の松ぞ二度生ひ変りぬる」(新古今・神祇・住吉御詠)。

742 どうして初めての契りを結んでしまったのだろう。岩代の松が久しいように、あの人の訪れを待つのが久しいものと知りながら。抄・雑上・四四四。○松を結びて　枝を結び合わせるのは、幸福や健康を願う呪術。ここは愛情を交わしたことをいう。○初句　「何せむに命をかけて誓ひけむいかばやと思ふ折もありけり」(実方集)。○二句　初めて契りを交わしたこと。○岩代の松　紀伊国。ここは、久しく待つことの表象。「待つ」を掛ける。→五二六。

743 片岸に生える松の、波に洗われた浮き根ではないが、仮初の浮き寝と人目に隠したのは、思った通り、とうとう世間に知られてしまったことだ。○初句　底本「かたしき」で「しき」を見セ消チにし、「岸」を傍書。「の」は脱。川の一方の岸。○松の　ここまでは、「浮き根」に掛けて、「浮き寝」を導く序詞。「浮き根」は、水に洗われて根が水面に露出したもの。○うきね　浮き寝。水鳥についていうが、ここは仮初の愛情を交わすこと。○さればよ　予想した通り。ここは、危惧が的中したこと。○五句　「顕る」に、「洗はる」を響かせる。→七三九。

744 逢い見てからはそれほどの久しさではないけれども、長い年月を経たように思われることだ。抄二八三・よみ人知らず。人麿集。○初句　万葉集の本歌では、「相見而」。○幾久さ　どれほどの久しさ。「幾久さ我ふりぬれや身にそへる涙ももろく成りにけるかな」(古今六帖五・紀貫之)。○四句　長い年月のように。▽万葉集十一・作者未詳歌の異伝。

745 何年も経て、物思いを重ねて逢ったので、過ごした月日のかいこそが、嬉しいのであった。○二句　八代集抄「心をさまざま尽くせし心也」。○下句　月日の経過によって逢うことができたのを喜ぶ。▽躬恒集にあり。

746 杉板(すぎいた)もてふける板間(いたま)のあはざらば如何(いかに)せんとか我(わ)が寝初(ねそ)めけん

747 来(こ)ぬかなとしばしは人に思(おも)はせん逢(あ)はで帰(かへ)りし宵(よひ)のねたさに

よみ人知(し)らず

748 秋霧の晴(は)れぬ朝(あした)の大空(おほぞら)を見るがごとくも見えぬ君哉(かな)

749 恋(こひ)わびぬ音(ね)をだに泣(な)かむ声立(た)てゝいづこなるらん音無(おとなし)の里(さと)

しのびて懸想(けさう)し侍(はべり)ける女のもとに遣(つか)はしける

元(もと)輔(すけ)

750 音無(おとなし)の川(かは)とぞつゐ(ひ)に流(ながれ)ける言(い)はで物思(おもふ)人の涙は

746 杉板でもって葺いた屋根の板の間が合わなかったならば、どうしようと思うように、あの人が逢わなくなったら、どうするつもりで私は共寝を初めてしたのだろう。○杉板　屋根葺き用に薄く削いだ杉の板。○板間　板の合わせ目の隙間。○三句「合ふ」に、「逢ふ」を掛ける。ここまで「如何にせん」を導く序詞。○下句　将来の見通しを立てずに共寝をした後悔。「寝初め」は七四三の「結び初め」と同意。▽万葉集十一・作者未詳歌の異伝。人麿集にあり。

747 来てくれないことだと、暫くはあの人に思わせてやろう。逢えずに帰った夜の悔しさを思うと。○上句　女に、訪れて来ないことだと思うようにさせ、やきもきさせようとする。○下句「逢ひて逢はぬ恋」になった悔しさの仕返しで。

748 秋霧の晴れない朝の大空を見るように、姿も見えないあなただよ。○初句　霧は、空を曇らせ、物を隔て隠すもの。○上四句　何も見えない大空は、夜離れが続き姿を見せない男の比喩。ここまで、五句を導く序詞。○五句　四句の「見る」に関連させた表現。八代集抄「見えぬ君哉といへるは、一旦の事にあらぬ也」。▽躬恒集にあり。

749 恋心を抑えかねて苦しくなった。声を上げてでも泣こう。どこにあるのだろう、声を立てても音がないという音無の里は。抄三〇七・四句「いづれなるらん」。○初句　恋の煩悶を心中に秘めて置くことに耐えかねた。○音無の里　未詳。紀伊国か。音が聞えないことを連想させる。この里で泣けば、人に声は聞かれない。「音無の里とは見れど声立てて泣くべきまでになれる我が恋」(輔親集)。

750 音無の川となって、ついに流れてしまった。口に出さず物思いをする人の泣く涙は。抄三〇八。○音無の川　紀伊国。涙の川。音を立てないことを連想させる。○三句　底本「流いつる」。「いつ」を見セ消チにし「け」を傍書。「流れ」に「泣かれ」を掛ける。○四句「言はで思ふ」は、忍ぶ恋を表す恋歌の慣用語句。「心には下行く水の湧き返り言はで思ふぞ言ふにまされる」(古今六帖五・作者未詳)。

題知らず　　　　よみ人知らず

751 風寒み声弱り行虫よりも言はで物思我ぞまされる

752 志賀の海人の釣にともせる漁火のほのかに妹を見るよしも哉

753 恋するは苦しき物と知らすべく人を我が身にしばしなさばや

754 知るや君知らずはいかにつらからむ我がかく許思心を

懸想し侍ける女の、五月夏至日なりければ、疑ひなく思ひたゆみてもの言ひ侍けるに、親しきさまになりにければ、いみじく恨みわびて、後にさらに逢はじと言ひ侍ければ　　　　能宣

755 明日知らぬ我が身也とも怨置かむこの世にてのみ止まじと思へば

751　風が寒いので鳴く声の弱って行く虫よりも、口に出さずに物思いする私の苦しさの方が勝っている。抄三〇九。〇初句　風が寒くなって。秋の深まりを示す。〇二句　冬が近付き、虫も衰弱して、鳴く声が嗄れてゆく。「言はで思ふ」の例示。〇四句　→七五〇。▽忠岑集にあり。

752　志賀の漁師が釣のために灯している漁火のように、仄かにだけでも、愛する人に逢う手立てが欲しいのだが。抄三一九。〇志賀　しか。筑前国。漁師の住む土地として意識される。〇二・三句　火の光に集まる魚を釣るために灯す篝火のように。三句まで漁火の仄かな印象によって、「ほのかに」を導く序詞。「波間よりほのかに見ゆる漁火にこがれやすらん海人の釣舟」(重之子僧集)。〇妹　愛する女性。〇見る　逢い見る意。▽万葉集十二・作者未詳歌の異伝。恋五・一六八に重出。

753　恋をするのはつらいものと知らせられるように、あの人を私の身に暫し替えたいものだ。抄三一・初句「恋するが」。〇下句　自分の恋の苦悩をそのまま相手に実感させるため。「心替へするものにもが片恋は苦しきものと人に知らせむ」(古今・恋一・よみ人知らず)。▽深養父集にあり。

754　分かっているだろうか、あなたは。分かっていないならば、どんなに恨めしいことか。私がこれほどまでに思う心を。抄三一〇・四句「我がかぎりなく」。〇初句　下句と倒置。

755　明日の命も分からない我が身であっても、恨み言を言っておこう。あなたへの愛情は、この世だけで終わらせまいと思うので。抄三一四・二句「いのちなれども」・四句「このよにのみは」。能宣集。〇懸想し侍ける…　思いを懸けていた女性が、婚姻を慎む五月夏至の日で、逢瀬はないと踏んで言葉を交わすうちに、親密な関係になったのをひどく恨み、後にもう逢わないと言ったのをなだめた歌。〇五月夏至日　陰陽道で「嫁娶大凶」(簠簋内伝)の日とする。この日、男は訪ねなかったとして、この日を外出を慎む帰忌日とする説、夏至の方違えで女は留守とする説などがある。〇初・二句　夏至に大凶の契りを交わしたので、こう言う。

題知らず　　人麿

756 思ふなと君は言へども逢ふ事をいつと知りてか我が恋ひざらん

万葉集和し侍けるに　　源順

757 思ふらむ心の内を知らぬ身は死ぬ許にもあらじとぞ思

侍従に侍ける時、村上の先帝の御めのとにしのびて物のたうびけるに、つきなき事也とて、さらに逢はず侍ければ　　一条摂政

758 隠れ沼のそこの心ぞうらめしきいかにせよとてつれなかるらん

題知らず　　よみ人知らず

759 我ながらさももどかしき心哉思はぬ人は何か恋しき

古く物言ひ侍ける人に　　元輔

760 草隠れかれにし水はぬるくともむすびし袖は今もかはかず

756 思い詰めるなと、あなたは言うけれども、次の逢瀬を何時と分かっていたならば、私が恋しく思うことはないだろうに。人麿集。〇五句　再会の期しがたいことを悲痛に訴える。▽万葉集二の柿本人麿の妻、依羅娘子(よさみのおとめ)が、人麿と別れた時に詠んだ歌の異伝。

757 思っているだろうあなたの心の中を知らない身は、恋死するほどでもあるまいと思う。抄六八八・初句「おもふとも」。〇万葉集和し侍けるに　万葉集の歌に追加したもの。袋草紙は万葉集の本歌に対する返歌と解して、「朝霧の仄に逢ひ見し人故に命死ぬべく恋ひ渡るかな」「恋ひ死なむ後は何せん生ける日のためこそ人の見まくほしけれ」(→六八五)の二首を本歌として指摘する。女の皮肉な返歌になる。

758 隠れ沼の底のように、あなたの隠れた心底が恨めしい。どのようにせよと言って、冷淡なのか。伊尹集。〇侍従に　藤原伊尹は、天慶五年(九四二)十二月二十七日から同九年三月七日まで侍従(公卿補任)。〇御めのと　堀河本などは、御乳母少弐。少弐命婦か。〇物のたうびけるに　底本、「の」の次に衍字「、」。「のたうぶ」は、「宣ふ」の転。言い寄る意。〇つきなき事也　恋愛の相手として似合わない。〇初句「底」の比喩的な枕詞。〇そこの心　あなたの心底。「底」に「其処」を掛ける。〇下句　愛情が深くないだろうと皮肉る。

759 我ながら、いかにもじれったい心だ。私を思わない人を、どうして恋しいのか。〇下句　八代集抄「わが心ながら、心にも従はず、我を思はぬ人を恋ふるを嘆く心也」。

760 草に隠れて涸れてしまった清水は温くなったとしても、掬って濡れた袖は、今も乾かない。—私たちは離れ離れになってしまったが、愛情を交わして流した涙の袖は乾くことがない。元輔集。〇草隠れかれにし水　別れた女性を指す。野中の清水の景。「涸る」に、「離る」を響かす。〇三句　温くなるのは、水が浅くなったからで、愛情の浅さを表す。→六七〇。〇むすびし「掬ぶ」に、「結ぶ」を掛ける。「結ぶ」は、契りを交わす意。〇袖は　清水の水に濡れるに、涙に濡れるの両意を掛ける。

題知らず　　　　よみ人知らず

761 我が思ふ人は草葉の露なれやかくれば袖のまづそほつらむ

762 袂より落つる涙は陸奥の衣河とぞ言ふべかりける

763 衣をや脱ぎてやらまし涙のみかゝりけりとも人の見るべく

しのびて物言ひ侍ける人の、人しげき所に侍ければ　　　　実方朝臣

764 人目をもつゝまぬ物と思ひせば袖の涙のかゝらましやは

題知らず　　　　大伴方見

765 礒神降るとも雨にさはらめや逢はむと妹に言ひてし物を

761 私が恋い慕う人は、草葉の露なのか。思いを懸けると、袖が真先に濡れてしまうようだ。○草葉の露　思慕する人を、草葉の露によそえる。「宵ごとに物思ふ人の涙こそ千々の草葉の露と置くらめ」(和泉式部続集)。○かくれば　「懸く」は、思いを懸ける。懸想する。○そほつらむ　「そほつ」は、濡れる。露と涙との両者を掛ける。「しほるらん」という異文がある

762 袂から落ちる涙は、衣を川のように流れるから、陸奥の衣川というべきであった。抄三二。○初・二句　「涙川我が涙さへ落ちそひて君が袂ぞ淵と見えける」(落窪物語四)。○陸奥の衣河　陸奥国。平泉を流れる北上川の支流。「衣」を連想させる。「音にのみ聞きわたりつる衣川袂にかかる心なりけり」(元真集)。

763 衣を脱いで、あの人に贈ろうか。涙ばかり衣に掛かっていたのだとも、あの人が見て分かるように。○初・二句　男の行為。「衣」は単衣などであろう。○涙　恋慕、あるいは逢えない嘆きなどで流す。○かゝりけり　「掛かり」を、「かかり」に言い掛ける。「かかり」は、「かくあり」の約。○人　恋する相手の女性。

764 人目をも憚らないものと、二人の仲を思うならば、袖の涙がこのように流れ掛かるまいものを。○人しげき所に侍ければ　女性たちの多い所にいたので。話ができなかったということ。○上句　忍びの恋の関係でなかったならば。「人目をもいまはつつまじ春霞野にも山にも名は立たば立て」(躬恒集)。○五句　「掛かる」を言い掛ける。→七六三。

765 降ったとしても、雨に妨げられようか。逢おうと、いとしい人に約束していたのだから。抄三六。○礒神　大和国の地名の石上布留に掛けて、「降る」の枕詞。○雨　外出の妨げとなるもの。○三句　「さはる」は、障害となる、妨げられる。万葉集では「つつまめや」。愛する人に約束したのだから、どのような事態になっても出掛けるという。「雨もよにさはらじと思ふ人により我さへあやなながめつるかな」(和泉式部続集)。○妹　妻。愛人。▽万葉集四・大伴像見の歌の異伝。

元良の親王

766 わびぬれば今はた同じ難波なる身をつくしても逢はむとぞ思

五月五日、ある女のもとに遣はしける

よみ人知らず

767 いつかとも思はぬ沢の菖蒲草たゞつく〴〵と音こそ泣かるれ

題知らず

躬恒

768 生ふれども駒もすさめぬ菖蒲草かりにも人の来ぬがわびしさ

蚊遣火を見侍て

能宣

769 蚊遣火は物思人の心かも夏の夜すがら下に燃ゆらん

題知らず

勝観法師

770 しのぶれば苦しかりけり篠薄秋の盛りになりやしなまし

766 これほどまで思い悩んでいるので、今となっては、どうなっても同じことだ。難波にある澪標ではないが、我が身を滅ぼしてでも、あなたに逢おうと思う。抄三七・よみ人知らず。元良親王集。○初句「わぶ」は失意・落胆のさま。後撰集では、宇多天皇の女御、藤原時平女褒子との密通が露見しての鬱々とした心境ということになる。拾遺集では愛情の途絶という程度か。○三・四句「身を尽くす」は、身を破滅させる。難波の景物、船の航路標識「澪標」を掛ける。▽後撰・恋五に重出。小倉百人一首の歌。

767 五月五日になっても、お逢いするのが何時かとも思えず、沢の菖蒲草の根ではないが、ただしみじみと音(ね)を立てて泣かれるばかりだ。抄三七四。○いつか「何時か」に、「五日」を掛ける。○沢の菖蒲草　端午の節句に用いる菖蒲は、沼沢地に生える。「根」に掛けて、五句の「音」を導く序詞的な働きをする。→一〇八。○つくぐ\と　気力も衰えて、物思いに耽るさま。しみじみと。○五句「音」に、「根」を掛ける。菖蒲の根が沢水を「流れる」のも響かせるか。

768 生えても馬も食べない菖蒲草を刈りに来ないように、仮初にも愛する人の尋ねて来ないのが、つらいことだ。抄三七五。躬恒集。○二句「すさむ」は、好む意。○上句　上句は、「刈り」に掛けて、「仮」を導く序詞。

769 蚊遣り火は、物思いする人の心と同じなのか。人がひそかに恋い焦がれるように、夏の夜、一晩中くすぶり続けるようだ。能宣集。○蚊遣火　心中に秘めた思いの表象。「夏なれば宿にふすぶる蚊遣り火のいつまで我が身下燃えをせむ」(古今・恋一・よみ人知らず)。→五七三。○下に燃ゆ　火がよく燃えずにくすぶる。

770 恋心を秘めているのは、つらいものであった。篠薄が秋の盛りに穂を出すように、私も思いを打ち明けてしまおうか。抄三五二・三句「はなすすき」。○篠薄　まだ穂が出ていない薄。綺語抄「まだ穂に出でぬを云ふ。又、さる薄のあるなりとぞ」。「我妹子に逢坂山の篠薄穂には出でずも恋ひわたるかな」(古今・墨滅歌・よみ人知らず)。○秋の盛り　薄の穂の出る時期。

771 思ひきや我が待つ人はよそながらたなばたつめの逢ふを見むとは

よみ人知らず

772 今日さへやよそに見るべき彦星の立ちならすらん天の河浪

773 わびぬれば常はゆゝしきたなばたもうらやまれぬる物にぞ有ける

774 露だにもなからましかば秋の夜に誰とおきゐて人を待たまし

775 今更にとふべき人も思ほえず八重葎して門させりてへ

771 思いもしなかった。私の待つ人は隔たったままで逢えず、織女星の逢瀬をよそ事として見ようとは。抄二七九・二句「我がまつ人を」。○初句　思ったか、思いも寄らなかった。反語表現。○よそながら　待つ人から隔てられる意に、他人事として七夕の逢瀬を羨み見る意を重ねる。○たなばたつめ　棚機つ女。織女星。▽うつほ物語・藤原の君に作中歌としてそのまま用いられている。

772 今日でさえ、七夕の逢瀬をよそ事として見るのだろうか。牽牛星が織女星に慣れ親しんでいるらしい天の川の川波を。抄二八〇。○初句　七夕の日でさえ。男女の逢瀬の折として意識されていた。八代集抄「年経て逢はぬ嘆きなるべし」。○よそに　→七七一。○彦星　牽牛星。○四句　踏み馴らすとする解が多いが、ここは馴染ませる意か。

773 これほどまで思い悩んでいるので、普段は忌み憚られる織女星も、羨ましく思われるものであったよ。抄二七八。○初句　→七六六。○二句　年に一度しか逢えないのだから、通常はあやかるのは不吉だとする。○たなばた　織女星。ここは、七夕と広く解してもよい。

774 露だけでも置かなかったならば、秋の夜長に、誰と一緒に起きていて、訪れて来ない人を待ったらよいのだろうか。○露　秋の景物。「置く」に掛けて四句の「起く」を導き、独り寝のわびしさを慰める話し相手とする。擬人法。○秋の夜　夜長で、独り寝のわびしさを一層募らせる。

775 今になって訪ねて来るような人も、思い浮かばない。生い茂る葎で門を閉ざしている、とあの人に伝えてほしい。○八重葎　葎がはびこったさま。葎は、カナムグラ・ヤエムグラなど、蔓性の雑草の総称。蓬や浅茅などと共に、荒廃を表象する。「八重葎さしてし門を今更に何にくやしく開けて待ちけん」(後撰・恋六・よみ人知らず)。○五句　「門させり」は、人の出入りがなく、門は閉ざしたままで、そこに葎が生い茂って、ますます開かなくなること。「てへ」は、「といへ」の約。思い限ったはずの恋人がたまたま訪問したのを恨んで、使いまたは取り次ぎの人に言い継がせる体。▽古今・雑下に重出。

776 秋は我(わ)が心の露(つゆ)にあらねども物なげかしき頃(ころ)にもある哉(かな)

776 秋は、私の心の露の時節ではないけれども、涙があふれ物悲しく思われる頃であることだ。
○秋　悲しい季節であり、露の置く時期である。
○心の露　涙を暗示する。貫之集・二句「心のつま」。○四句　独り寝のわびしさ。▽貫之集にあり、紀貫之の作か。

拾遺和歌集巻第十三　恋三

題知(し)らず

777 あしひきの山下(した)風も寒(さむ)けきに今宵(こよひ)も又や我(わ)がひとり寝(ね)ん

よみ人知(し)らず

778 葦引(あしひき)の山鳥の尾のしだり尾(を)のなが〳〵し夜をひとりかも寝(ね)む

人(ひと)麿(まろ)

779 あしひきの葛木(かづらき)山にゐる雲の立(た)ちても居(ゐ)ても君をこそ思(おも)へ

よみ人知(し)らず

777 山から吹き下ろす風も寒いのに、今夜も又、私は独りで寝るのだろうか。○初句「山下風」の枕詞。○山下風　万葉集の「やまのあらし」の訓読から生じた歌語。「あらし」は、「おろし」と同根の語で、山から吹き下ろして来る烈しい風。○三句「に」は添加。風の寒さに独り寝の肌寂しさが加わる。○下句　八代集抄「待つ人の幾夜も来たらで、山風寒く、独り寝のひとしほわびしき心也。今宵もといふに、幾夜も来ぬ心籠もれり」。▽万葉集一・文武天皇歌の異伝。新勅撰集・羇旅に、作者を持統天皇として重出。▽以下、七八二まで枕詞の初句揃え。

778 山鳥の垂れ下がった尾のように、この長い長い秋の夜を、私は独りで寝ることになるのだろうか。人麿集。○初句「山鳥」の枕詞。○山鳥　雉の一種。夜は雌雄谷を隔てて寝ると言われ、独り寝の表象となる。俊頼髄脳「山鳥といふ鳥の雌雄(めをとこ)はあれど、夜になれば山尾を隔てて一つ所には臥さぬものなれば」。○しだり尾　しだれた尾。山鳥の雄は尾が長い。三句までが、山鳥の尾の長いことに寄せて、「ながながし」を導く序詞。○四句　秋の夜長をいう。▽万葉集十一・作者未詳歌の或本の歌。小倉百人一首にも収められる。

779 葛城山に立ち居る雲のように、立っていても座っていても、あなたのことばかり恋い慕っている。○初句「葛城山」の枕詞。○葛木山　葛城山。大和国。○三句　かかっている雲の。「ゐる」は、「立つ」の対で、静止の状態を表す。三句までは、「立ちても居ても」を導く序詞。○四句　いつも。万葉集に多い類句。「み崎廻の荒磯に寄する五百重波立ちても居ても我が思へる君」(万葉集四・門部石足)。▽万葉集十一・人麻呂歌集歌の異伝。原歌は「春やなぎ葛城山の立つ雲の立ちても」という同音反復の序詞だが、本歌は、山にたたずむ雲に寄せた比喩の序詞になる。人麿集にあり。

780 あしひ木(き)の山の山菅やまずのみ見ねば恋しき君にもある哉(かな)

旅の思ひを述ぶといふことを

781 あしひきの山越え暮れて宿借らば妹立ち待ちて寝ねざらむかも

石上乙麿(おとまろ)

題知らず

782 あしひきの山より出づる月待つと人には言ひて君をこそ待て

人麿

783 三日月のさやかに見えず雲隠(がくれ)見まくぞほしきうたてこの頃

784 逢事(あふ)はかたわれ月の雲隠れおぼろけにやは人の恋しき

よみ人知らず

780 山の山菅の「やまず」ではないが、止まずに逢い見ないと、恋しい君であることよ。〇初句「山」の枕詞。〇山菅　本草和名「麦門冬(ばくもんとう)」、すなわちヤブランとも、山に生える菅ともいう。二句までは、同音反復で「やまず」を導く序詞。「妹待つと三笠の山の山菅のやまずや恋ひむ命死なずは」(万葉集十二・作者未詳)。〇四句 →七三七。

781 山越えで日が暮れて、宿を借りたならば、妻は外に立ったまま待って、寝られないかも知れないなあ。抄二九六。〇旅の思ひを述ぶ　万葉集七「羇旅にして作る」。〇初句 →七八〇。〇下句　戻らなかったならば、妻が心配して、一晩中外で待ち明かすかも知れないと気遣う。▽万葉集七・作者未詳歌の異伝。作者が石上乙麿となる理由は、未詳。

782 山から出る月を待つと他の人には言って、実はあなたを待っているのだ。抄二八一。人麿集。〇初句 →七八〇。〇三句　月夜に人を待つという趣向は多い。▽万葉集十二・作者未詳歌の異伝。同十三・作者未詳の長歌の末尾にも、「あしひきの山より出づる月待つと人には言ひて君待つ我を」とある。以下、七九六まで月を詠む歌。

783 三日月がはっきりと見えず、雲に隠れているように、姿を見せないあなたを、逢い見たくて、ふさぎ込んでいるこの頃だ。人麿集。〇上句「三日月」の「雲隠れ」に、なかなか逢えない恋人をよそえる。四句を導く比喩的な序詞とも解せる。〇うたて　ここは、愛情が思うに任せず、憂鬱なさま。▽万葉集十一・人麻呂歌集歌の異伝。以下、三首、月の雲隠れを詠む。

784 逢うことは難く、片割れ月が雲に隠れて朧に見えるように、おぼろげな気持で、あの人が恋しいわけではないのだ。抄二五四・五句「人は恋しき」。〇初句「難(し)」と、「片割れ月」に言い掛ける。〇かたわれ月　半月。七・八日頃の月。三句の「雲隠れ」と結び付き、朧の比喩によって、四句の「おぼろけに」を導く序詞。〇四句「おぼろけなり」は、多く打消の語を伴って、いいかげんではない意に用いる。月の朧なさまが重ね合わされる。

785 秋の夜の月かも君は雲隠れしばしも見ねばこゝら恋しき　人麿

円融院御時、御屛風、八月十五夜、月の影池にうつれる家に男女ゐて懸想したる所

786 秋の夜の月見るとのみ起きゐつゝ今夜も寝でや我は帰らん　平兼盛

月明かゝりける夜、女の許に遣はしける

787 恋しさは同じ心にあらずとも今夜の月を君見ざらめや　源信明

返し

788 さやかにも見るべき月を我はたゞ涙に曇る折ぞ多かる　中務

題知らず

789 久方の天照る月も隠れ行何によそへて君を偲ばむ　人麿

785 秋の夜の月なのか、あなたは。雲に隠れ、暫しも逢い見ないと、ひどく恋しい。人麿集。○秋の夜の月　自然美の代表として賞美された。→一七四。○三句　月が雲に隠れるのと、恋する人が姿を見せないのとを重ねる。○見ねばこゝら恋しき　「ここら」は数が多い意。「見ねば恋し」の趣向。→七三七。▽万葉集十・作者未詳歌の異伝。

786 秋の夜の月を見るというだけで起きていて、今夜も共寝できずに私は帰るのであろうか。円融朝内裏屛風歌。兼盛集。○懸想したる所　男が女に求愛している場面。○下句　「逢はぬ恋」の趣向か。

787 恋しさは、私と同じ心のほどではないとしても、今宵の月を、私と同じようにあなたが見ないはずはあろうか。抄三六三。中務集・信明集。○上句　思慕の情が同じではないとしても。○同じ心　相思相愛の心。「わびしきを同じ心と聞くからに我が身を捨てて君ぞかなしき」(中務集)。○今夜の月　詞書の「明かかりける」月。○五句　あなたは見ないだろうか、見るに違いない。相思相愛は望めないにしても、月に感動する美意識を共有することで同じ心として満足したいとする。▽信明は同じ中務に、「あたら夜の月と花とを同じくはあはれ知れらむ人に見せばや」(信明集)という名歌を贈っている。

788 はっきりと見えるはずの月を、私はあなたを慕ってただ流す涙で曇らせる折が多いことだ。抄三六四。中務集・信明集。○四句　涙にくれる。「曇る」は、「月」の縁語。あなたを思う涙にくれて月がよく見えないということで、自分も相手と同じ心で恋い慕っているとする。涙は、あるいは訪れのなさに悲しむものか。「さやかにも人は見るらん我が目には涙に曇る宵の月影」(和泉式部続集)。

789 空に照る月も、隠れ行く。何になぞらえて、あなたを偲んだらよいのだろうか。人麿集。○久方の　「天」の枕詞。○天照る月　月に恋人の面影を見ようとする。○三句　西の空に沈んで行く。「久かたの天照る月を鏡にて恋しき人の影をだに見ん」(古今六帖一・作者未詳)。▽万葉集十一・人麻呂歌集歌の異伝。

790 京に思ふ人を置きて、はるかなる所にまかりける道に、月の明かゝりける夜　　よみ人知らず

宮こにて見しに変らぬ月影を慰めにても明かす頃哉

791 題知らず　　貫之

照る月も影水底にうつりけり似たる物なき恋もするかな

792 月を見て、田舎なる男を思出でて遣はしける　　中宮内侍

今夜君いかなる里の月を見て宮こに誰を思出づらむ

793 題知らず　　忠岑

月影を我が身にかふる物ならば思はぬ人もあはれとや見む

794 万葉集和せる歌　　順

ひとり寝る宿には月の見えざらば恋しき事の数はまさらじ

790 都にて見たのと変らない月の姿を慰めにして、夜を明かす近頃だよ。抄三六六。○はるかなる所に…　地方官として赴任する旅か。○上句　かつて恋する人と共に眺めた月。八代集抄「都にて思ふ人と共に見し月と思ふに、せめて慰む心、哀れなるにや」。

791 照る月も、その姿が水底に映っていたのであった。それなのに、私は他に似ているもののない恋をすることだ。抄三六七・三句以下「うつるなりにたる事なき恋にも有るかな」。貫之集。○上句　月も水に映って、二つあるように見える。つまり、似た物がある。「二つなき物と思ひしを水底に山の端ならで出づる月影」(古今・雑上・紀貫之)。○下句　比類のない恋をすることだ。「恋もするかも(な)」は、万葉集以来の恋歌の慣用語句。

792 今宵、あなたはどのような里の月を見て、都にいる誰を思い出しているだろうか。抄三六五。馬内侍集。○田舎なる男　高階明順。玄玄集に「明順、但馬にありける、月を見て言ひ遣る」とあり、正暦四年(九九三)頃、但馬守であった(権記)。馬内侍集に、明順は「語らふ人多かる男」とある。○里　任地先の新たな女性を暗示する。○宮こに誰を　八代集抄「我を思ひやすらむ、もしは外に思ふ人やあるらむ、との心なるべし」。

793 月を我が身に替えられるものならば、思ってくれないあの人も、しみじみと見るだろうか。忠岑集。○かふる　月と我が身を取り替える。○思はぬ人　つれない人。▽古今・恋二・初、二句「月影に我が身をかふる」で重出。

794 独りで寝る家に、月が見えなかったならば、恋しく思うことの数は増さるまいに。抄三六一・下句「恋しきときのかげはまさらじ」。○万葉集和せる歌　→七五七。○月　月は恋心を募らせる景物。八代集抄「独り居て月を見て、さまざま恋の増さる心也」。▽袋草紙は万葉集の本歌として、「玉簾の小簾の間遠し独り居て見る験なき夕月夜かも」(七・作者未詳)、「増鏡秋良き月の移ろへば思ひは止まで恋こそ増され」(十一・作者未詳)を挙げている。

題知らず　　　　　　　　　　人麿

795 長月の在明の月の有つゝも君し来まさば我恋ひめやも

月明かき夜、人を待ち侍て

796 ことならば闇にぞあらまし秋の夜のなぞ月影の人頼めなる

題知らず　　　　　　　　　　春宮左近

797 降らぬ夜の心を知らで大空の雨をつらしと思ける哉

よみ人知らず

798 衣だに中に有しはうとかりき逢はぬ夜をさへ隔てつる哉

799 長き夜も人をつらしと思ふにはねなくに明くる物にぞ有ける

795 九月の有明の月の「あり」ではないが、ずっとあり続けてあなたが来てくださるならば、私はこれほど恋しく思いはしないのに。人麿集。○初・二句　同音反復で、「有り」を導く序詞。有明の月は、暁の別れの折の景物であり、特に晩秋九月は、情趣の極致と考えられた。「白露を玉になしたる長月の有明の月夜見れど飽かぬかも」(万葉集十・作者未詳)。○三句　ありありて。ずっとこうして。○来まさば　いらっしゃったならば。▽万葉集十・作者未詳歌の異伝。

796 同じことならば、訪れがないので、闇夜であってほしい。秋の夜の、なぜ、月の光は、来訪を人に期待させるのか。抄三二・よみ人知らず。○初句　おなじであるならば。○二句　来訪がないのであれば、月を見ながら夜明かしせずに済むので、闇夜の方がいい。「ことならば闇にもあらなむ夏の夜は照る月影ぞ人頼めなる」(古今六帖五・作者未詳)。○下句　なぜ月は来訪を思わせて、期待を裏切るのか。▽以下、八一〇まで「夜」を詠む歌。

797 雨の降らない夜の、人を待つ心を分からずに、これまでは、訪れのないのを大空の雨のせいにして恨めしいと思っていたことだ。抄三三。小大君集。○降らぬ夜の心　雨の降らない夜は、訪れがあるはずなのに、来ない時のつらい心。小大君集「雨降るとて来ぬ人の、降らぬにも見えねば」。

798 衣でさえ二人の間にあったのは疎ましかった。今は、逢えぬ夜まで隔ててしまったことだ。抄二七〇。○衣　共寝しても隔てとなる衣。源氏物語に数例見られる「中の衣」と関連するか。「あやなくも隔てけるかな夜を重ねさすがに馴れし中の衣を」(葵)。正徹物語「ただ人と添寝する時着る衣をば、夜の衣とも中の衣ともいふなり」。○下句　逢えないことで、「夜」が隔てるようになった。初句の「だに」と「さへ」とに、愛情の推移が対照的に示される。

799 長い秋の夜も、人をつれないと思う時には、声を立てて泣き、寝ないのに明けてしまうものであった。○下句　「ねなく」は、「寝なく」に、「音泣く」を掛ける。秋の夜長も、叶わぬ恋を嘆き明かせば、短く感じられるとする。

今は訪はじと言ひ侍ける女のもとに遣はしける

800 忘れ南今は訪はじと思つゝ寝る夜しもこそ夢に見えけれ

題知らず

801 夜とても寝られざりけり人知れず寝覚めの恋におどろかれつゝ

802 むばたまの妹が黒髪今宵もや我がなき床になびき出でぬらん

803 我が背子がありかも知らで寝たる夜はあか月がたの枕さびしも

804 いかなりし時呉竹の一夜だにいたづら臥を苦しといふらん

800 忘れよう、今はもう訪うまい、と思いながら寝た、その夜に限って、あなたが夢に見えたことだ。抄三五九。○今は訪はじ　男の言。女が薄情なのでもう訪ねまい。○五句　夢に見た理由は、男の女への愛情があって夢に見た、あるいは、女に愛情があって男の夢に現れた、の二通りが考えられる。▽作者は、拾遺抄の流布本や書陵部本は源巨城(誠)、貞和本は藤原兼輔。

801 夜であっても寝られないのであった。人に知られず、寝つけない恋心に、目を覚まし覚まして。○初・二句　寝る時間の、夜は夜で寝られない。昼間は昼間で、つらく苦しい物思いをしているのであろう。○寝覚めの恋　恋の物思いでよく寝られずに、寝ている中途で、目を覚ます。「陽成院の皇子二ところ左右にて、寝覚の恋、暁の別れの恋を合はせさせたまふ」(陽成院親王二人歌合)。→九二二。○五句　「おどろく」は目を覚ます。「れ」は自発。「つつ」は反復。

802 我が妻の黒髪は、今夜も私のいない寝床から靡き出ているのであろうか。抄三六〇・三二、四句「こよひもか我がなきゆかに」。○初句　「黒髪」の枕詞。○四句　旅に出るなどして不在なのだろう。○五句　万葉集では「靡けて寝らむ」。独り寝に輾転として髪が靡く。▽万葉集十一・作者未詳歌の異伝。人麿集にあり。

803 私の夫の居場所も知らないで寝た夜は、明け方の枕もとが寂しいことだ。○我が背子　夫。愛する男性。「我妹子」の対。前歌と対をなす。○あか月がた　暁方。暁は、一夜共寝した男女の別れの時。表記には、有明の月の連想もあるか。○五句　「も」は詠嘆。上代語。

804 どのような時に、一夜でさえも、むなしく独り臥すのを、つらいなどと言ったのだろう。○いかなりし時　今は独り寝の生活を続けているが、昔のどのような時に。○呉竹の　「一夜」の枕詞。呉竹は、舶来の竹で、前栽などに植えた。淡竹(はちく)。○一夜　「節(よ)」を掛ける。「よ」は、竹の節と節との間の意で、「竹」の縁語。○いたづら臥　一人でむなしく寝ること。共寝に対する独り寝。「竹」の縁語の「節(ふし)」を掛ける。▽次歌と、「いかなる」と「呉竹」、及びその縁語使用が共通し、一対となる。

805 いかならん折節にかは呉竹の夜は恋しき人に逢ひ見む

人麿

806 まさしてふ八十のちまたに夕占問ふ占まさにせよ妹に逢ふべく

807 夕占問ふ占にもよくあり今宵だに来ざらむ君をいつか待つべき

808 夢をだにいかでかたみに見てし哉逢はで寝る夜の慰めにせん

809 うつゝには逢ふことかたし玉の緒の夜は絶えせず夢に見え南

805 どのような折節に、竹の節の節(よ)ではないが、夜、恋しい人に逢い見られようか。○折節「竹」の縁語の「節(ふし)」を掛ける。○三句「夜」の枕詞。「冬の日はながむるまにも呉竹の夜ぞわびしき長き思ひは」(兼輔集)。○夜「竹」の縁語の「節(よ)」を掛ける。○逢ひ見む　逢瀬を持ちたい。

806 占いが的中するという巷に立って、夕方の辻占をする。占いは良い卦が出ておくれ、愛する人に逢えるように。人麿集。○初句　正してふ。「正し」は、占い・予言などが実現する意。「かく恋ひむ物とは我も思ひにき心の占ぞまさしかりける」(古今・恋五・よみ人知らず)。○二句　道が四方八方に通じている辻に。「八十」は、数の多いこと。「ちまた(巷・衢)」は、道の股の意。辻。○夕占　日暮の辻に立ち、往来する人の言葉を聞き、吉凶を判断する占い。辻占。○占まさに　占いが的確なさま。ここは、良い卦が出ることを期待しているのだろう。▽万葉集十一・人麻呂歌集歌の異伝。

807 夕方の辻占にも、よい卦とあった。その今夜さえ来ないあなたを、何時と言って待てばよいのか。抄二八七・三句以下「こざらむ人をいつかたのまむ」。人麿集。○夕占 →八〇六。○二句　逢瀬が叶うという、良い卦が出た。○三句　よい卦が出た今宵さえも。○五句　逢える確信のつかない絶望。底本「いつか」の「つ」の下に一字分空白。▽万葉集十一・作者未詳歌の異伝。

808 夢だけでも、何とか逢瀬の思い出に互いに見たいものだ。逢えずに独り寝する夜の慰めにしよう。抄三三二。○かたみ　逢瀬の思い出の品の「形見」に「互み」を掛ける。古今六帖五・雑思では、恋歌の歌語。「桜花色はひとしき枝なれどかたみに見れば慰まぬかな」(伊勢集)。▽以下、三首、「夜」の「夢」を詠む歌。

809 現実には、あなたに逢うことが難しい。夜には、絶えることなく夢に見えてほしい。○うつゝ　現実。「夢」に対する。○三句「縒る」に掛けて、「夜」の枕詞。○絶え「緒」の縁語。▽万葉集五・大伴旅人の歌の類想。貫之集にあり。

広幡の御息所久しう内にも参らざりける、夢になむ、例のやうにて内にさぶらひ給ひつると、人の言ひ侍けるを聞きて

810 いにしへをいかでかとのみ思身に今夜の夢を春になさばや

延喜十五年御屏風歌　　貫之

811 忘らるゝ時しなければ春の田を返〳〵ぞ人は恋しき

題知らず　　よみ人知らず

812 梓弓春のあら田をうち返し思ひやみにし人ぞ恋しき

躬恒

813 かの岡に萩刈る男縄をなみねるやねりそのくだけてぞ思

よみ人知らず

814 春来れば柳の糸もとけにけりむすぼほれたる我が心哉

810 昔の宮中にいた境遇に、どうにかして戻りたいとばかり思う身には、今夜の夢を、春にしたいものです。○広幡の御息所　村上天皇更衣、源計子。○内にも参らざりける　里下がりしていた事情は未詳。○夢に…　夢に、以前のように、あなたが内裏で帝にお仕えしているのを見た。○下句「春」は、栄華や繁栄の表象。あなたの見た夢のように、宮中で花やぎたい。「寝られぬをしひて我が寝る春の夜の夢をうつつになすよしもがな」(後撰・春中・よみ人知らず)。▽以下、八一九まで春の景を詠む歌。

811 忘れられる時がないので、春の田を打ち返すように、返す返すあの人が恋しいことだ。中宮藤原穏子屏風歌。貫之集。○延喜十五年御屏風歌　延長二年(九二四)五月の誤り。○初・二句「忘らるる時しなければ葦鶴の思ひ乱れて音をのみぞ泣く」(古今・恋一・よみ人知らず)。○三句「返す返す」の枕詞。○返〳〵　田を打ち返す意に、繰り返す意を掛ける。▽元輔集にも。

812 春の新田を打ち返すように、思い返して思いを諦めていた人が恋しいことだ。○初・二句「梓弓」は「春」の枕詞。「あら田」は、新田、また、荒田とも。二句までが、「うち返し」を導く序詞。○うち返し　田を打ち返す意に、愛情を思い返す意を掛ける。▽後撰・恋一に「木の芽張る春の山田を…」とする類歌がある。

813 あの岡に萩を刈る男は縄がないので、枝を練る、その練麻のように、心砕けて物思いすることだ。躬恒集。○四句「ねりそ」は、木の枝や蔓をねじって柔らかくし、縄の代用にするもの。練麻。練ると砕けるので、四句までが「くだけて」を導く序詞となる。僻案抄「枯れたる枝をねぢよりて結はむとする由か」。○五句　あれこれと心乱れて、物思いをする。

814 春が来ると、手繰った柳の糸も解けてしまった。それなのに、解けずに鬱屈している私の心だよ。○来れば「繰れば」を響かせる。○柳の糸「繰る」「解く」「結ぼほる」は、「糸」の縁語。↓三。○三句　柳の枝の芽吹いたさま。「結ぼほる」の対。八代集抄「冬枯れに縮める柳の、春たをやかになりしを、解けにけりと言ふ也」。○四句　心が鬱屈したさま。

815 いづ方によるとかは見む青柳のいと定めなき人の心を

816 巻向の檜原の霞立返りかくこそは見め飽かぬ君哉

冬より比叡の山に登りて春まで音せぬ人のもとに

817 ながめやる山辺はいとゞかすみつゝおぼつかなさのまさる春哉

藤原清正が女

題知らず

818 我が背子を来ませの山と人は言へど君も来まさぬ山の名ならし

人麿

819 我背子をならしの岡の呼子鳥君呼びかへせ夜の更けぬ時

山辺赤人

815　どなたのもとに寄ると見ようか。縒る青柳の糸ではないが、まったく定まるところのない、あの人の心よ。○よる　柳の枝が靡くさまの「寄る」に、「糸」の縁語「縒る」を掛ける。○三句「糸」に掛けて、副詞の「いと」を導く枕詞的な用法。○下句　多情な男の心。

816　巻向の檜原の霞が立つように、立ち返り、このように逢おう。見飽きることのない君だよ。○巻向の檜原　大和国。霞が景物。二句までは、霞の「立つ」に掛けて、「立返り」を導く序詞。「巻向の檜原の霞たちかへり見れども花におどろかれつつ」(古今六帖一・作者未詳)。○立返り　繰り返し。○見め飽かぬ　類句の「見れど飽かぬ」の変形。→四三。▽人麿集にあり。

817　物思いに耽りながら見遣る山辺は、いよいよ霞んで、もどかしさが募る春だよ。抄二九一。○人　比叡山に修行に登った俗人の愛人か。○初句　遠望する意に、物思いをする意を掛ける。「ながめやる山辺も見えず思ふより松の木の葉や雪返すらん」(赤染衛門集)。○三句　霞む山辺は、「おぼつかなさ」の心象風景でもあろう。

818　我が夫をおいでなさいという名を持った、来ませの山と人は言うけれど、あなたも訪ねて来ないので、来まさぬ山という名であるらしい。人麿集。○初句「背子」は、夫。「妹(子)」の対。「来ませ」と、枕詞的に言い掛ける。○来ませの山　来増山。近江国。「来ませ」、いらっしゃいませを連想させる。和歌の用例は、他に次のものしかない。「年月を思ふかひなく過ぎにける君をきませの山の麓に」(六百番歌合)。○来まさぬ山「君も来まさぬ」と言い掛ける。○ならし「なるらし」の約。▽万葉集七・作者未詳歌の異伝。季節と関係ない歌。

819　我が夫を馴れ親しませるという名を持つ、ならしの岡の呼子鳥よ。あの人を呼び返しておくれ。夜が更けない時に。抄二九七・二句「ならしの山の」・五句「よのふけぬまに」。赤人集。○我背子を「馴らし」と、枕詞的に言い掛ける。○ならしの岡　奈良志岡。大和国。「馴らし」を連想させる。○呼子鳥→六四三。春の鳥。「呼ぶ」を連想させる。▽万葉集十・作者未詳歌の異伝。人麿集・伊勢集にもあり。

よみ人知らず

820 来ぬ人をまつちの山の郭公(ほととぎす)同じ心に音こそ泣かるれ

821 しのゝめに鳴きこそわたれ時鳥(ほととぎす)物思(おもふ)宿はしるくやあるらん

822 叩くとて宿の妻戸を開けたれば人もこずゑの水鶏なりけり

823 夏衣薄きながらぞ頼まるゝ一重なるしも身に近ければ

824 刈りて干す淀の真菰の雨降ればつかねもあへぬ恋もする哉(かな)

820 来ぬ人を待つという名を持つ、待乳山の時鳥よ、お前と同じ気持で、私も声を立てて泣けてしまうよ。○初句　「待つ」と、枕詞的に言い掛ける。○まつちの山　待乳山。真土山。大和国と紀伊国の境。「待つ」を連想させる。「かくばかりまつちの山の時鳥音羽の山に鳴くにや有るらむ」(村上御集)。○三句　夏の景物。○同じ心　「来ぬ人を待つ」心。▽以下、八二三まで夏の景を詠む歌。

821 夜が白む頃に、鳴いて飛んでいるよ、時鳥が。物思いする私の家では、はっきりと聞こえるのであろう。抄二七六。○初句　東雲に。暁に続く夜明け方の、東の空が白む頃の時刻。「夏の夜の臥すかとすれば時鳥鳴く一声に明くるしののめ」(古今・夏・紀貫之)。○四句　恋の物思いをする人の家は。寝られず、東雲に鳴く声が聞こえる。「寝でのみや人は待つらむ時鳥物思ふ宿は聞かぬ夜ぞなき」(後拾遺・夏・小弁)。

822 叩く音がすると思って、家の妻戸を開けてみると、待つ人も訪ねてこないで、梢の水鶏が鳴く声だった。抄二六九。○妻戸　室外への出入り口。○四句　「梢」に、「人も来ず」と言い掛ける。○水鶏　夏の景物。水辺に住み、鳴き声が戸を叩く音に似ているので、「叩く」と言われる。勅撰集の歌語としては、初出。次の後拾遺集で、夏の部立に入る。「人待てば叩くくひなをそれかとてはかなくあくる夏の夜ぞ憂き」(賀茂保憲女集)。

823 夏の衣は薄いながらも頼みに思われる。一重であるのは、身に近いということなので。—あの人が薄情であっても、隔てが一重なのは身に近いので、頼みに思われる。○初句　四月から九月にかけて着る衣。恋人に見立てる。○薄き　衣服が薄い意と、愛情が薄い意を掛ける。○五句　夏の衣服は薄く、肌に直接触れる。

824 刈り取って干す淀の真菰は、雨が降ると束ねられない。そのように、心がまとまらずに乱れる恋をすることだ。○淀　山城国。真菰が景物。○真菰　→一一四。○四句　「つかぬ」は、束ねる意と、一つにまとめる意を掛ける。「あへぬ」は、…できない意。三句までは、「つかねもあへぬ」を導く序詞。○五句　→七九一。

825 水無月の土さへ裂けて照る日にも我が袖干めや妹に逢はずして

人麿

826 鳴神のしばし動きて空くもり雨も降らなん君とまるべく

827 人言は夏野の草のしげくとも君と我としたづさはりなば

よみ人知らず

828 野も山もしげりあひぬる夏なれど人のつらさは事の葉もなし

829 夏草のしげみに生ふるまろこ菅まろがまろ寝よ幾夜経ぬらん

825 六月の、土までひび割れて照る日差しにも、私の袖は乾くであろうか、愛する人に逢わないで。抄二七・五句「いもにあはずて」。○水無月　六月。盛夏。○二句　暑い日差しに地面が乾燥して、ひび割れする。○四句　真夏の陽光にも袖が乾かないのは、とめどもなく涙が流れるから。▽万葉集十・作者未詳歌の異伝。人麿集・赤人集にもあり。

826 雷がしばらく鳴り響いて、空が曇り、雨も降ってほしい。あなたが帰れず留まるように。人麿集。○鳴神　雷。○動きて　万葉集の表記「動」をそのままに読んだもの。鳴り響いて。○下句　遣らずの雨。「妹が門行き過ぎかねつ久方の雨も降らぬかそを由にせむ」（万葉集十一・作者未詳）。▽万葉集十一・人麻呂歌集歌の異伝。問答の歌で、答歌は、「鳴る神の少しとよみて降らずとも我は留まらむ妹し留めば」。

827 人の噂は、夏の野の草のように繁くあったとしても、あなたと私とが連れ添っているならば、どうなっても構わない。人麿集。○人言　人の取り沙汰。○二句「しげくとも」の比喩。○三句「しげし」は、頻繁だ、絶え間がない。○五句「たづさはる」は、手を取り合う、連れ添う。下に、どうなってもよいというような余意がある。▽万葉集十・作者未詳歌の異伝。赤人集にあり。

828 野も山も繁り合った夏であるけれど、あの人の無情さは、言い表す、葉ならぬ言葉もない。○上句　夏の野山の、草木が繁茂しているさま。五句の「事の葉もなし」と関連させる。「夏はみないづこともなくあし引の山辺も野べもしげりあひつつ」（古今六帖一・作者未詳）。○事の葉　言の葉。ことば。定家本の文字遣い。

829 夏草の茂みに生えるまろこ菅の「まろ」ではないが、私のごろ寝よ、幾夜経たであろうか。○上句　上三句が同音反復で自称の「まろ」を導く序詞。「まろこ菅」は、ミクリ、またウキヤガラなどという。荆三稜（けいさんりよう）。「うちそばめ君一人見よまろこ菅まろは人すげなしといふなり」（道綱母集）。○まろ寝　ごろ寝。独り寝や旅寝を示す。「解けて寝ぬまろがまろ寝の草枕一夜ばかりも露けきものを」（狭衣物語四）。

830 天暦(てんりやく)御時、広幡(ひろはた)の宮(みや)す所(どころ) 久(ひさ)しく参(まい)らざりければ、御文遣(ふみつか)はしけるに

山がつの垣(かき)ほに生(お)ふる撫子(なでしこ)に思(おもひ)よそへぬ時の間(ま)ぞなき

御製(ぎょせい)

831 廉義公(れんぎこう)家の障子の絵(ゑ)に、撫子生(なでしこお)ひたる家の心細(ぼそ)げなるを

思(おもひ)知(し)る人に見せばや夜(よ)もすがら我(わ)がとこ夏にを(お)きゐたる露(つゆ)

清原元輔(もとすけ)

832 題知(し)らず

秋の野の草葉も分(わ)けぬ我(わ)が袖の露(つゆ)けくのみもなりまさるかな

よみ人知(し)らず

833 三百六十首の中(なか)に

我(わ)が背子(せこ)が来(き)まさぬ宵(よゐ)の秋風は来(こ)ぬ人よりもうらめしき哉(かな)

曽禰好忠(よしただ)

834 題知(し)らず

うら山(やま)し朝日(あさひ)にあたる白露を我(わ)が身と今はなすよしも哉(がな)

よみ人知(し)らず

830 山人の垣根に生える撫子によそえて、あなたを思い慕わない時は一時もない。村上御集。○天暦御時 →六。○広幡の宮す所久しく… →八一〇。○山がつ →九二三。○撫子　大和撫子。カワラナデシコ。○五句　一時だってない。いつも…している。▽「あな恋し今も見てしか山がつの垣ほに咲ける大和撫子」(古今・恋四・よみ人知らず)を踏まえ、初句の「あな恋し」を言い含める。

831 情趣を解する人に見せたいものだ。一晩中、我が家の常夏に置いている露、私が寝床で起きていて流す涙を。藤原頼忠障子絵歌。○廉義公　頼忠。○障子　襖。○とこ夏　常夏。撫子の異名。「床」を掛ける。○をきゐたる　「置く」に、「起く」を掛ける。○露　涙の比喩。▽仲文集に、「三条の大臣殿にて、越後に物言ひて明くるまであるに、撫子の露など置きたる扇を、これ見給へとて差し出でたれば」とあり、女房の扇絵を題材とした恋歌となっている。藤原仲文の詠作か。

832 秋の野の草葉も分けていない私の袖が、恋の物思いに、露けさばかり増さることだ。○露けく　露っぽい。思慕の涙を表す。▽袖が濡れるのに、秋の野の草葉を例示するのは類型的で、上句は類句となっている。「秋の野の草葉も分けぬ我が袖の物思ふなべに露けかるらむ」(貫之集)、「…あやしやなどて露けかるらむ」(伊尹集)。以下、八四三まで秋の景を詠む。

833 私の夫が来て下さらない夜の秋風は、肌寒さが身に沁みて、訪ねて来ない人よりも恨めしいことだ。抄二六二。好忠集。○三百六十首 →一六八。○背子 →八一八。○宵の秋風　独り寝の夜の風は、わびしさや寂しさを一段と感じさせる。「彦星の妻待つ宵の秋風に我さへあやな人ぞ恋ひしき」(古今六帖一・凡河内躬恒)。○来ぬ人　我が背子。

834 羨ましいことだ。朝日に当たり消えてしまう白露を、我が身と今はなす手立てがほしいものだ。○初句　定家本の文字遣い。○二・三句　はかないもの、消えゆくものの典型。○我が身　恋の思いに耐えかね死を願う身。

835 秋の田の穂(ほ)の上(うへ)に置(お)ける白露(しらつゆ)の消(け)ぬべく我は思(おも)ほゆる哉(かな)

人麿(まろ)

836 住吉の岸を田に掘(ほ)り蒔(ま)きし稲(いね)の刈(か)るほどまでも逢(あ)はぬ君(きみ)哉(かな)

837 恋(こひ)しくは形見(かたみ)にせむと我(わ)が宿(やど)に植(う)へ(ゑ)し秋萩(はぎ)今盛(さか)り也

赤人

中将(ちゆうじやう)の御息所(みやすどころ)のもとに萩(はぎ)につけて遣(つか)はしける

838 秋萩(はぎ)の下葉(したば)を見ずは忘(わす)らるゝ人の心をいかで知(し)らまし

広平親王(ひろひらしんわう)

題知(し)らず

839 標結(しめゆ)はぬ野辺(のべ)の秋萩(はぎ)風吹(ふ)けばと臥(ふ)しかく臥(ふ)し物をこそ思へ

よみ人知(し)らず

835　秋の田の稲穂の上に置いている白露のように、消え入りそうに私は思われることだ。人麿集。○上句　三句まで、稲穂の露に寄せて、比喩的に「消ゆ」を導く序詞。○消ぬべく　「消」は、「消え」の約で「白露」の縁語。「消(く)」の未然形とも。死にそうなほど悩む。「秋づけば尾花が上に置く露の消ぬべくも我は思ほゆるかも」(万葉集八・日置長枝娘子(へきのながえのおとめ))。▽万葉集十・作者未詳歌の異伝。

836　住吉の岸を田に掘って蒔いた稲の、刈り取るほどまでも、長らく逢わないあなただよ。人麿集。○住吉の岸　摂津国。○一―四句　田を開墾して、稲の種を蒔き、実ったのを刈り取るほどまで。長く久しい月日を表す。「掘り」は、原歌「墾(は)り」。この稲作は、直蒔き。「刈る」は「離る」を掛ける。「秋の田のいねてふ事もかけなくに何を憂しとか人のかるらむ」(古今・恋五・素性)。▽万葉集十・作者未詳歌の異伝。

837　恋しくなったら、思い出の物として偲ぼうと、我が家の庭に植えた秋萩は、今花盛りだよ。○形見　恋愛の思い出の品。「恋しけば形見にせむと我が宿に植ゑし藤波今咲きにけり」。(万葉集八・山部赤人)。○秋萩　女性を偲ぶよすが。▽万葉集十・作者未詳歌の異伝。人麿集にあり。

838　秋萩の下葉の移ろいを見なかったならば、私が忘れ去られたあなたの心を、どうして知ることができようか。○中将の御息所　村上天皇更衣、中納言藤原朝成女脩子。○秋萩の下葉　秋早く黄色に色付く。ここの「秋萩」は女性のイメージ。「下葉」はその心中を示し、変色によって、変心を表象する。

839　標縄(しめなわ)を結ってない野辺の秋萩に風が吹くと、あちこちに倒れ伏すように、私は輾転と臥しながら、あれこれ物思いすることだ。○上句　三句までが「と臥しかく臥し」を導く比喩的な序詞。「標」は、占有を示す標識。女性を我が物とすることによそえることが多い。ここも、愛する女性の心を自分のものとしていないという不安や焦躁を暗示しているのであろう。↓一六七。○四句　あれこれ身体を動かしながら臥している。恋の物思いに煩悶して、輾転反側するさま。

840 移ろふは下葉許と見しほどにやがても秋になりにける哉

中宮内侍

841 女の許に遣はしける

事の葉も霜にはあへずかれにけりこや秋はつるしるしなるらん

能宣

842 色もなき心を人に染めしより移ろはむとは我が思はなくに

貫之

843 数ならぬ身をうぢ河の網代木に多くの日をも過ぐしつる哉

よみ人知らず

844 下紅葉するをば知らで松の木の上の緑を頼みけるかな

840 移ろうのは萩の下葉だけだと見ているうちに、すぐに人の心も移ろい、秋ならぬ飽きになってしまったことだ。馬内侍集。○下葉許　少しの変心の比喩。これも萩の下葉か。萩の紅葉は早い。○秋になり　「秋」に「飽き」を響かせる。愛する人がすっかり心変わりしたことをいう。

841 愛情を誓った言葉も、霜には耐えられず枯れて、疎遠になってしまった。これは秋果てて、飽き果ててしまった徴なのであろう。抄三四。能宣集。○事の葉　愛の誓いの言葉。草木の葉を連想させる。→八二六。○二・三句　愛情の移ろいを暗示する。「かれ」は「枯れ」に「離れ」を掛ける。○秋　「飽き」を掛ける。○しるし　徴候。▽能宣集詞書「語らひ侍る人の、秋の末つ方音無く侍るに」(西本願寺本)、「春頃文など遣る女、秋の末まで頼めけるが、いかが思ひなりにけむ、返り事もせざりければ」(書陵部本)。

842 色もない心を、あなたへの愛情で染めてから、色褪せようとは、私は思ってもいなかったのに。貫之集。○色もなき心　心は元来無色のもの。○三句　色を染める意に、愛情を寄せる意をよそえる。○移ろはむ　色褪せることに、愛情の移ろいをよそえる。○思はなくに　…ないのに。▽古今・恋四・五句「思ほえなくに」で重出。貫之集は「思はざりしを」。公忠集にあり。

843 人数でもない我が身を情けなく思いながら、宇治川の網代木に寄る多くの氷魚(ひお)ではないが、多くの日を過ごしてしまったことだ。○うぢ河の網代木に　宇治川、山城国。網代が景物。憂愁の土地柄。「身を憂(し)」と言い掛ける。四句の序詞的な働きをする。○日をも　「網代木」の縁語「氷魚」を響かせる。→二二六。▽以下、八四七まで冬の景を詠む。

844 下葉が紅葉するとは知らないで、松の木の上葉の常緑を頼りにしていたことだ。―人の心の中が変るのを思いもしないで、上辺の誠実さを信頼していたことだ。○初句　下葉が赤く変色すること。変心をよそえる。「高砂の松を緑と見し事は下の紅葉をしらぬなりけり」(後撰・恋四・よみ人知らず)。○三・四句　松の上葉が常緑に見えるのをいう。上辺の誠実をよそえる。

845 我(わ)が背子(せこ)を我(わ)が恋(こ)ひをれば我(わ)が宿(やど)の草さへ思ひうら枯(が)れにけり

人麿

定文(さだふん)が家歌合に

846 霜の上(うへ)に降(ふ)る初(はつ)雪の朝(あさ)氷(こほり)とけずも物を思(おもふ)頃(ころ)哉(かな)

よみ人知(し)らず

絶(た)えて年ごろになりにける女の許にまかりて、雪の降(ふ)り侍(はべり)ければ

847 み吉野の雪にこもれる山人もふる道とめて音(ね)をや泣(な)くらん

源景明(かげあきら)

題知(し)らず

848 頼(たの)めつゝ来(こ)ぬ夜あまたに成(なり)ぬれば待(ま)たじと思ふぞ待(ま)つにまされる

人麿

845　私の思う人を私が恋い慕っていると、私の家の草までが、同情して葉の先が枯れてしまったことだ。人麿集。〇上句「我が」の反復によって、声調的な効果をもたらす。〇我が宿の草さへ　私ばかりではなく、草までが。〇思ひ無心のはずの草が共感したとする。八代集抄「夫の来たらざるを恋ひつつあるほどに、若草なりし庭の草も、茂り添ふ夏も過ぎて、秋も末になりて、うら枯れたれば、打ち嘆きて詠める心也。草さへ思ひうら枯るるといふに、切なる心、余情有る也」。〇うら枯れ　末枯れ。草木の末葉の枯れること。「うら」は、心の意もある。▽万葉集十一・人麻呂歌集歌の異伝。底本、この歌と、次の歌の詞書と作者名を細字補入。

846　冬に重出。→二三九。

847　吉野山の雪に降り籠められている山住みの人も、雪の降る旧道を探し求めて、声を立てて泣いているだろうか。抄二九二。〇み吉野　大和国。雪が景物。〇二・三句　自身をなぞらえる。雪に閉じ込められた様子は、他の女性に通っていないことを暗示する。〇四句「ふる道」は、旧道。古びて、人が通わなくなった道。雪が「降る」を掛ける。中絶えと、よりを戻したい意を暗示する。

848　期待させながら、来ない夜が数多くなってしまったので、もう待つまいと思い切るのは、はかない期待を抱いて待つよりも、辛さはまさるのだった。抄二八四。人麿集。〇初句　下二段活用の「頼む」は、頼りにさせる、当てにさせる意。訪問すると約束するのである。〇二・三句約束を果たさずに、訪問して来ない夜が重なる。「頼めつつ来ぬ夜は経とも久方の月をば人の待つと言へかし」(新勅撰集・恋五・赤染衛門)。〇下句　愛情を断念するほうが、執着して待つよりも辛さはまさるというのである。▽この巻の総括的な歌。「山」「月」「夜」「春」「夏」「秋」「冬」と、歌材や景物の明確な配列のもとに、逢わぬ恋の主題の歌を連ねてきて、最後に愛情に執着することのむなしさを諦観し、もはや愛着することを断念しようと決意するに至る。歌語の関連が密接な拾遺集の中でも際立った構造を示している巻である。

拾遺和歌集巻第十四　恋四

題知らず　　人麿

849 朝寝髪我はけづらじうつくしき人の手枕触れてし物を

元輔が婿になりて朝に　　藤原実方朝臣

850 時の間も心は空になる物をいかで過ぐしゝ昔なるらむ

題知らず　　よみ人知らず

851 白浪のうちしきりつゝ今夜さへいかでかひとり寝るとかや君

849 朝の寝起きの乱れ髪を、私は櫛でとかすまい。愛する人の手枕が触れていたのだから。抄二六〇。人麿集。○朝寝髪　朝起きたままの乱れ髪。「はしきよし妻の命(みこと)の衣手の別れし時よぬばたまの夜床片去り朝寝髪掻きも梳らず出でて来し月日数(よ)みつつ嘆くらむ」(万葉集十八・大伴家持)。○けづらじ　くしけずるまい。梳かすまい。○手枕　腕を枕にすること。共寝のさまをいうことが多い。「今朝の間に今は消ぬらむ夢ばかり寝ると見えつる手枕の袖」(和泉式部日記)。▽万葉集十一・作者未詳歌の異伝。

850 ほんの少しの間でも、あなたを思い、心が上の空になってしまうのに、どのように過ごしてきた結婚前の昔だったろう。○元輔が婿に…ここから実方が清原元輔女の清少納言と結婚したとする説もあるが、堀河本には「中将元輔が婿になりての又の朝に／藤原のぶかた」とあり、それによれば藤原元輔の婿となり、作者も別人となる。○朝　結婚した翌朝。後朝の歌である。○初句　一時でも。後朝の別れ以降のつらさをいう。○空になる　上の空になる。→六〇。○下句　片時も離れていられない現在の心境から、結婚以前の平然と過ごしてきた昔を不審に思う。「今日だにも慰めがたき心にはいかで過ぐしし昔なりけむ」(輔親集)。→七一〇。

851 白波がしきりに打ち寄せるように、消息を度々寄越しては、訪れもせず、今夜さえ、どのようにして独り寝しているかなどと尋ねてくるのか、あなたは。○初句　「うちしきる」の比喩的な枕詞。「波」と「しきる」とのかかわりは、「なかなかにうちしきりては沖つ波たてれをれどもなき心地かな」(伊尹集)。○二句　八代集抄「打ち頻りつつ御使は賜はりての心也」。○今夜さへ　これまでとは違い今夜さえ逢瀬を約束したか。○下句　意味がとりづらい。どうして今夜も独りで寝るなどと言うのか、あなたは、とも解せる。詰問調。

一条摂政(いちでうせつしやう)、内にてはびんなし、里(さと)に出(い)でよと言(い)ひ侍(はべり)ければ、
人もなき所にて待(ま)ち侍けるに、まうで来(こ)ざりければ　　小弍命婦(せうにのみやうぶ)

852 如何(いかに)して今日(けふ)を暮らさむこゆるぎのいそぎ出(い)でてもかひなかりけり

題知(し)らず　　人麿(まろ)

853 港入(みなとい)りの葦分(わ)け小舟(を)さはり多(おほ)み我(わ)が思ふ人に逢(あ)はぬ頃(ころ)哉(かな)

854 岩代(いはしろ)の野中に立(た)てる結松(むすびまつ)心も解(と)けず昔思(おも)へば

855 我(わ)が宿(やど)は播磨潟(はりまがた)にもあらなくにあかしも果(は)てで人の行(ゆ)くらん　　よみ人知(し)らず

856 浪間(ま)より見ゆる小島(こ)の浜ひさ木久(ひさ)しく成(なり)ぬ君に逢(あ)はずて

852 どのようにして今日を過ごそうか。小余綾(こゆるぎ)の磯ではないが、急いで宮中から退出してもかいもないのであった。○一条摂政　藤原伊尹。○内にては…　内裏で逢うのは具合が悪い。里に退出せよ。↓七五八。○こゆるぎのいそ　小余綾の磯。相模国。「小余綾の」は「いそ」の枕詞。「いそ」は「磯」に「急ぎ」を掛ける。風俗歌「玉垂れの小瓶(をがめ)を中に据ゑて主はもや魚求(ま)きに魚取りに小余綾の磯のわかめ刈り上げに」を踏まえるか。○五句　「磯」の縁語の「貝」を掛ける。

853 港に入る葦の間を分けて漕ぐ小舟のように、妨げが多いので、私の思慕する人に逢えないこの頃だ。抄三七二・四句「恋しき人に」。人麿集。○二句　葦の生い茂る水辺を分け行く小舟。障害の多いことの比喩。二句までは、「さはり多み」の序詞。「港入りの葦分け小舟障り多み今来む我を淀むと思ふな」(万葉集十二・作者未詳)。○さはり　障り。ここは、恋愛の邪魔になるもの。▽万葉集十一・作者未詳歌の異伝。

854 岩代の野中に立っている結び松のように、心も結ぼおれて晴れ晴れしない、昔を思うと。人麿集。○岩代　紀伊国。○二・三句　結ぶのは、幸福や健康を予祝する呪的行為。三句までは、「解けず」を導く序詞。○解けず　「結ぶ」と対比。▽万葉集二・長意吉麿歌の異伝。原歌は、有間皇子哀悼の歌。八五四は、結び松が単なる景物となり、過去の恋愛を回想する歌になる。五三六の本歌。雑恋に重出。↓一二五六。

855 我が家は播磨潟でもないのに、明石に泊まらず、明かしも果てずに、あの人は帰って行くのだろうか。○播磨潟　播磨国。明石に接した海。「播磨潟ここを明石といふことは月の光の澄めばなりけり」(重家集)。○四句　「明石も泊てで」に、「明かしも果てで」を掛ける。

856 波の間から見える小島の浜楸の「ひさ」ではないが、久しくなってしまったことだ、あなたに逢わないで。○三句　浜楸。浜辺に生える「ひさき(ぎ)」。アカメガシワ。キササゲとも。伊勢物語一一六段「浜庇(はまびさし)」。三句まで、同音反復で、「久しく」を導く序詞。▽万葉集十一・作者未詳歌の異伝。人麿集にあり。

857 ます鏡手に取り持ちて朝な〳〵見れども君に飽く時ぞなき

人麿

858 皆人の笠に縫ふてふ有馬菅ありての後も逢はんとぞ思

よみ人知らず

859 伊香保のや伊香保の沼のいかにして恋しき人を今一目見む

860 玉河にさらす手作りさら〳〵に昔の人の恋しきやなぞ

861 身は早く奈良の都になりにしを恋しき事のふりせざるらん

857 真澄の鏡を手に取り持って朝ごとに見るように、毎朝見てもあなたに飽きる時はない。人麿集。○初句　真澄鏡。曇りのない鏡。→四六九。「手に取り持つ」の枕詞とする説もある。○三句　毎朝。→六六九。三句まで、「見れども」の序詞。「まそ鏡手に取り持ちて朝な朝な見む時さへや恋の繁けむ」(万葉集十一・作者未詳)。○下句「見れど飽かず」の類型の一つ。→四三。▽万葉集十一・人麻呂歌集歌の異伝。

858 皆の人が笠に縫うという有馬菅の「あり」ではないが、このままであっても、その後には逢おうと思う。人麿集。○有馬菅　有馬、摂津国。菅は、その名物。三句まで、同音反復で「ありて」を導く序詞。「大君の御笠に縫へる有馬菅ありつつ見れど事なき我妹」(万葉集十一・作者未詳)。○ありて　逢えない状態がこのまま続いて。▽万葉集十二・作者未詳歌の異伝。

859 伊香保の沼の「いか」ではないが、どうにかして恋しい人に、もう一目逢いたいものだ。○初・二句　上野国。同語を重ねて、律調的な効果をもたらす。同音反復によって、「いかにして」を導く序詞。「伊香保の沼のいかにして思ふ心を述ばへまし」(古今・雑躰・壬生忠岑)。○三句　どうにかして。▽素性集にあり。

860 多摩川に晒す手作りの布の「さらさら」ではないが、今更ながら、昔の人が恋しいのは、どうしたことか。○玉河　多摩川。武蔵国。○さらす　晒す。布を水で何度も洗い、日に当てて漂白する。○手作り　手織りの布。二句までが、同音反復によって、あるいは布の触感の擬態語「さらさら」に重ねて、「さらさらに」を導く序詞。▽万葉集十四・東歌「…何そこの子のここだ愛しき」の類歌。伊勢集の古歌混入部分にあり。

861 私の身は早くも、あの人から忘れられた奈良の都になってしまったが、恋しいことがなぜ古びないのだろうか。○奈良の都　古京。恋する人に忘れられた境遇を暗示する。「人古す里を厭ひて来しかども奈良の都も憂き名なりけり」(古今・雑下・二条)。▽後撰・恋一・二句「ならの宮こと」、五句「まだもふりぬか」の異伝。

862 いその神ふりにし恋(こひ)の神(かみ)さびてたゝるに我はねぎぞかねつる

藤原忠房(ただふさ)朝臣

863 いか許(ばかり)苦(くるし)き物ぞ葛木(かづらき)の久米(くめ)地(ぢ)の橋(はし)の中の絶(た)え間(ま)は

よみ人知(し)らず

864 限なく思ひながらの橋柱思ひながらに中や絶(た)えなん

女のもとに遣(つか)はしける

865 中〳〵(なかなか)に言(い)ひも放(はな)たで信濃(しなの)なる木曽路(きそぢ)の橋(はし)のかけたるやなぞ

源頼光(よりみつ)

題知(し)らず

866 杉立(すぎた)てる宿(やど)をぞ人は訪(たづ)ねける心の松はかひなかりけり

よみ人知(し)らず

862 古くなってしまった昔の恋が、神がかって祟りをするのに、私は祈り鎮めることができなかったよ。○いその神　石上。大和国。ここは「古り」にかかる枕詞。○三句　神がかって。○たゝる　祟る。恋の擬人化。○五句「ねぐ」は、祈ぐ、労ぐ。神をいたわり鎮める。ここは昔の恋心を鎮められなかったこと。▽古今・雑躰・誹諧歌・よみ人知らず・五句「寝ぞ寝かねつる」の異伝。

863 どれほど苦しいものか。葛城の久米路の橋ではないが、二人の仲が途絶えてしまうのは。○葛木の久米地の橋　葛城の久米路の橋。大和国。→七一九。一言主神の伝承によって、中絶えを導く。○五句　愛情の途絶。

864 限りなく思いながら、長柄の橋柱ではないが、思いながらに仲が絶えてしまうのだろうか。○ながらの橋柱　長柄の橋柱。摂津国。古びたものという印象がある。早くに朽ちたので「中絶え」も連想する。上は、「思ひながら」を言い掛け、下は、同音反復によって、「ながらの橋」を導く。「世の中に古りぬるものは津の国の長柄の橋と我となりけり」(古今・雑上・よみ人知らず)。→四六八。

865 中途半端に、口に出して突き放さないで、信濃の木曽路の橋のように、いつまでもかかずらわせておくのは、どうした訳か。○上句　中途半端な女の態度。○三・四句　木曽の桟(かけはし)。「かけたる」を導く序詞。「東路の木曽の桟春来ればまづ霞こそ立ち渡りけれ」(堀河百首・肥後)。○かけたる「かく」は、かかずらわせる意と、「橋」の縁語の「架ける」意を掛ける。

866 杉の立っている家を、あの人は訪ねたのだった。心の中で松ならぬ待つのは、何のかいもないのであった。抄三五・四、五句「松はかひなきものにざりける」。○杉立てる宿　杉が目印の女の家。「我が庵は三輪の山もと恋しくは訪ひ来ませ杉立てる門」(古今・雑下・よみ人知らず)により、待つあるいは訪れる意を表象する。ここは、他の女性の家。○四句「杉」に対して、待つのを「松」と言ったもの。「杉立てる門ならませば訪ひてまし心の松はいかが知るべき」(後拾遺・恋二・藤原高遠)。

867 いその神布留の社の木綿襷かけてのみやは恋ひむと思し

868 我や憂き人やつらきとちはやぶる神てふ神に問ひ見てし哉

869 住吉のあら人神に誓ひても忘るゝ君が心とぞ聞く

870 忘らるゝ身をば思はず誓ひてし人の命の惜しくもある哉

右近

女を恨みて、さらにまうで来じと、誓ひて後に遣はしける

実方朝臣

871 何せむに命をかけて誓ひ剣いかばやと思折も有けり

867 石上の布留の社の木綿欅を懸けるではないが、心に懸けてひたすら恋い慕うことになろうとは、思ったであろうか。○いその神布留の社　石上布留の社。大和国。○三句　三句までは、木綿欅を「懸けて」に掛けて、心に「懸けて」を導く序詞。↓五八八。○下句　予想外に、久しく愛情の叶えられぬ状態が続くこと。「唐衣馴れば身にこそ纏はれめ懸けてのみやは恋ひむと思ひし」(古今・恋五・景式王)。

868 私が冷淡なのか、あの人が無情なのかと、神という神に問うてみたいものだ。○初・二句　私が憂く思っているのか、それともあの人がつらく思っているのかと、主客を逆転して解釈することもできるか。八代集抄「互ひに憂き節ある中の歌なるべし」。○三句　「神」の枕詞。

869 住吉の現人神に愛情を誓っても、すぐに忘れてしまうあなたの心と聞くことだ。○住吉のあら人神　住吉、摂津国。住吉の神は人の姿をして現れる、現人神という。↓五八九。○誓ひても神掛けて愛情を誓う。

870 忘れ去られる我が身のことは思わない。神かけて愛情を誓った人の命が、神の怒りで失われるかと、惜しくもあることだ。抄三三一。○誓ひてし　↓八六九。○人　「君」というところを婉曲に言ったもの。大和物語に「(蔵人)頭」とあるのによれば、藤原師輔か、藤原伊尹。あるいは藤原敦忠。▽小倉百人一首に収められる名歌。大和物語八十三、四段の恋物語に見られる。相手に心から同情する誠心純愛なのか、相手に皮肉を言って揶揄する社交儀礼なのか、解釈が分かれるが、拾遺集としては、前者が妥当か。

871 どうして命を賭けて、もう来るまいなどと言って、誓ったのであろうか。生きたい、行きたいと思う時もあったよ。抄三二二・五句「おりもこそあれ」。実方集。○いかばや　「行かばや」に、「生かばや」を掛ける。「生く」は「命」の縁語。女のもとに行くのは誓を破って死ぬことになるから生きたいとする。▽群書類従本実方集「ある女を、いかなることかありけむ、今はさらに訪はじなど誓ひて、帰りて程経て、いかが覚えけむ(書陵部本、行かまほしかりければ)」。

題知らず

872 塵泥の数にもあらぬ我ゆへに思ひわぶらん妹がかなしさ

よみ人知らず

873 恋ひ〱て後も逢はむと慰むる心しなくは命あらめや

人麿

874 かく許恋しき物と知らませばよそに見るべくありける物を

875 涙河のどかにだにも流れ南恋しき人の影や見ゆると

よみ人知らず

876 涙河落つる水上はやければ塞きぞかねつる袖の柵

貫之

872 塵や泥のように物の数でもない私のせいで、つらい思いでいるであろう妻が愛しいことだ。○塵泥　塵や泥。取るに足らないものの比喩。「数にもあらぬ」の枕詞とも。「積もりては山となるてふ物なれどうくもあるかな塵泥の身よ」（古今六帖一・作者未詳）。○かなしさ　強く心惹かれる様。いとしい。▽万葉集十五の歌。天平十年（七三八）頃、中臣宅守（なかとみのやかもり）が流罪となって、越前に下向する旅の途中で、後に残った妻狭野弟（茅）上娘子（さののおと（ち）がみのおとめ）を思い遣って詠んだもの。猿丸集にあり。

873 恋い続けて、後にも逢おうと慰める気持がなかったならば、命があるだろうか。人麿集。○二句「ありさりて後も逢はむと思へこそ露の命も次ぎつつわたれ」（万葉集十七・作者未詳）。○五句　とても生きてはおられない。恋死を想定した着想。▽万葉集十二・作者未詳歌の異伝。

874 こんなにも恋しいものと分かっていたならば、遠く離れて見ていればよかったのに。抄三六一・四・五句「よそにぞ人をみるべかりける」。人麿集。○上句　八代集抄「逢てのち、かやうに恋しからんとしらば、あはであらん物をと也」。○よそに見る　離れた所で見る。無関係なものとして見る。▽万葉集十一・人麻呂歌集歌の異伝。

875 涙川は、せめてのどかに流れてほしいものだ。恋い慕う人の姿が、映って見えるかと。○涙河　切ない恋の思いの涙が溢れて、川となって流れ出す。流れ出る涙を川として、風景に見立てたもの。○のどかに　八代集抄「早き瀬は物の影も見え分かず。閑なる所には、影も映ればなり」。○流れ　「泣かれ」を響かすか。

876 涙川の落ち来る水上は、流れが早いので、塞き止められないでいた袖の柵だよ。抄三二・二句「いづるみなかみ」。貫之集。○水上　涙川の上流。涙が流れ落ちる所。「涙河何水上を尋ねけむ物思ふ時のわが身なりけり」（古今・恋一・よみ人知らず）。○はやければ　水流が早く激しいので。目から涙が頻りに流れ出すさま。○袖の柵　袖を、涙川を塞き止める柵に見立てたもの。「柵」→四九六。

万葉集和し侍(はべり)ける歌

877 涙(なみだ)河底(そこ)の水屑(みくづ)となりはてゝ恋(こひ)しき瀬(せ)ゞに流(ながれ)こそすれ

源順(したがふ)

女のもとに遣(つか)はしける

878 人知(し)れず落(お)つる涙の積(つ)もりつゝ数(かず)かく許(ばかり)なりにける哉(かな)

藤原惟成(これしげ)

天暦(てんりやく)御時、承香殿(じようきやうでん)の前(まへ)を渡(わた)らせ給(たまひ)て、こと御方に渡(わた)らせ給(たま)ひければ

879 かつ見つゝ影離(はな)れ行(ゆ)く水の面(おも)にかく数(かず)ならぬ身をいかにせん

斎宮女御(さいぐうにようご)

題知(し)らず

880 さ牡鹿(をしか)の爪(つめ)だにひちぬ山河のあさましきまで訪(と)はぬ君哉(かな)

よみ人知(し)らず

881 浅猿(あさまし)や木(こ)の下蔭(したかげ)の岩清(いはし)水いくその人の影を見つらん

877 涙川の底の水屑に我が身はなり果てて、恋しい折々には泣かれ、瀬々を流れ行くことだ。抄三三・二句「そでのみくづと」。○万葉集和し侍ける歌 →七五七。○底の水屑　水底のごみ。「水」に、「身」を響かせるか。○瀬ゞ　折々。○五句「流れ」に「泣かれ」を掛ける。「流れ」は「底」「水屑」「瀬々」と共に「川」の縁語。▽万葉集の本歌を袋草紙は、「我妹子が我を送ると白妙の袖濡つまでに泣きし思ほゆ」「思ひ出でて音をば泣くともいちじるく人の見るべく嘆かすなゆめ」(十一)を指摘する。

878 人に知られず落ちる涙が積もり積もって、数を画けるほどの流れ行く水になってしまったことだ。抄三〇三。○四句　本来は、はかなさの比喩。ここは「行く水」を意味する。「数画く」は、数を数える時に、一定数ごとに目印に線を引くこと。「行く水に数画くよりもはかなきは思はぬ人を思ふなりけり」(古今・恋一・よみ人知らず)を踏まえる。

879 一方で私が見ている前を、君の姿が離れて行く。行く水に数画くような、このように人数でもない身をいかにしようか。抄三一〇。村上御集・斎宮女御集。○天暦御時…　村上天皇が、斎宮女御の居所承香殿(じょうきょうでん)を素通りして、他の后妃のもとにお渡りになったので。○影　姿。「水の面」の縁語。○三句　枕詞的に「かく数」を導く。○四句　「かく数」は、上の「行く水」とも関連し、八七八に引用した古今歌を踏まえる。「かく」は、このようにの意に、「画く」を掛ける。「画く数」と「数ならぬ」を重ねる。

880 牡鹿の爪さえも濡れない山川の浅さ、そのようにあさましいほど、訪ねて来ないあなただよ。○上句　三句までは、山川の浅さによそえて、「あさましき」を導く序詞。▽俊頼髄脳や奥義抄は、兼盛集「さざれ石の上も隠れぬ沢水のあさましくのみ見ゆる君かな」を踏まえたとする。

881 呆れ果てたことだ。木の下蔭にある岩清水のように、どれほど多くの男の姿を、水面に映る影として見たであろうか。○二・三句　多情な女の比喩。○いくそ　どれくらい。「そ」は、十か。▽正保版本金葉集・恋下・初句「うとましや」・三、四句「忘れ水いくらの人の」で重出。

882 行水の泡ならばこそ消え返り人の淵瀬を流ても見め

883 津の国の堀江の深く思ふとも我は難波のなにとだに見ず

884 津の国の生田の池のいくたびかつらき心を我に見すらん

885 津の国の難波渡に作るなるこやと言は南行きて見るべく

886 旅人の萱刈り覆ひ作るてふまろやは人を思忘るゝ

882 行く水の泡であるならば、恋焦がれて、結んだり消えたりしながら、あの人の心の淵瀬を流れても、泣いても見よう。〇水の泡　うたかた。はかないものとされるが、ここは反復永続するものとする。〇消え返り　八代集抄「泡の消えつ結びつする也」。死ぬほど思う意も含むか。〇人の淵瀬　「淵瀬」は、「世の中は何か常なる飛鳥川昨日の淵ぞ今日は瀬になる」(古今・雑下・よみ人知らず)により、転変・変心を表す。八代集抄「人の心の深く浅くなる也」。〇流れ」も響かすか。▽雑恋に重出。→一三三。

883 摂津の国の堀江のように、深く思ったとしても、難波の「なに」ではないが、私は何ともあなたを見ないことだ。〇堀江　運河。難波の景物。「津の国の堀江の」は、「深く」の序詞。〇我は　八代集抄は「我を」。〇難波の　摂津国。「何」を同音反復で導く枕詞的な働き。〇五句　私への深い思いを抱いても、あなたがどうなろうと構わないということか。

884 摂津の国の生田の池の「いく」ではないが、幾度、あなたは無情な心を私に見せるのだろうか。抄三〇。〇初・二句　同音反復で「いくたび」を導く序詞。「生田の池」は神戸市生田社付近の池。「生田の浦」が本来の形か。▽底本、この歌を八八六の次に細字で記し、線でこの位置を示す。貞和本拾遺抄朱書は藤原実頼作。

885 摂津の国の難波の辺りの昆陽(こや)に作るという小屋、その「こや」ではないが、来なさいと言ってほしい。行って逢えるように。〇上句三句まで、「小屋」に掛けて、「来や」を導く序詞。〇こや　「来や」に、葦で葺いた「小屋」、さらに地名の「昆陽」を掛ける。「津の国のこやとも人を言ふべきにひまこそなけれ葦の八重葺き」(後拾遺・恋二・和泉式部)。

886 旅人が萱を刈り、覆って作るという丸屋の「まろ」ではないが、私は恋しい人を思い忘れようか。〇上句　三句まで「丸屋」に掛けて、「磨やは」を導く序詞。〇まろやは　「磨」は自称。「やは」は反語。「丸屋」は、葦や萱で覆った小屋。「津の国のまろやは人をあくた川君こそつらき瀬々は見えしか」(金葉・恋下・よみ人知らず)。

人麿

887 難波人葦火たく屋はすゝたれど己がつまこそとこめづらなれ

よみ人知らず

888 住吉の岸に生ひたる忘草見ずやあらまし恋ひは死ぬとも

889 八百日行く浜の真砂と我が恋といづれまされり沖つ島守

屏風に、み熊野の形描きたる所　兼盛

890 さしながら人の心を見熊野の浦の浜木綿幾重なるらん

富士の山の形を造らせ給て、藤壺の御方へ遣はす　天暦御製

891 世の人の及ばぬ物は富士の嶺の雲居に高き思ひなりけり

887 難波人の葦火を焚く家の端(まつ)は、煤けているけれど、私の妻は、いつまでもすばらしいことだ。人麿集。○三句　煤けている。妻の比喩。○つま「妻」に、軒先の意の「端」を掛ける。○とこめづら　常珍ら。いつまでも魅力が失せない。▽万葉集十一・作者未詳歌の異伝。

888 住吉の岸に生えている忘れ草を、見ないでいようか。恋のつらさに死ぬとしても。抄・雑上四六七・初、二句「すみのえのきしにおふてふ」。○住吉の岸　摂津国。忘れ草は景物。○忘草　カンゾウ。万葉集以来、憂いを忘れる草。平安時代に、恋する人を忘れる草という印象が加わる。ここは忘れ草を見まいとする逆転した趣向。

889 八百日も行くのにかかる浜の砂と、私の恋の思いと、どちらがまさっているか、沖の島の番人よ。抄三〇〇。○真砂　細かな砂。「まいさご」の約。○四句　物を比較する際に使用される慣用句。→五〇九。▽万葉集四・笠女郎と大伴家持との相聞歌の異伝。

890 そのままに人の心を見てしまった。み熊野の浦の浜木綿の葉が幾重にもなっているように、あなたの心隔ては、幾重なのだろう。抄三五〇。○初句「し」は、有りの意の古語という。然(さ)有りながら。○見熊野の浦の浜木綿　紀伊国。浜木綿は景物。「人の心を見」と言い掛ける。「見」は、定家本の文字遣いで、美称の接頭語。浜木綿の葉の重なりから、「幾重」を導く序詞。→六六八。▽落窪物語二に、初句を「隔てける」として見える。

891 世の人が私に及ばないものは、富士の嶺のように、空に高く燃える思いの火だったよ。村上御集・清正集。○富士の山の形　洲浜にしたか。→二七三。○藤壺の御方　村上天皇皇后、藤原師輔女安子。○三・四句　深い思慕の情を富士山によそえる。「雲居」は宮中を暗示するか。○思ひ　「富士の嶺」の縁語「火」を掛ける。▽清正集に「天暦の御時の中宮の歌合の勝態に、富士の山沈して作りて、頂より出だせる煙の下に、内の御方に／世に人の及びがたきは富士の山麓に高き思ひなりけり」とあり、中宮安子歌合での、藤原清正による帝の代作歌になる。

題知らず

892 我が恋のあらはに見ゆる物ならば都の富士と言はれなましを

よみ人知らず

893 葦根はふうきは上こそつれなけれ下はえならず思心を

894 ねぬなはの苦しかる覧人よりも我ぞ益田のいけるかひなき

895 たらちねの親の飼ふ蚕の繭ごもりいぶせくもあるか妹に逢はずして

人麿

896 いさやまだ恋てふ事も知らなくにこやそなるらん寝こそ寝られね

よみ人知らず

892 私の「恋ひ」の火が、外に現れて見えるものならば、都の富士と言われたであろうに。○我が恋　「恋」に、「富士」の縁語「火」を掛ける。○なまし　「ならば」に呼応して、きっと…しただろうの意。

893 葦の根が這い広がる泥地の、上は何ごともないように、私は何気なくしているけれど、その下では只ならず思う心であるよ。抄三二。○初句　泥中の葦の根に、心中に秘めた思慕の情をそえる。「下にのみはひ渡りつる葦の根のうれしき雨にあらはるるかな」(後撰・雑三・よみ人知らず)。→五七一。○うき　埿。泥地。「うきは」までは、以下の比喩。

894 蓴菜(ぬなわ)の根を繰るではないが、共寝できず苦しんでいるらしい人よりも、私の方が苦しみは増し、益田の池の「いけ」ではないが、生けるかいもないことだ。○初句　蓴菜(じゅんさい)の根の。ジュンサイ。「寝ぬ」を掛ける。また、ここは長く伸びているという印象から、「繰る」に掛けて、「苦し」の枕詞。「ねぬなはの寝ぬ名の多くたちぬればなほ大沢のいけらじや世に」(後拾遺・雑二・よみ人知らず)。→七〇二。○益田のいけ　大和国。蓴菜が景物。「増す」と「生ける」を上下に言い掛ける。「恋をのみますだの池ぬうきぬなはくるにぞものの乱れとはなる」(古今六帖三・作者未詳)。

895 親の飼う蚕が繭に籠もるように、鬱々としていることだ、愛する女性に逢えないでいて。人麿集。○初句　「親」の枕詞。○三句　蚕が繭に入っている、窮屈なさま。三句までが、比喩的に「いぶせし」を導く序詞。「たらつ(ちの転)ねの母が飼ふ蚕の繭ごもり隠れる妹を見むよしもがも」(万葉集十一・人麻呂歌集歌)。○いぶせくも　晴々としない。○妹　原歌では「異母」と表記され、異母妹かともいう。▽万葉集十二・作者未詳歌の異伝。

896 さあ、どうであろうか、まだ恋というものを知らないのに、これがそれであろうか。寝ても寝られないよ。○上句　恋の経験がない。「君により思ならひぬ世の中の人はこれをや恋と言ふらむ」(伊勢物語三十八段)。○五句　不眠で、恋を初めて実感する。

897 たらちねの親のいさめしうたゝ寝は物思時のわざにぞ有ける

年を経て信明の朝臣まうで来たりければ、簾越しに据へて物語し侍けるに、いかゞありけん　　中務

898 内外なく馴れもしなまし玉簾誰年月を隔て初めけん

題知らず　　貫之

899 うかりける節をば捨てゝ白糸の今くる人と思なさなん

よみ人知らず

900 思ふとていとこそ人に馴れざらめしかならひてぞ見ねば恋しき

901 手枕の隙間の風も寒かりき身はならはしの物にぞ有ける

897 親が禁じたうたた寝は、恋の物思いをする時の行為だったよ。抄三三。○初句「親」の枕詞。○うたゝ寝　仮寝。夜に物思いで寝られないので、昼にうたた寝をする。→三七。○わざにぞ有ける「わざ」は、しぐさの意。「まどろまで雲居の雁の音を聞くは心づからのわざにぞありける」(和泉式部日記)。

898 内と外との隔てなく馴れ親しんだであろうに。二人の仲は、誰が年月を隔て始めたのだろうか。中務集。○年を経て…　年が経って源信明がやって来たので、簾を隔てて坐らせて話をしたところ、どうしたことがあったのか…。信明が御簾の内に入ったか。○内外なく…　御簾越しの対面は儀礼的。年月を経た訪問なので、中務はわざと他人行儀にした。○玉簾　御簾の美称。ここは、同音反復で、「誰」を導く枕詞的な働きをする。「玉垂れの」の本文もある。▽中務集には、「年頃ありて人来て、帰りて」として、信明の贈歌「衣だに隔てし宵は恨みしに簾の内の声ぞかなしき」があり、その返歌である。

899 不快な思い出は捨てて、白糸を繰るではないが、今初めて来る人と思いなしてほしい。○うかりける節　不快・不満に思うこと。「節」は糸のこぶになった部分の意を掛け、「白糸」の縁語。○三句「繰る」に掛けて、「来る」を導く枕詞。○下句　過去のいざこざを忘れ、愛情の再出発を求める。

900 恋しく思うとしても、格別に馴れ親しまないようにしよう。それが習いとなったら、逢えないと恋しくてたまらないから。抄三六・二、三句「いとしも人にむつれけむ」。○初句「とて」は下に打消を伴なうと、逆接の仮定条件になる。「たとえ…としても」。○しか「馴る」をさす。○ならひて　習いとなる。○五句→七三七。

901 共寝する手枕の隙間の風さえも肌寒かった。今は寒々と独り寝、人の身は慣れ次第のものであったよ。抄五六・五句「ものにざりける」。○手枕→八四九。○四句「人の身もならはしものを逢はずしていざ心みむ恋や死ぬると」(古今・恋一・よみ人知らず)。▽小町集にあり。古本説話集上や今昔物語集十九にも見える。

902 吹風に雲のはたてはとゞむともいかゞ頼まん人の心は

903 若草にとゞめもあへぬ駒よりもなつけわびぬる人の心か

904 逢ふことのかた飼ひしたる陸奥のこまほしくのみ思ほゆる哉

905 陸奥の安達の原の白真弓心こはくも見ゆる君かな

伊勢

906 年月の行らん方も思ほえず秋のはつかに人の見ゆれば

902 吹く風に雲の片端は留まるとしても、どうして頼りにできようか、離れた人の心は。〇雲のはたて「はたて」は、端。古注では、旗の手のような雲、夕日に照らされて光の筋が立ち上るように見える雲とする説が多い。「夕暮は雲のはたてに物ぞ思ふ天つ空なる人を恋ふとて」(古今・恋一・よみ人知らず)。

903 若草で留められない荒馬よりも、なつかせるのに困る、あの人の心だよ。〇若草　馬の好む草。「東路の奥の牧なる荒馬をなつくるものは春の若草」(拾玉集)。〇とゞめもあへぬ駒　制御できない荒馬。〇四句　なつかせるのに難渋する。「春の野に荒れて捕られぬ駒よりも君が心ぞなつけわびぬる」(平中物語三十三段)。〇五句「人」は相手の男。

904 あなたに逢うことは難しく、飼い慣らしてない陸奥の駒(こま)ではないが、「来まほしく」、来てほしいとばかり思われることだ。〇二・三句「片飼ひ」は、飼い慣らしてない意。上は、「逢ふこと難(し)」を言い掛ける。下は、「駒」に掛けて、「来まほしく」を導く序詞。まだ馴染んでない相手の男をよそえる。「問ふにこそ片飼ひごめの巣籠りもいぶせからずは思ひなりぬれ」(夜の寝覚五)。

905 陸奥の安達の原の白真弓のように、心かたくなに愛情を拒んでいるとも見えるあなただよ。〇上句　安達の原で産する、白木の檀で作った弓。強弓に寄せて、「こはく」を導く序詞。「陸奥の安達の真弓たむれども心こはさは止まずざりける」(古今六帖五・作者未詳)。〇心こはく　求愛に応じないさま。▽兼盛集にあり。

906 年月が行くように、二人の仲の行く末も思いつかない。秋の果てに、飽き果てて、ほんの僅か、あの人が姿を見せただけだから。伊勢集。〇初句「行く」にかかる序詞的な用法。相手をよそえるとも解せる。〇二・三句　行く先がわからない。年月も、二人の仲も。〇四句　僅かの意の「はつかに」に、「秋の果つ」を言い掛け、「飽き果つ」を響かせる。▽中務集にもあるが、伊勢の歌であろう。

907 思(おもひ)きや逢(あ)ひ見ぬほどの年月をかぞふ許(ばかり)にならん物とは

908 遥なる程にも通(かよ)ふ心哉(かな)さりとて人の知(し)らぬ物ゆへ(ゑ)

遠(とほ)き所に思ふ人を置(お)き侍(はべり)て　　源経基(つねもと)

909 雲居(ゐ)なる人を遥に思ふには我(わ)が心さへ空(そら)にこそなれ

道(みち)をまかりて詠(よ)み侍ける　　人(ひと)麿(まろ)

910 よそに有(あり)て雲居(くもゐ)に見ゆる妹(いも)が家に早くいたらむ歩(あゆ)め黒駒(くろこま)

題知(し)らず　　よみ人知(し)らず

911 我(わ)が帰(かへ)る道(みち)の黒駒(くろこま)心あらば君は来(こ)ずとも己(おの)れいなゝけ

907 思ったであろうか。逢い見ない間の年月を、数えるほどになろうものとは。伊勢集。○二・三句　逢瀬のない時期が続く年月。「逢ひ見る」は、逢瀬。▽後撰集には源信明歌として、「ひさしうあはざりける女につかはしける／思ひきや逢ひ見ぬことを何時よりと数ふばかりになさむものとは」（恋二）とあり、信明集に「二三日ばかりあはぬ女に」の詞書で三句「いつなりと」の形で載る。信明の作か。

908 遥か遠くの所にも通じる私の恋の思いだよ。と言っても、あの人の知らないことなのだが。抄二九八・よみ人知らず・五句「しらじものゆゑ」。○通ふ心　わが身から抜け出して通う魂とする説もある。「たなばたの心や空に通ふらむ今日たちわたる天の川霧」（中務集）。▽伊勢集。抄からすると、伊勢の歌ではない。

909 雲のたたずむ遠くにいる人を、遥か彼方に思い遣る時は、私の心までが上の空になることだ。抄二九九・三句「こふる身は」。○遠き所　赴任先から遠くの都を言う。○雲居なる人　ここは、詞書の「遠き所」。「雲居」は、雲のたたずむ所の意。○五句　「空」は、上の空の意で、「雲居」の縁語。

910 隔たった所にあって、雲のいる彼方に見える愛しい人の家に、早くつきたい、歩け黒駒よ。抄三〇一・おとまろ。人麿集。○初句　隔てを表す。旅の帰途であろう。○雲居　ここは、遠い所であっても、目の及ぶ範囲。○妹　愛する女性。妻など。○歩め　「歩む」は、徒歩で行く。「歩く」は、乗物も含めて、広く移動する意。○黒駒　黒毛の馬。▽万葉集七・人麻呂歌集歌の異伝。類歌、万葉集十四・作者未詳歌。

911 私の帰る道に乗る黒駒よ、思い遣る心があるならば、あの人は来なくても、お前はいななき励ましておくれ。○我が帰る道　旅から一人、馬で女が帰る道。一夜愛する人のもとで過ごしての帰途とする説もある。○黒駒　→九一〇。○三句　無情のものに有情を求める万葉集以来の表現。自分の心情を理解できるならば。○四句　夫は、同行しなくても。○己れ　馬への呼びかけ。○いなゝけ　いなないて励ませ、と命じる。▽前歌に対して、女の歌。

入道摂政まかりたりけるに、門を遅く開けければ、立ちわづらひぬと言ひ入れて侍ければ

912 嘆つゝ独寝る夜のあくる間はいかに久しき物とかは知る

右大将道綱母

題知らず

913 なげ木こる人入る山の斧の柄のほと〱しくもなりにける哉

よみ人知らず

行ひせんとて山に籠り侍けるに、里の人に遣はしける

914 人にだに知らせで入りし奥山に恋しさいかで尋ね来つらん

国用がむすめを知光まかり去りて後、鏡を返し遣はすとて、書き付けて遣はしける

915 影絶えておぼつかなさのます鏡見ずは我が身の憂さも知られじ

題知らず

916 思ます人しなければます鏡うつれる影と音をのみぞ泣く

よみ人知らず

912 嘆き嘆き独り寝する夜が明けるまでの間は、どんなにつらく長いものか、お分かりか。抄三六八。○入道摂政…　藤原兼家が来た時に、門をすぐに開けなかったので、立ち疲れたと外から内に言葉を寄越したので詠んだ歌。○遅く開ければ　「遅く…す」は、「…しない」意。○三句　夜が「明く」に、戸を「開く」を掛ける。▽蜻蛉日記上・大鏡兼家伝・小倉百人一首に収載。日記では、翌朝に道綱母から詠み贈った歌。

913 投げ木を樵る人が入る山の斧の柄が朽ちるように、嘆きが凝り集まって、死にそうになってしまったことだ。○なげ木　「投げ木」に「嘆き」を掛ける。「投げ木」は、火に投げ入れて薪とする雑木。○こる　「樵る」に「凝る」を掛ける。○三句　述異記などにある晋の王質の「爛柯(らんか)」の故事を踏まえる。山に木を樵りに行き、仙人の打つ碁を夢中になって見ていたら、持っていた斧の柄が朽ちるほど時が経っていたという話。三句までが、「ほとほとし」を導く序詞。○ほと〳〵しく　殆しく。柄が朽ちてしまいそうの意に、今にも死にそうの意を掛ける。斧音の擬音語「ほとほと」を響かせるか。

914 人にさえ知らせないで入った奥山に、人恋しさがどうして尋ね来たのだろうか。抄二九〇・二句「しられでいりし」。○奥山　籠居の場所。○恋しさ　擬人法での言い方。籠居しても人恋しくてたまらないのを、擬人化して言う。

915 あなたの姿が絶えてから、気がかりさが増すことだ。この鏡を見なければ、我が身の情けなさを知ることはあるまい。抄三五五・初句「かきたえて」・五句「うさもまさらじ」。○国用がむすめを…　藤原国用女のもとから藤原知光が去って後、鏡を送り返す際に書き付けて贈った国用女の歌。○影　姿。「ます鏡」の縁語。○二句　「おぼつかなさの増す」を言い掛ける。→四六九。鏡には愛する人の面影が宿るとされた。▽鏡の返却は、離婚の確認。仲文集では仲文女の歌として見え、知光の返歌がある。

916 私への愛情を増す人はいないので、鏡に映る我が影と共に、声を立てて泣くばかりだ。抄三五四。○初句　「ます」は、下の「ます鏡」と音韻的に響き合う。○三句　→四六九。○影　→九一五。

917 我が袖の濡るゝを人のとがめずは音をだにやすく泣くべき物を

元良の親王、小馬の命婦に物言ひ侍ける時、女の言ひ遣はしける

918 数ならぬ身はたゞにだに思ほえでいかにせよとかながめらるらん

題知らず　　　　よみ人知らず

919 夢にさへ人のつれなく見えつれば寝ても覚めても物をこそ思へ

920 見る夢のうつゝになるは世の常ぞうつゝの夢になるぞ悲しき

921 逢事は夢の中にも嬉しくて寝覚めの恋ぞわびしかりける

917 私の袖が濡れるのを、人が気に掛けなければ、声を立ててでも思うままに泣けるのだが。抄三四八。○初・二句　思慕のつらさに耐えかねて流す涙で、袖が濡れる。○とがめずは　「とがむ」は、気に留めて、注目したりする。○音を…泣く→九一六。

918 人数でもない我が身には、いいかげんな恋とも思われないで、どうせよということで、物思いをするのだろうか。元良親王集。○元良の親王…　元良親王が小馬命婦に語らっていた時に、女が言い遣った歌。○小馬の命婦　素姓未詳。○たゞにだに思ほえで　並々なこととは思われずに。深い愛情を抱いているのである。元良親王集によれば、身分違いを北の方から咎められたので、このまま済むとは思われないの意にも解せる。○いかにせよとか　我ながらどうするつもりなのかというのである。▽元良親王集「北の方、宮にむしことてさぶらひける、召しければ、勘事に置き給てけるを、男宮狛野の院におはしましけるに、むしこが奉りける」。親王の恋愛相手である作者は、「むしこ」という名の女童か。

919 夢にまであの人が無情に見えたので、寝ても覚めても物を思うことだ。抄三三六。○初句　言外に、現実が暗示されている。○三句　目が覚めたばかりで、夢が記憶に留められている。○四句　それぞれ夢と現実に対応する。○五句　現実でも夢でも冷淡な相手を思い嘆く。

920 見る夢が現実になるのは世の常のこと。現実の愛情が、はかなく夢になるのは、悲しいことだ。○うつゝの夢になる　恋が破綻して、相愛の頃が夢のように思われる。

921 逢うことは、夢の中でも嬉しいが、目覚めて面影の浮かぶ恋はつらいことだった。抄三三七。天慶六年(九四三)七月以前、陽成院親王二人歌合歌・四句「寝覚めの後ぞ」。○寝覚めの恋　夢から寝覚めた後のわびしい恋。歌合の題。→八〇一。ここは、恋の物思いによって夜半に寝覚めるとも、朝寝覚めてから夢に見た人を恋い慕うともとれる。▽同歌合には、「夢の中に恋しき人の見えつればあはれを増すは寝覚めなりけり」もある。

922 忘れじよゆめと契りし事の葉はうつゝにつらき心なりけり

923 あたらしと何に命を思けん忘れば古くなりぬべき身を

924 ちはやぶる神の斎垣も越えぬべし今は我が身の惜しけくもなし

柿本人麿

922 「忘れまいよ、ゆめゆめ」と約束した言葉は、夢ならぬ現実ではあの人の無情な心であったよ。抄三八。〇忘れじよゆめ　会話体。「ゆめ」は、否定の語句と呼応して、「決して…ない」という、強い打消の意を表す。また、「夢」を掛ける。〇契りし　言い交した。〇三句　言の葉は。定家本の文字遣い。〇下句　現実では、無残に愛情が裏切られ、恋の相手は変心して冷淡になった。

923 惜しいものと、どうして命を思ったのだろうか。人が忘れれば、古くなってしまうこの身なのに。〇あたらし　惜しい。「新し」を重ねて、「古し」と対照させるか。〇二・三句　長生きして、いつまでも愛し合おうと思ったのである。〇忘れば　相手が忘れると。忘れられれば。〇古くなりぬべき身を　「古くなる」は、古びる。相手から飽きられ、捨て去られる。そういう身になれば命はいらないとする。

924 神社の垣根も越えかねないほどだ。今となっては、我が身が、惜しいとも思わない。抄二四六・二句「神のやしろも」・五句「をしげなければ」。〇初句　「神」の枕詞。〇神の斎垣　神社の垣。玉垣。瑞垣。聖域を表す。〇三句　禁忌を犯しそうな恋の思いゆえ。「木綿(ゆふ)懸けて斎(いは)ふこの社(もり)越えぬべく思ほゆるかも恋の繁きに」(万葉集七・作者未詳)。〇五句　「惜しけく」は、「惜し」のク語法。平安時代には、形容詞として意識されるようになった。惜しくもない。▽万葉集十一・作者未詳歌の異伝。伊勢物語七十一段に、下句を「大宮人の見まくほしさに」とする類歌がある。

拾遺和歌集巻第十五　恋五

善祐法師流され侍ける時、母の言ひ遣はしける

925 泣く涙世はみな海となりななん同じ渚に流寄るべく

題知らず

926 住吉の岸にむかへる淡路島あはれと君を言はぬ日ぞなき

人　麿

927 捨てはてむ命を今は頼まれよ逢ふべきことのこの世ならねば

よみ人知らず

925 泣く涙で、この世の中は皆海となってしまってほしい。我が子と同じ渚に流れ寄れるように。抄三六八・五句「なみやよすると」。○善祐法師…寛平八年(八九六)九月、清和天皇皇后の二条后藤原高子と善祐法師との密通が露見した。高子は皇太后の位を廃され、没後の天慶六年(九四三)五月に復位した。善祐法師は、伊豆講師として配流された。扶桑略記・九月二十二日条「陽成太上天皇之母儀、皇太后藤原高子、与二東光寺善祐法師一窃交通云々。至二于善祐法師一配‐二流伊豆講師一」。「善祐法師の伊豆の国に流され侍りけるに／別れてはいつ逢ひ見むと思ふらむ限りある世の命ともなし」(後撰・離別・伊勢)。○三句「なむ」。…てしまってほしい。○四句　子の流されて行くのと同じ伊豆の渚に。○五句　漂着するように。▽抄の詞書は、「善祐がながされ侍りける時、ある女のいひつかはしける」(北野本もほぼ同じ)とあり、抄貞和本は詠者を「読人不知」に朱筆で「二条后」とする。八代集抄「此歌、恋にあらねど、子を思ふも恋慕哀愁の儀なればにや」。

926 住吉の海岸に向かい合っている淡路島の「あは」ではないが、ああ、愛しいと、あなたのことを言わない日はない。○住吉の岸　摂津国。○淡路島　淡路国。三句までが、同音反復で、「あは」を導く序詞。「淡路にてあはと遥かに見し月の近き今宵は所がらかも」(躬恒集)、「あはと見る淡路の島のあはれさへ残る隈なく澄める夜の月」(源氏物語・明石)。○あはれ　ああ、愛しい。恋する人に対する感慨。▽万葉集十二・作者未詳歌の異伝。

927 捨て去ってしまう命を、今となっては頼りにしてほしい。逢うことが期待できるのは、この世ではないのだから。抄三六九。○捨てはてむ命　恋死を意識しているか。○今は　恋愛の成就の見込みがなくなった現在。○逢ふべきこと　逢瀬。逢うのができること。○五句　現世ではないので。▽八代集抄「此世に逢ふ事は不レ叶身に成にたれば、恋に捨果ん命を頼まれよ。来世にては逢べしと含て也」。

928 生き死なん事の心にかなひせば二度物は思はざらまし

929 燃えはてゝ灰となり南時にこそ人を思ひの止まむ期にせめ

930 いづ方に行き隠れなん世中に身のあればこそ人もつらけれ

931 有経むと思ひもかけぬ世中はなか〳〵身をぞ嘆かざりける

932 いつはりと思ものから今さらに誰がまことをか我は頼まむ

928 生き、死ぬことが、思いのままに叶うならば、二度も物思いはしなかろうに。抄二六九。〇生き死なん事　生死。〇下句　恋死にしようと思っても、思いが叶いそうになれば生きたいと思う。思いが叶っても相手が冷淡になれば、死んでしまいたいと思う。命が自由になれば、生きたい、死にたいなどと物思いすることはなくなるだろうとする。

929 燃え尽きて私の亡骸が灰となってしまう時に、人を恋う「思ひ」の火を止める時期としよう。〇初・二句　火葬して、灰となる時。死ぬ時。〇下句　「人を思ひ」と「火の止まむ期」を重ねる。「火」は「燃え」と共に「灰」の縁語。

930 どこに行き隠れてしまおうか。この世の中に我が身があるからこそ、あの人も無情な態度を取るのだ。〇初・二句　出家隠遁、あるいは死をも含めるか。〇世中　世間。男女の仲の意も添えるか。〇五句　相手が自分に対して冷淡に振舞う。八代集抄「我が身世になくば、憂き人ももしあはれと思はんかと也」。自分が相手を薄情な人と恨むとする解もある。▽新古今・恋五に重出。

931 生き長らえようと思いもかけない世の中は、かえって身の不運を嘆かないのであった。抄二八六・詞書「男のとひ侍らざりければつかはしける」・五句「うらみざりける」に傍注「なげか」。〇初・二句　現世への執着を断ち切ってしまったとする。長く続きはしないと、男女の仲を達観するとも解せる。〇世中　この世。現世。〇下句　かえってさばさばとして、思い悩むこともない。▽八代集抄「かく思はれぬ身は、一向に捨て果てんと思へば、しひて憂き身とも嘆かぬと也」。

932 偽りの言葉と思うものの、今となっては、誰の誠実さを、私は頼みにしようか。〇いつはりと思　今の恋愛相手を必ずしも信頼していない。〇今さらに…　と言って、どの男も変心していたので、他に信頼できる人もいない。▽古今・恋四に重出。伊勢物語の異本系統の阿波文庫本や顕昭本などに、定家本三十六段の増補歌として見える。

933 世中(よのなか)のうきもつらきも忍(しの)ぶれば思(おもひ)知(し)らずと人や見る覧(らん)

934 ひたぶるに死(し)なば何(なに)かはさもあらばあれ生きてかひなき物思(おもふ)身は

935 恋(こ)するに死(し)にする物にあらませば千度(ちたび)ぞ我は死(し)にかへらまし

936 恋(こ)ひて死(し)ね恋(こ)ひて死(し)ねとや我妹子(わぎもこ)が我(わ)が家の門(かど)を過(す)ぎてゆくらん

937 恋(こ)ひ死(し)なば恋(こ)ひも死(し)ねとや玉桙(たまほこ)の道行(ゆき)人に事づてもなき

人麿(まろ)

933 世の中の憂さも辛さも耐え忍んでいると、情知らずと人は見るだろうか。抄三四。○初句　男女の仲ともとれる。○二句　憂鬱なことも辛苦なことも。「世中のうきもつらきも告げなくにまづ知る物は涙なりけり」(古今・雑下・よみ人知らず)。○四句　無情だ。情緒や人情を解しない。○人　世間の人。「世の中」を男女の仲とすると、恋の相手。

934 一途に死んでしまえば、何も構うことはない。それならそれでよい、生きてもかいのない、恋の物思いをする身は。抄三三・四句「いきてかひなく」。○何かは　上を受けて、それならば、それで構わない、といった語感。ここで句切れ。○三句　えいままよ。どうともなれ。投げやりな言い方。本来は、「遮莫」の漢文訓読語。○四句　「うらみてもかひなきものと知りぬれば生きてかひなき我が身なりけり」(元真集)。▽小大君集に、男の歌としてあり、藤原朝光とする説がある。八代集抄「見捨てられて、恨むあまりの歌にこそ」。

935 恋をすると死ぬものであったならば、千回も私は死ぬのを繰り返すだろう。人麿集。○初・二句　恋死を言う。○下句　「返る」は、反復を表す。遊仙窟の「千遍死ナシメム」によった着想という。▽万葉集十一・人麻呂歌集歌、また、その類歌、同四・笠女郎の歌の異伝。

936 恋い死ね、恋い死ねということなのか、私の思う人が、我が家の門前を素通りして行くようだ。人麿集。○我妹子　私の愛する女性。妻、恋人など。○下句　家の前を立ち寄らずに通り過ぎる。いわゆる前渡り。▽万葉集十一・人麻呂歌集歌の異伝。原歌は、上句「恋ひ死なば恋ひも死ねとや」。

937 恋死するならば、恋死せよということなのか、我が家の前の道を行く人に、あの人から何の伝言もないことだ。人麿集。○上句　「恋死なば恋も死ねとや時鳥物思ふ時に来鳴きとよむる」(万葉集十五・作者未詳)。○三句　「道行人」の枕詞。○事づて　言伝て。伝言。定家本の文字遣い。▽万葉集十一・人麻呂歌集歌の異伝。原歌は、下句「道行く人のこともらなく」。

重之

938 恋しきを慰めかねて菅原や伏見に来ても寝られざりけり

読人知らず

939 恋しきは色に出でても見えなくにいかなる時か胸に染むらん

940 忍ばむに忍ばれぬべき恋ならばつらきにつけて止みもしなまし

女に遣はしける　大中臣能宣

941 いかで〳〵恋ふる心を慰めて後の世までの物を思はじ

題知らず　よみ人知らず

942 限なく思ふ心の深ければつらきも知らぬものにぞありける

938 恋しさをなだめかねて、菅原の伏見に来て臥し身になっても、その名のように寝られないのであった。〇二句 「我が心慰めかねつ更級や姨捨山に照る月を見て」(古今・雑上・よみ人知らず)。〇菅原や伏見 大和国。「石上布留」と同じような地名の呼称。「臥し身」を連想させる。「名に立ちて伏見の里と言ふ事は紅葉を床に敷けばなりけり」(後撰・雑四・よみ人知らず)。〇五句 伏見の「臥し身」という名に反して、寝られなかった身だとする。恋の苦悩で、夜も眠れないのである。

939 恋しさは色に出て見えるものでもないのに、どのような時に胸に色のように染み付くのだろうか。〇二・三句 恋は色として見えないのに。慣用語句の「色に出づ」の逆用か。↓六三。〇五句 恋を染色と見立てた趣向。↓八四二。

940 堪え忍ぼうとして、我慢できそうな恋ならば、相手の無情さに応じて、止めもしたであろうに。抄二七三。〇上句 我慢できるような程度の浅い思慕ならば。抑制できないような烈しい恋慕である。〇下句 相手の無情な態度に屈伏して、断念できるような恋ではない。一方に、相手がますます冷淡であるという現実がある。「なかなかにつらきにつけて忘れなば誰も憂き世を嘆かざらまし」(高遠集)。

941 どうかどうか恋い慕う心をすっきりさせて、来世にまで続く物思いをしたくないものだ。抄二四三・大中臣輔親。〇女に… つれない女性に詠んで贈った歌。〇初句 同語を反復して強調する。〇二・三句 恋に思い悩む心を晴れ晴れとさせる。恋の成就が、心を慰めることになる。〇下句 執着すると、来世に救済されず極楽往生できないから。▽輔親集にあり。

942 限りなく思う心が深いので、無情な仕打ちもそれとは感じられないものであった。抄三七・四句「物にざりける」。〇上句 「人知れず思ふ心の深ければ言はでぞしのぶやそ島の松」(伊尹集)。〇下句 相手の冷淡さも気にかからないほどの深い愛着とする。八代集抄「つらき人とも思ひあへず、ただに思ふ心なるべし」。

943 わりなしやしひても頼む心哉つらしとかつは思ものから

944 うしと思物から人の恋しきはいづこを偲ぶ心なるらん

945 身のうきを人のつらきと思こそ我とも言はじわりなかりけれ

946 つらしとは思物から恋しきは我にかなはぬ心なりけり

947 つらきをも思知るやは我がためにつらき人しも我を恨むる

943 道理に合わないことだ。強引にも思いが通じると期待する我が心だこと。あの人は無情だと、一方では分かっているのに。抄三四二。○初句　自分の心なのに理屈では説明が付かない、筋道の立たない行動をしている。八代集抄「五文字、深切也」。「わりなしや人こそ人と言はざらめみづから身をや思ひ捨つべき」(紫式部集)。○二・三句　一途に恋の成就を期待する心だ。自分の心が独り歩きしてそうしているとする。「つらしとも思ひぞはてぬ涙河流れて人を頼む心は」(後撰集・恋二・橘実利)。○下句　客観的に見れば、相手が自分に冷淡なのが分かっているけれども。

944 恋二に重出。→七三一。

945 我が身の逢えないつらさを、あの人は私がつれないからと思っているのは、自分のせいとも言わないが、筋道の立たないことだ。○上句　自分に差し障りがあって逢えないでいるのを、相手は自分が無情だと誤解して恨む。→八六八。「身の憂きと思ひ知りぬる物ならばつらき心を何か恨みむ」(本院侍従集)。○四句　挿入句的な形。これは、自分の所為ということではなく、むしろ世間によく見られることだというのである。○五句　何とも矛盾したことだ。半ば諦めて、慨嘆している口調。

946 薄情だとは思うのに、恋しいのは、自分の思うままにならぬ心なのであったよ。抄三四一・四句「こころもあらぬ」。○上句　相手が無情だと分かっていながら、なお恋い慕う。情理が相反して、愛執を断ちがたい様。「いくかへりつらしと人をみ熊野のうらめしながら恋ひしかるらむ」(詞花・恋下・和泉式部)。○下句　「心」を、「身」と分離したものと考える。八代集抄「つらしと思ひ倦んじながら、恋しきは、我が心の我に叶はぬと嘆く心也」。「いとふとは知らぬにあらず知りながら心にもあらぬ心なりけり」(後拾遺集・恋二・藤原長能)。

947 つらく感じているのを、あの人は、思い知っているだろうか。私に対してつれないあの人が、かえって私を恨んでいる。○四句　上の「つらし」は苦悩の意だが、この「つらし」は無情・冷淡な意。

948 心をばつらき物ぞと言ひ置きて変らじと思ふ顔ぞ恋しき

949 あさましや見しかとだにも思はぬに変らぬ顔ぞ心ならまし

もの言ひ侍ける女の、後につれなく侍て、さらに逢はず侍ければ

950 あはれとも言ふべき人は思ほえで身のいたづらに成ぬべき哉

一条摂政

題知らず

951 さもこそは逢ひ見むことのかたからめ忘れずとだに言ふ人のなき

伊勢

952 逢ふことのなげきの本を尋ぬればひとりねよりぞ生ひはじめける

藤原有時

948 私の心を薄情なものだ、とあの人は言い置いていた、その折の心は変ってはいまいと思う顔が恋しいことだ。抄三四七。〇初・二句　男の言。「心」は作者の心。作者の薄情さをなじったのである。〇三句　言い置いて帰った。〇変らじ　変るまいと思われる顔つき。心が変らないとする説もある。

949 呆れたことだ。はっきりと見たとさえ思わないのに、今も変らない顔が目に浮かぶのは、自分の心のせいなのだろう。〇五句　面影が鮮明に浮かぶというのである。面影が思い浮かぶはずがない、という前提にたち、愛着の深さのなせるわざとする。男の歌か。

950 「ああ、かわいそうだ」とも言ってくれそうな人は、思い浮かべられずに、我が身はむなしく死にそうになったことだ。抄三四三・二句「いふべき人も」。伊尹集。〇もの言ひ侍ける女の…語らっていた女性が、後に冷淡になって、まったく逢わなくなったので。伊尹集「言ひ交しけるほどの人は、豊蔭に異ならぬ女なりけれど、年月を経て返り事をせざりければ、負けじと思ひて言ひける」。〇初・二句　自分に対して、同情共感してくれそうな人。暗に、相手の女性にそうなってほしいと訴える。〇身のいたづらに成　身がむなしくなる。死ぬ。「恋ひわびて身のいたづらになりぬとも忘るな我によりてとならば」(元真集)。▽小倉百人一首にも入る名歌。

951 確かにそのように逢い見ることはむずかしいだろうが、忘れないとだけでも言ってくれる人がいないことだ。抄三四五・二句「あひ見ることの」。伊勢集。〇初句　いかにもそのとおり。「さ」は男の逢えない言い訳を指す。〇下句　せめて消息だけでもほしいと願う。

952 逢うことがないのを嘆く原因、投げ木のもとを尋ねたところ、独り寝という根から生え始めていたのだった。抄三六七。〇なげき　「嘆き」に「投げ木」を掛ける。「もと」「根」「生ふ」はその縁語。投げ木。→九一三。「逢ふことの無(し)」を言い掛ける。〇本　原因の「もと」に、木の「もと」を掛ける。〇ひとりね　「独り寝」に、「根」を掛ける。〇五句　物事が生じる意に、木が生える意を掛ける。

953 おほかたの我が身一つのうきからになべての世をも怨つる哉

貫之

954 あらち男の狩る矢の前に立鹿もいと我許物は思はじ

人麿

955 荒磯の外行く浪の外心我は思はじ恋ひは死ぬとも

956 かき曇り雨ふる河のさゝら浪間なくも人の恋ひらるゝ哉

957 我がごとや雲の中にも思らむ雨も涙も降りにこそ降れ

953 だいたいは我が身一つの不誠実さが元なのに、すべて世の中の所為にして恨んできたことだ。抄三四六・よみ人知らず。○初句　大局的な立場に立って物事の本質を見定める、というような意に用いられる。○二・三句　恋において、いやなことつらいことは、全部が自分の不誠実から起こったのに。○下句　すべての不快なことや悪いことを、世の中に転嫁して恨んできたとする。「飛鳥川我が身一つの淵瀬ゆゑなべての世をも恨みつるかな」(後撰・雑三・よみ人知らず)。▽俊頼髄脳「物に心得たりと聞ゆる歌」。

954 たくましい男が狩りをする矢の前に立つ鹿も、まったく私ほどに物思いはするまい。人麿集。○あらち男　荒ち男。勇壮な男。「荒し男」の転。○二・三句　猟人の矢の前に立つ鹿。憂愁・不安の比喩。▽猿丸集にあり。

955 荒磯のほかに散り行く波のように、ほかの人への浮気心を私は思うまい。恋に死ぬとも。人麿集。○初・二句　同音反復、また、比喩的に「外心」を導く序詞。荒磯は、岩石の多い水辺。波があちこちに立つ。○外心　あちこちに向かう心。あだし心。○五句　一途に愛情を誓う。→六五五。▽万葉集十一・人麻呂歌集歌の異伝。

956 かき曇り雨が降る布留川のさざ波のように、絶え間なくあの人が恋しくなることだ。○初・二句「かき曇り雨降る」「布留川の」と重ねる。布留川は、大和国。○さゝら浪　さざ波。さざれ波。雨が降ると細かな波が川に「間なく」立つということから、三句までが、比喩的に「間なく」を導く序詞。「千鳥鳴く佐保の川原のさざら波やむ時もなく我が恋ふらくは」(古今六帖六・大伴坂上郎女)。▽万葉集十二・作者未詳の布留川を詠む歌の異伝。

957 私のように、雲の中でも物思いをしているのだろうか。雨も涙も降りに降っている。抄三五一・よみ人知らず。○二・三句　雨を空の流す涙と見立て、雲を擬人化してその中でも物思いをしているとする。○五句「降る」を重ね、涙が雨となって降ることを強調する。「いづれをか雨とも分かむ山伏の落つる涙も降りにこそ降れ」(後撰・雑二・よみ人知らず)。▽伊勢集にあり。

貫之

958 降る雨に出でても濡れぬ我が袖の蔭にゐながらひちまさる哉

よみ人知らず

959 これをだに書きぞわづらふ雨と降る涙を拭ふいとまなければ

960 君恋ふる我も久しくなりぬれば袖に涙もふりぬべら也

961 君恋ふる涙のかゝる袖のうらは巌なりとも朽ちぞしぬべき

962 まだ知らぬ思ひに燃ゆる我が身哉さるは涙の河の中にて

958 降る雨に外に出ても濡れない私の袖が、物陰に居ながら、濡れまさることだ。貫之集。○初・二句　雨中に出てもあまり濡れない袖と解する説がある。また「出でで」とする説もある。八代集抄「雨に出て濡れぬことはあらねど、恋故の上を強く言はんとて也」。○蔭　物陰。雨の降りかからない所。○ひちまさる　涙でひどく濡れる。別な解釈を採れば、雨で少し濡れた袖が、涙で一層濡れるということになる。

959 この消息さえ、書きあぐねている。雨となって降る涙を拭うのに暇もないので。○これ　これは、消息、手紙。○二句　書くのに苦労する。涙が溢れて、目の前が塞がり、なかなか手紙が書けないことだとする。○五句　筆をとる暇もない。「葦の屋のなだの塩焼いとまなみ黄楊の小櫛もささず来にけり」(伊勢物語八十七段)。

960 あなたを恋い慕う私の思いも久しくなったので、袖に降る涙も古びてしまったようだ。亭子院歌合歌。○久しく　下の「古る」と対応する。○五句「降る」に、「古る」を掛ける。涙も古びたとする。「べら也」→二三。▽亭子院歌合は作者未詳で「君恋ふる我が身ひさしくなりぬれば袖に涙も見えぬべらなり」。

961 あなたを恋い慕う涙がかかる袖の裏は、袖の浦が巌であるとしても、朽ちてしまいそうだ。○袖のうら　「裏」に、「浦」を掛ける。袖の浦は、出羽国。「あさましく舟流したる海人よりも我が袖のうらの潮もかわかず」(斎宮女御集)。○下句　「巌」は、荒磯。浦の景物。巌も朽ちるような、溢れ出る思慕の涙。

962 まだ経験してもいない「思ひ」という火に燃える我が身だよ。というのは、涙の川の中にいるのだから。○初・二句　未曽有の火に燃える。「思ひ」に、「火」を掛ける。○さるは　以下、「まだ知らぬ火」である理由を述べる。○涙の河の中にて　水の中で火が燃える、とする。燃える思いと涙川という類型を合わせて、その非現実性に着目した趣向。「篝火にあらぬ我が身のなぞもかく涙の河に浮きて燃ゆらむ」(古今・恋一・よみ人知らず)。「涙の河」→八七五。▽深養父集にあり。

女のもとにまかりけるを、もとの妻(め)の制(せい)し侍(はべり)ければ　　源景明(かげあきら)

963 風をいたみ思(おも)はぬ方に泊(とまり)する海人(あま)の小(を)舟もかくやわぶらん

題知(し)らず　　よみ人知(し)らず

964 瀬(せ)をはやみ絶(た)えず流(なが)るゝ水よりも尽(つ)きせぬ物は涙なりけり

965 我(わ)がごとく物思(おもふ)人はいにしへも今行末(ゆくすゑ)もあらじとぞ思(おもふ)

坂上郎女(さかのうへのいらつめ)

966 黒髪(くろかみ)に白髪(しろかみ)まじり生(お)ふるまでかゝる恋(こひ)にはいまだ逢(あ)はざるに

967 潮満(しほみ)てば入(いり)ぬる磯(いそ)の草なれや見らく少(すく)なく恋(こ)ふらくの多(おほ)き

963 風が烈しいので、思いも寄らない所に停泊する漁師の小舟も、このように落胆し嘆くのだろうか。抄三四〇。○風をいたみ　本妻が怒り狂うさまを暗示する。「須磨の海人の塩焼く煙り風をいたみ思はぬ方にたなびきにけり」(古今・恋四・よみ人知らず)。○思はぬ方　思いがけない場所。目的地でない港。本妻の家をさす。○泊する　停泊する。一夜を過ごすことをいう。○海人の小舟　漁船。自分をさす。

964 瀬の流れが早いので、絶えることなく流れる水よりも、尽きないものは、私の涙であった。○初句　「瀬」は、川の水の浅くて、流れの早い所。「瀬を早み落ちたぎちたる白波に蛙鳴くなり朝夕(よひ)ごとに」(万葉集十・作者未詳)。○下句　恋に満たされない深い悲哀をいう。「君まさで年は経ぬれど故里に尽きせぬものは涙なりけり」(後撰・哀傷・紀貫之)。▽後撰・恋六、新後拾遺集・恋一に重出。

965 私のように物思いをする人は、従来も今後もあるまいと思う。抄三〇二。○三・四句　過去もこれから将来も。「いにしへも今もあらんや我が如く思ひ尽きせぬ別れする人」(長能集)。

966 黒髪に白髪が混じって生えるまで、このような恋にはいまだかつて出逢ってなかったのに。抄三七一・五句「いまだあはざる」。○上句　若い時から年老いるまで。三句、原歌では「老ゆるまで」。○かゝる恋　恋の内容については、つらいもの、心ときめくものと、いずれも考えられるが、前者か。▽万葉集四・大伴坂上郎女の歌の異伝。坂上郎女は、穂積皇子と死別後、藤原麻呂や大伴宿奈麻呂などと結婚している。この歌は即興的な戯れか。我が人生で、こんな恋愛をしたことは初めてだ、というのである。

967 あの人は、潮が満ちれば隠れてしまう磯の草なのであろうか。逢うことは少なく、恋うることが多いことだ。抄三八。○潮満てば入ぬる磯　潮の干満によって、見えたり隠れたりする磯。○三句　「草」は、海草。▽万葉集七・作者未詳歌。歌経標式に「しほみてば入りぬる磯の草ならし見る日少なく恋ふる夜多み」(孫王)の形で載る。源氏物語・紅葉賀に、紫の君が「入りぬる磯の」と口ずさむ場面がある。

968
志賀の海人の釣にともせる漁火のほのかに人を見るよしも哉

969
岩根踏み重なる山はなけれども逢はぬ日数を恋ひやわたらん

藤原有時

970
なげ木こる山地は人も知らなくに我が心のみ常に行く覧

円融院御時、少将更衣のもとに遣はしける

971
限なき思ひの空に満ちぬればいくその煙雲となるらん

御返し

972
空に満つ思ひの煙雲ならばながむる人の目にぞ見えまし

968 恋二に四句をやや異にして重出。→七五二。

969 岩を踏み越えて行く重なる山のような、障害はないけれども、逢えない日々を、恋い続けるのだろうか。○岩根　岩。原義的には、「巌」が外に突き出ているのに対して、「岩根」は地面に食い込んでいるものという。山の険しさを示す。○重なる山　連山。初句から続き、恋愛の障害の比喩。○逢はぬ　障害がないのに、逢えないというのだから、原因は相手の無情ということになる。○日数　多くの日。原歌では、「日まねみ」。▽万葉集十一・人麻呂歌集歌の異伝。人麿集にあり。伊勢物語七十四段「昔、男、女をいたう恨みて、岩根踏み重なる山にあらねども逢はぬ日多く恋ひわたるかな」。

970 投げ木を樵る山路は、人は誰も知らないのに、私ばかりこのように頻りに嘆くのは、私の心だけがいつも行くからだろう。○初句　「投げ木樵る」に、「嘆き凝る」を掛ける。→九一三。○山地　山路。定家本の文字遣い。○下句　自分だけが恋の思いに嘆き悲しむのは、「なげきこる」山路を知っているからだとする。▽紀貫之の代作歌か(貫之集)。

971 限りない「思ひ」の火が空に満ちているので、どれほど多くの煙が、雲となるのだろう。○円融院御時…　円融天皇の御代、帝が少将更衣のもとに贈った歌。○思ひ　「火」を掛ける。○空に満ち　「夢にだに見ぬ人恋ひに燃ゆる身の煙は空に満ちやしぬらん」(在民部卿家歌合・作者未詳)。○いくそ　→六八一。○下句　限りない思いの火の煙だから、どれほど多くの雲になったことだろうか、と言いかける。「富士の嶺をよそにぞ聞きし今は我が思ひに燃ゆる煙なりけり」(後撰・恋六・藤原朝頼)。

972 空に満ちる「思ひ」の火の煙が雲であるならば、物思いに耽り空を眺める人の目に見えるであろうに。○思ひの煙　思いの火の煙。「思ひ」に、「火」を掛ける。○下句　「ながむる」は、物思いをする意に、空を眺める意を掛ける。雲ならば見えるはずなのに見えないのは、帝の言葉は不実で、思いの火など燃やしていないからだとする。

題知らず　　　　よみ人知らず

973 思はずはつれなき事もつらからじ頼めば人を怨つる哉

974 つらけれど恨むる限ありければ物は言はれで音こそ泣かるれ

975 紅の八しほの衣かくしあらば思そめずぞあるべかりける

976 ほのかにも我を三島の芥火のあくとや人の訪れもせぬ

延喜御時、承香殿女御の方なりける女に、元良の親王まかり通ひ侍ける、絶えて後言ひ遣はしける

承香殿中納言

977 人をとくあくた河てふ津の国の名にはたがはぬ物にぞ有ける

973 思いをかけなければ、人のつれないことも、つらくはあるまい。期待をするから、人を恨めしく思ったのだ。抄三五。○二・三句　相手の「つれなき」態度に対して、「つらく」感じる。○下句「頼めば」は、相手の言葉を信じ、恋愛の成就を期待する意。八代集抄「嘆くあまりに、是も我が思ふ故、つれなきもつらし、我頼む故、頼もしからぬが恨めしきぞかしと、観じたる心也」。

974 つらいけれど、恨むのは限りがあったので、物も言えずに、声を立てて泣かれることだ。抄三六。○初句　相手の無情な態度を恨めしく思う。○下句　八代集抄「つらし、恨めしとても限り有りて、さのみも恨み言ふべきにもあらねば、物も言はれずして、只泣くばかりと也」。▽貞和本拾遺抄朱書に「イ花山法皇」とある。

975 紅の、何度も漬け染めた衣のように、恋の思いに深く染まるのであれば、思い初めず、染めずにいるべきであったのだ。○初・二句「しほ」は、染料に漬けて染める回数。「八」は、多数。深く染まることの比喩で、「思そめ」を導く序詞。○思そめず「初め」に、「衣」の縁語「染め」を掛ける。▽亭子院御集にあり。

976 ほのかに私と逢って、三島の芥火の「あく」ではないが、飽きてしまったのか、あの人は訪れもしない。○三島の芥火　三島、摂津国。「芥火」は、浜辺で漁師がごみ屑を燃やす火。伊勢集や古今六帖五では「芥川」。上は、「ほのかにも我を見し間」を言い掛ける。下は、同音反復で、「飽く」を導く序詞。▽伊勢集では、古歌混入部分にあり、伊勢詠ではない。

977 人をすぐに飽きる芥川という津の国の、難波の「名には」違わないお方であったことだ。元良親王集。○延喜御時　↓五。○承香殿女御　醍醐天皇女御の源和子。○女に…　承香殿中納言のもとに、元良親王が通っていたが、絶えてしまって、その後親王に詠み贈った歌。○あくた河　芥川。摂津国。上に、「人をとく飽く」を言い掛ける。○津の国の「難波」に掛けて、「名には」を導く枕詞的な働きをする。○下句「名」は評判。噂。親王の移り気に呆れる体。▽大和物語一三九段に収載。

題知らず　　　　よみ人知らず

978 限なく思そめてし紅の人をあくにぞかへらざりける

979 荒磯海の浦と頼めしなごり浪うちよせてける忘れ貝哉

980 つらけれど人には言はず石見潟怨ぞ深き心一つに

981 怨ぬもうたがはしくぞ思ほゆる頼む心のなきかと思へば

982 近江なる打出の浜のうちいでつゝ怨やせまし人の心を

978 限りなく緋に染めた紅色が、灰汁でも色が返らないように、果てしなく思い始めた人を、飽くことなく、心変わりしないのであった。〇二句「初め」に、「染め」を掛ける。「思ひ」に「緋」を響かすか。〇あく「飽く」に、「灰汁」を掛ける。灰汁は紅色を退色させる。「紅に染めし心も頼まれず人をあくには移るてふなり」(古今六帖・雑躰・誹諧歌・よみ人知らず)。〇五句「かへる」は、染物を脱色する意に、変心する意を掛ける。

979 「荒磯海の浦」と頼みに思わせた名残もなく余波が寄せ、うち寄せてしまった、私を忘れる忘れ貝だよ。〇荒磯海の浦　越中国。「我も思ふ人も忘るな荒磯海の浦吹く風の止む時もなく」(後撰・雑四・均子内親王)を踏まえ、愛情が途絶えない意を響かす。〇頼めし →六九。〇三句「余波」に、「名残」を掛ける。「浪」は、定家本の文字遣いで、「無み」。ただし、「忘れ貝」の縁語として、なごりの波とも解せる。〇四句「余波(波)が…」、「…忘れ貝を」と重なる。〇忘れ貝　二枚貝の殻の一方。また、アワビのような一枚貝。忘れるの表象。

980 つらいけれど、あの人には言わない。その「いは」という石見潟の浦見ではないが、恨みは深い。心一つに納めて。〇石見潟　石見国。「いは」と同音反復により声調を整え、「浦見」に掛けて「恨み」を導く枕詞的な働きをする。「石見潟恨みぞ深き沖つ波打ち寄する藻に埋もるる身は」(古今六帖三・作者未詳)。

981 恨まないのも疑わしく思われる。私を頼りとする気持がないのか、と思うので。抄三八。〇二句　他に愛する人がいるかと疑わしい。「頼む心」がないとするのも同じ理由。

982 近江にある打出の浜に「うちいで」て浦見をするではないが、口に出しつつ恨むようにしようか、あの人の薄情な心を。抄三九・二、三句「うちでのはまにうちでつつ」。〇初・二句　同音反復で、「打ち出で」を導く序詞。打出の浜、近江国。大津市の琵琶湖畔。うちでの浜とも。〇怨「浦見」を響かせる。〇人の心を　四句と倒置になる。薄情な、あるいは多情な、相手の性格や態度。

983 渡つ海の深き心は有ながらうらみられぬる物にぞ有ける

984 数ならぬ身は心だになから南思知らずは怨ざるべく

985 怨ての後さへ人のつらからばいかに言ひてか音をも泣かまし

小野宮の大臣に遣はしける　　閑院大君

986 君を猶怨つる哉海人の刈る藻に住む虫の名を忘つゝ

題知らず　　よみ人知らず

987 海人の刈る藻に住む虫の名は聞けどたゞ我からのつらき也けり

983 海のような深い心はありながら、浦見ではないが、かえって恨みを受けてしまうものだったよ。抄三九・三句「おきながら」、五句「ものにざりける」。○渡つ海　定家本の文字遣い。海神の居る所。海。○深き　海の縁語。○うらみ→九八〇。▽大和物語五十二段では、帝が娘の斎院に贈った歌。ここは愛情が解されないのを慨嘆する歌になる。

984 人数でもない身は、心でさえなければよい。人の冷淡さを分からなければ、恨まなくなるように。抄三二。○数ならぬ身　取るに足らぬ身。身分の低さよりも、恋する相手から顧みられないという意識からか。○心だになから南　身と心とが分離しているという、当時の通念が前提にある。八代集抄「なまじひに心ありて、人の恨めしきが、心を砕く種となれば也」。

985 恨み言を言った後でさえ、あの人が薄情であったならば、どのように言って、声を立てて泣けばよいだろう。抄三三。○下句　相手の態度が読めないつらさ。▽八代集抄「つらき人を恨むるは、その恨めしきことを止めさせんため也。もし恨みて後に止まずして、いよいよつらからば、何事を云ひて、音をも泣かんと、恨みかねて嘆く心也」。

986 あなたをやはり怨んでしまったことだ。海人の刈る藻に住む虫の、われからという名を忘れつついて。抄三四。実頼集。○小野宮の大臣　藤原実頼。○海人の刈る藻に住む虫の名「海人の刈る藻に住む虫のわれからと音をこそ泣かめ世をば恨みじ」(古今・恋五・藤原直子)を踏まえる。海藻に住む甲殻類の一種である「われから(割殻)」のこと。「我から」を掛ける。すべては我が身自身が招いた不運と諦観または達観することの表象となる。

987 海人の刈る藻に住む虫の名は聞いていたけれど、まことに、我から招いたあの人のつらさだったのだ。○海人の刈る藻に住む虫の名→九八六。○下句　観念的に知っていた「我から」ということを、恋愛の辛苦を味わったことによって実感する。八代集抄「我からの理は聞きおけど、身には知らざりしを、今身に知りて、誠に人のつらきは、我から成けりと也」。

988 恋(こ)ひわびぬ悲(かな)しき事も慰(なぐさ)めんいづれ長洲(ながす)の浜辺(はまべ)なるらん

989 かく許(ばかり)うしと思(おもふ)に恋(こひ)しきは我さへ心二(ふた)つ有(あり)けり

990 とにかくに物は思(おも)はず飛驒(ひだ)匠(たくみ)打(う)つ墨縄(すみなは)のたゞ一筋(ひとすぢ)に

人麿(まろ)

左大臣女御(さだいじんのにようご)うせ侍(はべり)にければ、父大臣(ちゝおとゞ)のもとに遣(つか)はしける

991 いにしへをさらにかけじと思へどもあやしく目(め)にも満(み)つ涙(なみだ)哉(かな)

天暦御製(てんりやくのぎよせい)

女の許(もと)に遣はしける

992 逢事(あふ)は心にもあらでほど経(ふ)ともさやは契(ちぎり)し忘(わすれ)はてねと

平忠依(ただより)

988 恋にうちひしがれた。悲しいことも、慰めよう。どこが、泣かずにすむという、長洲の浜だろうか。平定文歌合歌の異伝・四句「いづれなぐさの」。〇長洲の浜辺　摂津国。ここは「泣かず」を掛けるか。憂いを「流す」ともとれる。↓六七六。八代集抄は、美景の地とする。「恋ひわびたれば、かの浜辺の美景をも行き見て、悲しき思ひをも慰めむと也」。

989 これほどまで恨めしいと思うのに、なお恋しいのは、あの人だけでなく、私までが心が二つあったのだった。〇下句「心二つ」は二心。二心は異心を持つ意と共に、相反する二つの心情を持つ意でも使用している。他に愛人がいる人を思慕し、二心を非難しながら、自分も恨みつつ恋いつしているので、自分にも二つの心があると自嘲したもの。▽伊勢集に、「娘の男の絶えにけるに遣はしける」とあり、伊勢の代作になる。

990 あれこれと物思いはしない。飛驒の工匠が引く墨縄の筋のように、ひたすら一途に恋い慕おう。人麿集。〇三句　飛驒国から都の造営工事をするために奉った工匠。木工の名手として伝説化される。〇打つ　ここは、筋を引くこと。〇墨縄　墨壺に用いた糸。線を引くのに用いる。まっすぐなことや一途なことの比喩。三・四句は、「ただ一筋に」の比喩。序詞的でもある。▽万葉集十一・作者未詳歌の異伝。

991 昔のことを決して心に掛けまいと思うけれども、不思議にも、目に満ち溢れる涙だよ。村上御集。〇左大臣女御…　左大臣藤原実頼女の女御述子が亡くなった折の村上天皇の御製。述子は、天暦元年(九四七)十月五日に十五歳で没した(日本紀略)。〇いにしへ　述子の生前。〇かけじ「かく」は、心に掛ける、思いを及ぼす。▽この時の実頼らの歌が哀傷巻の冒頭にある。

992 逢うことは、不本意にも隔てる時が経ってしまっても、そのように約束しただろうか。私を忘れてしまえと。抄三六。〇女の許に…　八代集抄「久しく逢はざりしほどに、女の忘れたるに、詠み遣りし歌なるべし」。〇さやは「さ」は「忘れはてね」を指す。〇下句　四句と五句は倒置。

題知らず　　　よみ人知らず

993 忘るゝかいざさは我も忘南人に従ふ心とならば

994 忘れぬる君は中〱つらからで今まで生ける身をぞ怨むる

995 我許我を思はむ人も哉さてもやうきと世を心みん

996 あやしくも厭にはゆる心哉いかにしてかは思ひ絶ゆべき

997 思ふ事なすこそ神のかたからめしばし忘るゝ心付けなん

993　私を忘れるのか。さあそれでは、私もあなたを忘れよう。あなたに従う私の心であるならば。抄三七・二句「いざさは我ぞ」。○下句　従順さを逆手に取って、愛情の断念を告げる。「うれしきもつらきもことに別れぬは人にしたがふ心なりけり」(発心和歌集)。

994　私を忘れてしまったあなたは、かえって薄情とは思われないで、今まで生き長らえて忘れられた我が身を恨むことだ。○三句　相手の「つれなき」に対して感じるのが、「つらし」である。○今まで生ける身　おめおめと生き長らえてきた我が身。恋死を念頭に置くか。「恋ひしさの忘られぬべきものならば何にか生ける身をも恨みむ」(元真集)。

995　私ほどに、私を思ってくれる人がほしい。それでもつらいものかと、世の中を試してみたい。○五句「世」は、世間としたが、男女の仲とも解せる。「心みる」は、試みる。八代集抄「人の相思はぬ故に、世をも慍(うん)じて読める歌也」。「さまかへて世を心みむあすか川恋路にえつるふな人ぞこれ」(赤染衛門集)。▽古今・恋五・初句「わがごとく」に重出。作者は凡河内躬恒。

996　不思議なことに、嫌われるとますます燃え上がる私の心だこと。どうしたらあなたへの思いを絶てるだろうか。○厭にはゆる心「はゆ」は、他のものがあることによって、ますます勢い付く。嫌われると、逆に思慕が深まる、というのである。「厭ふにはゆるにや」(源氏物語・常夏)。▽後撰・恋二・詞書「ふみつかはせども返事もせざりける女のもとに遣はしける」・五句「思ひやむべき」で重出。

997　恋の願いごとを成就するのは、神でも難しいだろうから、しばらくはあの人を忘れる心を授けてほしい。○思ふ事なす　祈願を成就する。ここは、愛情が叶うようにする。○下句　せめてしばらくの間恋を忘れさせて、心が紛れ慰められるようにしてほしい、とする。「さりとては誰にかいはん今はただ人を忘るる心教へよ」(詞花・恋下・よみ人知らず)。▽うつほ物語・祭の使に見られる歌。

遠き所に侍ける人、京に侍ける男を、道のまゝに恋ひまかりて、高砂といふ所にて詠み侍ける

998 高砂に我が泣く声は成にけり宮この人は聞きやつくらん

題知らず

999 鹿島なる筑摩の神のつく〴〵と我が身一つに恋を積みつる

998 高砂で、私の泣く声は高くなってしまった。都の我が思う人は、聞き付けてくれるだろうか。○遠き所に…　遠い所に赴く女性が、京に居る男性を道すがら恋しく思いつつ下向して行き、高砂という所で詠んだ歌。○高砂　播磨国。「高(し)」を掛ける。「さ牡鹿の声高砂に聞こえしは妻なき時の音にこそ有りけれ」(後撰・恋六・よみ人知らず)。○宮この人　都の人。相手の男性。○聞きやつくらん　都に声が届いて聞き付けるだろうか。勿論聞えることはないが、それほど泣き声が高いのである。

999 鹿島にある筑摩の神の「つく」ではないが、つくづくと物思いに耽りながら、我が身一つに、恋の思いを積み重ねたことだ。寛平御時后宮歌合歌。○鹿島なる筑摩の神の　常陸国。「鹿島」は鹿島神社になるが「筑摩の神」はいない。歌合では、「筑波の山の」。一般には近江国坂田郡の筑摩社が知られる。同音反復によって、「つくづく」を導く序詞。一首全体に、「つ」の音韻的な効果がある。○三句　一人さびしく、物思いに耽っているさま。○四句　自分一人で。孤独なさま。○五句　さまざまな恋の体験をする。▽しみじみと実ることのなかった恋を回想するという、巻の、あるいは部立の結論的な歌。

拾遺和歌集巻第十六　雑春

題知(し)らず

1000 春立(たつ)と思(おもふ)心はうれしくて今一年(ひとゝせ)の老(お)いぞ添ひける

凡河内躬恒(みつね)

1001 あたらしき年は来(く)れどもいたづらに我(わ)が身のみこそふりまさりけれ

よみ人知(し)らず

1002 あたらしき年(とし)にはあれども鶯の鳴(な)く音(ね)さへには変(かは)らざりけり

雑春は、以下の雑秋・雑賀・雑恋と共に、拾遺集で初めて使用された部立である。自然の景物を主に詠み込む、巻一の「春」に対して、巻十六の「雑春」は、自然と人事とのかかわり、主観的な感慨などが詠み込まれている。一〇六三番歌以降は「雑夏」になるが、ここから三首は、春から夏にかけての歌が並んで、「雑春」と「雑夏」を連接している。

1000　立春になったと思う心は楽しいが、もう一年の老いが加わったことだ。躬恒集。○春立　立春になる。暦では、新年でもある。○一年の老い　数え年では、新年に年齢が一つ加わり、老いが増す。立春を喜ぶ一方で、老いを嘆く。季節と述懐の二つの要素がある。▽以下三首、同様の発想。

1001　新しい年は来たけれども、むだに我が身だけは古くなりまさることだ。○ふりまさり　古り増さり。ますます年を取る。「新し」と「古る」との対照。「百千鳥さへづる春は物ごとにあらたまれども我ぞ古りゆく」(古今・春上・よみ人知らず)。

1002　新しい年ではあるけれども、鶯の鳴く声までは変らず、音に泣く境遇も変らないのであった。○鶯の鳴く音　鶯の声そのものを賞美するのか、鶯の声を悲哀の表象と見るのか、両解がある。○五句　年は改まったが、鶯の鳴く声は変らないという、変化と不変との対照。▽八代集抄「年は改まれども、鶯は同じ音に変らず、面白き心なるべし」。増抄「或人云、年は改まれども、我音に泣く事の変らざるを、鶯によそへて言へる。述懐の歌にや」。

北宮屛風に

1003 年月の行方も知らぬ山がつは滝の音にや春を知るらん

右近

延喜十五年、斎院屛風歌

1004 春くれば滝の白糸いかなれやむすべども猶泡に見ゆらん

紀貫之

正月に人〳〵まうで来たりけるに、又の日の朝に、右衛門督公任朝臣のもとに遣はしける

1005 飽かざりし君がにほひの恋しさに梅花をぞ今朝は折つる

中務卿具平親王

流され侍ける時、家の梅の花を見侍て

1006 東風吹かばにほひをこせよ梅花主なしとて春を忘るな

贈太政大臣

桃園の斎院の屛風に

1007 梅花春よりさきに咲きしかど見る人まれに雪の降りつゝ

よみ人知らず

1003　年月の移り変りも分からない山人は、滝の音によって春の訪れを知るのだろうか。承平三年(九三三)八月二十七日、康子内親王裳着屏風歌。○北宮 →六三。○山がつ →九三。○滝の音 春になると、雪や氷が解けて水量が増え、滝の音が大きくなる。立春の滝の情景が画題であろう。立春解氷の類型の一つ。→六。次の歌も同様。

1004　春が来ると、滝の白糸は、糸は繰ると結ぶのに、どうして掬(すむ)んでも、なお解けて泡に見えるのだろう。延喜十五年(九一五)閏二月二十五日、斎院恭子屏風歌。貫之集。○斎院 →一六。○初句 「春」「来る」に、糸の縁語「張る」「繰る」を掛ける。○二句 滝水を、白糸に見立てる。春に、氷が解けて滝水となる。○むすべども 掬う意の「掬ぶ」に、糸の縁語「結ぶ」を掛ける。○泡 「沫緒」という糸の縒り方に寄せる。▽貫之集に「女ども滝のほとりに至りて、あるは流れ落つる花を見、あるは手を浸して水に遊べる」とある。

1005　満ち足りなかった君の薫物の匂いの恋しさに、梅の花を今朝折り取ったことだ。抄・雑上三七七。公任集。○正月に… 正月に人々が参上して、翌朝に藤原公任に贈った歌。底本、「まうてたり」に「き」を補入。○初句 八代集抄「昨日参会の名残を思ひ給ふ心也」。○二句 ここは、公任の魅力。衣服の薫物の匂いも含むか。○三句 恋愛にも似た友情。▽為頼集にあり。以下、梅花と人事が結び付いた歌が並ぶ。

1006　東風が吹いたならば、私のもとに匂いを吹き寄こせ、梅の花よ。主人がいなくても、春を忘れるな。抄・雑上三七八。○流され侍ける時… 昌泰四年(九〇一)正月二十五日、菅原道真が大宰権帥に配流される時、自邸紅梅殿で詠んだ歌(日本紀略、大鏡・時平伝など)。○東風 春に東方から吹く風。○主 梅を愛好した道真を慕って筑紫に飛来したという飛梅伝説も生まれた。▽大鏡や多くの説話集などに伝承された歌。

1007　梅の花が春より前に咲いたけれども、見る人は稀で、雪が降り続いている。○桃園の斎院の屏風に →一七。○上句 立春になる前に咲いた梅。▽八代集抄「この歌冬と見えながら、梅にて春に入る歟」。家持集にあり。

1008
題知らず
去にし年根こじて植へし我が宿の若木の梅は花咲きにけり
中納言安倍広庭

1009
天暦御時、大盤所の前に、鶯の巣を紅梅の枝に付けて立てられたりけるを見て
花の色は飽かず見るとも鶯のねぐらの枝に手なゝ触れそも
一条摂政

1010
同じ御時、梅花のもとに御椅子立てさせ給て、花宴せさせ給に、殿上の男ども歌つかうまつりけるに
折て見るかひもある哉梅花今日九重のにほひまさりて
源寛信朝臣

1011
内裏の御遊侍ける時
かざしては白髪にまがふ梅花今はいづれを抜かむとすらん
参議伊衡

1012
清和の七の親王六十賀の屏風に
かぞふれどおぼつかなきを我が宿の梅こそ春の数を知るらめ
貫之

1008 先年に、根を掘り起こして植えた、我が家の若木の梅は、花が咲いたことだ。抄・春八。○根こじて…　根付きで掘り取り移植する。当時は移植が普通であった。万葉集では、「いこじて」。○若木　樹齢のあまり経っていない木。○梅　白梅。▽万葉集八・阿倍広庭の歌の異伝。

1009 紅梅の花の色は飽きずに見るとしても、鶯のねぐらの枝に手を触れるなよ。抄・雑上三八四・二句「あかずみゆとも」。伊尹集。○天暦御時　→六。○大盤所　清涼殿の台盤所。→三〇五。○手な　「な」は、俊頼髄脳に「文字の足らねば、よしなき文字を添へたる歌」とある。語調を整える接尾語か。

1010 折って見るかいもあることだ、梅の花は。今日宮中で、八重ならぬ九重の色が一段と増さって。抄・雑上三六五・四句「いまここのへの」。康保三年(九六六)二月二十二日、前日催された内宴の後宴で詠進した歌。○同じ御時…　村上天皇の御代、梅花の下に御椅子を据えさせなさって、花の宴を催させなさった折、殿上の侍臣たちが歌を詠進申し上げた時に、詠んで奉った歌。河海抄所引御記「今朝立二椅子於庭樹下一即就二花下座一、…各詠二和歌一」。○初句　「折りて見るかひもあるかな梅の花二度春に逢ふ心地して」(公忠集)。○九重　宮中。八重咲きの花を意識して、九重咲きの意にも用いられている。○にほひ　ここは香よりも紅梅の色を言う。

1011 かざしてみると白髪と見まがう梅の花、今は、どちらを白髪として抜こうとしようか。抄・雑上三六六。○内裏の御遊　宮中での詩歌管絃の催し。○初句　→八八。○今は　かざした今は。

1012 数えてもはっきりしないが、我が家の梅こそ、あなたが迎える春の数を知っているだろう。延喜十五年(九一五)、藤原佳珠子六十賀屏風歌(貫之集)。○清和の七の親王　清和天皇第七皇子貞辰親王。陽明文庫本貫之集では、「清和の七宮の御息所(佳珠子)」が右大将道明の六十賀を催した折、西本願寺本貫之集では、右大臣時平が姉佳珠子の六十賀を催した折の歌になる。○初・二句　長寿で、年齢を正確に数えられないという。○我が宿の梅　屏風の画題でもある。○春の数　年の数。梅にちなみ春とした。

題知らず

よみ人知らず

1013 年ごとに咲きは変れど梅花あはれなる香は失せずぞありける

円融院御時、三尺御屏風十二帖歌の中

源　順

1014 梅が枝をかりに来て折る人やあると野辺の霞は立ち隠すかも

北白河の山庄に花のおもしろく咲きて侍けるを見に、人〳〵まうで来たりければ

右衛門督公任

1015 春来てぞ人も訪ひける山里は花こそ宿の主なりけれ

鞍馬にまうで侍ける折に、道を踏みたがへて詠み侍ける

安法ゝ師

1016 おぼつかな鞍馬の山の道知らで霞の中にまどふ今日哉

延喜十五年、斎院屏風に、霞を分けて山寺に入る人あり

紀　貫之

1017 思事ありてこそ行け春霞道さまたげに立ちな隠しそ

1013 年ごとに咲き変りはするけれど、梅の花の風情ある香は消え失せずにあったことだ。○初・二句　梅花は毎年別な花に咲き変る。○四句　愛する香。すばらしい香。○失せず　「咲きは変れど」に対する。花は変っても、香は変らない。

1014 梅の枝を、鷹狩りにたまたま来て折る人がいるかと思って、野辺の霞は、立ち隠すことだ。天元二年(九七九)十(十二とも)月、円融朝内裏屛風歌。順集。○三尺御屛風…　高さ三尺の屛風が十二帖調製されたとあるが、順集の詞書では、春・秋六帖ずつとある。ここの画題は「春の野の霞めるに、梅の花咲けり。鷹を据ゑたる人行く」。○かりに　「狩りに」と「仮に」とを掛ける。○下句　花を隠す霞の類型の一つ。

1015 春が来て、人も訪ねて来たことだ。山里は、花が家の主人なのであったよ。抄・雑上三八。公任集。○北白河　陽明文庫本公任集など「小白河」。山城国。平安貴族の別荘があった。○山庄　山荘。藤原公任の別邸。○花　紅梅か。○下句　人は公任に会うためではなく、花を見るため山荘を訪問するから、山荘の主は花だとする。▽係り結びが二つもあり、「けり」が重出するなど、表現面で特異な歌。今昔物語集二十四や宇治拾遺物語一などに説話が載る。

1016 心細いことだ。暗いという鞍馬山の道が分からなくて、霞の中で迷っている今日だよ。安法集。○鞍馬　鞍馬寺。鞍馬山。山城国。その名から、暗いことを連想する。○二・三句　暗い鞍馬山の道を知らないという、闇雲の状態。つづら折りの道で知られる。○霞の中　これも、五里霧中の状態。▽以下、霧を景物にした歌が並ぶ。

1017 思い悩むことがあって山寺に行くのだ。春霞よ、仏道に入る邪魔をするかのように、道を妨げて立ち隠すなよ。抄・雑上三七九・五句「なにへだつらむ」。延喜十五年(九一五)閏二月二十五日、斎院恭子屛風歌。貫之集。○斎院　→一六。○霞を分けて…　貫之集「女ども山寺に詣でしたる」。○思事　悩むことがあり、救済を求めて山寺に籠もるのである。○三句　参道に立つ霞を、仏道の妨げと見る。○道　山寺への道に、仏道を掛ける。

小一条の大臣の家の障子に

1018 田子の浦に霞の深く見ゆる哉藻塩の煙立ちや添ふらん　　能宣

山里にしのびて女をゐてまうで来て、ある男の詠み侍ける

1019 思事言はで止みなん春霞山地も近し立ちもこそ聞け　　よみ人知らず

人に物言ふと聞きて、訪はざりける男のもとに

1020 春日野の荻の焼原あさるとも見えぬ無きなを負ほすなるかな　　中宮内侍

女のもとになづなの花につけて遣はしける

1021 雪を薄み垣根に摘める唐なづななづさはまくのほしき君哉　　藤原長能

東三条院御四十九日のうちに、子日いできたりけるに、
宮の君といひける人の許に遣はしける

1022 誰により松をも引かん鶯の初ねかひなき今日にもある哉　　右衛門督公任

1018 田子の浦に、霞が深く見えることだ。藻塩を焼く煙が、立ち加わっているのだろうか。抄・雑上三八〇。○小一条の大臣　藤原師尹。拾遺抄では「故一条の大臣」とあり、永観元年(九八三)に詠進された、藤原為光障子絵歌の一つか。↓三六。○田子の浦　駿河国。当時は静岡県庵原郡蒲原町、由比町あたり。○四句　海水をかけた海藻を燃やす製塩の煙。

1019 思ってることを、言わずに止めておこう。春霞が立って、山路も近く、立ち聞きするかも知れないから。○初・二句　忍ぶ恋の趣向。○三句　山路に立つもの。五句に続く。枕詞とすれば、立ち聞きするのは人になる。○山地　山路。定家本の文字遣い。○五句　「春霞立ち」を言い掛ける。「もこそ」は不安懸念を表す。

1020 春日野の荻の野焼きした原で探しても見えない菜ではないが、無き名を私に負わせることだ。抄・雑上三八二。○人に物言ふ　他の男に言い寄っている。○春日野　大和国。若菜の名所。○二句　野焼きした野原。○あさる　↓二。○四句　「見えぬ」までが「無きな」を導く序詞。○無きな　「な」は、「菜」と「名」を掛ける。「無き名」は、根も葉もない噂。↓六九八。○負ほす　「菜」の縁語「生ほす」を響かせるか。

1021 雪が薄くなって垣根で摘んだ唐薺ではないが、「なづさはまく」、馴れ親しみたく思われるあなただよ。抄・雑上三八三。長能集。○なづな　春の七草の一つ。春に白い花を咲かす。「唐なずな」は美称。女をよそえるか。三句までが、同音反復で「なづさはまく」を導く序詞。○なづさはまく　↓五七八。

1022 誰に寄せて、小松を引こうか。鶯の初音のかいのない、初子の今日であることだ。長保四年(一〇〇二)正月初子の日に詠まれた藤原詮子追悼歌。公任集。○けるに　底本「に」は補入。○東三条院　円融天皇皇后で、初めて女院となった詮子。長保三年閏十二月二十二日没(日本紀略など)。○御四十九日のうちに…　栄花物語・鳥辺野「正月七日子の日に当たりたれば」。実際は四日。○宮の君　詮子の女房。○松　「松」は、子の日の松。↓三。○初ね　「初音」に「初子」を掛ける。▽以下、子の日の松の歌。

子日

1023 引きて見る子日の松はほどなきをいかでこもれる千代にかあるらん　恵慶法師

題知らず

1024 しめてこそ千年の春は来つゝ見め松を手たゆく何か引くべき　よみ人知らず

斎院子日

1025 一本の松の千年も久しきにいつきの宮ぞ思やらるゝ　順

右大将実資、下臈に侍ける時、子日しけるに

1026 老いの世にかゝるみゆきは有きやと木高き峰の松に問はゞや　清原元輔

正月叙位の頃、ある所に人〳〵まかり会ひて、子日の歌詠まんと言ひ侍けるに、六位に侍ける時

1027 松ならば引人今日は有なまし袖の緑ぞかひなかりける　大中臣能宣

1023 引いて見る、子の日の松は丈もあまりないのに、どのように籠もっている千代の寿命なのだろうか。○子日の松　↓三。

1024 標識で占有して、千歳の春は毎年来て見よう。松を手のだるくなるまでして引くことがあろうか。○しめて　標識をして占有する。「標結ふ」に同じ。そうすれば自分のものになる。「子の日しに占めつる野辺の姫小松引かでや千代の蔭を待たまし」(清正集)。↓一六七。○下句　人に採られないので、手をだるくする必要もない。

1025 一本の松の千歳の寿命も久しいのに、斎(つい)きの宮は、五木なので、その長さが思いやられることだ。○斎院　↓一六。ここは、尊子内親王とも。○いつきの宮　斎院のこと。「五木」を掛ける。「ちはやぶる斎の宮の庭の松いくらの千代を留め数へむ」(元輔集)。○五句　一本で千年の寿命なら、五本で五千年という。

1026 老いの世になるまで、このような子の日の催しがあったかと、木高い峰の松に問うてみたいものだ。安和三年(九七〇)二月五日に、藤原実頼が子の日の行事をした時に、藤原実資が贈った歌の代作(元輔集)。書陵部本元輔集では、安和二年二月二十五日。○右大将実資…　当時、実資は十四歳で、従五位下、侍従。「下臈」は、官位が低いこと。○みゆき　四五などとの本文の類似からの混乱があるか。八代集抄は、「深雪」とする。元輔集では、「子の日」。それに従った。○木高き峰の松　子の日の松にちなんだもの。

1027 松ならば、引く人も子の日の今日はあったであろう。私の袖の緑は、引く人もなくかいがなかったことだ。抄・雑上三八一・三句「あらましを」。能宣集。○正月叙位の頃…　正月の叙位の頃に、ある所に人々が参集して、子の日の歌を詠もうといった折、六位であった時に詠んだ歌。「叙位」は、正月五〜七日に五位以上の位を授ける行事。○引　子の日の松を引く。また、自分について、引き立てる意を重ねる。○今日　子の日である。○袖の緑　六位の袍の色。不遇意識の表象。「緑」は、松の縁語。○五句　子の日に、松は引かれるが、自分は引き立ててくれる人もないと嘆く。

除目の頃、子日にあたりて侍けるに、按察更衣の局より、
松を箸にて食物を出だして侍けるに
元輔

1028 引人もなくて止みぬるみ吉野ゝ松は子日をよそにこそ聞け

康和二年、春宮蔵人になりて、月のうちに民部丞に移りて、
二度喜びを述べて、右近命婦がもとに遣はしける
順

1029 引く人もなしと思し梓弓今ぞうれしき諸矢しつれば

題知らず
よみ人知らず

1030 咲きし時猶こそ見しか桃の花散れば惜しくぞ思なりぬる

帥の親王、人〳〵に歌詠ませ侍けるに
弓削嘉言

1031 山里の家居は霞こめたれど垣根の柳末は外に見ゆ

1028 引く人もいなくて終わってしまった吉野山の松は、子の日を他所事として聞くことだ。元輔集。○除目の頃…　除目の頃、ちょうど子の日に当たっていたところ、按察更衣の居所から、松を箸にして食物を出したので詠んだ歌。底本「子日」は傍書。「除目」は、官職を任命する儀式。ここは、正月に地方官を決める県召（あがためし）であろう。按察更衣は、村上天皇更衣、按察中納言藤原在衡女の正妃。○初・二句　子の日の松に、引き立てる人もいないことを重ね合わせる。「子の日の松を身にたとへ侍りて／引く人もなくて老いぬる松はただ子の日をよそに聞きや過ぐさむ」（能宣集）。○み吉野　吉野山。大和国。人も訪れない奥山の印象で用いられている。その「松」は、不遇の我が身の表象。○子日　ここは除目を重ねる。

1029 引く人もいないと思っていた梓弓は、今は嬉しいことだ。二本も矢が当たったのだから。順集。○康和二年…　康和は誤り。応和二年（九六二）、東宮の蔵人になり、同じ月の中に民部丞に移ったので、二度の喜びを述べて、右近命婦のもとに詠んで遣った歌。三十六人歌仙伝「応和二年正月、任民部少丞、補東宮蔵人」。春宮蔵人は、東宮坊の蔵人。民部丞は、民部省の三等官。共に六位相当。○引く　弓を引く。引き立てる意を重ねる。○梓弓　梓で作った弓。「春」の枕詞になり、季節意識もあるか。○諸矢　二本の矢が的中したことに、「二度喜び」を重ねる。

1030 咲いた時ずっと見たことだ。その桃の花が散ると、なおも見たく惜しい思いになってしまったことだ。近江御息所周子歌合歌。○猶　さらに、いっそう。○三句　万葉集から詠まれるが、後拾遺集で春の景物として春の部立に収められる。○下句　見飽きない桃の美しさ。

1031 山里の家住まいは霞が立ちこめているけれど、垣根の柳の枝先は霞の外にしだれ出て見える。○帥の親王　大宰帥の親王。敦道親王か。○四句　柳は垣根や門口に立っているものとされた。「妹が家のはひいりに立てる青柳の今は鳴き来む鶯の声」（躬恒集）。▽一幅の絵のような叙景であり、三代集の類型を脱して、後拾遺集以後の詠風を先取りしている感がある。

春物へまかりけるに、壺装束して侍ける女どもの野辺に侍けるを見て、何わざするぞと問ひければ、ところ掘る也といらへければ

賀朝法師

1032 春の野にところ求むと言ふなるは二人寝許見出たりや君

返し

よみ人知らず

1033 春の野に掘る〳〵見れどなかりけり世に所せき人のためには

題知らず

1034 かきくらし雪も降ら南桜花まだ咲かぬ間はよそへても見む

1035 春風は花のなき間に吹きはてね咲きなば思ひなくて見るべく

躬恒

1036 咲かざらむ物とはなしに桜花面影にのみまだき見ゆらん

1032 春の野に野老（ところ）ならぬ所を求めると言っているようだが、二人寝るくらいの広さは見付けたかな、あなたたちは。抄・雑上三九〇・三句「いふなれば」。○春物へまかりけるに…　春にある所へ出掛けた折に、壺装束をした女性たちが野辺にいるのを見て、「何をしているのか」と尋ねたら、「野老を掘っているのだ」と答えたので、詠みかけた歌。○壺装束　女性の外出や旅の服装。→一九八。○ところ　野老。オニドコロ。正月の飾り物にする。食用のヤマノイモとする説もある。歌では、「所」を掛ける。「世を別れ入りなむ道は遅るとも同じところを君も尋ねよ」（源氏物語・横笛）。○四句　共寝できるほどの広さ。戯れ。

1033 春の野で野老を掘り掘りして探したけれど、二人寝できる所はなかったことだ。世間の目を憚るような人のためには。抄・雑上三九一。○掘る〳〵　強調表現。多少揶揄的な口調。○下句　僧侶なのに、恋愛事めいた冗談を言ったのでたしなめた。八代集抄「所狭き也。世を憚る心也。法師二人寝を憚る故、さやうの所狭き人のための寝所は、広き野辺にもなしと也」。

1034 かき曇らせて雪も降ってほしい。桜の花がまだ咲かない間は、花に見立てても見よう。○初句　空を暗くさせて。○五句　雪を、桜の花によそえて見る。見立て。雪を見て、まだ咲かない桜の花を偲ぶ。▽以下、桜、花の歌。

1035 春風は花がない間に、吹き果ててよ。咲き始めたならば、気がかりなしで、見られるように。○上句　春風が吹くと、花が散るから、花が咲く前に吹き終われ、とする。風は花を散らす類型の一つ。

1036 咲かない物というわけでもないのに、桜の花は、待ちかねていると、その幻影ばかりが咲く前から見えるのだろう。亭子院歌合歌。躬恒集。○面影　幻影。待ち焦がれている桜の花が瞼に浮かぶ。「いつの間に散り果てぬらむ桜花面影にのみ色を見せつつ」（後撰・春下・凡河内躬恒）。→三九三。○まだき　早くも。▽桜が散ってもまた咲かないというわけではないのにとして、来春の桜の花を待つ歌と解する説もある。

1037 いづこにかこの頃花の咲かざらむ所からこそ訪ねられけれ

よみ人知らず

延喜御時、月次御屏風の歌

1038 桜花我が宿にのみ有と見ばなき物草は思はざらまし

躬　恒

桜の花咲きて侍ける所に、もろともに侍ける人の、後の春ほかに侍けるに、その花を折りて遣はしける

1039 もろともにおりし春のみ恋しくて一人見まうき花盛り哉

よみ人知らず

御厨子所にさぶらひけるに、蔵人所の男ども、桜の花を遣はしければ

1040 もろともに我しおらねば桜花思やりてや春を暮らさん

壬生忠見

ある人のもとに遣はしける

1041 霞立山のあなたの桜花思やりてや春を暮らさむ

御導師　浄　蔵

1037 どこにこの時期に花が咲かない所があろうか。場所がらによって、花を探し求めてしまうのだ。○所から　場所がら。花が咲くにふさわしい場所に応じて。名所の花を訪ねるということ。異本も含めて「心から」とする本文も多い。それならば、花への愛着から花を訪ねることになる。

1038 桜の花が我が家だけにあると見るならば、自分は何も無く貧しい「なき物草」とは思わないだろう。抄・雑上三九五。醍醐朝内裏屏風歌。題は、「草合」。躬恒集。○なき物草　八代集抄「何も無き事也」。無類のもの、無一物などを草に見立てた比喩か。↓五三五。○五句　桜の花以外に何も求めないとする。

1039 あなたと一緒に居て、桜の花を折り取った春ばかりが恋しくて、一人見るのがつらい花盛りだよ。抄・雑上三九三・五句「花にも有るかな」。○桜の花…　桜の花が咲いていた所に、一緒に住んでいた人が、後の春は他所にいたので、その桜の花を折り取って遣った時に、詠み添えた歌。○初句　男女の親密さをいう表現。○おり「居り」に「折り」を掛ける。○見まうき　見る気がしない。「まうし」は、「まく憂し」の音便形か。

1040 一緒に私がいて、折り取っていないので、この枝の桜の花を思い遣って、春の日を暮らすのだろうか。忠見集。○御厨子所　内膳司に属し、宮中の食事を調達する所。後涼殿の西廂にあり、蔵人所が管轄。忠見は、天暦八年(九五四)五月に、定額膳部という役職に就いている(三十六人歌仙伝)。○蔵人所　蔵人が執務した役所。校書殿の西廂にあった。○おらねば　「居り」に「折り」を掛ける。蔵人所の男たちと同席できない不遇な我が身を嘆く。▽忠見集は「…誰がともえだに知らずぞありける」。

1041 霞の立つ山の彼方の桜の花、その花のようなあなたを思い遣って、春の日を暮らすのだろうか。抄・雑上三九六。○ある人　女性であろう。口訣に、大和物語一〇五段に登場する平中興女とする推論がある。増抄も、同様。○初・二句　相手の女性との隔たりを表す。○桜花　相手の女性によそえる。

1042 をち方の花も見るべく白浪の共（とも）にや我も立（た）ち渡（わた）らまし

題知（し）らず　　貫（つら）之（ゆき）

1043 待（ま）てと言（い）はばいともかしこし花山にしばしと鳴（な）かん鳥の音（ね）も哉（がな）

春、花山に亭子法皇（ていじほふわう）おはしまして、帰（かへ）らせ給（たま）ひければ　　僧正遍昭（へんぜう）

1044 鶯の鳴（な）きつるなへに春日野（かすがの）の今日（けふ）のみゆきを花とこそ見れ

京極御息所（きやうごくのみやすどころ）春日（かすが）に詣（まう）で侍（はべり）ける時、国司の奉（たてまつ）りける歌あまたありける中に　　藤原忠房（ただふさ）朝臣

1045 ふるさとに咲（さ）くとわびつる桜花（さくら）今年（ことし）ぞ君に見えぬべらなる

1046 春霞春日（かすが）の野辺（のべ）に立（たち）わたり満（み）ちても見ゆる都人（みやこ）哉（かな）

1042 川向こうの花も見られるように、白波が立つのと共に私も立ち渡って行こうか。延喜十五年(九一五)閏二月二十五日、斎院恭子屏風歌。貫之集。○三句　枕詞的に「立ち渡る」にかかる。○五句「立ち渡る」は、波が一面に立つ意と、川を渡る意を掛ける。▽画題は、貫之集に「人の木のもとに休みて、川づらに桜の花見たる」とある。

1043 「待て」と言ったなら、まったく畏れ多い。花山に「しばし」と鳴く鳥の声がほしいものだ。抄・雑上三八七・初句「まててはば」、三句「はなの山」。遍昭集。○春…　春、花山に宇多法皇が御幸なさり、還御される時に詠んだ歌。遍昭は寛平二年(八九〇)正月没なので、宇多天皇即位の仁和三年(八八七)八月から二年半ばかりの間のことか。花山に、遍昭住持の元慶寺があった。歌では「花」を響かせる。○下句　鳥が自分に代って法皇を花山に引き留めてほしいと願う。「しばし」は、鳥の擬声語か。花鳥が配合。

1044 鶯が鳴いたのと共に、春日野の今日の御幸に降る雪を、花と見よう。延喜二十一年(九二一)三月七日、宇多法皇が京極御息所と春日神社に御幸した際に献上した歌。以下三首、同じ折の詠作。京極御息所褒子歌合の本歌。→六三〇。○京極御息所　藤原時平女褒子。譲位後、宇多法皇に仕えた寵姫。○国司　大和守藤原忠房。○なへに　…につれて。…と共に。○春日野　大和国。○みゆき「御幸」に、「み雪」を掛ける。○花　雪を花と見る見立て。御幸を祝賀。

1045 古京に見捨てられて咲くと嘆いていた桜の花は、今年は君に見られるようだ。○ふるさと　古京、奈良をさす。平安京になり、見捨てられた地という印象がある。○君　法皇も含まれるが、拾遺集の詞書からは、御息所。

1046 春霞が春日野の野辺に一面に立ち、一帯に立ち満ちて見える都人だよ。○春日の野辺　大和国。野は、霞の立つ所。○三句「春霞春日の野辺に立ちわたり」「立ちわたり満ちても見ゆる」と重なる。二句までを、「立ちわたり」を導く序詞とすることもできる。▽忠房献上の歌には、凡河内躬恒の詠作も八(六)首含まれていたようであり、これは躬恒の詠作(躬恒集)。

1047 円融院御時、三尺御屛風に、花の木のもとに人〳〵集まりゐたる所

世中にうれしき物は思どち花見て過ぐす心なりけり

兼盛

1048 清慎公家にて、池のほとりの桜の花を詠み侍ける

桜花底なる影ぞ惜しまるゝ沈める人の春と思へば

元輔

1049 上総より上りて侍ける頃、源頼光が家にて、人〳〵酒たうべけるついでに

東路の野地の雪間を分けて来てあはれ宮この花を見る哉

藤原長能

1050 清慎公家のさぶらひに、灯火のもとに桜の花を折りて挿して侍けるを詠み侍ける

ひのもとに咲ける桜の色見れば人の国にもあらじとぞ思

兼盛弟

1047 世の中で嬉しいものは、親しい者どうしで花を見て過ごす時の気分だったよ。円融朝内裏屏風歌。兼盛集。○世中に…　兼盛集では、「…楽しきものは」。「世の中に…ものは…なりけり」という、一種の物尽くし的な趣向になる。○三句　親しい仲間。▽高さ三尺の屏風で、画題は、兼盛集では、「桜花見てとまれり」、「桜の花を弄ぶ」。

1048 桜花の、池の底に見える影は、惜しまれる。不遇の身に沈んでいる人の春に同じと思うと。抄・雑上三五四。元輔集。○清慎公　藤原実頼。○底なる影　底の映像。水面に映る影を、沈んで底にあるものと見る。○沈める人　引き立てる人もなく、官位の低い人。自身のこと。○五句　池底に沈む花影を、不遇の人の春の姿を具象しているものと見る。

1049 東路の野道の雪間を分けて来て、感慨深くも、都の花を見ることだ。抄・雑上三八九。長能集。○上総　今の千葉県の一部。国府は、今の市原市にあった。長能は、正暦二年(九九一)二(四)月二十六日に上総介となっているので(中古歌仙三十六人伝)、任期を終えて上京したのは、長徳元年(九九五)頃か。○源頼光　甥の道綱が頼光の婿であった。長能集では、「のりまさ(源則理)」。○東路　東海道・東山道など、東国への道。「旅の空曇るくるしな東路の往ききのかたも見えぬ白雪」(順集)。○野地　野路。定家本の文字遣い。野道。○雪間　降り積もった雪の間。東国は雪深い地という印象がある。○あはれ　ああ、という感嘆の言葉。○宮この花　「花の都」といわれるように、都は雅びの中心で、花の美しく咲く所。▽寛仁四年(一〇二〇)に姪にあたる、更級日記の作者、菅原孝標女が父と共に上総から上洛している。

1050 灯のもとに、咲いている桜の花の色を見ると、日の本なので他所の国にもあるまいと思われる。○清慎公　藤原実頼。○さぶらひ　侍所。家司や従者の詰め所。○ひのもと　詞書の「灯火のもと」を受けて、「灯の下」に、日本の意の「日の本」を掛ける。○桜の色　桜は色を賞美する。○人の国　他国。外国。中国などをいう。

山桜を見侍て

1051 み山木の二葉三葉にもゆるまで消えせぬ雪と見えもする哉

平公誠

金鼓打ち侍ける時に、畑焼き侍けるを見て詠み侍ける

1052 片山に畑焼く男かの見ゆるみ山桜は避きて畑焼け

藤原長能

石山の堂の前に侍ける桜の木に書き付け侍ける

1053 うしろめたいかで帰らん山桜飽かぬにほひを風にまかせて

よみ人知らず

敦慶式部卿の親王の女、伊勢が腹に侍けるが、近き所に侍に、瓶に挿したる花を贈るとて

1054 久しかれあだに散るなと桜花瓶に挿せれど移ろひにけり

貫之

延喜御時、南殿に散り積みて侍ける花を見て

1055 殿守の伴の御奴心あらばこの春許朝ぎよめすな

源公忠朝臣

1051 深山の木が二葉三葉と萌えるまで、山桜は消えもしない雪と見えもすることだ。○み山木　深山木。「み」は美称で「山の木」とも。○二句　木の芽生えるさま。○三句　芽吹くまで。○消えせぬ雪　消えることのない雪。山桜の花を、雪に見立てた。

1052 片山で、畑焼きする男よ、あそこに見える山桜は避けて畑を焼けよ。長能集。○金鼓　仏教の楽器。金属性で、円く平たく中が空洞。鰐口や鉦鼓の類。山寺で勤行していた折か。○畑焼き侍ける　焼き畑か。草木を焼き、その跡に作物を栽培する農作法。○片山　山の片側の斜面。また、孤立した山とも。片岡。○男　ここは、農夫。▽長能集に、父倫寧が丹波守であった安和元年(九六八)—天禄二年(九七一)頃、丹波に滞在して病中に詠んだ歌として収載。

1053 気掛かりだ。どうして帰れようか。山桜の、飽き足りない美しさを、風の思うままに任せて。○石山の堂　近江国。石山寺の御堂、伽藍。○四句　いくら見ても満ち足りない、山桜の花の色合い。この「にほひ」は視覚的な美しさ。○五句　花を散らす風という類型の一つ。花が女性、風が男性とも解せる。

1054 久しくあれ、むなしく散るなと、桜花を、亀ならぬ瓶に挿したけれど、色あせてしまったよ。貫之集。○敦慶式部卿の親王の女　伊勢所生の歌人中務のこと。○瓶　長寿の「亀」を掛ける。○五句　散りがたの桜を詠むのはいささか異様。▽後撰・春下に重出。中務の返歌は「千世ふべき瓶にさせれど桜花とまらん事は常にやはあらぬ」。

1055 主殿寮(とのもづかさ)の下部たちよ、落花の風情を解する心があるならば、この春の間だけは、桜花の散り積もる南庭の朝の清掃は止めておくれ。抄・雑上三九七。公忠集。○延喜御時　→五。○南殿　紫宸殿。○花　左近の桜。○殿守　主殿寮。宮内省に属し、宮中の清掃、照明、燃料などを管理した役所、職員。○二句　主殿寮の下級官人。下僚。○三句　風流心があるならば。「心」は、風情や情趣を解する心情・感覚。▽今昔物語集二十四に、藤原敦忠が藤原実頼に求められて詠み、絶賛を博した説話として収載。

題知らず　　よみ人知らず

1056 桜花三笠の山の蔭しあれば雪と降れども濡れじとぞ思

1057 年ごとに春のながめはせしかども身さへふるとも思はざりしを

1058 年ごとに春はくれども池水に生ふるぬなはは絶えずぞ有ける

順

三月閏月ありける年、八重山吹を詠み侍ける　　菅原輔昭

1059 春風はのどけかるべし八重よりも重ねてにほへ山吹の花

屏風の絵に、花のもとに網引く所

1060 浦人は霞を網に結べばや浪の花をもとめて引くらん

1056 桜の花は、三笠の山の笠という蔭があるので、雪となって降っても、濡れまいと思う。延喜二十一年(九二一)三月七日、春日神社御幸の際に藤原忠房が献上した歌。→六二〇・一〇四四。〇三笠の山　大和国。「笠」を連想させる。〇四句　花を雪に見立てた。〇五句　三笠の山を「笠」として、花の見立ての雪に濡れまいとする。▽この歌も、京極御息所褒子歌合の本歌。作者は、忠房か。

1057 毎年、春の長雨に物思いをしたけれども、雨が降るだけでなく、我が身までが「古る」とは思いもしなかったよ。〇春のながめ　「眺め」に、「長雨」を掛ける。「眺め」は、物思いに耽ること。ここは春愁。〇ふる　「古る」に、「降る」を掛ける。

1058 毎年、春は来るけれども、池の水に生える蓴菜は、繰ることを続けても絶えないであったことだ。村上朝内裏屏風歌(順集)。〇くれども　「来れども」に、「繰れども」を掛ける。〇ぬなは　蓴菜。ジュンサイ。池や沼の水中に長く伸びていることから、「繰る」を縁語にする。→七〇一・八九四。▽画題は、「人の池に蓮生ひ、ぬなは生ひたり」。

1059 春風は、閏三月があって春が長いから、のんびりと吹くようだ。すぐに吹き散らさないので、八重よりももっと重ねて美しく咲き誇れ、山吹の花よ。抄・雑上三九九。天延三年(九七五)三月十日、一条中納言藤原為光歌合歌。〇三月閏月ありける年　この歌合の前後では、応和元年(九六一)、天元三年(九八〇)など。〇二句　閏三月についてよく用いられる語句。「常よりものどけかるべき春なれば光に人の逢はざらめやは」(後撰・春下・藤原実頼)。→七八。〇にほへ　視覚的な美しさをいう。

1060 浦に住む漁師は、霞を網に結ぶからか、波の花をも留めて引くのであろう。〇浦人　漁師。〇二・三句　沖まで網を延ばすので、霞に結ぶとする。「春霞網に張り込め花散らば移ろひぬべき鶯留めよ」(新撰万葉集・上・作者未詳)。〇浪の花　波を花に見立てる。〇五句　留めて引くのか。「引く」は、霞の縁語。花のもとで網を引くのと、霞が棚引くのとを重ね合わせた趣向。

延喜御時、御屛風に

1061 梁見れば河風いたく吹く時ぞ浪の花さへ落ちまさりける

貫之

亭子院、京極の御息所に渡らせ給うて、弓御覧じて、賭物出させ給けるに、髭籠に花をこき入れて、桜を塒にして、山菅を鶯に結び据へて、かく書きて食はせたりける

1062 木の間より散り来る花を梓弓えやはとゞめぬ春の形見に

一条の君

比叡の山に住み侍ける頃、人の薫物を乞ひて侍ければ、侍けるまゝに少しを、梅の花のわづかに散り残りて侍枝に付けて遣はしける

1063 春過ぎて散りはてにける梅花たゞか許ぞ枝に残れる

如覚法師

右衛門督公任籠り侍ける頃、四月一日に言ひ遣はしける

1064 谷の戸を閉ぢやはてつる鶯の待つに音せで春も過ぎぬる

左大臣

1061 梁を見ると、川風が激しく吹く時は、魚に、波の花までが多く落ちかかったことだ。延喜十八年(九一八)、承香殿女御源和子屏風歌。貫之集。○梁　魚を取る設備。川の瀬を塞き止め、流水部分に簀を敷いて、流れ落ちてくる魚を捕獲する。○浪の花 →一〇六〇。○落ちまさり　花が散るのを、梁の縁語の「落つ」といった。

1062 木の間から散って来る花を、梓弓の矢は仕留められないことがあろうか。この筐(かたみ)が春の形見となるように。○亭子院　宇多法皇。○京極の御息所 →一〇四四。○弓　競射の遊び。○賭物　賞品。○髭籠　竹で編んだ籠。○塒　鳥の巣。○山菅　山菅を結んで鶯の作り物にし、髭籠に据えた。→七八〇。○かく書きて…　歌を料紙に書き、作り物の鶯にくわえさせた。○三句　五句の「春」の枕詞だが、縁語の「矢」によって四句を導く枕詞とも考えられる。○四句　係助詞「やは」に「矢」を掛ける。○五句　「春」に梓弓の縁語「張る」、「形見」に髭籠にちなんで「筐」を掛ける。→七三。

1063 春が過ぎて散り果ててしまった梅の花は、ただ香だけがこれだけ枝に残っている。―薫物は、梅花香がわずかしかないが、枝に付けてお贈りする。抄・雑上五八七・初、二句「はるたちてちりはてにけり」。高光集・小大君集。○人　小大君(小大君集)。○梅花　薫物の梅花香によそえる。○か許　これほどばかりの意に、「香ばかり」を掛ける。▽出家した藤原高光の歌。

1064 谷の戸を、閉じきってしまったのか。鶯は、待っているのに鳴き声もせず、春も過ぎてしまった。道長集・公任集。○右衛門督公任…　左衛門督が正しい。前年の秋、公任が後輩の藤原斉信に官位を越えられたのを不満として籠居したので、藤原道長が慰めたもの。三奏本金葉集は白河、千載集は長谷に籠居とある。○四月一日　寛弘二年(一〇〇五)(小右記)。○谷の戸　鶯の住居の谷に戸があるとしたもの。○鶯　公任をよそえる。○音　小右記「声」。▽三奏本金葉・雑上、千載・雑中に重出。この事件は赤染衛門が上表文執筆について、夫の大江匡衡に助言したなど(袋草紙、本朝文粋五、十訓抄七)、説話集や史書・日記などに数多く伝えられる。

返し　　　　　　　　　　　　　　　　公任朝臣

1065 行きかへる春をも知らず花咲かぬみ山隠れの鶯の声

四月朔日、詠み侍ける　　　　　　　　元輔

1066 春は惜し郭公はた聞かまほし思わづらふ静心哉

延長四年九月廿八日、法皇御六十賀、京極の御息所のつかうまつりける屏風の歌、藤の花　　　　　　貫之

1067 松風の吹かむ限はうちはへて絶ゆべくもあらず咲ける藤浪

延喜御時、藤壺の藤花宴せさせ給けるに、殿上の男ども歌つかうまつりけるに　　　　皇太后宮権大夫国章

1068 藤の花宮の内には紫の雲かとのみぞあやまたれける

左大臣女の中宮の料に調じ侍ける屏風に　　　　右衛門督公任

1069 紫の雲とぞ見ゆる藤花いかなる宿のしるしなるらん

1065 巡り来る春も知らず、花の咲かない深山に隠れ住む鶯の声だから、聞えるはずもない。―不遇の身は、籠居したままだ。道長集・公任集。〇初・二句　失意の心中をいう。〇三・四句「花咲かぬ身」「深山隠れ」と重ねる。不遇で籠居する境遇を表す。〇五句　鶯は、公任自身。鶯が鳴かない意の余情を込める。

1066 春が去るのは惜しい、とはいえ時鳥の声を聞きたい。思い迷う、落ち着いたはずの心だよ。元輔集。〇四月朔日　夏の初め。〇郭公　夏の景物。〇静心　春を惜しむことがなくなった心。

1067 松風が吹こうとする限りは、引き続いて、絶えそうもなく咲いている藤の花だよ。延長四年(九二六)九月二十八日、京極御息所主催の宇多法皇六十賀屏風歌(日本紀略)。貫之集。〇京極の御息所　→一〇四四。〇三・四句　継続・不断で賀の意識を表す。〇藤浪　松にかかる藤が風に揺れるのを波に見立てた。藤は、拾遺集では、夏の景物。→八一・八四。▽以下、藤の花の歌。

1068 藤の花は、雲の上の宮中では、紫の雲かとばかり見まがうことだ。抄・雑上四〇〇。〇延喜御時→五。〇藤壺　宮中五舎の一つ。飛香舎。〇藤花宴　作者国章の年齢からすると村上天皇の、天暦三年(九四九)四月十二日の藤花宴に詠まれた歌か。この時の藤壺には女御藤原師輔女安子が住んだ。→八六。〇紫の雲　藤壺の藤花の見立て。「紫雲」の訓読。徳の高い天子の在位時に現れるとされる。〇あやまたれ「あやまつ」は、「誤」という漢詩の見立て表現による。

1069 紫の雲と見える藤の花は、どのような家の瑞祥なのであろうか。長保元年(九九九)十一月一日に入内した藤原彰子の屏風歌。公任集。〇左大臣女の中宮　藤原道長女彰子。立后は、翌二年二月二十五日。〇料に…　入内の調度とした屏風。〇紫の雲　能因歌枕に「紫の雲とは、后のことをいふ」とあり、立后の予祝とも解せる。→一〇六八。〇藤花　藤原家の表象でもある。〇しるし　瑞祥。▽栄花物語・輝く藤壺、今昔物語集二十四、古本説話集上などに、公任の歌才を示す説話として載せ、拾芥抄などに、公任の家には毎朝紫雲が立ち昇ったとある。

1070 紫(むらさき)の色し濃(こ)ければ藤(ふぢ)の花松の緑(みどり)も移(うつ)ろひにけり

読(よみ)人知(し)らず

題知(し)らず

1071 郭公(ほととぎす)通(かよ)ふ垣根(かきね)の卯花(うのはな)のうきことあれや君が来(き)まさぬ

人(ひと)麿(まろ)

屏風の絵(ゑ)に

1072 卯花(うのはな)の咲(さ)ける垣根(かきね)に宿(やど)りせじ寝(ね)ぬに明(あ)けぬとおどろかれけり

重(しげゆき)之

陸奥国(みちのくに)にまかり下(くだ)りて後(のち)、郭公(ほととぎす)の声(こゑ)を聞(き)きて

1073 年を経(へ)てみ山隠(がく)れの郭公(ほととぎす)聞(き)く人もなき音(ね)をのみぞ鳴(な)く

実方(さねかた)朝臣

女のもとに、白(しろ)き糸(いと)を菖蒲(さうぶ)の根(ね)にして薬玉(くすだま)をおこせ侍(はべり)て、あはれなることどもを、ある男(をとこ)の言(い)ひを(お)こせて侍ければ

1074 声立(た)てて鳴(な)くといふとも郭公(ほととぎす)袂(たもと)は濡(ぬ)れじ空音(そらね)なりけり

よみ人知(し)らず

1070　紫の色が濃いので、藤の花に負けて、松の緑も色褪せてしまった。〇三・四句　藤と松との配合は、類型的な構図。→一〇六七。▽詞書がないので、前歌と同じ折の詠作になるが、躬恒集に、「その御屏風の歌、所々の題の趣に従えり」としてあるので、別の時の躬恒の歌になる。

1071　時鳥の通う垣根の卯の花の「う」ではないが、私に憂く思うことがあるのか、あなたはお見えにならない。〇上句　三句までが同音反復で「うき」を導く序詞。底本「郭公」に「ウクイスノ」と傍書。異本系統も「鶯」。時鳥と卯の花との配合は、万葉集以来の類型。「時鳥我とはなしに卯の花の憂き世の中に鳴きわたるらむ」(古今・夏・凡河内躬恒)。〇来まさぬ　「来ます」は、尊敬語。いらっしゃる。▽万葉集八・小治田広耳の歌「時鳥鳴く峰の上の…」、同十・作者未詳歌「鶯の…」の異伝。以下、卯の花の歌。

1072　卯の花の咲いている垣根の家に宿るまい。花の白さに寝ていないのに、夜が明けた、とはっとしてしまうことだ。冷泉院百首歌。重之集。〇四句　夏の短か夜と、卯の花の明るさで、夜明けと錯覚する。卯の花垣根の明るさを誇張。▽詞書は「屏風の絵に」だが、百首歌の一首。

1073　長年の間、深山に隠れている時鳥は、聞く人もいないのに、声を立てて鳴くばかりだ。実方集。〇陸奥国　藤原実方は、正暦六年(九九五)正月十三日に陸奥守になり、九月二十七日に赴任(日本紀略)、当地で没した。〇二・三句　陸奥にいる実方自身をよそえる。〇五句　僻地に遠ざけられた憂愁。▽古事談に実方は、宮中で藤原行成の冠を撃ち落とした罰で左遷されたとする話がある。以下、時鳥の歌。

1074　声を立てて鳴くといっても時鳥は、袂は濡れまい。造り物の根のように、嘘鳴きであったのだ。〇薬玉　邪気を払うために、五月五日の節句に飾った。菖蒲や蓬、また薬や香料を入れた袋などを、五色の糸で括る。ここは白い糸を菖蒲の根とした。〇初・二句　時鳥は、五月になって人里で高く鳴くとされた。その声に、相手の男が泣くのを重ねる。〇空音　嘘鳴き。造花の「そら根」を響かせる。

廉義公(れんぎこう)家障子に

1075 かく許(ばかり) 待(ま)つと知(し)らばや郭公(ほととぎす) 梢高(こずゑたか)くも鳴(な)きわたる哉(かな)

元(もと)輔(すけ)

題知(し)らず

1076 あしひきの山郭公(ほととぎす)里馴(さとな)れてたそかれ時に名(な)のりすらしも

大中臣輔親(すけちか)

坂上郎女(さかのうへのいらつめ)に遣(つか)はしける

1077 ふるさとのならしの岡(をか)に郭公(ほととぎす)事伝(づ)てやりきいかに告(つ)げきや

大伴像見(かたみ)

螢(ほたる)を詠(よ)み侍(はべり)ける

1078 終夜(よもすがら) 燃(も)ゆる螢(ほたる)を今朝(けさ)見れば草の葉(は)ごとに露(つゆ)ぞ置(お)きける

健守(けんしゆ)法師

延長七年十月十四日、元良(もとよし)の親王(みこ)の四十賀し侍(はべり)ける時の屏風に

1079 常夏(とこ)の花をし見ればうちはへて過(す)ぐる月日の数(かず)も知(し)られず

貫(つら)之(ゆき)

1075 これほどに私が待っていると知ってほしい。それを知らずに時鳥は、遥か梢高くも鳴き続けていることだ。永観二年(九八四)、藤原頼忠家屏風歌(尊経閣本元輔集)。○廉義公　頼忠。○知らばや　尊経閣本元輔集の「しらずや」が分かりやすい。○四句　時鳥を思慕の相手によそえたものとも解せる。↓一〇七四。

1076 山時鳥は人里に馴れて、夕暮れ時に、誰ぞと聞かれて、名のりをしているらしいよ。抄・雑上四〇五。輔親集。○初句　「山時鳥」の枕詞。○二句　五月になって、山から人里に飛来した時鳥。○たそかれ時　夕暮時。「誰そ彼時」の意で「誰そ」を掛ける。○五句　「名のる」は、名を告げる。本来は、禁忌を口にするという呪術的な意味があり、求婚や合戦などの場合に用いる。ここは、「誰そ」と聞かれた時鳥が、鳴くのを名のりと擬人化したもの。「ホトトギス」と鳴くとされた。▽今昔物語集二十四に、輔親の歌才をしめす説話として伝える。

1077 古京のならしの岡に、時鳥を言伝ての使いに遣った。返事がないのは、どのように告げたのだろうか。抄・雑上四〇四・二句「ならしのをかの」。○ふるさと　古京。藤原京か、平城京か、未詳。○ならしの岡　大和国。所在不明。○郭公　ここは伝言の使者と見る。▽万葉集八の大伴田村大嬢が妹の坂上大嬢に与えた歌の異伝。

1078 一晩中、燃えていた螢を今朝見ると、草の葉ごとに露が置いて光っていたことだ。○螢　燃えるような思慕の情の表象。「明け立てば蝉のをりはへ鳴き暮らし夜は螢の燃えこそわたれ」(古今・恋一・よみ人知らず)。○露　涙の表象。夜の螢の光から朝の露の光への視覚的変化の妙。

1079 常夏の花を見ていると、引き続き過ぎる月日の数も分からないほどだ。延長七年(九二九)十月十四日、元良親王四十賀屏風歌(日本紀略)。貫之集。○常夏の花　撫子。愛する人の表象。また、永遠の表象でもあり、賀意を示す。「常夏の花をだに見ばことなしに過ぐす月日も短かりなむ」(後撰・夏・よみ人知らず)。○三句　長い間続いて。○下句　長久の月日によって、賀意を表す。▽「第八内親王(修子)、為二兵部卿親王(元良)一設二四十賀礼一」(日本紀略)。

一条摂政の北方ほかに侍ける頃、女御と申ける時

贈皇后宮

1080 しばしだに蔭に隠れぬ時は猶うなだれぬべき撫子の花

題知らず

躬恒

1081 いたづらに老いぬべら也大荒木の森の下なる草葉ならねど

1080　しばらくの間でさえ、母の蔭に隠れない時は、やはりうなだれてしまいそうな撫子の花だよ。実頼集・義孝集。○一条摂政の北方…　藤原伊尹の妻、代明親王女の恵子女王が、別の所に住んでおりました頃。○女御　恵子女王の娘、藤原懐子。この歌の作者。康保四年(九六七)九月に冷泉院女御になった。○上句　母親の不在の時。「蔭」は庇護の意。○四句　撫子の物蔭がなくてしおれてしまうさま。懐子の母親の庇護がなくて落胆しているのをよそえる。○五句　「撫でし子」で可愛がられる子の表象。自身をよそえる。▽実頼集や義孝集によると、恵子が懐子に付き添って孫の東宮(後の花山天皇)のもとに久しく伺候していた時に、子の義孝を思い遣って詠んで贈った歌に対する、義孝の返歌となっている。この時の恵子の歌は、「よそへつつ見れど露だに慰まずいかにかすべき撫子の花」として、新古今・雑上に収められている。

1081　むなしく年老いてしまうようだ。大荒木の森の下にある草葉ではないけれど。抄・雑上四〇六・五句「草にはあらねど」。躬恒集。○べら也　↓三。○大荒木の森　大和国。山城国とも。大和国だと奈良県五條市の荒木神社の森、山城国だと京都市伏見区の淀川西岸にあった与杼(よど)神社の森。○森の下なる草葉　「大荒木の森の下草老いぬれば駒もすさめず刈る人もなし」(古今・雑上・よみ人知らず)によって、人から顧みられない老いの身の表象となる。

拾遺和歌集巻第十七　雑秋

屏風に、七月七日　　源　順

1082 たなばたは空に知るらんさゝがにのいとかく許祭る心を

円融院御屏風に、七夕祭したる所に、籬のもとに男立てり　　平　兼盛

1083 たなばたの飽かぬ別もゆゝしきを今日しもなどか君が来ませる

七夕後朝、躬恒がもとに遣はしける　　貫　之

1084 朝戸開けてながめやすらん織女の飽かぬ別の空を恋ひつゝ

雑秋は、雑春を承けた部立である。一一三七番歌以降は「雑冬」になっている。

1082 織女星は空にいて分かってくれるだろう。糸を懸けてこれほどまでに祈願する私の心を。源高明大饗屏風歌。順集。○たなばた　織女星。○空に知る　暗に理解する。「空」は、七夕の縁語。「思ふとも恋ふともいかが雲居より遥けき人の空に知るらむ」(宗于集)。○三句　「いと」の枕詞。「さゝがに」は蜘蛛の歌語。○いと　副詞の「いと」に、「糸」を掛ける。○かく　副詞の「斯く」に「(糸を)懸く」を掛ける。○祭る　本来は、供物を奉る意。▽荊楚歳時記に、庭に瓜を置き、その瓜に蜘蛛が網を張れば、願い事が叶うとある。また、七夕には、糸を針に通して、裁縫の上達を月に願う(乞巧)とある。竿に五色の糸を掛けて祭ることも行われた。

1083 織女星の満ち足りない別れも忌まれるのに、今日に限って、どうしてあなたが来られたのか。円融朝内裏屏風歌。兼盛集。○籬のもとに男女の恋人として歌に詠む。○飽かぬ別　ただでさえ暁の別れは去りがたいのに、年に一度の逢瀬では、一層満ち足りない思いで別れるとする。○三句　七夕の逢瀬の希なことを忌む。堀河本「わひしきに」、書陵部本兼盛集「かなしきを」。○下句　七夕の日に限って訪問した男を咎める。▽兼盛集に「女、庭に出でて、七夕祭す」とある女の立場からの歌。

1084 朝、戸を開けて、物思いに耽っているのであろうか。織女星のように、満ち足りずに別れた空を恋い慕いながら。貫之集。○七夕後朝…七月八日の朝、凡河内躬恒に贈った歌。○朝戸　朝起きて開ける戸。万葉集以来の歌語。逢瀬の後朝の雰囲気がある。「朝戸開けて物思ふ時に白露の置ける秋萩見えつつもとな」(万葉集八・文馬養)。○ながめ　物思いと眺めを重ねる。○飽かぬ別　→一〇八三。▽後撰・秋上に重出。貫之集には、前年に躬恒と七夕の翌朝に贈答をして、さらに翌年の七月八日に贈ったとある。牽牛星を恋慕する織女星の心情に寄せて、貫之の躬恒に対する友情を詠んだもの。

題知らず

1085 渡守はや舟隠せ一年に二度来ます君ならなくに

人麿

七夕祭描ける御扇に書かせ給ける

1086 織女のうら山しきに天河今宵許は下りや立たまし

天暦御製

題知らず

1087 世をうみて我がかす糸はたなばたの涙の玉の緒とやなるらん

よみ人知らず

天禄四年五月廿一日、円融院の帝、一品宮にわたらせ給て、乱碁とらせ給ける負態を、七月七日に、かの宮より内の大盤所に奉られける扇に張られて侍ける薄物に、織り付けて侍ける

1088 天の河〳〵辺涼しきたなばたに扇の風を猶やかさまし

中務

1085 船頭よ、早くあの人が帰る舟を隠しなさい。一年に二度訪れて来る君ではないので。人麿集。○渡守　渡し船の船頭。○隠せ　船を隠して、帰路を妨害せよ。万葉集は、「渡せ」。それならば、逆に、往路を急がせることになる。▽万葉集十・作者未詳歌の異伝。赤人集にあり。

1086 織女星が牽牛星と逢うのが羨ましいので、天の川に七夕の今宵だけは下り立とうか。村上御集。○七夕祭描ける…　扇絵歌になる。○うら山しき　定家本の文字遣い。○五句　「下り立つ」は、下りて川の中に立つ。普段は玉座にいる帝が、七夕にあやかり天の川に下りようという。宮中を「雲居」ということからの着想か。

1087 男との仲に嫌気がさして、私が紡いで七夕に供える糸は、織女星の涙の玉を貫く緒になるだろうか。醍醐朝内裏屏風歌(貫之集)。○初句「世」は、男女の仲。「うみ」は、嫌になる意の「倦む」に、麻などの繊維を紡いで糸に縒る意の「績む」を掛ける。○かす　糸を竹にかけて引く。供える。提供する。「織女に今朝はかしつるあさの糸を夜は祭ると人は知らずや」(順集)。○糸 ↓一〇八二。○涙の玉の緒　涙を玉に見立てて、その玉を緒で貫くとする。

1088 天の川の川辺の秋風が涼しい七夕の日に、織女星に扇の風を、なおも貸そうかしら。抄・秋九六。天禄四年(九七三)七月七日、資子内親王乱碁負態扇歌(円融院扇合)。中務集。○天禄四年…この年の五月二十一日、円融天皇が姉の一品宮資子内親王のもとに赴き、乱碁(碁石の遊戯。盤上の碁石を指で押し付けて取り、その数を競う。石なご説などもある。↓一一六三)をして、七月七日、内親王がその負態(勝負事の敗者の勝者への饗応)を主催し、内裏の台盤所(↓三〇五)に奉った扇に張られた薄物に織り付けてあった歌。円融院扇合に作者名はないが「二藍の裾濃なる薄物重ねて、真名仮名にて織りつけたり」とある。○三句　「涼しき七夕」「織女星に」と文脈が重なる。○猶　涼しい川風に、なおかつ扇の風を、の意。また、秋になったのになおも、の意を添える。負態が七月になった言い訳になる。○かさまし　「貸す」は、供える意もある。↓一〇八七。

1089 天河扇の風に霧晴れて空澄みわたる鵲の橋

元輔

同じ御時、御屏風、七月七日夜、琴弾く女あり

1090 琴の音はなぞやかひなきたなばたの飽かぬ別をひきし留めねば

源順

仁和御屏風に、七月七日、女の河浴みたる所

1091 水のあやをおりたちて着む脱ぎちらしたなばたつめに衣かす夜は

平定文

七月七日に詠み侍ける

1092 秋風よたなばたつめに事問はんいかなる世にか逢はんとすらん

藤原義孝

寂昭が唐にまかり渡るとて、七月七日舟に乗り侍けるに、言ひ遣はしける

1093 天河のちの今日だにはるけきをいつとも知らぬ舟出悲しな

右衛門督公任

1089 天の川は扇の風で霧が晴れて、空も澄み渡り、はっきりと見える鵲の橋だよ。前歌と同時の作。元輔集。○扇の風　ここは、視界を妨げる霧を吹き払うもの。○霧　秋の景物。ここは、川霧。○五句　織女星と牽牛星との出会いに、鵲が集まり橋となって渡すとされる。白孔六帖「七月七日、烏鵲塡レ河、成レ橋而度二織女一」。▽円融院扇合では中務の葦手歌とする。

1090 琴の音は、どうして弾くかいがないのか。七夕の満ち足りない別れを弾いて引き留めないので。藤原忠君屛風歌か。順集。○同じ御時　前歌から円融朝になるが、順集の、安和元年（九六八）に没した右兵衛督忠君（尊卑分脈）の屛風歌とすると、冷泉朝は短期間なので除外すれば、村上朝か。○三・四句　類句となっている。→一〇八三。○五句　「引く」に、琴を「弾く」を掛ける。

1091 水の波紋の綾織物を川に下り立って着よう。脱ぎ散らした織女星に着物を貸す、七夕の夜は。光孝朝内裏屛風歌。○仁和　光孝朝の年号（八八五—八八九）。○女の　底本、「女」は傍書。○水のあや　川の波紋を、衣服の文様に見立てて、綾織物としたもの。○おりたちて　「下り立つ」に、「織り裁つ」を掛ける。○たなばたつめ　棚機つ女。織女星。○かす　貸す。供える意がある。→一〇八七。▽宇多上皇屛風歌説もある。

1092 秋風が吹くよ。織女星に問い尋ねよう。飽きられた私は、何時の世になったらあの人に逢えるのだろうか。○初句　秋風は、秋の到来を示す景物。「飽き」を響かす。織女星に聞いてほしいと、依頼するとも解せるか。○二句　→一〇九一。○下句　逢瀬の叶う時期の問い掛け。

1093 天の川で逢う一年後の今日の七月七日までさえ遠く隔たっているのに、何時再会かとも分からない、あなたの船出は悲しいことだ。公任集。○寂昭　大江定基。○唐…　長保四年（一〇〇二）三月十五日、寂昭は宋に赴くことを上状し（日本紀略）、許可されて七月七日に難波津から船出したのであろう。その折の、公任の送別の歌である。○下句　再会の時期が不明というのである。寂昭は、長元七年（一〇三四）、宋で没した。▽後拾遺・別に重出。

七夕後朝に、躬恒がもとより歌詠みてをこせて侍ける返事に　　貫之

1094 逢ひ見ずて一日も君にならはねばたなばたよりも我ぞまされる

題知らず　　よみ人知らず

1095 むつまじき妹背の山と知らねばや初秋霧の立隔つらん

天暦御屏風に

1096 藻塩焼く煙に馴るゝ須磨の海人は秋立霧も分かずやあるらん

三条太政大臣家にて、歌人召し集めて、あまたの題詠ませ侍けるに、岸のほとりの花といふ事を　　源重之

1097 行く水の岸ににほへる女郎花しのびに浪や思かくらん

房の前栽見に、女どもまうで来たりければ　　僧正遍昭

1098 こゝにしも何にほふらん女郎花人の物言ひさがにくき世に

1094 逢わずに一日でもいるのは、君との場合、馴れていないので、織女星よりも、待ち遠しさは私がまさっていることだ。抄・雑上四〇七・よみ人知らず。貫之集。○七夕後朝に…　七夕の翌朝に凡河内躬恒のもとから、贈られた歌、「君に逢はで一日二日になりぬれば今朝彦星の心地こそすれ」に対する返歌。○初句　友情を恋歌めかして詠む。▽一〇八四の前提になる贈答。躬恒集に「…美濃守に贈る」とあり、延喜十八年(九一八)、美濃介赴任の頃の詠作か。

1095 むつまじい妹背の山と知らないからか、初秋霧が立って、間を隔てるのだろう。○初句「妹背」に言い掛ける枕詞的な用法。○妹背の山　紀伊国。大和国にも。「妹背」は、夫婦・恋仲。○初秋霧　「初秋風」などの類想による造語か。○立隔つ　霧が妹山と背山の間に立つさま。▽好忠集にあり。以下、霧の歌。

1096 藻塩を焼く煙に見馴れている須磨の海人は、秋に立つ霧も見分けられずにいるだろうか。村上朝内裏屏風歌。○天暦　→六。○藻塩焼く煙　製塩の煙。→一〇一八。○須磨　摂津国。藻塩焼く煙が景物。○海人　漁師。○分かず　煙と霧が見分けられない。▽中務集にあり。

1097 流れ行く水の岸辺に美しく咲いている女郎花に、ひそかに波は思いを懸けているだろうか。三条左大臣藤原頼忠前栽歌合歌。○三条太政大臣　頼忠。○行く水の岸　庭の遣水の岸。当日は「遣水虫の宴」であった。○にほへる　ここは視覚的な美しさ。○女郎花　若く美しい女性によそえる。○思かく　「かく」は、波の縁語。波が花にかかるのを懸想に見立てた。▽以下、女郎花の歌。

1098 場所もあろうに、この僧坊に、どうして美しく咲くのだろう、女郎花は。人の物言いが口さがない世の中なのに。抄・雑上四二一。遍昭集。○房　僧坊。女郎花の名所の嵯峨野にあった。○まうで来たりければ　参来したので。○初句　女人と無縁な僧房なのに、の意を強調する。○にほふ　→一〇九七。○三句　ここは、見物の女性もよそえる。→一〇九七。○さがにくき　性憎き。意地が悪い。僧房に女性がいると取り沙汰する。地名の「嵯峨」を隠す。

題知(し)らず　　　　　　　　　　　よみ人知(し)らず

1099 秋の野の花の色〳〵取(と)り総(す)べて我(わ)が衣手に移(うつ)してし哉(がな)

1100 船岡(ふなをか)の野中に立(た)てる女郎花(をみなへし)渡(わた)さぬ人はあらじとぞ思(おもふ)

円融院の御屏風に、秋の野に色(いろ)〳〵の花咲(さ)き乱(みだ)れたる所に鷹据(たかすゑ)へたる人あり　　　　　　　　　　　平　兼　盛

1101 家づとにあまたの花も折(を)るべきにねたくも鷹(たか)を据(すゑ)へてける哉(かな)

をみなへしといふことを、句(く)の上(かみ)に置(お)きて　　　　　　　　　　　貫(つら)　之(ゆき)

1102 小倉(をぐら)山みね立(たち)ならしなく鹿(しか)の経(へ)にける秋を知(し)る人のなき

題知(し)らず

1103 来(こ)てふにも似(に)たる物哉(かな)花薄(すゝき)恋(こひ)しき人に見すべかりけり

1099 秋の野の花の色々を取り集めて、私の袖に移し染めたいものだ。抄・雑上四三。○色〳〵　色とりどり。○三句　取り揃えて。「取り据う」という解もある。○衣手　袖。○移し　色を移す、染みつかせる。▽躬恒集にあり。

1100 船岡の野の中に立っている女郎花を、船が人を渡すように、移し植えない人はあるまいと思う。○船岡　山城国。平安京の北郊。「船」を連想させる。「船岡に花つむ人のつみ果ててさしてゆくかたいかで尋ねむ」(躬恒集)。○渡さぬ　「渡す」は、「船」の縁語。移植する。船岡の野の女郎花を移植するのを、地名から船で渡るとする趣向。八代集抄は見渡す意に解す。

1101 家への土産に多くの花を折り取るべきなのに、癪にさわることには、鷹を止まらせていて花に近寄れないことだよ。円融朝内裏屏風歌。○鷹据へたる人　鷹を腕に留まらせている人。鷹匠。○家づと　家への土産。山野の花や紅葉なども土産にした。「見てのみや人に語らむ桜花手ごとに折りて家づとにせむ」(古今・春上・素性法師)。○鷹　秋なので小鷹狩になる。大鷹狩りは冬。

1102 小倉山の峰を踏み均しながら鳴く鹿の、経てきた秋の久しさを、知る人はいないことだ。抄・雑上四八四・四句「へにけん秋を」。昌泰元年(八九八)秋、亭子院女郎花合歌。○をみなへし…各句の頭に「をみなへし」を一字ずつ詠み込んだ、いわゆる折句の歌。○小倉山　山城国。鹿が景物。→三六。○立ならし　「立ち均す」は、同じ所を行き来して、地面を踏み均す。「立ち馴らす」とする解もある。○なく鹿　鹿は妻を恋うて鳴くとする。○知る人の　底本、「の」の右に「そ」を傍書。▽古今・物名に重出。鹿を詠むが、拾遺集の配列の意識は女郎花に視点を置いている。

1103 来なさいと言って招くと似ている姿だ。この花薄は、恋しい人に見せるべきであったよ。抄・秋一〇九・よみ人知らず。○初・二句　「てふ」は「といふ」の約。「月夜良し夜良しと人に告げやらば来てふに似たり待たずしもあらず」(古今・恋四・よみ人知らず)。○花薄　風にそよぐのを、人を招く姿と見るのが類型。自身の思いを重ねる。→一五六。

1104 帰(かへり)にし雁ぞ鳴(な)くなるむべ人はうき世中(よのなか)をそむきかぬらん

能(よし)宣(のぶ)

中宮(ちゆうぐう)の内におはしましける時、月の明(あ)かき夜、歌詠(うたよ)み侍(はべり)ける

1105 九重(ここのへ)の内だに明(あ)かき月影に荒(あ)れたる宿(やど)を思(おもひ)こそやれ

善滋為政(ためまさ)

延喜十九年九月十三日、御屏風に、月に乗(の)りて翫(もてあそ)ブ二潺湲(せんくわん)ヲ一

1106 もゝしきの大宮ながら八十島(やそしま)を見る心地する秋の夜(よ)の月

よみ人知(し)らず

八月に、人の家の釣殿(つりどの)に客人(まらうど)あまたありて、月を見る

1107 水の面(おも)に宿(やど)れる月ののどけきはなみ居(ゐ)て人の寝(ね)ぬ夜(よ)なればか

順(したがふ)

清慎公(せいしんこう)五十賀の屏風に

1108 走(はし)り井のほどを知(し)らばや相坂(あふさか)の関引(ひ)き越(こ)ゆる夕(ゆふ)かげの駒(こま)

元(もと)輔(すけ)

1104 帰って行った雁が、また鳴いている。なるほど、人は憂き世の中を捨てかねるのだろう。能宣集。○初・二句　雁は、春に北国に帰り、秋に再び渡来する。そのさまに八代集抄は「輪廻妄執は止めがたき理」を見る。▽書陵部本能宣集「公所に宿直する夜、これかれ思ふことある人々同じ所に臥して、世の中のあはれなることなど言ひて、寝も寝ぬに、雁の鳴くを聞きて」。

1105 宮中の御殿でさえ明るい月の光に、荒れ果てた我が家では、どんなに明るいかと思いやられることだ。○中宮　一条天皇中宮彰子か。玄玄集「内にて、月を見て」。○九重の内　宮中。○荒れたる宿　荒廃した家。陋屋。屋根が傷んで、月の光が射し込み明るい。▽以下、月の歌。

1106 宮中にいながら、八十島を見る心地がする秋の夜の月だよ。屏風歌ではなく内裏月宴歌・凡河内躬恒(躬恒集)。○月に乗りて翫潺湲　文選二十六・謝霊運の詩、「入二華子岡一是麻源第三谷」の一句。「潺湲」は、水がさらさらと流れるさま。遣水。躬恒集「清涼殿の南の端に、御溝水流れ出でたり。その前栽に松浦沙あり。延喜十九年(九一九)九月十三日に賀(宴か)せしめ給ふ。題に、月に乗りてささら水を翫ぶ」。○初句「大宮」の枕詞。○大宮　内裏。○八十島　出羽国。ここは、多くの島の意で、遣水の石組みの見立てか。

1107 水面に映る月影がのどかなのは、波も立たず、人も並び居て、寝ずに過ごす夜だからか。源高明大饗屏風歌。順集。○釣殿　寝殿造で、池に臨む建物。○宿れる　下の「寝」と縁語を成す。○なみ居て　並ぶ意の「並」に、「水」の縁語「波」を掛ける。「居る」は、座る意で、「立つ」の対だから、波が立たない意となる。

1108 走り井のあたりの様子を知りたいものだ。逢坂の関を引き越える、夕日を浴びた鹿毛の馬の。元輔集。○清慎公　藤原実頼。○五十賀　→二七七。○走り井　ここは、逢坂の関付近の清水。関の清水。以下、本集一七〇を踏まえる。○相坂の関　逢坂の関。近江国。○引き越ゆる　引きながら越える。「引く」は、駒牽きを暗示する。→一六九。○夕かげ　「夕影」に、馬の毛色「鹿毛」を掛ける。

題知らず

1109 虫ならぬ人も音せぬ我が宿に秋の野辺とて君は来にけり

曽禰好忠(よしただ)

1110 庭草にむらさめ降りてひぐらしの鳴く声聞けば秋は来にけり

人麿

三百六十首の中に

1111 秋風は吹(ふき)なやぶりそ我が宿のあばら隠せる蜘蛛の巣がきを

好忠

右大将定国(さだくに)家の屏風に

1112 住の江の松を秋風吹くからに声うち添ふる沖つ白浪

躬恒

題知らず

1113 秋風の寒く吹くなる我が宿の浅茅がもとにひぐらしも鳴く

人麿

1109 虫は鳴いても、人も訪れない我が家に、秋の野辺を見にといって、君は訪ねて来たことだ。○初・二句　虫ではない人もの意で、二通りの解釈ができる。虫は鳴き、人は訪れない。虫も鳴かず、人も訪れない。前者か。○音せぬ「音す」は、虫が鳴く意に、人が訪れる意を掛ける。○秋の野辺　秋の風情の前栽を言う。あるいは、荒れ果てた庭をいうか。▽以下、虫の歌。

1110 庭の草に俄か雨が降って、蜩の鳴く声を聞くと、秋は来ていたのであった。人麿集。○むらさめ　驟雨。断続的に激しく降り過ぎる雨。「天雲の返るばかりのむらさめに所狭きまで濡れし袖かな」(後拾遺・恋二・よみ人知らず)。○ひぐらし「ひぐらしの声もいとなく聞こゆるは秋夕暮になればなりけり」(後撰・秋下・紀貫之)。万葉集は「蟋蟀」。→三七〇。○五句「けり」は、気づき。万葉集は「秋付きにけり」。▽万葉集十・作者未詳歌の異伝。

1111 秋風は吹き破らないでおくれ。我が家の荒ぶりを隠している蜘蛛の巣を。好忠集。○あばら　荒廃しているさま。隙間だらけなさま。「囲はねど蓬のまがき夏来ればあばらの宿をも隠しつつ」(好忠集)。○巣がき　巣。巣を掛けること。「ささがにの空に巣がける糸よりも心細しや絶えぬと思へば」(後撰・雑四・よみ人知らず)。▽以下、秋風の歌。

1112 住の江の松を秋風が音を立てて吹くと同時に、声を添える、沖の白波の音だ。延喜五年(九〇五)二月十日、藤原定国四十賀屏風歌。躬恒集。○右大将定国　当時、定国は、従三位大納言兼右大将で、三十九歳。○住の江　摂津国。賀意を表す松は、その景物。○からに　…するやいなや。○声　音。松風の音に、波音。○五句　沖の白波。沖から打ち寄せる波。「白」は「松」の緑に対照。▽古今・賀に重出。

1113 秋風が寒そうに音を立てて吹く我が家の、浅茅の元に蜩も鳴くことだ。人麿集。○浅茅→六二三。○秋風　風音も暗示する。○ひぐらし→三七〇・二二〇。万葉集「蟋蟀」が妥当か。▽下句は、底本二一四の下句で、右に傍書で補入されている。万葉集十・作者未詳歌の異伝。

1114 秋風し日ごとに吹けば我が宿の岡の木の葉は色づきにけり

1115 秋霧のたなびく小野の萩の花今や散るらんいまだ飽かなくに

近隣なる所に方違へにわたりて、宿れりと聞きてあるほどに、事にふれて見聞くに、歌詠むべき人也、と聞きて、これが歌詠まんさまいかでよく見む、と思へども、いとも心にしあらねば、深くも思はず、進みても言はぬほどに、かれも又心見むと思ければ、萩の葉の紅葉たるに付けて、歌をなむをこせたる

女

1116 秋萩の下葉につけて目に近くよそなる人の心をぞ見る

返し

貫之

1117 世中の人に心を染めしかば草葉に色も見えじとぞ思

1114 秋風が日増しに吹くので、我が家の岡の木の葉は色付いてしまったことだ。人麿集。○我が宿の岡の　万葉集「水茎の岡の」。「水茎の」は、「岡」の枕詞。異伝のために、ちぐはぐな表現となった。我が家が岡の上または岡辺にあるのか、築山のようなものを岡というのか、さまざまに解せる。○下句　下句は、底本前歌から補入。▽万葉集十・作者未詳歌の異伝。

1115 秋霧のたなびく小野の萩の花は、今は散っているだろうか。いまだに見飽きないのに。人麿集。○初句　万葉集「朝霧」。霧で萩の花は隠されている。○小野　野の美称。野原。○飽かなくに　飽き足りないのに。▽万葉集十・作者未詳歌の異伝。以下、萩の歌。

1116 秋萩の色付いた下葉につけて、目の前近くにいて、素知らぬ顔をする人の、移ろいやすい心を見ることだ。貫之集。○近隣なる所に…　ある女性が近所に方違えで泊まっていると聞いているうちに、何かにつけて見聞きすると、歌が詠める人だと聞いて、この女性が歌を詠む様子をどうにかしてよく見たいと思ったけれども、それほど心にかけていなかったので、深く気にせず、進んで言い寄らずにいるうちに、相手も又、こちらの歌を試してみようと思ったので、萩の葉の紅葉したのに添えて、歌を詠んで贈ってきた。○方違へ　陰陽道で、天一神の居る方角を避けて、他所に一時的に宿泊すること。○秋萩の下葉　早秋に黄色く色付く。変心を表象する景物。ここは懸想の表象でもあり、何の関心も寄せない貫之に内心は下心があるのではないかと言って、反応をうかがおうとした。「秋風に乱れて物は思へども萩の下葉の色は変はらず」(新古今・恋一・藤原高光)。○目に近く　近くに居て。○よそなる人　冷淡な人。「よそなり」は、心情の隔てを表す。

1117 世間の人に私は心を染めてきたので、草葉に色となって見えはしまいと思うことだ。貫之集。○心を染めしかば　懸想することを、染色によそえて言う。○草葉に色も見えじ　萩の色づいた下葉に、自分の心が現れることはあるまい。相手の女性の揶揄に対して応酬した。▽貫之集は、合わせて十首の歌の連続となっている。

題知らず

1118 このごろのあか月露に我が宿の萩の下葉は色づきにけり

人麿

1119 夜を寒み衣かりがね鳴くなへに萩の下葉は色づきにけり

1120 かの見ゆる池辺に立てるそが菊の茂みさ枝の色のてこらさ

よみ人知らず

天暦御時、菊の宴侍けるあしたに奉りける

1121 吹風に散る物ならば菊花 雲居なりとも色は見てまし

忠見

物ねたみし侍ける男、離れ侍て後に、菊の移ろひて侍けるを遣はすとて

1122 老いが世にうき事聞かぬ菊だにも移ろふ色は有けりと見よ

よみ人知らず

1118　この頃の暁の露によって、我が家の萩の下葉は色付いたことだ。人麿集。○あか月露　暁露。定家本の文字遣い。露は草木を紅葉させるとされた。○萩の下葉　露が下に溜まり、下葉から色づく。→二一六。▽万葉集十・作者未詳歌の異伝。類歌、万葉集十「この頃の暁露に我が宿の秋の萩原色付きにけり」。

1119　夜が寒いので、衣を借り、雁が鳴くのにつれて、萩の下葉は色付いたことだ。人麿集。○二句「衣借りかね」と「雁がね」とを掛ける。漢語「寒雁」との関連を指摘する説もある。○なへに　…につれて。○下句　前歌と同じ歌句。▽古今・秋上に重出。

1120　あそこに見える池のほとりに立っている黄菊の、茂みや枝の色の濃く美しいことよ。抄・雑上四八・四句「しがみさ枝の」。○そが菊　承和の帝(仁明天皇)が愛好した黄菊、または「一本菊」の異名とも。俊頼髄脳「承和の帝、一本菊をこのみて、興ぜさせ給ひけり。…さて一本菊の名を、承和の菊と言へるなり。…そが菊は、黄なる菊を申すなりと言へる人もあるにや」。「そが」は「承和」の呉音「ショウクワ」の転。底本「季本そわぎく」と左に傍書。○茂み　異本系統は「しがみ」で、下に続けて、「し(其)が」「みさ(下)枝」と解する説がある(俊頼髄脳)。底本「しがみ」と左に傍書。○さ枝　枝の美称。また、小枝。○てこらさ　「てごらさ」とも。色の濃く美しいこと。僻案抄「色の照り濃く見ゆる」。▽以下、菊の歌。

1121　吹く風に散り来るものならば、菊の花は、雲居にあるとしても、色は見えたであろうに。忠見集。○天暦御時、菊の宴　村上朝は九月の菊の宴は停止。十月の残菊の宴か。○下句　「雲居」は、ここでは殿上をさす。地下の身分なので、菊の宴に参加できないのを嘆く。

1122　老いの世につらいことを聞かない菊でさえも、移ろう色はあったのだと見なさい。抄・雑上四三。○物ねたみ…　嫉妬深い男が離れ去った後に、菊の移ろったのに添えて女が贈った歌。最初の「侍」は底本傍書。○移ろふ色　変色した色。自身の心変わりを暗示する。▽拾遺抄では、嫉妬したのは男女いずれかで揺れがある。

題知らず

1123 我妹子が赤裳濡らして植へし田を刈りて収めむ倉無の浜

人麿

屏風に、翁の稲運ばする形描きて侍ける所に

1124 秋ごとに刈りつる稲は積みつれど老にける身ぞ置き所なき

忠見

延喜御時、月次御屏風の歌

1125 刈りて干す山田の稲を干しわびて守る仮庵に幾夜経ぬらん

躬恒

祓しに、唐崎にまかり侍て、舟のまかりけるを見侍て

1126 奥山に立てらましかば渚漕ぐ舟木も今は紅葉しなまし

恵慶法師

題知らず

1127 久方の月をさやけみもみぢ葉の濃さも薄さも分きつべら也

よみ人知らず

1123 我が妻が赤い裳の裾を濡らして植えた田を刈って、収めきれる倉のない豊作の倉無の浜だよ。人麿集。○赤裳　この裳は、上代の女性の服装で、腰から下に着るスカート状の衣服。○倉無の浜　豊前国。豊作を表す「倉無し」と言い掛ける。稲作に寄せた土地賞め。▽万葉集九・柿本人麿伝承歌の異伝。以下、田の歌。

1124 秋ごとに刈った稲は、積み置いたけれど、年老いてしまった我が身の置く場所はない。忠見集。○屛風　障子絵(忠見集)。○初・二句　時間の経過を表す。賀意が籠もるのが通常だが、ここは老いをもたらすものか。○三句　「積む」は、下の「置く」と関わる。○下句　嘆老。▽新拾遺集・雑下に、誹諧歌として重出。

1125 刈って干す山田の稲を干すのに疲れ、わびしい思いで守る仮小屋に幾夜過ごしたであろうか。抄・雑上四一七・三句以下「かぞへつつおほくのとしをつみてけるかな」。醍醐朝内裏屛風歌。躬恒集。○延喜御時　↓五。○初句　稲は保存のために干す。○三句　「わびて」は、「干しわびて」と「わびて守る」の両様にかかる。○仮庵「かりほ」とも。仮小屋。稲を鳥獣から守るための見張り小屋。▽抄や躬恒集、及び元輔集で本文にかなりの異同がある。

1126 奥山に立っていたならば、渚を漕ぐ舟の用材となっている木も、今は紅葉していたであろう。抄・雑上四一三。恵慶集。○祓　神に供物を捧げて祈願し、罪悪・災厄・穢れなどを捨て去ること。水辺で、禊の形で行われることが多い。難波や唐崎は、その名所であった。↓三四〇。○唐崎　近江国。↓五五。○まかり　「行く」の丁寧語。○初句　恵慶集は「あきやまに」。○舟木　舟の用材。「いかなれば舟木の山のもみぢ葉の秋は過ぐれどこがれざるらん」(後拾遺集・秋下・藤原通俊)。▽俊頼髄脳「思ひがけぬ節ある歌」。

1127 月の光が清らかに明るいので、紅葉の葉の濃さも薄さも、見分けられそうだ。○初句　「月」の枕詞。○べら也　↓一三。▽八代集抄「月の清光、紅葉の黄紅、並べて愛する心なるべし」。躬恒集にあり。

亭子院(ていじゐん)、大井河に御幸ありて、行幸もありぬべき所也と仰(おほ)せ給(たま)ふに、事(こと)の由奏(よしそう)せんと申(まうし)て

小一条太政大臣(こいちでうのだいじやうだいじん)

1128 小倉山峰のもみぢ葉(ば)心あらば今一度(ひとたび)の行幸(みゆき)待(ま)たなん

旅(たび)人の紅葉(もみぢ)のもと行(い)く方(かた)描(か)ける屏風に

大中臣能宣

1129 ふるさとに帰(かへ)ると見てや龍田姫(たつたひめ)紅葉の錦空(そら)に着(き)すらん

題知(し)らず

よみ人知(し)らず

1130 白浪はふるさとなれやもみぢ葉(ば)の錦(にしき)を着(き)つゝ立帰(たちかへ)るらん

躬(み)恒(つね)

1131 もみぢ葉(ば)の流(なが)るゝ時は竹(たけ)河の淵(ふち)の緑(みどり)も色変(かは)るらむ

斎院御屏風に

1132 水の面(おも)の深く浅くも見ゆる哉(かな)紅葉の色や淵瀬(ふちせ)なる覧(らん)

1128 小倉山の峰の紅葉よ、院の御気持ちを解する心があるならば、今一度の行幸まで散らずに待ってほしい。抄・雑上四二五。○亭子院… 宇多上皇が大堰川に御幸して、「醍醐天皇の行幸もあっていいはずの所だ」と仰せになったので、「その由を奏上しましょう」と申して、詠んだ歌。○大井河　大堰川。山城国。○小倉山　山城国。↓三八。▽日本紀略・延喜七年(九〇七)九月十日、十一日に見える大堰川御幸、行幸の際の歌か。大和物語九十九段、大鏡・昔物語、古今著聞集十四に説話があり、小倉百人一首にも収載。

1129 故郷に帰る旅人と見て、龍田姫は、紅葉の錦を空から着せるのだろうか。能宣集。○旅人の… 能宣集「馬に乗れる人、紅葉多かる林をまかるに、吹き掛かるところ」。○初・二句　漢書・項籍(羽)伝「富貴不レ帰二故郷一、如二衣レ錦夜行一」、南史・柳慶遠伝「卿衣レ錦還レ郷」などを踏まえるか。○龍田姫　秋の女神。奈良の西、紅葉が美しい龍田山を神格化したもの。西は、五行説では秋。龍田姫は、風の神でもある。春の女神の佐保姫の対。○紅葉の錦　↓一九六。

1130 白波は、故郷なのか。紅葉の錦を裁ち着て、立ち帰るのだろう。延喜十七年(九一七)八月、宣旨による紀貫之の歌(貫之集)。屏風歌か。○ふるさと　↓一三九。○もみぢ葉の錦　紅葉の錦。↓一九六。○立帰　波が「立つ」に、「錦」の縁語の「裁つ」を掛ける。

1131 紅葉の葉が流れる時は、竹川の淵の緑も色が変るだろう。抄・雑上四一四。延喜十六年(九一六)四月二十二日、斎宮に詠進した名所歌(西本願寺本躬恒集)。延喜十七年とも(歌仙家集本)。屏風歌か。○流るる　底本「が」は傍書。○竹河　多気川。伊勢国。常緑を連想させる。○淵の緑　深い淵の水の緑色。竹の葉色でもある。

1132 水面が深くも浅くも見えることだ。紅葉の色の濃さ薄さが、淵瀬なのだろうか。延喜十五年(九一五)閏二月二十五日、斎院恭子屏風歌(躬恒集)か。延喜十七年とも。それならば、宣子。書陵部本躬恒集「延喜十七年、屏風和歌、秋、同じ斎院、紅葉、川に落ちたり」。○斎院　↓一六。○淵瀬　「深く浅く」に応ずる。紅葉の色の濃いのが淵、薄いのが瀬。

内裏御屏風に

1133 月影の田上河に清ければ網代に氷魚のよるも見えけり

清原元輔

蔵人所にさぶらひける人の、氷魚の使にまかりにけるとて、京に侍ながら音もし侍らざりければ

1134 いかで猶網代の氷魚に事問はむ何によりてか我を訪はぬと

修理

題知らず

1135 はふりこがいはふ社のもみぢ葉も標をば越えて散るといふものを

よみ人知らず

九月つごもりの日、男女野に遊びて、紅葉を見る

1136 いかなれば紅葉にもまだ飽かなくに秋はてぬとは今日をいふらん

源順

十月ついたちの日、殿上の男ども嵯峨野にまかりて侍伴に呼ばれて

1137 秋もまだ遠くもあらぬにいかで猶立ち帰れとも告げに遣らまし

清原元輔

1133 月光が田上川に澄んで照らしているので、網代に氷魚の寄るのが夜も見えたことだ。抄・雑上四三〇。天延元年(九七三)九月、内裏屏風歌(尊経閣本元輔集)。○田上河　近江国。瀬田川に注ぎ、紅葉や網代が景物。○網代　冬の景物。↓二二六。○氷魚　↓二二六。○よる　「夜」に「寄る」を掛ける。▽公忠集にもあるが、誤入とされる。以下、網代の歌。

1134 どうにかして、やはり網代の氷魚に尋ねてみよう。どういう理由で、他の女に寄って、私を訪ねないのかと。抄・雑上四三一。○蔵人所　↓一〇四〇。○氷魚の使　宇治川から献上される氷魚を受け取るために、宮中から派遣される使。氷魚は、山城国・近江国より、九月から十二月末まで、貢献された(延喜式・内膳司)。男が不参の口実にした。○網代の氷魚　ここは、相手の男をよそえる。↓二二六。○何により　「依り」に、氷魚の縁語の「寄り」を掛ける。▽大和物語八十九段に、右馬頭と修理の君の話として見える。宝物集は修理の歌のみ。

1135 神官が祭る神社の紅葉の葉も、標縄を越えて散るというのに。○はふりこ　祝子。神官。本来は、神主、禰宜より下級の神職。○いはふ　斎ふ。精進潔斎して、神を祭る。○標　ここは、神域を示す標縄。↓一六七。▽万葉集十・作者未詳歌の異伝。譬喩歌で、男が女を誘うもの。神域からはみ出して散る紅葉を、親の目を掠めて男に逢いに行く娘によそえる。親の監視は厳しいが、こっそり逢ってくれ、という。人麿集にあり。

1136 どうして紅葉にも秋にも、まだ飽き足りないのに、秋果てぬ、飽き果てぬとは、今日をいうのだろうか。康保二年(九六五)、輔子内親王・為平親王屏風歌か(書陵部蔵三十六人集本順集)。○秋はてぬ　「飽き」を掛ける。○今日　九月晦日。秋が終わる。逝く秋を惜しむ。▽書陵部蔵歌仙集本順集は「康保五年」。

1137 秋はまだ遠くに行ってもいないので、何とかしてやはり立ち戻って来いとでも、告げに使いを遣ろうかしら。元輔集。○十月ついたちの日　冬の初日。○殿上の男ども　↓二〇〇。○嵯峨野　↓一六一。○初句　逝く秋を旅人と擬人化する。○立ち帰れ　秋の嵯峨野を見たいから。

時雨を

1138 杣山に立つ煙こそ神無月時雨を下す雲となりけれ

能宣

十月、志賀の山越えしける人〳〵

1139 名を聞けば昔ながらの山なれどしぐるゝ頃は色変りけり

源順

冬、親の喪にあひて侍ける法師のもとに遣はしける

1140 もみぢ葉や袂なるらん神無月しぐるゝごとに色のまされば

躬恒

天暦御時、伊勢が家の集召したりければ、参らすとて

1141 しぐれつゝふりにし宿の事の葉はかき集むれど留まらざりけり

中務

御返し

1142 昔より名高き宿の事の葉はこの本にこそ落ち積もるてへ

天暦御製

1138 杣山に立つ煙こそが、十月の時雨を降らせる雲となったのだ。歌合歌(能宣集)。○杣山　植林して用材を切り出す山。○煙　山人の焚き火などの煙か。八代集抄「十月時雨の頃の景気、さることありげに見え侍るにや」。○神無月時雨　十月の時雨。↓三八。○下句　山の煙が、里では時雨を降らせる雲になる。▽以下、時雨の歌。

1139 名を聞くと、昔ながらの長等の山ではあるけれど、時雨の頃は、色が変るのだった。▽底本「在秋部諸本同」と傍記。秋に、四・五句をやや異にして重出。↓一九八。

1140 紅葉の葉は、あなたの袂の色であろうか。神無月の時雨が降るたびに、色が増さるので。抄・雑下五四・五句「色のまさるは」。躬恒集。○初・二句　紅葉から、悲しみの涙で紅に染まった袂を連想したもの。悲涙は、紅涙ともいう。○下句　時雨のたびに紅葉を染めて色が深くなる。時雨に、僧の亡き親を偲ぶ涙をよそえる。

1141 時雨が続いて降り、古びて散ってしまった家の言の葉は、書き集めてみても、残せるものはありませんでした。抄・雑上四三・五句「たまらざりけり」。中務集・村上御集。○天暦御時…　村上天皇の御代、伊勢の家の歌集をお召しになったので、献上しようとして詠んだ歌。中務は娘。○初句　時雨は、紅葉を散らすものだが、ここは紅葉の印象は薄い。次の「古り」を、「降り」に掛けて、枕詞的に導く。○ふりにし宿　古りにし宿。自卑表現。降るのは、「時雨」と「言の葉」。○事の葉　言の葉。伊勢の歌。○四句　「掻き」に、「書き」を掛ける。○五句　後世に残す秀歌はないと卑下した。

1142 昔から名高い家の言の葉は、葉が木の下に落ち積もるように、子のもとに集まり留まるものと聞いている。抄・雑上四四・五句「おちつもるといへ」。中務集・村上御集。○名高き宿　伊勢の家を敬して言う。名門の家。名だたる宿。「数知らず君がよはひをのばへつつ名だたる宿の露とならなむ」(伊勢集)。○この本　「こ」は、「木」に「子」を掛ける。○落ち積もる　木の葉に寄せて、和歌、秀歌が集まると、賞賛したもの。○てへ　「といへ」の約。

権中納言義懐、入道して後、むすめの斎院に養ひ給ひける
がもとより、東の院に侍ける姉のもとに、十月許に遣は
しける

1143 山がつの垣ほわたりをいかにぞと霜かれぐ〵に訪ふ人もなし

三百六十首の中に　曽禰好忠

1144 み山木を朝な夕なに樵りつめて寒さを乞ふる小野の炭焼き

1145 鳰鳥の氷の関に閉ぢられて玉藻の宿を離れやしぬ覧

高岳相如が家に、冬の夜の月おもしろう侍ける夜まかり
て　元輔

1146 いざかくてをり明かしてん冬の月春の花にも劣らざりけり

1143 山人の家の垣根辺りを、どうしているかと、霜枯れではないが、離れ離れになって、訪ねて来る人もいない。抄・雑上四一九。〇権中納言義懐　藤原義懐。甥の花山天皇が出家して退位した翌日の寛和二年(九八六)六月二十四日に出家した(日本紀略)。〇むすめの…　義懐出家後、妹娘が紫野の斎院御所に、身をよせたのであろう。当時の斎院は、村上天皇皇女選子内親王。〇東の院　父伊尹から伝領した義懐の本邸小一条院の東院。花山院も退位後ここに住んだ(栄花物語・見果てぬ夢)。斎院に居た妹娘が、東院の姉の無音を恨んで、消息したのである。〇山がつの垣ほ　自分の住む紫野の斎院をよそえる。↓九三。〇四句　「離れ離れ」に、「霜枯れ枯れ」と言い掛ける。姉妹が離れ離れになり、霜枯れに寄せて、妹が、姉に寂しさを訴える。

1144 山の木を、朝夕切り集めて、寒さを乞う、小野の炭焼きよ。好忠集。〇三百六十首　好忠集(曽丹集)の、毎月集と呼ばれる日記的な部分。↓一八八。〇み山木　山の木。「み」は、美称。深山木とも。〇二句　朝に夕に。明け暮れ。〇三句　木を切り集める。「つむ」は、集める。〇四句　炭が売れるように寒くなるのを願う。好忠集「さむさをねがふ」。白氏文集四・売炭翁「可レ憐身上衣正単、心憂二炭賤一願二天寒一」を踏まえる。〇小野　山城国。炭焼きが景物。炭焼きの姿に、貧苦の生活を見る。

1145 鳰鳥が氷の関に閉ざされて、藻草の家から夜離れをしたのだろうか。好忠集。〇鳰鳥　カイツブリ。潜水して小魚を捕食する。その巣は「鳰の浮巣」という。〇氷の関　一面に湖沼を閉ざす氷を関に見立てる。〇玉藻の宿　藻草で作った家。「玉」は、美称。鳰鳥の巣のこと。▽三奏本金葉・冬に重出。

1146 さあ、こうして居明かそう。冬の月は、春の花にも劣らないのであった。元輔集。〇高岳相如　四〇〇の作者。書陵部本元輔集には、「すけみち」とも。〇冬の夜の月　「すさまじきもの」といわれていたが、源氏物語・朝顔や更級日記などに、新しい美意識によって賞美されている。〇をり　「居り」に、「花」の縁語の「折り」を響かせる。

祭の使にまかり出でける人のもとより、摺袴すりに遣はし
けるを、遅しとせめければ
東宮女蔵人左近(とうぐうのにょくらうどさこん)

1147 限なくとくとはすれど葦引(あしひき)の山井の水は猶(なほ)ぞこほれる

小忌にあたりたる人のもとにまかりたりければ、女ども
盃に日かげを添へて出だしたりければ
能宣

1148 有明の心地こそすれ盃に日かげも添ひて出でぬと思へば

右大臣恒佐(つねすけ)家屏風に、臨時祭描きたる所に
貫之

1149 あしひきの山藍にすれる衣をば神に仕ふるしるしとぞ思(おもふ)

題知らず
よみ人知らず

1150 ちはやぶる神の斎垣に雪降りて空よりかゝる木綿にぞありける

貫之

1151 独寝は苦しき物と懲りよとや旅なる夜しも雪の降るらん

1147　限りなく急いで解かそうとはするけれど、山井の水はやはり凍っていて、山藍を摺り染めできないことだ。抄・雑上四二七。小大君集。○祭の使　十一月下旬の賀茂神社臨時祭に遣わされた奉幣の勅使。○まかり出でける人　小大君集には、「源宰相」とある。源俊賢か。○摺袴　神事用の小忌衣の袴。青摺りといい、白の麻布に山藍の染料で花や鳥の模様を摺り染めにした。○とく「疾く」に、「解く」を掛ける。「解く」は、氷の縁語。○三句「山井」の枕詞。○山井　山の清水。「山藍」を掛ける。▽以下、神事の歌。

1148　有明の折の気がしたことだ。盃という月に、日蔭の葛という日の光までが、一緒に出て来たと思うと。抄・雑上四三五。能宣集。○小忌　大嘗会・新嘗会などに、斎戒して神事に奉仕する役。○日かげ　日蔭の葛。小忌の人が、冠の左右に垂らす組紐。本来は、ヒカゲノカズラという羊歯類の蔓草を用いた。歌詞では、「日影」を掛ける。○有明　夜明け方。月は西に、日は東に見える時分。○盃「月」を掛ける。▽撰集抄八に、藤原実頼邸の事として説話化される。西本願寺本能宣集では、藤原朝成に呼ばれてとある。

1149　山藍で摺った小忌衣を、神に奉仕する印と思うことだ。抄・雑上四二六・二句「山あゐにすれる」。承平七年(九三七)正月頃、右大臣藤原恒佐屛風歌(貫之集)。○臨時祭→一二四七。○初句「山藍」の枕詞。○二・三句　山藍で摺染めした小忌衣のこと。▽類歌、「山藍もて摺れる衣の赤紐の長くぞ我は神に仕へむ」(貫之集)。

1150　神社の斎垣に雪が降って、まるで空から掛かる木綿であったことよ。○初句「神」の枕詞。○神の斎垣→九二四。○木綿　楮の繊維を糸状にしたもので、幣帛に用いた。木綿四手。雪の見立て。→五七六。▽以下、雪の歌。

1151　独り寝はつらいものとして懲りよというのか、旅の夜に限って雪が降るようだ。抄・雑上四二八・三句「こりねとや」。貫之集。○懲りよ　八代集抄「古郷の女の独ねを思ひ遣る折などの歌なるべし」。○苦しき　貫之集「わびしき」。○旅方違えなどで他所で外泊する程度の場合もある。

1152 雪を島(しま)〴〵の形(かた)に作(つく)りて見侍(はべり)けるに、やう〳〵消(き)え侍ければ

わたつ海(み)も雪消(ゆきげ)の水はまさりけりをちの島(しま)〴〵見えずなりゆく

中務(なかつかさ)の親王(みこ)

1153 元結(もとゆひ)に降(ふ)り添(そ)ふ雪の雫(しづく)には枕の下(した)に浪ぞ立(た)ちける

1154 東宮(とうぐう)の御屏風に、冬野焼(や)く所

早蕨(さわらび)や下(した)にもゆらん霜枯(しもが)れの野原(はら)の煙春めきにけり

藤原通頼(みちより)

1155 師走(しはす)のつごもり頃(ころ)に、身の上(うへ)を嘆(なげ)きて

霜枯(が)れに見えこし梅は咲(さ)きにけり春には我(わ)が身あはむとはすや

貫(つら)之(ゆき)

1156 西なる隣(となり)に住(す)みて、かく近隣(ちかどなり)にありけることなど、言(い)ひを(お)こせ侍(はべり)て

梅花(むめのはな)匂の深く見えつるは春の隣の近(ちか)きなりけり

三統元夏(もとなつ)

1152 大海でも、雪解けの水は増すのだった。遠方の島々が見えなくなってゆく。具平親王集。〇わたつ海　本来は、海の神の意。大海。〇雪消の水　雪解け水。春のものとは、限らない。〇をち　彼方。遠方。〇五句　雪の島が解けて消えたのを、海が増水して島が隠れた、と戯れた。

1153 元結に降り加わる雪のように白髪が増え、老いを嘆く涙の雫で、枕の下に白波が立ったことだ。具平親王集。〇元結　ここは白色か。↓二四。〇雪の雫　「雪」は、白髪の見立て。「雫」は、老いを嘆く涙の比喩。〇下句　おびただしい涙の形容。「恨みつつ寝る夜の袖の乾かぬは枕のかたに潮や満つらむ」(深養父集)。

1154 早蕨が、野火の下に燃えるように萌えているのだろうか。霜枯れの野原を焼く煙が、春めいていたことだ。東宮居貞親王屏風歌。〇東宮↓三四。〇早蕨　芽生えたばかりの蕨。蕨の歌語。「火」を掛ける。〇もゆ　「萌ゆ」に、「燃ゆ」を掛ける。〇煙　野焼きの煙。「火」「燃ゆ」と共に、「野焼く」の縁語。霞に見立てたか。▽以下、春を予感する歌。

1155 霜枯れと見えてきた梅は、花が咲いたことだ。花咲く春に、我が身も逢おうとしているのだろうか。貫之集。〇師走の…　十二月の晦日頃に、不遇な身の上を嘆いて詠んだ歌。〇上句　霜枯れのようだった梅の花が咲いたことに、春の到来を予感する。「いつぞやも霜枯れしかど我が宿の梅を忘れぬ春は来にけり」(中務集)。〇下句　不遇の境遇を脱して、栄進する可能性を予感する。梅の開花を転換の時期の暗示と解したのである。

1156 梅の花の色が濃く見えたのは、春の隣が近いからだったよ。貫之集。〇西なる隣に…　貫之の家の西隣に元夏が結婚して住み(貫之集による)、このように近所にいたのだったと、挨拶を言い贈った歌。〇上句　元夏の家の梅花の美しさ。紅梅か。〇春の隣　貫之邸を指す。五行説から、春は東の方角に当たる。春の西隣が貫之邸、さらにその西隣が元夏邸になる。「冬ながら春の隣の近ければ中垣よりぞ花は散りける」(古今・雑体・清原深養父)。〇五句　「春の隣」の近くなので梅花の色が濃いと納得する。

返し　　貫之

1157 梅もみな春近しとて咲く物を待つ時もなき我や何なる

師走のつごもり方に、年の老ぬることを嘆きて

1158 むばたまの我が黒髪に年暮れて鏡の影に降れる白雪

1157　梅も皆、春が近いといって咲くものなのに、開花を待つ時もないわたしは、何なのだろう。貫之集。〇上句　春が近いと花開く梅に、時勢に叶った境遇を見て羨む。〇待つ時もなき「時」は、春に象徴されるような、時勢、時運。すべての梅には春があるが、貫之には春がないとする。▽貫之集にはもう一首「方のみぞ春はありける住む人は花し咲かねばなぞやかひなし」という返歌がある。我が家は方角だけは春だが、住む人に花が咲かないから、何のかいもない、というのである。二首とも、開花した梅の花と対比して、不遇な身の上を嘆く。

1158　私の黒髪に、年が暮れて老いが加わり、鏡に映る姿に、降っている白雪だよ。抄・雑上四三〇。貫之集。〇師走の…　十二月の晦日頃、年老いたことを嘆いて、詠んだ歌。〇初句「黒髪」の枕詞。〇鏡の影　鏡に映った映像。〇降れる白雪　白髪の見立て。▽古今・物名に類歌が見える。上句は、「うばたまの我が黒髪や変るらむ」。「紙屋川」を詠み込んだ物名の歌を、歳暮嘆老の述懐の歌に変えている。

拾遺和歌集巻第十八　雑賀

延喜二年五月、中宮(ちゆうぐう)御屛風、元日

紀貫之(つらゆき)

1159 昨日よりをちをば知(し)らず百年(もゝとせ)の春の始は今日(けふ)にぞ有(あり)ける

屛風に

伊勢(いせ)

1160 はる〴〵と雲居(ゐ)をさして行(ゆく)舟の行末遠(とほ)く思(おも)ほゆるかな

九条右大臣(くでううだいじん)五十賀屛風に、竹ある所に花の木近(ちか)くあり

元輔(もとすけ)

1161 花の色もときはなら南(なん)なよ竹の長(なが)きよに置(お)く露(つゆ)しかゝらば

雑賀は、典型的な祝賀を詠んだ巻五の「賀」に対して、多様な祝意を詠んだ歌も収めている。一一八五番歌以降は「雑恋」と区別がつきにくい。

1159 昨日より以前は知らないが、これから百年続く中宮長寿の春の始めは、今日であったよ。延長二年(九二四)五月、中宮藤原穏子屏風歌。貫之集。○延喜二年　貫之集諸本もこの年時が多いが、歌の配列などから延長二年の誤記とするのが妥当。○中宮　醍醐天皇中宮、穏子。○元日　貫之集「集まりて、元日、酒飲むところ」。○をち　時の隔たり。以前。昔。○百年の春の始　長寿・長久を予祝する寿詞。「新しく明くる今年を百年の春の始めと鶯ぞ鳴く」(貫之集)。▽「千歳」「万代」などの賀歌の常套語句を用いず、今日から「百年」の寿命が始まるという、目新しい賀意の表現となっている。

1160 はるばると空の彼方を目指して行く舟のように、尚侍の行末は遠く思われることだ。抄・雑上四二・三句「こぐ舟の」。伊勢集。延喜十三年(九一三)十月十四日、尚侍藤原満子四十賀屏風歌。○屏風に　伊勢集「五条の尚侍御四十賀を、(藤原)清貫の民部卿の仕り給ふ屏風の絵に、…わたつ海より、舟漕がれて出でたり」。○初句　遥か彼方に。賀意がある。○雲居　空。宮中からの連想か。○三句　三句まで、「行末遠く」を導く序詞。舟そのものを詠んだものとして、全体を暗喩の歌とも解せる。○四句　将来は遥か遠くまで続く。尚侍の長寿を予祝する。

1161 花の色も、不変になってほしい。なよ竹の長き節(よ)に置く露が、花にかかるならば。天暦十一年(九五七)四月二十二日、藤原師輔五十賀屏風歌。○なよ竹　しなやかな若竹。竹の節と節との間を「節(よ)」ということから「よ」の枕詞。○長きよ　「節」に、「世」を掛ける。○五句　常緑の竹に置くのと同じ露だから、花の色もあやかられるとする。▽歌仙家集本元輔集に、「小一条の右大臣の五十賀し侍りしに、屏風絵、竹のもとに花植ゑたり／なよ竹のよ長き秋の露を置きときはに花の色も見えなむ」という類歌がある。小一条右大臣は、藤原師尹。

1162 為光の朝臣、紀の守に侍ける時に、小さき子を抱き出でて、
これ祈れ〳〵、と言ひたる歌詠めと言ひ侍ければ

万世を数へむ物は紀の国の千尋の浜の真砂なりけり

よみ人知らず

1163 東宮の、石などりの石召しければ、三十一を包みて、一つ
に一文字を書きて参らせける

苔むさば拾ひも替へむさゞれ石の数を皆取る齢幾世ぞ

1164 賀屛風、人の家に、松のもとより泉出でたり

松の根に出づる泉の水なれば同じき物を絶えじとぞ思

貫之

1165 冷泉院の五、六の親王袴着侍ける頃、言ひをこせて侍け
る

岩の上の松にたとへむ君〴〵は世にまれらなる種ぞと思へば

左大臣

1162 万代を数えるものは、紀伊国の千尋の浜の真砂と、お子の寿命でしたよ。元輔集。〇為光の朝臣… 底本、「為光」は傍書。元輔集は「ためみつ」。為光は康保元年(九六四)任紀伊守。堀河本は「為昭」。〇これ祈れ… 底本に本文の乱れ。諸本間も異同が多い。幼児の健康や幸福を祈る歌を詠めということ。〇千尋の浜　ここは、紀伊国。伊勢国にも。賀意がある。〇真砂　砂の美称。長寿、長久の表象。「子」を掛ける。▽後拾遺・賀に重出。

1163 苔が石に生えたら、拾っても替えよう。小石の数を皆数え取る年齢は幾歳になることか。東宮石名取歌。〇東宮　居貞親王。→二四。〇石などり　石なご。遊戯の一つ。小石を撒き、その中の一つを取って放り上げ、落ちてくる間に他の石を拾い、一緒に受け止めて、小石を早く拾い集めるのを競う。〇三十一　和歌を書くため。〇初句　長い時の経過を示す。〇さゞれ石　細かい石。〇四句　数え尽くす。無限・長久を表す。▽小大君集にあり。

1164 松の根もとに湧き出る泉の水なので、どちらも同じ根から出たものになるから、絶えることはあるまいと思う。延長四年(九二六)八月二十四日、藤原清貫六十賀屏風歌。貫之集。〇泉の水　松が水辺の景物として泉と配合される例は、大和絵に多く見られる。〇四句　根から出たものとして松も泉も同じとする。八代集抄は「松も緑、泉水も緑にて、しかも不変の物なれば」とする。→二九一。

1165 巌の上に生えた松に譬えよう。君々は、世にまれな高貴な血筋と思うので。〇冷泉院の五、六の親王　花山院皇子で祖父冷泉院の養子となった、昭登親王と清仁親王(栄花物語・初花、御堂関白記・寛弘元年(一〇〇四)五月二日条)。〇袴着　男女の幼児が、三歳頃に、初めて袴を着けるのを祝う儀式。時期は三歳頃が多いが、親王宣下された寛弘元年か。昭登親王は七歳、清仁親王は一歳ほど下か。〇岩の上の松　まれなことの例。また、常磐・盤石の表象。〇世にまれらなる種　世にめったにない種。「種」は、血筋、血統。「此花非ㇾ是人間種ㇾ瓊樹枝頭第二花」(和漢朗詠集・親王・大江朝綱)。

1166　ある人の産して侍ける七夜

松が枝のかよへる枝をとぐらにて巣立てらるべき鶴の雛かな

元輔

1167　大弐国章、孫の五十日に、破籠調じて、歌を絵に描かせける

松の苔千年をかねて生い茂れ鶴の卵の巣とも見るべく

1168　題知らず

我のみや子持たるてへば高砂の尾上に立てる松も子持たり

よみ人知らず

1169　延喜御時、斎院屏風四帖、宣旨によりて

幾世経し磯辺の松ぞ昔より立ち寄る浪や数は知るらん

貫之

1170　人の冠し侍けるに

濃紫たなびく雲をしるべにて位の山の峰を尋ねん

元輔

1166 松の枝の、交差している枝を巣にして、巣立ちをされるはずの鶴の雛だよ。元輔集。〇ある人の…　書陵部本元輔集「(藤原)中清が生まれて侍る七日の夜」。産養での歌。〇かよへる枝　交差した枝。私抄「枝の交はりたる事也」。枝を交はす心也」。〇とぐら　とりくら(鳥座)の約。鳥の巣。塒。〇四句「巣立ち」に、子が親に大切に養育されることをよそえる。〇鶴の雛　誕生した子をよそえる。▽以下、松の歌。

1167 松の苔は、千歳の長寿を予測して生い茂れ。鶴の卵の巣とも見えるように。元輔集。〇大弐国章　藤原国章。歌仙家集本元輔集「くになか」。〇五十日　生後五十日の祝。〇破籠　弁当箱の類。檜の白木で作り、中を仕切り、蓋をかぶせる。〇歌を絵に…　葦手絵か。〇初句　松と同じように、千代・千歳の長寿とする。元輔集「松のごと」。〇鶴の卵　誕生した子をよそえる。

1168 自分だけが子を持っているかと言えば、高砂の尾上に立っている松も子を持っていたことだ。〇持たる　「持たり」は、「持て(ち)あり」の約。〇てへば　「といへば」の約。〇高砂の尾上　播磨国。〇子持たり　小松か。相生の松とも。僻案抄「もし尾上の松のあたりに小松の生ひたる心にや」。

1169 幾代を経た磯辺の松なのか。昔から立ち寄せる波は、その数を知っているだろうか。延喜十六年(九一六)、斎院宣子内親王屏風歌(貫之集)。〇延喜御時　→五。〇屏風四帖　「帖」は、屏風を数える語。二双の屏風になる。〇宣旨　勅命を伝えること。また、その文書。詔勅より私的。〇立ち寄る浪　波の擬人化。〇数　松の寿齢。数えるのは、波。

1170 濃い紫色にたなびく雲を道しるべにして、位の山の高峰を尋ねよう。元輔集。〇冠　→二七一。〇濃紫　元服の髪上げに用いる元結の色。源氏物語・桐壺「結びつる心も深き元結に濃き紫の色しあせずは」。紫は、令の規定では、三位以上の袍の色。紫の雲は、瑞祥。→二七三。〇位の山　飛騨国。官位の表象。→二六一。〇五句　官位を極めること。元服の元結の色にちなんで、将来の栄進を予祝する。

天暦御時、内裏にて、為平の親王袴着侍けるに

1171 もゝしきに千年の事は多かれど今日の君はためづらしき哉

参議好古

五月五日、小さき飾粽を山菅の籠に入れて、為雅の朝臣の女に心ざすとて

1172 心ざし深き汀に刈る菰は千年の五月いつか忘れん

春宮大夫道綱母

天徳四年、右大臣五十賀屏風に

1173 千年経ん君しいまさばすべら木の天の下こそうしろやすけれ

清原元輔

東三条院の賀、左大臣のし侍けるに、上達部盃取りて、歌詠み侍けるに

1174 君が世に今幾度かかくしつゝうれしき事にあはんとすらん

右衛門督公任

1171 宮中に千年続く行事は多いけれど、今日の親王の場合は、これはこれで例のないものであったよ。抄・雑上四三七・四句「けふの君には」。○天暦御時 →六。○為平の親王　村上天皇第四皇子。母は、中宮安子。○袴着 →一一六五。親王は、寛弘七年(一〇一〇)十一月七日に五十九歳で没しているので(権記)、三歳の時は、天暦八年(九五四)か。○五句　親王の袴着は、新たな先例になる儀式だとして寿ぐ。

1172 厚意深く、深い汀に刈る菰は、千年も続く五月五日に粽に巻くことを、何時忘れることがあろうか、これからも粽は贈ろう。○五月五日　端午の節句。○飾粽　色々の糸を巻き、造花などで飾った粽。粽は、糯米や米粉を茅の葉などで巻いて蒸した餅。端午の節句に用いた。○山菅 →七八〇。○為雅の朝臣の女　道綱母の同母姉と藤原為雅との間に生まれた姪。○初・二句「深き」は「汀」の縁語。厚意の深さに、水の深さを掛ける。賀意がある。「心ざし深き汀の菖蒲草千歳の五月いつか刈るべき」(順集)。○菰　真菰。ここは、粽を巻く材料。→一一四。○いつか「何時か」に、「五日」を掛ける。

1173 千年も生きられる寿命の君が居られるならば、帝の御代は安泰なことだ。天暦十一年(九五七)四月二十二日、藤原師輔五十賀屏風歌。天徳四年(九六〇)は、師輔の没年。五月四日没。元輔集。○君　師輔。○すべら木　定家本の文字遣い。「すべらき」とも。最高権力者。天皇。「久にふる玉椿をぞ杖に切る我がすべらぎの御代のためしに」(能因法師集)。○下句　重臣の存在により天下安泰と、長寿を賛美する。「ももしきの梅の花笠さす時は天の下こそうしろやすけれ」(公忠集)。

1174 君の御代に、もう何度、このように賀宴を催しつつ、嬉しいことに巡り合おうとするだろうか。抄(貞和本朱書)・賀五九六・二句「いまいくちたび」、四句「うれしきをりに」。長保三年(一〇〇一)十月九日、藤原詮子四十賀歌(日本紀略)。公任集。○東三条院　円融天皇女御、兼家女、詮子。○左大臣　藤原道長。○四句　「今年より若菜にそへて老いの世にうれしき事をつまむとぞ思ふ」(後撰・慶賀・藤原忠平)。

右大臣、家造り改めて渡りはじめける頃、文作り、歌など人〳〵に詠ませ侍けるに、水樹多二佳趣一といふ題を

1175 すみそむる末の心の見ゆる哉汀の松の影を映せば

ある人の賀し侍けるに　　権中納言敦忠

1176 千年経る霜の鶴をば置きながら久しき物は君にぞありける

清和の女七の内親王の八十賀、重明の親王のし侍ける時の屏風に、竹に雪降りかゝりたる形ある所に　　貫之

1177 白雪は降り隠せども千代までに竹の緑は変らざりけり

子をとみはたと付けて侍けるに、袴着すとて　　元輔

1178 世中にことなる事はあらずとも富はたしてむ命長くは

1175 住み始めた家の将来の趣きがうかがえることだ。汀の松の影を映しているので。○右大臣　藤原師輔説もあるが、長保元年(九九九)五月六、七日に、「水樹多佳趣」の題で作文会が藤原道長の土御門邸で催されており(御堂関白記)、左大臣の誤記で道長とする説もある。底本、次歌の作者名「権中納言敦忠」を見セ消チ。○造り改めて　道長が土御門邸を南北二町に拡張したことか。長保元年二月二十日に新馬場で馳馬をした記事がある。○初句　改築を新造に見なすか。「住み」に「澄み」を掛ける。○末の心　将来の繁栄した姿。○下句　池に水辺の松の影が映る。松は、長久・長寿を表象する景物。

1176 千歳を経るという、置く霜のように白い鶴をさし措いて、長寿なものは君であったよ。抄・雑上四三九・五句「きくにざりける」。○賀　算賀の祝。○初句　千代・千歳の寿命を持つ長寿の景物が鶴。○霜の鶴　鶴の白い羽を、霜によそえる。文選・舞鶴賦「畳㆓霜毛㆒而弄㆑影」。○三句「霜」の縁語「置く」に、「措く」を掛ける。▽「千歳経る霜の鶴をば置きながら菊の花こそ久しかりけれ」(忠見集)は、本歌を引く。

1177 白雪が降って覆い隠すけれども、千代までも、竹の緑は変らないのであった。抄・雑上四四〇・五句「かくれざりけり」。承平五年(九三五)九月、藤原佳珠子八十賀屏風歌。貫之集。○清和の女七の内親王　これは誤りで、貫之集「清和の七の親王の御息所」が正しい。清和天皇第七皇子貞辰親王の母に当たる御息所(女御)で、基経女、佳珠子。○重明の親王　醍醐天皇皇子。佳珠子の弟忠平女寛子の婿。○初・二句　絵柄の「竹に雪降りかかりたる形」に相当する。○竹　松と同じく常緑で、賀意を表す景物。

1178 世の中に格別なことはないにしても、「とみはた」の名前通りに、富を果たすであろう、長生きしたならば。元輔集。○とみはた　元輔の子の幼名。○袴着　→一一六五。○ことなる事　格別なこと。高位高官に昇進するようなことだろう。○富はたしてむ　「とみはた」の名を隠し詠んだ物名の歌。富裕を極めることだが、「富+はた+し+てむ」とも「富+はたし+てむ」ともとれる。不遇意識の強い受領層の念願か。

1179 中将に侍ける時、右大弁源致方（むねかた）朝臣のもとへ、八重（やへ）紅梅（こうばい）を
折（を）りて遣（つか）はすとて

右大将実資（さねすけ）

流俗（りうぞく）の色（いろ）にはあらず梅花（むめのはな）

致方（むねかた）の朝臣

珍重（ちんちょう）すべき物とこそ見れ

1180 筑紫（つくし）へまかりける時に、竈（かまど）山のもとに宿（やど）りて侍（はべり）けるに、
道（みち）つらに侍ける木に古（ふる）く書（か）き付（つ）けて侍ける

元輔（もとすけ）

春はもえ秋はこがるゝ竈（かまど）山
霞（かすみ）も霧（きり）も煙（けぶり）とぞ見る

1181 春、良岑（よしみね）の義方（よしかた）がむすめのもとに遣（つか）はすとて

藤原忠君（ただきみ）朝臣

思（おもひ）立（た）ちぬる今日（けふ）にもあるかな

1179　低俗の色ではない、この梅の花は。珍しくて賞美すべき物と見ることだ。〇中将　実資は、永観二年(九八四)八月二十七日、任左近衛中将。永延三年(九八九)三月二十三日の任参議まで在任。〇右大弁　太政官の右弁官局の長官。文書や庶務を管轄する。〇源致方　永延三年、三十九歳右大弁で没(尊卑分脈)。〇八重紅梅　紅梅は九世紀中頃に渡来し、蜻蛉日記下やうつほ物語・吹上上などに見えるが、「八重紅梅」の用例は初出か。異国情緒のする花であり、以下、漢詩が引用され句題和歌になる。〇流俗　世俗。俗世間。「不レ似二流俗之樹一」(新撰朗詠集・源順)に拠る。〇珍重　いみじくもの意だが、ここは珍しくて大切にする意で使用される。「珍重紅房透二玉簾一」(菅家文草五・催粧)に拠る。

1180　春は草木の芽が萌え、秋は紅葉が焦がれる、竈山だ。春霞も、秋霧も、燃える竈山に立つ煙と見える。〇筑紫へ…　九州に赴いた時に、竈山の辺りに宿泊し、路傍の木に古くから書き付けてあった歌。元輔は、寛和二年(九八六)正月、肥後守として赴任。〇竈山　竈門山。筑前国。大宰府の宝満山という。「竈」を連想させる。〇もえ　「燃え」に、「萌え」を掛ける。「竈」の縁語。〇こがる、　焦げるの意に、紅葉する意を掛ける。「竈」の縁語。〇霞も霧も　春霞も秋霧も。前句に応じる。〇煙　「竈」の縁語。▽俊頼髄脳には、筑紫の次田(すい)の湯(二日市温泉)の湯屋の柱に書き付けてあった上句を、元輔が噂に聞いて、都で下句を付けたとあり、重之集には、大宰大弐であった藤原佐理が書道の手本を書いた時に、源重之が奉った九州の名所歌の一つとある。

1181　訪問を思い立った今日であることだ。そうしなくても、よかったものなのに、春霞でもないのだから。〇良岑の義方　義方は、安世の曽孫、衆樹の子。〇思立ちぬる　八代集抄「女のもとに行かむとの心なるべし」。「立つ」は、「春霞」の縁語。〇かゝらでも　「かくあらでも」の約。「かかる」は、「春霞」の縁語。そのように思い立たなくても。前句の「立つ」を「霞」の縁語に解して、「かかる」と縁語を連ねて応酬する。

かゝらでもありにし物を春霞

女

広幡の御息所、内に参りて、遅く渡らせ給ひければ

1182 暮らすべしやは今までに君

と奏し侍ければ

訪ふやとぞ我も待ちつる春の日を

天暦御製

宵に久しう大殿籠らで、仰せられける

1183 小夜更けて今はねぶたくなりにけり

御前にさぶらひて、奏しける

夢に逢ふべき人や待つらん

滋野内侍

1182 日の暮れるまでここで過ごしてよいものなのか、今の今までお出ましにならない我が君よ。訪ねて来るかと、私だって待っていたのだ、この春の日長を。○広幡の御息所　村上天皇更衣、源庶明女、計子。栄花物語・月宴の、「合せ薫物少し」を詠み込んだ沓冠折句の歌を唯一人理解する説話など、才名が高い。○内に参りて…　更衣が参内して、村上天皇が御渡りにならなかったので恨んだのである。「遅く…す」は、「その折に…しない」意。→九三詞書。○君　村上天皇。○我　村上天皇。○春の日　春の日長に待ちくたびれた意を添えて、自分も同様に待ったと応酬する。「逢はずして今宵明けなば春の日の長くや人をつらしと思はむ」(古今・恋三・源宗于)。

1183 夜が更けて、今はもう眠くなってしまったよ。夢で逢うはずの人が待っているからであろうか。○宵に…　夜遅くまで起きていて、仰せになった歌。「大殿籠る」は、寝るの尊敬語。○小夜　夜。「さ」は、接頭語。○ねぶたく　眠く。○御前に…　帝の御前に伺候して、奏上した歌。○夢に…　帝が眠くなった理由は、夢の中で逢う人がいるからではないかと戯れた。当時は、愛する人がいると魂が身から離れて、相手の夢の中に現れる、と考えられていた。

内にさぶらふ人をちぎりて侍(はべり)ける夜、遅(おそ)くまうで来(き)けるほどに、丑三(うしみ)つと時申(まうし)けるを聞(き)きて、女の言(い)ひ遣(つか)はしける

1184 人心うしみつ今(いま)は頼(たの)まじよ
夢に見ゆやとねぞ過(す)ぎにける

良岑宗貞(むねさだ)

題知(し)らず

1185 引(ひ)き寄(よ)せばたゞには寄(よ)らで春駒(こま)の綱引するぞなはたつと聞(き)く

平定文(さだふん)

1186 花の木は籬近(まがきちか)くは植(う)(ゑ)へて見じ移(うつ)ろふ色に人ならひけり

よみ人知(し)らず

1187 夏は扇冬は火桶(をけ)に身をなしてつれなき人に寄(よ)りも付(つ)かばや

1184 あなたの約束を破る、心の薄情さを見たことだ。丑の三刻になるまで待った今は頼みにするまいよ。いや約束を破ったのではなく、あなたを夢で見えるかと寝ていたら寝過ごして、子の刻が過ぎてしまったのだ。抄・雑上四五〇・四句「夢に見ゆとや」。遍昭集。○内に… 内裏に仕える女房と宗貞が逢う約束をした夜、訪れずに、丑の三刻と時を知らせる声を聞いて、宗貞に言い遣わした歌。「遅く…す」は、→一一八三。○丑三つ 丑の刻を四分した三番目の時刻。現在の、午前二時から二時半まで。○時申ける 「宿直申し」。宿直の者が定刻に時刻を奏すること。○うしみつ 「丑三つ」に、「憂し見つ」を掛ける。○夢 →一一八三。○ね 「寝」に、時刻の「子」を掛ける。女の「うしみつ」を受ける。▽大和物語一六八段に説話として見える。

1185 引き寄せると、簡単には寄らないで、春駒が綱引するので「縄絶つ」というが、「名は立つ」と聞くことだ。抄・雑上四五五・五句「なはたゆと聞」。○春駒 春に放牧する馬。気性が荒い。○四句 馬が手綱に逆らう。四句まで恋のかけひきの比喩で、「なはたつ」を導く序詞。蜻蛉日記中「あまた年越ゆる山辺に家居して綱引く駒も面馴れにけり」。○五句 「縄絶つ」に、「名は立つ」、恋の噂が立つを掛ける。春駒によそえて、求愛に逆らっているうちに、噂が立ってしまったとする。▽以下は、雑恋の歌になる。

1186 花の木は、籬の近くに植えて見るまい。褪せる色に人が心変わりを見習うのだった。抄・雑上四七・四、五句「ちれば物おもふことまさりけり」。○籬 →三六三。○移ろふ色 花が色褪せること。変心を連想させる。▽「花の木も今は掘り植ゑじ春立てば…」(古今・春下・素性)という、上句を異にした類歌がある。底本、この旨傍書。拾遺抄も、下句が異なる。

1187 夏は扇、冬は火鉢に、我が身を変えて、無情な人に寄り付きたいものだ。○初・二句 どちらも季節の必需品で、身から離せない物。「火桶」は、木製の丸火鉢。○三句 「吹く風に我が身をなして草繁み葉わけをしつつ逢はんとぞ思ふ」(古今六帖一・作者未詳)。

1188 恋(こひ)するに仏(ほとけ)になると言(い)はませば我ぞ浄土の主(あるじ)ならまし

灌仏(くわんぶつ)の童(わらは)を見侍(はべり)て

1189 唐衣竜(たつ)より落(お)つる水ならで我(わ)が袖濡(ぬ)らす物や何(なに)なる

修理大夫(しゆりだいふ)惟正(これただ)が家に方違(たが)へにまかりたりけるに、出(い)だして侍(はべり)ける枕に書(か)き付(つ)け侍ける

1190 つらからば人に語(かた)らむしきたへの枕かはして一夜(ひとよ)寝(ね)にきと

同(おな)じ少将通(かよ)ひ侍ける所に、兵部卿致平(むねひら)の親王(みこ)まかりて、少将の君(きみ)おはしたりと言(い)はせ侍けるを、後(のち)に聞(き)き侍て、かの親王(みこ)のもとに遣(つか)はしける

藤原義孝(よしたか)

1191 あやしくも我(わ)が濡(ぬ)れ衣(ぎぬ)を着(き)たる哉(かな)三笠(みかさ)の山を人に借(か)られて

1188 恋をすると、仏になるというならば、私こそ浄土の主になるだろう。○恋するに仏になる　当時の諺か、恋死を往生と考えたのか、あるいは、恋は地獄として逆説的に言ったものか、さまざま推測できるが、未詳。○浄土の主　浄土は広く仏や菩薩のいる清浄な世界をいうが、ここは、西方極楽浄土の阿弥陀仏のことであろう。

1189 竜の口から落ちる水ではなくて、私の袖を濡らすものは、何なのだろうか。抄・雑上四八。○灌仏の童　灌仏会に女御の布施を持参する女童。八代集抄「本云、灌仏日、女御之布施、童女持参。殿上人扶持、如二五節一」。○唐衣　「裁つ」に掛けて、「竜」の枕詞。○竜より落つる水　灌仏会に用いる、竜の口より出す仏に灌ぐ水。八代集抄「公事根源云、…釈迦如来の倶毘藍城(ぐびらじやう)にて生まれ給ひける時、天竜下りて水を注ぎて、釈尊に浴せ奉りし事を申す也云々。されば、…灌仏会に竜口より水を出す事あるを詠めり」。○下句　童女を思慕して流す涙を暗示する。

1190 あなたが冷淡になれば、人に話してしまおう。枕を交わして、一夜共寝をしたと。抄・雑上四四九。義孝集。○修理大夫　内裏の造営・修理を管轄する修理職の長官。○惟正　文徳源氏。○方違へ　→一二六。○出だして…　底本「枕を出だして」で「枕」を見セ消チ。枕を女性によそえて歌を戯れ書きした。○初句　「つらし」は、相手がつれない、相手のつれなさをつらく思う、の両意がある。○三句　「枕」の枕詞。「しきたへ」は、敷く布、寝具の意。

1191 意外なことに、自分は濡れ衣を着たことだ。三笠の山の笠を人に借りられ、少将の名を騙られて。義孝集。○同じ少将…　前歌の作者、左少将義孝が通っていた女性のもとに、兵部卿致平親王が赴き、「少将の君が来られた」と言わせたのを後に聞いて、親王に贈った歌。「兵部卿致平の親王」は、→二六六。相手の女性は、義孝集に「左衛門督命婦(右衛門内侍)」。○濡れ衣　自分の名を騙られて、女のもとに通ったこと。「笠」の縁語。○三笠の山　大和国。近衛の異名。能因歌枕「三笠山、中・少将を詠めり」。また、笠を連想させる。▽実方集にあり。

忍びたる人のもとに遣はしける

1192 隠れ蓑隠れ笠をも得てし哉きたりと人に知られざるべく

平公誠

年月を経て懸想し侍ける人の、つれなくのみ侍ければ、今はさらに世にもあらじと言ひ侍て後、久しく訪れず侍ければ、かの男の妹にさきぐ〜も語ひて文など遣はしければ、

言ひ遣はしける

1193 心ありて問ふにはあらず世中にありやなしやの聞かまほしきぞ

よみ人知らず

語らひける人の久しう音せず侍ければ、筍を遣はすとて

1194 君訪はで幾よ経ぬらん色変へぬ竹の古根の生いかはるまで

延喜十七年八月、宣旨によりて詠み侍ける

1195 来ぬ人を下に待ちつゝ久方の月をあはれと言はぬ夜ぞなき

紀貫之

1192 隠れ蓑や隠れ笠をも得たいものだ。それらを着て、通って来ていると、他の人に知られないように。〇隠れ蓑隠れ笠　身を隠す道具。隠れ蓑の物語(散逸)が作られ、枕草子や夜の寝覚などにも隠れ蓑が見られる。また、古本説話集下の題名「隠蓑笠」、保元物語三に「隠蓑・隠笠」、八雲御抄三に「隠れ笠」などがある。〇きたり「来たり」に、「着たり」を掛ける。

1193 愛着があって消息するわけではない。世の中に生きているかどうかが聞きたかったのだ。抄・雑上四六二。〇年月を経て…　長い間自分に懸想していた男が、冷淡にばかりしていたら、「今はもうこの世にもいまい」と言った後、久しく訪ねて来なかったので、たまたまその男の妹と以前も親しくして文通もしていたから、妹に託して男に言い遣わした歌。〇四句　無事かどうか。出家をしたかどうかも含まれよう。▽「つれなく」したのが、男女いずれともとれる。女性とすれば、「つれなさ」を徹底させたことになるが、八代集抄の「いささか哀れと思ふ心あるなるべし」という解もあり、微妙な心情の揺れを読み取ることもできる。俊頼髄脳「思ひ離れたるやうにて、さすがねぢけたる歌」。

1194 あなたが訪れなくなって、どれほど時が経ったろうか。色を変えない竹の、古根が生え替わり筍となるまでになったことだ。抄・雑上四六三。〇幾よ「幾夜」と「幾世」に、「竹」の縁語の「節」を掛ける。〇色変へぬ竹　竹は常緑で、長寿の景物。〇五句　長い時間の経過を誇張的に言う。

1195 訪れて来ない人を心の中で待ちながら、月を、ああ美しい、と言わない夜はない。貫之集。延喜十七年(九一七)八月、宣旨による詠進歌。〇二句　忍ぶ恋の表現。〇三句「月」の枕詞。〇あはれ　月の美しさを賛嘆する。人を待つのではなく、月を眺めていると周囲に思わせる。一方で、「月の顔見るは忌むこと」(竹取物語)という禁忌意識もあった。「独り寝のわびしきままに起き居つつ月をあはれと忌みぞかねつる」(後撰・恋二・よみ人知らず)。▽和歌体十種や和歌十体に「写思(体)」として収められ、三十六人撰や深窓秘抄に入るなど、評価の高い歌。

1196 梓弓引きみ引かずみ来ずは来ず来ば来そをなぞよそにこそ見め

柿本人麿

春日使にまかりて、帰りてすなはち女のもとに遣はしける

1197 暮ればとく行て語らむ逢ふ事のとをちの里の住みうかりしも

一条摂政

東よりある男まかりのぼりて、さき〴〵物言ひ侍ける女のもとにまかりたりけるに、いかで急ぎ上りつるぞなど言ひ侍ければ

1198 をろかにも思はましかば東路の伏屋といひし野辺に寝なまし

よみ人知らず

女のもとに遣はしける文のつまを引き破りて、返事をせざりければ

1199 跡もなきかづら木山をふみみれば我が渡し来しかたはしかもし

1196 私の気を惹いたり惹かなかったりして、来ないなら来ない、来るなら来ると、はっきりしてほしい。それなのになぜいい加減なのか。もう無縁な人と見ることにしよう。人麿集。○梓弓「引く」の枕詞。○二句　相手が焦らすような態度を取るのを、弓を引くのによそえたもの。万葉集「引きみ緩へみ」。○三句　来ないなら、来ない。○来ば来　来るなら、来る。○そをなぞ　それなのになぜ。以下に、来たり来なかったりするのか、というような詰問が余意として続く。▽万葉集十一・作者未詳歌の異伝。

1197 暮れたら、早く訪ねて行って語り合おう。逢うことが遠いという、十市の里は過ごしにくかったことだ。抄・雑上四六〇・三句「あふことを」。伊尹集。○春日使　陰暦二月、十一月上旬の申の日の春日神社の祭礼に、宮中から派遣された奉幣使。近衛の中・少将が勤め、前日に出立する。伊尹は、天暦二年(九四八)二月三日に出立した。日本紀略「今日、立二春日祭使一。左少将伊尹勤レ使」。○とをちの里　十市の里。大和国。「遠(し)」を言い掛ける。春日社が都から遠いことを言う。▽大鏡・伊尹伝に見える。

1198 疎かにあなたを思ったならば、急ぎ帰京せず、東路の伏屋といった野辺に寝たものを。抄・雑上四六一。○いかで急ぎ…　上京が男の任期中だったので不審に思ったか。○東路の伏屋　信濃国の園原にある。伏屋は粗末な家。「伏す」を連想させる。野宿に格好な所と考えたか。

1199 足跡もない葛城山に踏み入れて見ると、これは私が渡して来た橋の片橋なのか。—あなたの筆跡もない文を見ると、もしや私が渡してきた手紙の片端か。○文のつまを…　女が、受け取った手紙の端を千切り、何も書かずに返した。厳しい拒絶。○初句　足跡がない意に、筆跡がない意を掛ける。返事が記されていない。○かづら木山　葛城山。大和国。○三句　橋の縁語の「踏み」に、「文」を掛ける。○渡し来し　手紙を贈ったこと。橋の縁語。○かたはし　片端。「橋」を掛ける。「片橋」とすれば、片方が欠けている橋か。葛城山の橋なら久米路の橋であろう。→七一九。○かもし　為重本「もなし」、堀河本「かもて」。

人の草子書かせ侍ける奥に書き付け侍ける

1200 書き付くる心見えなる跡なれど見ても偲ばむ人やあるとて

大納言朝光下臈に侍ける時、女のもとに忍びてまかりて、あか月に帰らじと言ひければ

1201 岩橋の夜の契も絶えぬべし明くるわびしき葛木の神

春宮女蔵人左近

入道摂政まかり通ひける時、女のもとに遣はしける文を見侍て

1202 うたがはしほかに渡せるふみ見れば我やと絶えにならむとすらん

春宮大夫道綱母

題知らず

1203 いかでかは尋ね来つらん蓬生の人も通はぬ我が宿の道

よみ人知らず

東三条にまかり出でて、雨の降りける日

1204 雨ならでもる人もなき我が宿を浅茅が原と見るぞ悲しき

承香殿女御

1200　書き付ける心を見透かされる筆跡であるけれど、見て偲ぶような人がいるかと思って、書いたのだ。〇奥　草子の末尾。〇上句　自分が書写した草子に対する謙辞。八代集抄「我が心の愚かさも見ゆべき筆の跡なれど」。〇下句　依頼者に対する思慕の情が籠められているか。

1201　岩橋が完成しなかったように、夜に交わした愛情も絶えてしまいそうだ。夜が明けるのがつらい葛城の神のように醜い私だから。抄・雑上四六九。小大君集。〇あか月に帰らじ　当時は夜明け頃に男が女の許を去るのが基本。〇下臈→一一九〇。〇岩橋　葛城の久米路の橋。葛城の神は醜貌を恥じ、夜しか工事をしなかったことを踏まえる。→七一九。〇夜の契　男女の仲。逢瀬。〇四句　醜貌ゆえに夜が明けるのがつらい。〇五句　作者をよそえる。▽歌仙絵などにも記される、左近(小大君)の代表作。

1202　疑わしいことだ。他の女性に渡そうとする手紙を見ると、私の所は跡絶えになろうとするのだろうか。〇入道摂政　藤原兼家。〇女　兼家の愛人。〇初句　「疑はし」に、「橋」を掛ける。〇ほかに渡せるふみ　他の女性に渡す手紙。「文」に、「踏み」を掛ける。「渡す」「踏む」は、「橋」の縁語。〇と絶え　跡絶え。夫婦関係の途絶。「橋」の縁語。本集では、前歌の久米路の橋の途絶えを連想させるか。▽蜻蛉日記上・天暦九年(九五五)九月条、夫兼家の愛人(町の小路の女)への文を見つけた衝撃で詠んだ歌。

1203　どうして尋ねて来たのだろう。蓬が生える人も通わない我が家の道を分けて。抄・雑上四六八。〇蓬生　荒廃を表象する景物。▽高光集に「多武峰に侍る頃、人のとぶらひたる返り事に」とあり、藤原高光の作か。

1204　雨が漏るほかに守る人もいない我が家を、浅茅が原と見るのは悲しいことだ。抄・雑上四五九。斎宮女御集。〇東三条　承香殿女御(斎宮女御徽子女王)の父、重明親王邸。親王は、東三条の親王と呼ばれた(貫之集)。天暦八年(九五四)九月十四日に没後、藤原摂関家の主要な邸宅になる。〇もる　「漏る」に、「守る」を掛ける。〇浅茅が原と見る　父死後の荒廃を暗示する。母藤原忠平女寛子は九年前に没。→六三。

まかり通(かよ)ふ所の、雨の降(ふ)りければ

1205 いにしへは誰(た)がふるさとぞおぼつかな宿(やど)もる雨に問(と)ひて知(し)らばや

大納言朝光

中納言平惟仲(これなか)久(ひさ)しくありて、消息(せうそこ)して侍(はべり)ける返事(かへりごと)に書(か)ゝせ侍ける

1206 夢とのみ思(おもひ)なりにし世中(よのなか)を何(なに)今更におどろかすらん

高階成忠女(なりただのむすめ)

題知(し)らず

1207 人も見ぬ所に昔君(きみ)と我(わ)がせぬわざ〳〵をせしぞ恋(こひ)しき

源公忠(きんただ)朝臣

左大将済時(なりとき)があひ知(し)りて侍ける女、筑紫(つくし)にまかり下(くだ)りたりけるに、実方(さねかた)朝臣宇佐使にて下(くだ)り侍けるに付(つ)けて、とぶらひに遣(つか)はしたりければ

1208 今日(けふ)までは生(いき)の松原生(い)きたれど我(わ)が身のうさに嘆(なげ)きてぞ経(ふ)る

藤原後生(のちなり)が女(むすめ)

1205 以前は誰が過ごした住まいだったのか。気になることだ。宿守の漏る雨に聞いて知りたいものだ。○二句「誰が経る」を、「故里」に言い掛ける。「故里」は、なじみの場所で、ここは、住まいとした家のこと。雨が「降る」を響かせる。○宿もる雨「漏る」に、「守る」を掛ける。漏る雨を宿守と見立て、それならば、主人の名前を知っていようと考えた。▽天理本実方集に「按察の大納言(朝光)の、桂といふ所に、雨降るに行きて」とある。

1206 夢とばかりに思うようになってしまった世の中なのに、どうして今更に手紙を寄こして、昔を思い出させようとするのか。○中納言平惟仲作者の夫藤原道隆の腹心。道隆死後疎遠になった。○夢　過去のはかなさを暗示。一家の衰退というきびしい現実からする把握。○世中　ここは、世間の意。○おどろかす　手紙を寄こしたこと。「夢」の縁語。

1207 人も見ていない所で、昔、君と私が、他の人のしない様々なことをしたのが、恋しいことだ。公忠集。○下句　昔の交友の思い出を懐古したものか。あるいは、恋愛事の回想か。私抄「人も知らぬ所にて、能芸などをしたりし昔が、今恋しきと也。又、恋の心にてもある歟」。

1208 今日までは、生の松原で生きてきたけれども、宇佐の憂さではないが、我が身の運命の拙さに、嘆きながら過ごしている。○左大将済時が…左大将藤原済時が知り合っていた女が、筑紫に下向していたのを、養子の実方が宇佐使で派遣されたのに託して、見舞いに赴かせたところ、女の詠んだ歌。○宇佐使　天皇の即位や国家の大事の時に、豊前の宇佐八幡宮に朝廷から派遣された奉幣使。醍醐天皇の時代から、三年に一度の恒例となった。実方は永観元年(九八三)十一月に宇佐使に任命された。○二句　筑前。ここは、「生きたれど」を同音反復で導く序詞的に用いられる。「千歳まで生の松原いきて身を心つくしに恋ひやわたらん」(伊勢大輔集)。→三三七。○うさ　「憂さ」に、「宇佐」を掛ける。都から離れて暮らすわびしさ。「筑紫へと悔しく何に急ぎけむ数ならぬ身のうさやかはれる」(重之集)。

1209

成房朝臣法師にならむとて、飯室にまかりて、京の家に枕箱を取りに遣はしたりければ、書き付けて侍ける

則忠朝臣女

生きたるか死ぬるかいかに思ほえず身より外なる玉櫛笥かな

1209 生きているのか、死んだのか、どのようになっているのかも分からない。これは、我が身から外に抜け出た魂の入る枕箱なのか。○成房朝臣　藤原義懐三男、母は藤原為雅女。長保四年(一〇〇二)二月二日、二十一歳で出家した(権記)。○飯室　近江国。比叡山横川塔の別所。出家した父義懐がいる。○京の家　堀河辺にあった、妻の源則忠女が住む家(権記)。○枕箱　枕を入れる箱。箱の形をした枕とする説もある。枕箱を引き取るのは、共寝しないことであり、離婚の確認にもなる。○上句　出家の衝撃で、我が身の生死も分からぬほどに呆然としている。○四句「魂」を、次の「玉櫛笥」に言い掛ける。身から魂が脱け出してしまった。当時は、物思いすると、身と心とが分離する、「あくがる」と考えられていた。○玉櫛笥　ここは、枕箱。魂の入った箱と見る。浦島伝説と関連させているか。↓一二三〇。

拾遺和歌集巻第十九　雑恋

題知らず　　柿本人麿

1210 少女子が袖ふる山の瑞垣の久しき世より思そめてき

稲荷にまうで逢ひて侍ける女の、物言ひかけ侍けれど、いらへもし侍らざりければ　　平定文

1211 稲荷山社の数を人問はばつれなき人をみつと答へむ

題知らず　　柿本人麿

1212 三島江の玉江の葦をしめしより己がとぞ思いまだ刈らねど

雑恋は、「恋」部よりも詞書が多く、長くなっている。歌物語的要素が強く、純粋な恋情以外も詠まれている。

1210 少女が袖を振るという布留山の玉垣のように、久しい以前から思い初め、心に染みてきたことだ。人麿集。○少女子が袖ふる　「振る」を掛けて、「布留山」を導く序詞。「少女子」は、神女とも(奥義抄など)。袖を振るのは、舞姿、または人を招くさま(増抄)。神を招く呪術とする説もある。○ふる山　布留山。大和国。○瑞垣　垣根の美称。玉垣。ここは布留の社の神垣。三句までが「瑞垣」の、古びて神々しいことに寄せて、「久し」を導く序詞。崇神天皇の御代に磯城(しき)に遷都し、瑞籬宮(みずがきのみや)といったことから、昔よりの意で「久し」の序詞としたとする説もある(和歌童蒙抄)。序詞の中に序詞があるという特異な表現構造になる。○五句　「初む」に「染む」を掛ける。「染む」は、「袖」の縁語。心の中で思いはじめ、色が染み付くように、恋い慕う。▽万葉集四・柿本人麿の歌の異伝。類歌、同十一・人麻呂歌集歌。

1211 稲荷山の社の数を人が尋ねたならば、無情な人を「見つ」、三つと答えよう。○稲荷　山城国。伏見の稲荷神社。現在は五社だが、当時は上・中・下の三社で、大山祇(おおやまつみ)・倉稲魂(うかのみたま)・土祖神(つちのみおや)を祭った。蜻蛉日記上などに、稲荷詣の記事がある。○まうで逢ひて侍ける女の…　参詣した時に出逢った女性に、言い寄ったが、返事もなかったので、詠んだ歌。○みつ　見つ。見た。「三つ」を掛ける。平中物語二段や伊勢集に「見つ」にまつわる歌の応酬が見られる。

1212 三島江の美しい入江の葦に標識をしてからは、自分の物だと思っている。まだ刈っていないけれど。人麿集。○三島江の玉江　摂津国。淀川の中流付近。「玉江」は、美称か。葦や菰が景物。○しめし　「標む」は、女性を我が物とすることの比喩。標結ふ。↓一六七。○五句　まだ女性と関係していないことを暗示する。▽万葉集七・作者未詳歌の異伝。寄物の譬喩歌。

1213 あだなりとあだにはいかゞ定むらん人の心を人は知るやは

大中臣能宣(よしのぶ)

1214 双六の市場に立てる人妻の逢はでやみなん物にやはあらぬ

よみ人知らず

1215 濡れ衣をいかゞ着ざらん世の人はあめの下にし住まんかぎりは

流され侍(はべり)ける時

贈太政大臣(ぞうだいじやうだいじん)

1216 あめの下のがるゝ人のなければや着てし濡れ衣干るよしもなき

題知らず

よみ人知らず

1217 いづくとも所定めぬ白雲のかゝらぬ山はあらじとぞ思(おもふ)

1213 実意がないと、いい加減にどうして決めつけるのだろうか。人の心中を、他人は知ることが出来ようか。抄・雑上四五七・五句「ひとはしるやと」。能宣集。○初・二句「あだ」の意味を違える。以下の「人」も。○人の心　ここは、作者の人柄。○人　ここは、相手の女性。▽流布本拾遺抄や能宣集などに、「女のもとに文遣はしたりけるに、あだなる人の返しはせずと言ひて侍りければ」とある。

1214 双六の市場に立っている人妻のように、自分も他の人と逢わずに終わってしまうものではないか。○双六の市場　市場の呼称であろうが、所在未詳。双六を連想させる。「市場」に、双六の縁語「一半」を言い掛け、下の「一つ」「合ふ」も、同じく双六の縁語という(八代集抄)。○三句　貞淑な人妻のように。「一つ」を掛ける。底本「つま」の右に「石」を傍書。人妻への恋の要素はないか。ここまでが「逢はで」を導く比喩の序詞。○五句　底本「や」の右に「に」を傍書。私抄は「必ず逢はんずると也」とするが、八代集抄は「人の妻の嫗(やもめ)なるが、終に貞女を立てんと思ふが詠めるなるべし」とする。この解をとった。

1215 濡れ衣をどうして着ないことがあろうか。世の人は、天の下の、雨の下に住む限りは。抄・雑上四五二。○濡れ衣　あられもない噂。○四句「天の下」に、「雨の下」を掛ける。▽大和物語四十四段「逃がるとも誰か着ざらむ濡れ衣あめの下にし住まむ限りは」とかかわるか。

1216 天の下の雨の下を逃れる人がいないからか、着てしまった濡れ衣を干す手立てもない。昌泰四年(九〇一)正月二十五日、菅原道真の大宰権帥に左遷された時の詠作とする伝承歌。○初句↓三二五。○濡れ衣　ここは、冤罪。無実の罪。○干る　「濡れ衣」の縁語。▽大鏡・時平伝・二句「乾けるほどの」。

1217 どこだとも居所を定めない白雲が、かからない山はあるまいと思われる。抄・雑上四五六・初、二句「いづことも心さだめぬ」。○白雲　多情な男をよそえる。○かゝらぬ　雲がかかるのに、女性と関わり合う意を掛ける。○山　恋愛相手の女性をよそえる。

1218 白雲のかゝるそら事する人を山の麓に寄せてける哉(かな)

1219 いつしかも筑摩の祭早せなんつれなき人の鍋の数見む

まだ少将に侍(はべり)ける時、采女町の前をまかりわたりけるに、明日香の采女ながめ出だして侍けるに遣はしける

1220 人知れぬ人待ち顔に見ゆめるは誰が頼めたる今宵なるらん

小野宮太政大臣(をののみやのだいじやうだいじん)

返し

1221 池水のそこにあらではねぬなはの来る人もなし待つ人もなし

明日香采女(あすかのうねめ)

中納言敦忠(あつただ)、兵衛佐に侍ける時に、忍びて言ひちぎりて侍けることの、世に聞え侍にければ

1222 人知れず頼めし事は柏木のもりやしにけむ世にふりにけり

右近(うこん)

1218 白雲のかかる空ではないが、かかる嘘言(そらごと)を言う人を、山の麓に寄せてしまったことだ。○初句「かかる」の枕詞。○かかる「白雲のかゝる」に「かゝるそら事」を言い掛ける。○そら事　虚言。「白雲」の縁語「空」を響かせる。○山の麓　自分の身近をよそえる。「山」は、雲のかかる所。

1219 すぐにも筑摩の祭を早くしてほしい。冷淡な女の、通わせた男の数になる鍋の数を見てやろう。○初句　北野本「あふみなる」。○二句　近江国の筑摩神社の祭。土地の女が関係した男の数だけ土鍋を作って奉納し、数をごまかすと祟りがあると伝える(俊頼髄脳)。○四句　堀河本「人のかくせる」。▽伊勢物語一二〇段に見える歌。和歌色葉に数をごまかす女の話がある。

1220 人知れず人待ち顔に見えるようなのは、誰があてにさせた今宵の逢瀬なのだろう。○まだ少将に…　藤原実頼は、延喜十九年(九一九)正月二十八日に右権少将、延長六年(九二八)六月九日に右権中将(公卿補任)。○采女町　采女は、天皇の食事の世話などをする女官。諸国の次官以上の郡司の美麗な娘が選ばれた。町は、その居住区で、拾芥抄に、土御門北、東洞院西とある。○下句「頼む」→六八九。男が、今宵訪問すると約束したことを指す。

1221 そこもと以外には、池水の底の蓴菜を繰るではないが、来る人もないし、待つ人もいない。○初句「底」に掛けて、「そこ」を導く枕詞。「そこ」は実頼を指す。○三句　根蓴菜の。蓴菜を繰ることから、「来る」を導く枕詞。→八四。

1222 人に知られず頼みにさせた言葉は、柏木の森ではないが、漏れてしまったのか、世間に言い古されてしまったことだ。抄・雑上四五一・五句「よにみちにけり」。○兵衛佐　藤原敦忠は、延長六年(九二八)六月九日に左兵衛佐、同八年十二月十七日に右衛門佐。○初・二句　詞書「忍びて言ひちぎりて侍けること」に対応する。「頼む」→六八九。○柏木のもり　柏木の森は、大和国。「柏木」は兵衛の異名。「森」に掛けて「漏り」を導く枕詞。○五句「古る」に、「漏る」に応じて「降る」を響かせる。▽二人の仲は、大和物語の八十一、二段などに見える。

やむごとなき所にさぶらひける女のもとに、秋頃忍びてまからむと男の言ひければ

よみ人知らず

1223 秋萩の花も植へ置かぬ宿なればしか立ち寄らむ所だになし

題知らず

1224 こゆる木のいそぎて来つるかひもなくまたこそ立てれ沖つ白浪

人の妻し侍ける男の、獄に侍て、乳母のもとに遣はしける

1225 しのびつゝ夜こそきしか唐衣ひとや見むとは思はざりしを

貞盛が住み侍ける女に、国用が忍びて通ひ侍けるほどに、貞盛まうで来ければ、惑ひて、塗籠に隠して、後の戸より逃がし侍ける、つとめて言ひ遣はしける

国用

1226 宮作る飛騨の匠の手斧音ほと〳〵しかるめをも見し哉

1223 秋萩の花も植え置かない家なので、鹿がそのように立ち寄るような所さえないことだ。抄・雑上四六八。○やむごとなき所　身分が高い家。○上句　秋の景物、萩の花も植えていない家と、卑下した挨拶のことば。「宿」は、家、また家の庭。○しか　「然か」に、「鹿」を掛ける。鹿は、萩と配合される景物。男をよそえる。○下句　萩がないから、鹿の立ち寄る所はないとする。言い寄る男を、優雅に拒絶した。

1224 小余綾の磯ではないが、急いで逢いに来たかいもなく、また立ってしまった、邪魔をする沖の白波が。○こゆる木のいそ　小余綾の磯。相模国。大磯付近。「小余綾の」は「いそ」の枕詞。「いそ」は「磯」に「急ぎ」を掛ける。↓八五三。○三句　「磯」の縁語の「貝」を響かせる。○五句　立つ白波は、逢瀬を邪魔するもの。他の男を暗示する。「磯」「立つ」は「白浪」の縁語。「野分して白波立たむ時だにも過ぐさず君に逢ひみてしかな」(敦忠集)。

1225 人目を忍んで、夜に着た衣ではないが、夜に来たのに、人が見付けて、牢獄を見ようとは、思いもしなかったことだ。○人の妻し侍りける男　人妻と通じました男。○乳母のもとに　親には内緒ということか。○二句　「来」に、「着」を掛ける。○三句　衣服の美称。○ひとや　「人や」に、「獄」を掛ける。物名の歌とも解せる。人妻に姦通した罪が発覚して入獄したこと。▽八代集抄「人妻を犯したる罪に籠舎せし也。勅撰にかやうの事は、実に歌道をもちて教誡なるべし」。

1226 宮殿を作る飛騨の工匠の手斧の「ほとほと」という音ではないが、「ほとほとしかる」、危ない目に出会ったことだ。○貞盛…　平貞盛と結婚していた女のもとに、藤原国用がひそかに通っていた時に、貞盛がやって来たので、あわてて塗籠に隠して、後ろの戸から逃がした、その翌朝詠んで遣った歌。「塗籠」は、壁で囲って、納戸などに用いた密閉された部屋。○飛騨の匠　↓九九〇。○三句　手斧で木をトントンと叩く音。当時は「ほとほと」と聞いた。三句までが、「ほとほとし」を導く序詞。↓九一三。○ほと〳〵しかるめ　危ない目。恐ろしい思い。

1227 男持ちたる女をせちに懸想し侍て、ある男の遣はしける

有とても幾世かは経る唐国の虎臥す野辺に身をも投げてん

1228 志賀の山越えにて、女の山の井に手洗ひ掬びて飲むを見て　貫之

掬ぶ手のしづくに濁る山の井の飽かでも人に別ぬる哉

1229 三条の尚侍、方違へにわたりて帰るあしたに、しづくに濁るばかりの歌、今はえ詠まじと侍ければ、車に乗らんとしけるほどに

家ながら別るゝ時は山の井の濁りしよりもわびしかりけり

1230 題知らず　よみ人知らず

鷂のとかへる山の椎柴の葉がへはすとも君はかへせじ

1227 この世にいたとしても、幾世過ごせようか。それならば、唐国の虎臥す野辺に、我が身を投げてしまおう。抄・雑上四五五。○三句以下　釈迦が前世に飢えた虎に我が身を与えたという故事を踏まえる。「唐国」は、中国。ここは天竺の話なので、外国の美称。野辺は人妻で、虎はその夫。「人妻は森か社か唐国の虎臥す野辺か寝て試みむ」(古今六帖五・詠者未詳)。→五〇八。

1228 掬い上げる手からの雫で濁る浅い山の井のように、私は飽き足りずに人と別れてしまったことだ。貫之集。○志賀の山越え →一九八。○山の井　清水を石で囲い水が溜まるようにしたもの。○上句　山の井は、浅くてすぐに水が濁り、思うように飲めないことから、「飽かで」を導く序詞となる。「山の井の浅き心も思はぬに影ばかりのみ人の見ゆらむ」(古今・恋五・よみ人知らず)。▽古今・離別に重出。古今集には、「…石井のもとにて物言ひける人の別れける折に詠める」とある。古来風体抄は、「大方すべて言葉・言の続き、姿心限りなく侍るなるべし。歌の本体は、ただこの歌なるべし」と絶賛する。

1229 家に居て別れる時は、かつて歌にした、山の井が濁った時よりも、つらいことだった。貫之集。○三条の尚侍　三条右大臣藤原定方の姉妹、藤原満子か。貫之集「三条の内侍」。定方女(仁善子または能子)の三条の御息所説もある。○方違へに…　尚侍が貫之邸に方違えに来た翌朝帰る折に、「あのしづくに濁る(→一二二八)ほどの秀歌を、今は詠むことはできまい」と言ったので、車に乗ろうとした時に詠んだ歌。「方違へ」→一二一六。○下句　前歌の時以上に今朝は別れ難いとする。機知的に応じた。

1230 鵠が飛び帰る山の椎の木が、鷹の羽が抜け替わるように、葉が生え替わっても、あなたは心変りするまいね。○鵠　鷹狩に用いる小型の鷹。はいたか。○とかへる　もとの所に飛び帰る、また、羽が抜け替わる(袖中抄など)。○椎柴　椎の木。椎の歌語。○葉がへ　葉が生え替わること。椎は常緑樹で、葉替えはしない。ありえないことの喩え。枕草子・花の木ならぬは「椎の木、常盤木はいづれもあるを、それしも、葉がへせぬためしに言はれたるもをかし」。

久しうまうで来ざりける男の、たまさかに来たりければ、
女のとみにも出でざりければ

1231 過ちのあるかなきかを知らぬ身はいとふに似たる心地こそすれ

題知らず

1232 行く水の泡ならばこそ消え返り人の淵瀬を流ても見め

1233 ともかくもいひはなたれよ池水の深さ浅さを誰か知るべき

在原業平朝臣

1234 染河を渡らん人のいかでかは色になるてふ事のなからん

賀茂臨時祭の使に立ちてのあしたに、かざしの花にさして、
左大臣の北方のもとに言ひ遣はしける

兵衛

1235 ちはやぶる賀茂の河辺の藤浪はかけて忘るゝ時のなき哉

1231 過ちが自分にあるかないかを思い当たらない我が身には、あなたの態度が、私を嫌うのと似ている気持がすることだ。○来ざりける　底本「こ」は補入。○女のとみにも…　男が久しく来なかったので、すねてすぐに応対しなかったのである。▽部類名家集本兼輔集に「常に逢ひそめたる女、いかがありけむ、恨むれば」としてあり、兼輔の作か。

1232 恋四に重出。→八六二。

1233 とにもかくにも、楲(いい)を放して池の水を流すように、心のうちを言っておくれ。愛情の深さ浅さを、外から誰が分かろうか。○二句「楲」に、「言ひ」を掛ける。「楲」は、池川から水を放流する場所の地中に埋めておく板の箱。戸を開閉して水量を調節する。「小山田の苗代水は絶えぬとも心の池の楲は放たじ」(後撰・恋三・よみ人知らず)、「いなせともいひはなたれずうき物は身を心ともせぬ世なりけり」(同)。○池水の　「楲」の縁語で、「深さ浅さ」の枕詞。

1234 染川を渡るような人が、どうして色に染まるということがなくておられようか。色好みになってしまうのだ。○染河　筑前国。「染む」を連想させる。○色になる　色に染まる。色好みになる。伊勢物語にいう、「色好むといふ好き者」に当たる。▽伊勢物語六十一段に見える歌。筑紫に下った男が、女がこれが評判の色好みかと言ったのに答えた歌。染川を渡ったのだから、色好みになって当然だ、と応酬したもの。女の返歌、「名にし負はばあだにぞあるべきたはれ島波の濡れ衣着るといふなり」の異伝歌が、後撰・羇旅に収められる。

1235 賀茂の川辺の藤波は、かかるにつけて、あなたを心に懸け、忘れる時がないことだ。○賀茂臨時祭の使　→一二四七。○かざしの花　臨時祭では双葉葵になるが、ここは藤か。→八八。○左大臣の北方　拾遺集の左大臣は、藤原道長で、その室は鷹司殿倫子になるが、作者を藤原兼茂女兵衛とすると、村上朝の女流歌人で時期が合わない。○初句　「賀茂」の枕詞。○藤浪　藤の花を波に見立てた歌語。左大臣北の方をよそえる。○かけて　心に懸けて。「波」の縁語。藤花をかざしにかけての意を添える。

題知らず　　よみ人知らず

1236 世中はいかゞはせまし茂山の青葉の杉のしるしだになし

1237 埋れ木は中むしばむといふめれば久米路の橋は心して行け

1238 世中はいさともいさや風の音は秋に秋添ふ心地こそすれ

石見に侍ける女のまうで来たりけるに　　人麿

1239 石見なる高間の山の木の間より我が振る袖を妹見けんかも

和泉の国に侍けるほどに、忠房朝臣大和より贈れる返し　　貫之

1240 沖つ浪たかしの浜の浜松の名にこそ君を待ちわたりつれ

1236 二人の仲は、どうしたらよいのだろう。樹々の茂る山の青葉では、杉の目印さえ見えなく、あの人の家の目印も分からない。○上句　音信のなさを案じる。○茂山　草木が繁茂して一面青葉の山。○杉のしるし　家の目印となる杉。「我が庵は三輪の山もと恋しくは訪ひ来ませ杉立てる門」（古今・雑下・よみ人知らず）を踏まえる。

1237 埋れ木は中が蝕むというようなので、久米路の橋は絶えていないか注意して渡って行け。○埋れ木　ここは、久米路の橋の用材。○二句　誠意のない男の心の比喩。○久米路の橋　大和国の葛城の橋。ここは信濃の橋とする説もある。袖中抄「能因歌枕に、信濃に久米路の橋あり。此の歌を出だせり。されば是は、（葛城の久米路の橋とは）別の橋也」。ただし、現存本能因歌枕に、この記事はない。▽匡衡集に、「花柑子」の物名の歌で、「埋れ木はなかむしはむと磯馴るる古の橋々心して踏め」という類歌がある。

1238 男女の仲は、さあどうだか分からない。秋風の音は、秋に秋が、飽きに飽きが加わる気持がすることだ。○世中　男女の仲か。○二句「いさ」を重ねて強調。○秋に秋添ふ心地　秋が深まって、わびしい気持。「飽き」を掛けて、恋の相手に飽きられ、つらい思いをする意を重ねる。▽後撰・雑四では、伊勢が男に見捨てられたと聞いた友人の見舞の歌、「世の中はいかにやいかに風の音を聞くにも今は物や悲しき」に対する伊勢の返歌とある。伊勢集にあり。

1239 石見にある高間の山の木の間から私が振った袖を、妻は見たのであろうか。人麿集。○石見に侍ける女の…　石見にいた女がやって来たので詠んだ歌。○高間の山　石見国。万葉集は、高角山。○妹　依羅娘子（よさみのおとめ）か。▽万葉集二・柿本人麿の歌の異伝。

1240 沖の波の高い高師の浜の浜辺の松、その待つという名の通り、君を待ち続けていたことだ。貫之集。○初句　「高し」と、「高師の浜」に枕詞的に言い掛ける。○たかしの浜　和泉国。浜松は、万葉集以来の景物。「浜」の反復で律調を形成。○名　「浜松」の名から、「待つ」を連想する。「松」に、長い時間を見る解もある。▽古今・雑上に重出。忠房の贈歌も収載。

神いたく鳴り侍けるあしたに、宣耀殿の女御のもとに遣はしける
天暦御製

1241 君をのみ思やりつゝ神よりも心の空になりし宵哉

越なる人の許に遣はしける
貫之

1242 思やる越の白山知らねども一夜も夢に越えぬ日ぞなき

題知らず
人麿

1243 山科の木幡の里に馬はあれど徒歩よりぞ来る君を思へば

1244 春日山雲居隠れて遠けれど家は思はず君をこそ思へ

物へまかりける道に、浜づらに貝の侍けるを見て
坂上郎女

1245 我が背子を恋ふるも苦し暇あらば拾ひて行かむ恋忘貝

1241 あなたばかりを思いやって、雷が空に鳴るよりも、私の心が上の空になった昨夜だったよ。村上御集。○宣耀殿の女御　藤原師尹女、芳子。○神　鳴る神。雷。○心の空になりし　女御を気遣って、心が上の空になる、気もそぞろになる。雷が「空に鳴る」のを重ねる。「ながめしてふればなるべし天つ空神も心の空になりつつ」(古今六帖一・作者未詳)。

1242 思いやる越の白山は知らないけれども、一夜も夢の中で、あなたのもとへ越えて行かない日はない。貫之集。○越　北陸地方の総称。○越の白山　加賀国。ここは、同音反復で、「知らねども」を導く序詞的な働きをする。○夢　思いが強いと夢の中を魂が往来するとされた。▽古今・雑下に重出。

1243 山科の木幡の里に馬はあるけれども、私は歩いてやって来た。あなたを深く思っているので。人麿集。○山科の木幡の里　山城国。○下句　馬に乗るより徒歩が大変なので、誠意を見せるために徒歩にした。俊頼髄脳「心ざしを見せむと詠める歌」。▽万葉集十一・人麻呂歌集歌の異伝。

1244 春日山は雲に隠れて遠くにあるけれど、麓の我が家は思わず、あなたを思うことだ。人麿集。○春日山　大和国。○二句　雲に隠れて見えない。作者は、大和から離れた旅先にいるか。二句までは、「遠けれど」を導く序詞。○三句　春日山が遠いのと、我が家が遠いのを重ねる。▽万葉集十一・人麻呂歌集歌の異伝。

1245 我が夫を恋い慕うのも、苦しいことだ。暇があったならば、拾って行こう。恋忘れ貝を。抄・雑上四六。○物へ…　万葉集には、天平二年(七三〇)十一月、坂上郎女が大宰府から帰京する海路で、浜の貝を見て詠んだ歌とある。○我が背子　自分の夫。具体的な人を指すものではないようである。○三・四句　「暇あらば拾ひに行かむ住吉の岸に寄るといふ恋忘れ貝」(万葉集七・作者未詳)。○五句　「忘れ貝」に、「恋」を添えた造語。「忘れ貝」は、二枚貝の片方、また、一枚貝の鮑とも。恋の物思いを忘れさせるものとする。「忘れ草」と類似した景物。▽万葉集六・坂上郎女の歌の異伝。

人の国へまかりけるに、海人のしほたれ侍けるを見て　恵慶法師

1246 旧里を恋ふる袂もかはかぬに又しほたるゝ海人も有けり

仁和御屏風に、海人しほたるゝ所に鶴鳴く　大中臣頼基

1247 しほたるゝ身は我とのみ思へどもよそなる鶴も音をぞ鳴くなる

まうで来る事かたく侍ける男の頼めわたりければ　よみ人知らず

1248 つれ〴〵と思へばうきに生ふる葦のはかなき世をばいかゞ頼まむ

浮島　順

1249 定なき人の心にくらぶればたゞ浮島は名のみなりけり

中〳〵ひとりあらばなど、女の言ひ侍ければ　元輔

1250 ひとりのみ年経けるにも劣らじを数ならぬ身のあるはあるかは

1246 故郷を恋しくて流す涙で袂は乾かないのに、一方では、潮垂れている海人もいたことだ。抄・別三四。恵慶集。○人の国　地方。田舎。○海人のしほたれ侍ける　海人が潮水に濡れて、雫を垂らしている。○旧里　故郷。今まで住んできた土地。○下句　自分だけが涙で濡れていると思ったが、海人も濡れていたとする。

1247 潮水に濡れて泣いている身は、自分だけと思ったけれども、遠くにいる鶴も、声を立てて鳴いていることだ。光孝朝内裏屏風歌。頼基集。○仁和 →一〇九一。○海人　底本「あさ」。「あま」の誤写。○上句　画中の海人の立場で詠む。潮水で濡れているのを、涙で袖を濡らすとした。▽宇多上皇屏風歌説も。

1248 つくづくと思えば、泥土に生える葦のように、不安で頼りない二人の仲を、どのように頼みにしたらよいだろうか。○初句　しみじみと。物思いに耽るさま。具体的には、詞書にある、来るのがむずかしい男が、頼もしそうに言い続けていること。○うきに生ふる葦の　「はかなき」にかかる序詞。根づきにくいので、はかなさの比喩になる。「うき」は、「泥」に「憂き」を掛ける。→八九三。○世　男女の仲。「葦」の縁語、節と節との間の「節(よ)」を掛ける。

1249 変りやすい人の心に比べれば、浮島の浮きは、ただ名だけのことであった。永観元年(九八三)八月一日頃、藤原為光障子絵歌。順集。○浮島　陸奥国。塩釜の浦にある島。「浮く」を連想。○五句　浮島の「浮き」は名のみのこと、人の心のほうが浮わついて定めないとする。

1250 あなたは、独身のまま長年過ごしてきたことに決して劣りませんよ。取るに足らない我が身は、あってないようなものだから。元輔集。○中〳〵ひとりあらば　かえって独身ならばよかった。○上句　独身で過ごしたのと、変ることもないではないか。○数ならぬ身　人数にも入らない、取るに足らない我が身。○五句　私の有るのは有ると言えるだろうか、とても言えない。女が独身でいればよかったと言うので、元輔は自分は存在しないのと同じような身だから同じことだと答えたのである。屈折した論理に、元輔の痛烈な自己主張が認められる。

題知らず　　　　　　　　　　　　よみ人知らず

1251 風はやみ峰の葛葉のともすればあやかりやすき人の心か

紀郎女に贈り侍ける　　　　　　　中納言家持

1252 久方の雨の降る日をたゞひとり山辺にをればむもれたりけり

男のまかり絶えたりける女のもとに、雨降る日、見なれて
侍ける従者の、鹿毛の馬求めにとてなんまうできつると
言ひ侍ければ　　　　　　　　　　よみ人知らず

1253 雨降りて庭にたまれる濁り水誰がすまばかはかげの見ゆべき

1254 世と共に雨降る宿の庭たづみすまぬに影は見ゆる物かは

1251 風が烈しいので、峰の葛の葉が裏返るように、ややもすれば、感化されやすい人の心だよ。○初・二句　葛の葉は、風に吹かれると裏返るとされていた。「秋風の吹き裏返す葛の葉の恨みてもなほ恨めしきかな」(古今・恋五・平定文)。○三句　どうかすると。○下句　移り変りやすい人の心。「あやかる」は、周囲に影響されて揺れ動く意。

1252 雨の降る日を、あなたに逢えずただ一人山辺にいると、引き籠もっているようで、晴れ晴れしないのであったよ。抄・雑上四七〇。○紀郎女　紀女郎。○久方の　「雨」の枕詞。○五句　万葉集「いぶせかりけり」。引き籠もったような気分だ。陰鬱で寂寥のさま。▽万葉集四・大伴家持の紀女郎に贈った歌の異伝。

1253 雨が降って、庭に溜まっている濁った水に、誰が住むというので、澄んで、影が見えるというのか。鹿毛も見つかるはずはない。○男の…　男が訪れなくなった女のもとに、見慣れた男の従者が、鹿毛の馬を探しに来たといったので詠んだ歌。折からの雨に託して恨み言をいうのである。○上句　「すまば」を導く序詞とも考えられる。○すまば　「住む」に、「澄む」を掛ける。○かげ　「影」に、鹿のような茶褐色の馬の毛並みとなる「鹿毛」を掛ける。▽和歌童蒙抄には、昔物語として、「人の、妻を去れりけるに、鹿毛なる馬の離れて失せたりけるを、雨の降りける日、雨ふる里に、もとの馬銜(はみ)にて至るとて、尋ねて来たりければ、元の妻の詠める也」とある。

1254 世を経て、夜もすがら雨降る家の、庭の水溜まりは、誰も住まず、澄まないのに、影が見えるはずがあろうか。鹿毛も見つかるはずはない。○初句　「夜」を掛ける。八代集抄「夜と共には、終夜也」。○雨降る　「経る」を響かせる。○三句　激しい雨が降って、庭にできた水溜まり。○すまぬ　「澄まぬ」に、「住まぬ」を掛ける。○影　「鹿毛」を掛ける。▽前歌と同じ折の歌。和歌童蒙抄は、淮南子の「人莫㆑鑒㆓於沫雨㆒者、雨㆓潦上㆒沫起覆㆑盆也。言、其濁不㆑見㆓人形㆒也」に通じるものがあるという。

日蝕の時、太皇太后宮より一品の内親王のもとに遣はしける

1255 逢ふ事のかくてや遂にやみの夜の思も出でぬ人のためには

題知らず　　　人麿

1256 岩代の野中に立てる結び松心も解けず昔思へば

女の許に菊を折りて遣はしける　　　よみ人知らず

1257 今日かとも明日とも知らぬ白菊の知らず幾世を経べき我が身ぞ

忠君、宰相雅信がむすめにまかり通ひて、ほどなく調度どもを運び返し侍ければ、沈の枕を添へて侍けるを返しをこせたりければ

1258 涙河水まさればやしきたへの枕の浮きて留まらざるらん

1255　逢うことが、こうして遂になくなってしまうのか、日蝕の闇の夜に日も出ないように、私を思い出してくれない人のせいで。○日蝕　史料綜覧によれば、円融朝開始の安和二年(九六九)八月から昌子内親王没の長保元年(九九九)十二月まで、日蝕記事は十二回見られる。安和二年に、昌子は二十歳、資子は十五歳。二人は従姉妹同士。○太皇太后宮　朱雀天皇皇女、冷泉天皇皇后昌子内親王。○一品の内親王　村上天皇皇女、資子内親王。○やみの夜　日蝕で暗くなる夜。「闇」に、「止み」を掛ける。○思も出でぬ人「思」に、「日」を掛ける。便りもくれない人。

1256　恋四に重出。↓八五四。底本に重出の旨の書入れがあり、詞書と歌が見セ消チになっている。

1257　今日かとも、明日かとも知れない命。知らないことだ、幾代を生きられる我が身なのか。○初・二句　はかない命をいう。無常の人生だから、生きているうちに愛し合おうというのか、また、恋死するといって訴えたものか。○三句同音反復で、「知らず」を導く枕詞。菊は長寿の景物なので、はかなさと対比される。

1258　涙川の水が増したからか、枕が浮いて送り返され、そちらに止まらなかったのだろう。○忠君　藤原師輔男、忠君。○宰相雅信がむすめ　左大臣源雅信女。雅信が宰相(参議)であったのは、天暦五年(九五一)正月三十日から、安和三年(九七〇)正月二十七日まで(公卿補任)。忠君は、安和元年没(尊卑分脈)。○まかり通ひて…　忠君が通うようになってから、間もなく調度を運び返したので、雅信女が沈の枕を添えてやったところ、その枕を自分のものではないと返して寄こしたので、女が詠んだ歌。○沈　香木。伽羅。ここは枕の素材。○涙河　涙を川に見立てたもの。男に見捨てられたとして流す涙。○水まされば　多くの涙を流したことをいう。○三句「枕」の枕詞。○四句　枕が浮いて流れ出すほど、涙を流したのである。「涙川枕流るる浮き寝には夢もさだかに見えずぞありける」(古今・恋一・よみ人知らず)。○五句　送った枕が返された意を託す。▽枕の返却は、さらなる離婚の確認になる。

延喜御時、按察(あぜち)の御息所(みやすどころ)久(ひさ)しく勘事(かむじ)にて、御乳母(めのと)に付(つ)けて参(まい)らせける

1259 世中(よのなか)を常なき物と聞(き)きしかどつらきことこそ久(ひさ)しかりけれ

御返し

1260 つらきをば常(つね)なき物と思(おもひ)つゝ久(ひさ)しき事を頼(たの)みやはせぬ

題知(し)らず　　伊勢(いせ)

1261 我こそはにくゝもあらめ我(わ)が宿(やど)の花見にだにも君が来(き)まさぬ

つゝむこと侍(はべり)ける女の、返事をせずのみ侍ければ、一条摂政(いちでうせつしやう)、石見潟(いはみがた)と言(い)ひ遣(つか)はしたりければ　　よみ人知(し)らず

1262 石見潟(いはみがた)何(なに)かはつらきつらからば怨(うらみ)がてらに来(き)ても見よかし

1259　世の中を無常なものと聞いていたけれど、つらく苦しいことは長く続くのであった。〇延喜御時　醍醐天皇の御代だが、相手が按察の更衣とすると、天暦の村上天皇の御代の誤りか。〇按察の御息所　按察の更衣。村上朝なら、左大臣藤原在衡女正妃（せいひ）。堀河本は「京極御息所」。〇勘事　勘当。帝の機嫌を損じたことがあったのであろう。〇御乳母　帝の乳母。取りなしを頼んだのである。〇世中　世の無常に、男女の仲のはかなさも含める。〇つらきこと　帝の勘気を蒙ったこと。

1260　つらい苦しさを、長く続かないものと思って、長く久しい私の愛情を頼もうとしないのか。〇上句　御息所とは逆に、つらいことが無常転変すると思え、と言って慰める。御息所の歌の論理を裏返した。〇久しき事　「常なき物」ではない、愛情の永続。八代集抄「御勘事許さんの御心なるべし」。

1261　私のことは憎らしく思うだろうが、我が家の花見にだけでも、あなたはお出でにならないのか。抄・雑上四六・四句「花見になどか」。〇初・二句　男に譲歩する姿勢。「こそ…め」で強調逆接法。〇下句　花見にかこつけて相手を誘い、関係を修復しようとする。「人知らぬ我が身ならずは宿ながら花見に来ともいはましものを」（中務集）。▽伊勢集にはなく、万葉集十「我こそば憎くもあらめ我が宿の花橘を見には来じとや」の異伝歌。

1262　石見潟の歌のように、思いを口にせず深く恨んでいるというが、何がつらいことがあろう。つらいのであれば、浦見がてらで、恨みがてらに、来てみればよいのに。抄・雑上四三・初句「なにはがた」。伊尹集。〇つゝむこと…　周囲を憚ることのあった女が、ずっと返事をしないでいたので、一条摂政藤原伊尹が、「石見潟」と言って遣ったところ、女の詠んだ歌。〇初句は「なにはがた」で「イハミ」を傍書。〇二句　九〇の歌の一句で、全体の意味を引く。堀河本女がつれないとする解もある。〇怨　「浦見」を掛ける。「浦」は、「石見潟」の縁語。〇五句　ほんとうは、自分の方が来られないくせに、という余意がある。

一条摂政下臈に侍ける時、承香殿女御に侍ける女に忍びて物言ひ侍けるに、さらにな訪ひそと言ひて侍ければ、契りし事ありしかばなど言ひ遣はしたりければ

本院侍従

1263 それならぬ事もありしを忘れねと言ひし許を耳に留めけん

題知らず

よみ人知らず

1264 御狩する駒のつまづく青つゞら君こそ我はほだしなりけれ

1265 君見れば結ぶの神ぞうらめしきつれなき人を何作りけん

延喜御時、中宮屏風に

貫之

1266 いづれをかしるしと思はむ三輪の山有としあるは杉にぞありける

1263 そうでない約束もあったのに、「忘れてほしい」と言ったことだけを、あなたは耳に留めたのだろうか。抄・雑上四六五。○一条摂政… 藤原伊尹が身分の低かった時、承香殿女御に仕えていた本院侍従に人目を忍んで逢っていたが、女が「もう来ないで」と言ったので、「二度と訪ねないと約束したことがあったので」と言ってやったところ、女の詠んだ歌。拾遺抄には、「ほど経て」、しばらくして、伊尹から消息があったとある。○承香殿女御 斎宮女御徽子女王。○それならぬ事 それ以外の約束事。「それ」は、女の「さらにな訪ひそ」を指す。○五句 耳に残ったのは、「忘れてほしい」と言ったことだけだったようだ。伊尹が遠ざかってしまったことを恨む。

1264 狩りをする馬がつまずく青つづらのように、あなたこそ私にとって出家の妨げなのだった。○上句 三句まで、「ほだし」を導く比喩的な序詞。「御狩」は天皇のする狩。「青つづら」↓三九九・六九九。○ほだし 絆。馬の足につなぎ、動けないようにする縄。また、人の自由を束縛するもの。特に出家の妨げ。「世の憂き目見えぬ山路へ入らむには思ふ人こそ絆なりけれ」(古今・雑下・物部良名)。

1265 あなたを見ていると、産霊(むすぶ)の神が恨めしい。こんな無情な人をどうして作ったのであろうか。○結ぶの神 万物を生み出す霊力を持つ神。奥義抄「むすぶの神は、うぶの神也。産霊と書けり」。本来は、「むすひ」で、「結び」と解されて、縁結びの神と考えられた。○三句 造化の神が無情な人を産み出したと恨めしい。

1266 どれを目印と思えばよいのか。三輪の山は、あるものすべてが杉であったよ。抄・雑上四七一・五句「すぎにざりける」。延長二年(九二四)五月、中宮藤原穏子屏風歌。貫之集。○延喜御時↓五。○しるし 「我が庵は三輪の山もと恋しくはとぶらひ来ませ杉立てる門」(古今・雑下・よみ人知らず)を踏まえる。この歌は三輪明神の神詠とされ、画題が「四月、大神(おほみわ)の祭の使」とあるので、祭使が杉を目印にして、三輪明神の居所の大神神社を訪ねる設定になっている。○三輪の山 大和国。大神神社のご神体。

稲荷に詣でて懸想しはじめて侍ける女の、異人に逢ひて侍ければ

藤原長能

1267 我と言へば稲荷の神もつらき哉人のためとは祈らざりしを

稲荷の神庫に、女の手にて書き付けて侍ける

よみ人知らず

1268 滝の水かへりてすまば稲荷山七日のぼれるしるしと思はん

元良の親王、久しくまからざりける女のもとに、紅葉をおこせて侍ければ

1269 思出でて訪ふにはあらず秋はつる色の限を見するなりけり

女のもとに扇を遣はしたりければ、言ひ遣はしたりける

1270 ゆゝしとて忌むとも今はかひもあらじうきをば風に付けて止みなん

題知らず

貫之

1271 ひとりして世をし尽くさば高砂の松のときはもかひなかりけり

1267 私のことというと、稲荷の神もひどいことをするものだ。他の男のために、あの女と結ばれるようになどとは、祈らなかったのに。抄・雑上四七二・初句「われてへば」。○稲荷　山城国。伏見の稲荷神社。↓三二。○三句　懸想した女性が他の男と恋仲になり、神をつらく思う。

1268 滝の水が沸き返って澄むように、夫が帰って住むようになれば、稲荷山に七日参詣した効験と思おう。抄・雑上四七三。○稲荷　↓三二。○神庫　神殿、祠。○初句　「帰りて住む」を導く枕詞。八代集抄「今の稲荷山の十七八町奥に、昔の稲荷の跡あり。そこに滝もありし跡ある也」。○二句　帰りて住まば。「滝の水」の縁語、「返りて澄む」を掛ける。

1269 私を思い出して紅葉が贈られたのではあるまい。秋が果てた色の限り、私に飽き果てた心のすべてを見せようとのことだったのだ。元良親王集。○元良の親王…　後撰集では、親王が「忘れにける男」、元良親王集では、女が「山の井の君」になる。紅葉を贈るのは、愛情の色濃さを示すため。○二句　後撰集や元良親王集では「あらじ」。○三句　「飽き果つる」を掛ける。○色の限　極限の美しい色。紅葉の色のことだが、心底をさらけ出している意を重ねる。親王の意図をわざと曲解する。▽後撰・秋下に重出。

1270 不吉として忌み嫌っても、今はかいもあるまい。つらい気持を、扇の風に付けてそちらに遣り、終わりにしたいものだ。○ゆゝしとて…　八代集抄「ゆゆしは、忌まはしき心也。扇は、夏は用ゐられて、秋風吹かば捨てらるる故、夫婦の中には、贈ることを忌む物也」。文選「怨歌行」に、前漢成帝の宮人の班婕妤が、帝寵を失い、我が身を、秋に捨てられる扇によそえた故事による。▽大和物語九十一段に、藤原定方が賀茂の祭使になり、扇を忘れて、以前の女に扇を求めたところ、女が扇の裏の端に書いて寄こした歌とある。定方集にあり。

1271 ただ一人で世を生き長らえるとしたら、高砂の松のように常緑であっても、無為孤独では何の生きがいもないのであった。貫之集。○初句　妻もいなくて。○高砂　播磨国。松はその景物で、老後の無為孤独の表象。

三条右大臣(さんでうのうだいじん)の屏風に

1272 玉藻(もか)刈る海人(あま)の行(ゆ)き方さす棹(さを)の長くや人を怨(うらみ)渡らん

年の終(をはり)に人待(ま)ち侍(はべり)ける人の詠(よ)み侍ける

1273 頼(たの)めつゝ別(わかれ)し人を待(ま)つほどに年さへせめてうらめしき哉(かな)

1272 海藻を刈る漁師が、舟の行く方向にさす棹が長いように、長い間つれない人を恨み続けるのだろうか。藤原定方屏風歌。貫之集。○三条右大臣　定方。延長二年(九二四)正月二十二日、右大臣、承平二年(九三二)八月四日没(公卿補任)。貫之集の配列は、この前後必ずしも年時順でもないが、延長四年と七年との間にあるから、その頃に詠まれたものか。○玉藻刈る「海人」の枕詞。○行き方　行く方向。「みるめ刈る方やいづこぞ棹さして我に教へよ海人の釣舟」(伊勢物語七十段)。貫之集「行き交ひ」。○上句三句まで、「長く」を導く序詞。○長く　棹の長いことと、長い間とを重ねる。○怨渡らん「恨み」に、「浦見」を掛ける。「渡る」は、時間の継続の意に、舟で渡る意を掛ける。いずれも、「海人」の縁語。閨怨の心情。

1273 訪ねて来ると約束して別れた人を待っているうちに、歳の暮までも迫ってきて、ひたすら恨めしく思うことだ。○人待ち侍ける人　男を待っておりました女。○頼めつゝ　下二段活用の「頼む」は、頼みに思わせる意で、約束する、誓う。→八四八。○年さへ　つれない人はともかく、歳の暮までも。○せめて　ひたすら。「迫む」を言い掛ける。▽約束した人を待ち続けているうちに、期待を裏切られて、歳暮を迎える時期になってしまったことを恨めしく思う。巻末を意識しての配置か。

拾遺和歌集巻第二十　哀傷

むすめにまかり後れて又の年の春、桜の花盛りに、家の花を見て、いさゝかに思ひを述ぶといふ題を詠み侍ける

小野宮太政大臣

1274 桜花のどけかりけり亡き人を恋ふる涙ぞまづは落ちける

平　兼　盛

1275 面影に色のみ残る桜花幾世の春を恋ひむとすらん

清　原　元　輔

1276 花の色も宿も昔のそれながら変れる物は露にぞ有ける

哀傷は、人の死を悼んだり、悲しむ人を慰めたりする歌。心を傷めたことを詠む歌も含む。

1274 桜花は、散る気配もなく、のどかに咲いている。亡き娘を恋い慕う涙は、桜の散る前にまず流れ落ちたことだ。抄・雑下五四八。実頼集。○むすめ　この実頼女は、村上天皇女御述子。天慶九年(九四六)十二月二十五日に女御となり(一代要記)、翌天暦元年十月五日に十五歳で没した(日本紀略)。翌年春、当代の歌人を小野宮邸に召して、「家の花を見て、いささかに思いを述ぶ」という題で、歌会を催したようである。以下五首は、拾遺集の配列では、この歌会関連の詠作となるが、一二七五以下四首は、詞書がないものの、康保二年(九六五)二月頃に行われた、実頼室能子(藤原定方女)追悼歌会での歌とする説がある。○初・二句　落花の気配も見えず、のんびりしているさま。「吹く風をならしの山の桜花のどけくぞ見る散らじと思へば」(後撰・春中・よみ人知らず)。○亡き人　娘の述子。姉朱雀天皇女御慶子説も。○落ちける　「落つ」は、涙がこぼれる。落花を意識した用語。▽述子の死を悼む実頼の歌は、「九重も花の盛りになる中に我が身一つや春のよそなる」(玉葉・雑四)。

1275 面影として色ばかりが留まっている桜の花よ。幾代の春を、花を見て恋い続けようとするのだろうか。抄・雑下五四九。○面影　亡き人の顔や姿の思い出。追憶の幻影。→三九三。○色　花盛りの桜の色。亡き人の生前の面影を重ねる。○幾世の春　本来は賀意を表す語句だが、ここでは哀悼の継続の意を添えて、実頼の悲嘆への共感を示す。

1276 花の色も、家も、昔のままながら、変っているものは、亡き人を偲ぶ涙の露があることだ。抄・雑下五五〇・三句「にはながら」。○宿　小野宮邸。○三句　「庭ながら」の本文なら「やど」は庭先の意になる。○上句　花に寄せて、実頼家の繁栄を祝福する。○露　涙の表象。○下句　露に寄せて、亡き人への哀悼を捧げる。亡き人は述子か能子かで説が分かれる。→一二七四。

1277 桜花にほふ物から露けきは木のめも物を思なるべし

大中臣能宣

この事を聞き侍て後に

1278 君まさばまづぞ折らまし桜花風のたよりに聞くぞ悲しき

大納言延光

中納言敦忠まかり隠れて後、比叡の西坂本に侍ける山里に人〳〵まかりて、花見侍けるに

1279 いにしへは散るをや人の惜剣 花こそ今は昔恋ふらし

一条摂政

天暦の帝隠れ給ひて、又の年の五月五日に、宮内卿兼通がもとに遣はしける

1280 五月来てながめまされば菖蒲草 思たえにしねこそなかるれ

女蔵人兵庫

1277　桜の花が美しく咲いているのに、露に濡れているのは、木の芽の目も物思いをするのだろう。抄・雑下五二一・二句「にほふものゆゑ」、四・五句「このめもものぞおもひしるらし」。能宣集。○露けき　露っぽい。涙を暗示する。○木のめ「芽」に、「目」を掛ける。「此の」を掛けているか。▽西本願寺本能宣集は、実頼の北の方能子の没した時の詠作とする。↓一二七四。

1278　君が存命ならば、真っ先に美しい花を折り取ったであろうに。桜の花盛りを、噂で聞くのは悲しい。抄・雑下五二二。○この事　実頼邸で故人を偲ぶ歌会があったこと。故人は述子か能子かで説が分かれる。○折らまし　「折る」主体は、源延光とも故人ともとれる。▽延光は、醍醐天皇皇子代明親王の三男で、妹厳子女王は、実頼の男頼忠の北の方。また実頼の北の方能子は、延光の伯母になる。↓一二七四。

1279　以前は、花の散るのを、亡き人が惜しんだであろう。その花こそ、今は昔を恋しく思っているようだ。抄・雑上三九二・三、四句「いとひけんいまは花こそ」。伊尹集。○中納言敦忠　天慶六年(九四三)三月七日、三十八歳で没(公卿補任)。○比叡の西坂本に侍ける山里　敦忠の山荘があった。↓四四五。○いにしへ　以下、「いにしへ」「昔」と「今」とを対比させ、哀惜する主体と対象を逆転させる。○人　敦忠。

1280　五月の一周忌が巡ってきて、長雨が降りまさり、物思いに耽っていると、菖蒲草の絶えた根が水に流れるように、耐えていた声を立てて泣かれることだ。○天暦の帝　村上天皇は、康保四年(九六七)五月二十五日没(日本紀略)。○又の年　翌年。○五月五日　端午の節句。○宮内卿兼通　藤原兼通は、師輔の次男。安和二年(九六九)閏五月二十一日から、天禄三年(九七二)閏二月二十九日まで、宮内卿(公卿補任)。○ながめ　帝を哀悼する物思いの「眺め」に、梅雨の「長雨」を掛ける。○三句　五月五日の風物。縁語の「根」に掛けて、「音」を導く枕詞的な働きをする。○四句　「根」の縁語「絶え」に「耐え」を掛ける。○五句　「音こそ泣かるれ」に「根こそ流るれ」を掛ける。

ふくたりと言ひ侍ける子の、遣水に菖蒲を植へ置きて亡くなり侍にける後の年、生ひ出でて侍けるを見侍て　　粟田右大臣

1281 しのべとやあやめも知らぬ心にも永からぬ世のうきに植へけん

右兵衛佐惟賢まかり隠れにけるに、親のもとに遣はしける　　右大臣

1282 こゝにだにつれ〴〵に鳴く郭公まして子恋の森はいかにぞ

朝顔の花を人のもとに遣はすとて　　藤原道信朝臣

1283 朝顔を何はかなしと思けん人をも花はさこそ見るらめ

夏、柞の紅葉の散り残りたりけるに付けて、女五の内親王のもとに　　天暦御製

1284 時ならで柞の紅葉散りにけりいかに木の下さびしかるらん

妻の亡くなりて侍ける頃、秋風の夜寒に吹き侍ければ　　大弐国章

1285 思きや秋の夜風の寒けきに妹なき床に独り寝むとは

1281 偲べというのか。道理も分からない幼な心にも、長くない命の恨めしさに、菖蒲を泥土に植えたのだろうか。○ふくたり　福垂、福足などと書く。小右記・永祚元年(九八九)八月十三日条に、腫物で死去とある。○二・三句　分別も付かない幼稚な心なりに。「文目」に、「菖蒲」を掛ける。「文目」は、物事の道理。○うき　涅。「菖蒲」の縁語。「憂き」を掛ける。→八九三。

1282 ここでさえ物思いに沈んで鳴く時鳥だから、まして子恋の森では、どれほど悲しいことか。抄・雑下五六三。伊尹集。○惟賢　左大臣源重信男の宣方説もあるが、伊尹集に、源重光が、伊尹の次男惟賢死去の弔問時の歌としてあり、惟賢が正しい。生没年不詳。○こゝ　作者。藤原顕光ではなく、重光。伊尹室の代明親王女恵子女王の兄で、惟賢の伯父。○郭公　自身の比喩。○子恋の森　伊豆国。山城国とも。子を恋い慕う意を重ね、時鳥が景物。底本「もりの」の「の」を見セ消チにし「は」を傍書。

1283 朝顔の花を、どうしてはかないと思ったのだろうか。人のことをも、花は、はかないと見るであろう。抄・雑下五七四。道信集。○朝顔の花を…　道信集「殿上にて、これかれ世のはかなきことを言ひて、朝顔の花見るといふところを」。この朝顔は、牽牛子(けにごし)と呼ばれた、現在の朝顔と同種のものか。はかなさを表象する。○さこそ　「さ」は「はかなし」を指す。

1284 季節はずれの夏に柞の紅葉が散ってしまった。どんなに木の下の、母亡き子はさびしいであろうか。村上御集。○柞の紅葉　柞は、ナラ、コナラの類の落葉高木で黄色く紅葉する。ここは、母の象徴。○女五の内親王　村上御集「女御のみこ」。村上天皇第五皇女、盛子内親王。○時ならで　夏の紅葉だから、季節はずれ。母源計子(広幡御息所)死去は、夏か。○三句　母の死をよそえる。○木の下　「子の許」を掛ける。

1285 思ってもみただろうか。秋の夜風が寒々しいのに、妻のいない寝床に独り寝ようとは。▽後拾遺・雑一に、作者を清原元輔として重出。歌仙家集本元輔集に「同じ国章、秋風寒きさまになりて侍るよしを詠みて侍りしに、遣はしし」とあり、元輔の歌か。

中宮隠れ給ひての年の秋、御前の前栽に露の置きたるを、風の吹きなびかしけるを、御覧じて

天暦御製

1286 秋風になびく草葉の露よりも消えにし人を何にたとへん

妻にまかり後れて、又の年の秋、月を見侍て

人麿

1287 去年見てし秋の月夜は照らせども相見し妹はいや遠ざかり

朱雀院の御四十九日の法事に、かの院の池の面に霧の立ちわたりて侍けるを見て

権中納言敦忠

1288 君なくて立朝霧は藤衣池さへきるぞ悲しかりける

猿沢の池に、采女の身投げたるを見て

人麿

1289 我妹子が寝くたれ髪を猿沢の池の玉藻と見るぞ悲しき

題知らず

よみ人知らず

1290 心にもあらぬ憂き世に墨染の衣の袖の濡れぬ日ぞなき

1286 秋風に靡く草葉の露よりも、はかなく消えてしまった人を、何によそえようか。抄・雑下五三三。村上御集。○中宮　村上天皇皇后、師輔女安子。応和四年(九六四)四月二十九日没(日本紀略)。○四句「消ゆ」は「露」の縁語。

1287 去年見ていた秋の月は今も照らすけれども、共に見た妻は、ますますこの世から遠ざかることだ。人麿集。○相見し　一緒に見た。「逢ひ見し」を響かせるか。○五句　万葉集「いや年離る」。人麿集・家持集「いや遠ざかる」。死後どんどん年月が経過してゆく。▽万葉集二に「柿本朝臣人麿、妻の死にし後に、泣血哀慟して作る歌二首并短歌」とある、反歌の一首。

1288 君が亡くなって立つ朝霧は、藤衣のようで、映る池まで煙って、裁ち着ているのは悲しいことだった。敦忠集。○法事　朱雀院は、天暦六年(九五二)八月十五日没(扶桑略記)。敦忠は、天慶六年(九四三)三月七日没なので、作者ではない。敦忠集に、「醍醐の帝に遅れ奉りて」とあり、醍醐天皇没時の詠作か。醍醐天皇は、延長八年(九三〇)九月二十九日没(日本紀略)。四十九日は、十一月十五日。○かの院　仙洞御所朱雀院。醍醐天皇には朱雀院御所の使用は認められないようで、詞書に問題が多い。○立「藤衣」の縁語「裁つ」を掛ける。○朝霧　霧の色を、喪服の薄墨色と見る。○藤衣　喪服。霧の色から喪服に見立てる。○きる「藤衣」の縁語「着る」に、「霧る」を掛ける。

1289 愛する采女の寝乱れ髪を、猿沢の池の藻として見るのは悲しい。抄・雑下五五五。人麿集。○猿沢の池　大和国。○采女 ↓一三三〇。○我妹子　采女をさす。○二句　寝乱れた髪を。「ねくたる」は「寝腐る」で、寝ているうちに服装や態度がだらしなくなる意。○玉藻　藻の美称。水に靡く髪をいう。▽大和物語一五〇段に、奈良の帝の寵愛の薄さを嘆いた采女が猿沢の池に投身し、それを聞いた帝が池に行幸して、人麿などと歌を詠んで弔ったとある。↓四一一。

1290 心に任せぬ憂き世に住み、墨染めの衣の袖が涙で濡れない日はない。抄・雑下五五六・二句「あらぬうきよの」。○墨染の衣　僧衣にもいうが、ここは喪服か。「住み」を言い掛ける。

服脱ぎ侍とて

1291 藤衣はらへて捨つる涙河きしにもまさる水ぞながるゝ

1292 藤衣はつるゝ糸は君恋ふる涙の玉の緒とやなるらん

藤原道信朝臣

恒徳公の服脱ぎ侍とて

1293 限あれば今日脱ぎ捨てつ藤衣果なき物は涙なりけり

としのぶが流されける時、流さるゝ人は重服を着てまかると聞きて、母がもとより衣に結び付けて侍ける

1294 人なしし胸の乳房をほむらにて焼く墨染の衣着よ君

思ふ妻に後れて嘆く頃、詠み侍ける

大江為基

1295 藤衣あひ見るべしと思せばまつにかゝりて慰めてまし

1291 喪服を河原で祓えをして脱ぎ捨てると、涙川は、着た時よりも、岸から溢れ出るほど水が流れ、泣かれることだ。抄・雑下五五七・四句「きしよりまさる」。○服脱ぎ　一周忌の除服。○初句　喪服。○二句　除服の際の河原での祓え。○涙河　涙を川に見立てる。ここは祓えの河原と関連させた趣向。○四句「岸」に、「着し」を掛ける。○五句「水」は、涙をよそえ、「流るる」に「泣かるる」を掛ける。

1292 喪服のほつれる糸は、君を恋い慕う涙の玉を貫く緒となるだろうか。○初句　喪服。○涙の玉の緒　「玉」は、宝玉、真珠。涙の見立て。「緒」は、玉を貫きとめる糸・紐の類。「糸」の縁語。▽古今・哀傷に、壬生忠岑作で父の服喪の歌として重出。忠岑集・貫之集にあり。

1293 限りがあるので、今日脱ぎ捨てた喪服だが、果てのないものは涙なのであった。抄・雑下五五八。道信集。○恒徳公　藤原為光。正暦三年(九九二)六月十六日、五十一歳で没(日本紀略)。道信は、三男(尊卑分脈)。○初句　喪の期間は喪葬令で限られ、父の服喪は一年。○今日　一周忌の法会は、翌四年六月十三日(小右記目録)。○果なき　「限あれば」に対する。▽小大君集にあり。今昔物語集二十四や宝物集に収められる。

1294 一人前にした胸の乳房を炎にして焼いた炭、その炭で染めた墨染色の衣を着なさい、あなたよ。抄・雑下五五九。道信集。○としのぶが…　橘敏延か。安和の変に連座して土佐に配流。○重服　親・夫などの重喪に着た濃い鼠色の忌服。流人は、重服を着用したとするのは風評か。○初句　一人前に生い育てた。○胸の乳房　胸中を表す。○三句　炎にして。胸中がかきむしられるような心情になっているさま。○墨染の衣　「焼く炭」と言い掛ける。喪服。

1295 藤衣を着て、亡き妻と逢えると思うならば、松にかかる藤のように、再会を待つことにして、慰めるだろうに。抄・雑下五六〇・五句「なぐさみなまし」。○思ふ妻に…　→四三四。○初句　喪服。ここは、藤の花をよそえる。○四句　待つことに心をかけて。「待つ」に、「松」を掛ける。藤がかかる松は、和歌に詠まれる類型の一つ。→八三。

1296 年経れどいかなる人か床古りてあひ思ふ人に別れざるらん

題知らず　　よみ人知らず

1297 墨染の衣の袖は雲なれや涙の雨の絶えず降る覧

謙徳公の北方、二人子ども亡くなりて後

1298 あまといへどいかなるあまの身なればか世に似ぬ潮を垂れ渡るらん

昔見侍し人〱多く亡くなりたることを嘆くを見侍て　　藤原為頼

1299 世中にあらましかばと思人なきが多くも成にける哉

返し　　右衛門督公任

1300 常ならぬ世は憂き身こそ悲しけれその数にだに入らじと思へば

1296 長い年月を経てきても、どのような人が、床を長く共にした愛し合う人に、死別しないことがあろうか。抄・雑下五六一・四句「あひおもふいもに」。〇三句　結婚して久しいこと。夫婦仲が親密なこと。▽前歌と同じ折の歌か。

1297 墨染の衣の袖は、雲であろうか。だから涙の雨が絶えず降るのだろう。〇墨染の衣　鈍色(にびいろ)の喪服。〇雲　袖の見立て。涙の雨を降らせる。また、喪服は、雲のような鼠色をしてもいる。〇…なれや　見立てたものを提示する。▽古今・哀傷・壬生忠岑「墨染の君が袂は雲なれや絶えず涙の雨とのみ降る」の類歌。底本、古今の異文を片仮名で傍書。

1298 尼といっても、どのような尼の身だからか、世に似るものもない潮水の涙を垂らし続けるのだろう。〇謙徳公の北方　藤原伊尹室、代明親王女恵子女王。〇二人子ども　天延二年(九七四)九月十六日、三男挙賢二十二(五とも)歳、四男義孝二十一歳が同日の朝夕に天然痘で没した(尊卑分脈)。〇あま　尼。天禄三年(九七二)十一月一日の伊尹没後、恵子は出家したか。「海人」を響かす。〇下句　海人の潮垂れ姿に、涙を流すことをよそえる。▽大鏡・伊尹伝や栄花物語・花山尋ぬる中納言にも語られている。

1299 世の中にいてほしいと思う人で、亡くなった人が、多くなってしまったことだ。抄・雑下五七一。為頼集・公任集。〇昔見侍し人〴〵…　栄花物語・見果てぬ夢によれば、長徳元年(九九五)の疫病流行で、関白藤原道隆、同藤原道兼、左大臣源重信、大納言藤原朝光、同藤原済時、権大納言藤原道頼、中納言源保光、同源伊陟などの相次ぐ死去を悲しんで詠んだ歌。公任集や為頼集では、翌長徳二年五月十八日頃、法性(住とも)寺での、公任の祖父実頼の忌日法要の際に詠まれたらしい。▽古本説話集上、宝物集四、撰集抄八などにも伝えられる。

1300 無常の世は、憂愁の身こそ悲しいことだ。いてほしい人の数にさえ入るまいと思うので。為頼集・公任集。〇常ならぬ世　公卿たちの死去で、道長が政治の実権を掌握した目まぐるしい政権交代への感慨でもあろう。〇下句　政権中枢になれない、ふがいない我が身を認識する。

親に後れ侍ける頃、男の訪ひ侍らざりければ

1301 亡き人もあるがつらきを思にも色分れぬは涙なりけり

伊勢

題知らず

1302 うつくしと思し妹を夢に見て起きて探るになきぞ悲しき

よみ人知らず

順が子亡くなりて侍ける頃、とひに遣はしける

1303 思やる子恋の森の雫にはよそなる人の袖も濡れけり

清原元輔

子に後れて詠み侍ける

1304 なよ竹の我が子の世をば知らずして生ほし立てつと思ける哉

平兼盛

大納言朝光がむすめの女御、まかり隠れにけることを聞き侍て、筑紫よりとひにをこせて侍ける頃、子馬助親重が亡くなりて侍ければ

1305 我のみやこの世は憂きと思へども君も嘆くと聞ぞ悲しき

藤原共政朝臣妻

1301　亡き親を偲ぶにも、存命で薄情な人を思うにも、色の区別がつかないのは、紅の涙なのであった。抄・恋下三四九。伊勢集。○後れ　底本「おくれて」で、「て」は見セ消チ。○四句　色の差がないのは。涙は悲哀が激しいと紅涙となる。▽書陵部本信明集に「中務の君の服なる頃、男の離れがたなれば、女」とあり、延長八年(九三〇)二月二十八日没の(日本紀略)、敦慶親王の服喪中の中務の歌か。

1302　愛しいと思っていた妻を夢に見て、起きて手探りしてもいないのはひどく悲しい。抄・雑下五六二・五句「なきがかなしさ」。人麿集。○四・五句　遊仙窟「驚覚攬ㇾ之、忽然空ㇾ手、心中悵怏、復何可ㇾ論」を踏まえたとされる。和歌童蒙抄は、「陳皇后長門賦曰、忽寝寤而夢想、夢魂若ㇾ君之在ㇾ傍、惕寤覚而無ㇾ見兮、魂匡々若ㇾ有ㇾ己」に通じるという。▽万葉集十二・作者未詳歌の異伝。

1303　思いやる、亡き子を思って流す子恋の森の雫につけて、関係のない人の袖も濡れたことだ。抄・雑下五六四。元輔集。○順が子…　順集に、「応和元年(九六二)七月十一日に、四つなる女子を失ひつ。同じ年の八月六日に、又五つなる男(女)子を失ひつ。無常の思ひ、事に触れて起こる。悲しびの涙、乾かず…」とあり、その折の歌か。○子恋の森　↓一三八二。○雫　涙。

1304　なよ竹のような幼い我が子のこの世の寿命を知らずにいて、生い育てたと思っていたことだった。抄・雑下五六五・流布本は重之。○初句　↓一二六二。幼児の形容になるか。○二句　「此の世」を掛ける。はかない寿命。「節」に掛けて、「竹」の縁語。○四句　「生ほす」は、「竹」の縁語。▽重之集・時雨亭文庫本輔親集にも重之作とある。

1305　私だけが、子に先立たれたこの世はつらく悲しいと思ったけれども、あなたも同じように嘆くと聞くのは悲しい。朝光集。○女御　花山院女御姚(姫)子。永延三年(九八九)五月二十九日没(小右記)。○親重　魚名の子末茂の家系に、共政の子、従五位下右馬助としてある(尊卑分脈)。○この世　「此の」に「子の」を掛ける。

返し

1306 憂(う)き世にはある身も憂(う)しと嘆(なげ)きつゝ涙のみこそふる心地(こゝち)すれ　伊勢

生(う)み奉(たてまつ)りたりける親王(みこ)の亡(な)くなりての又の年(とし)、郭公(ほととぎす)を聞(き)ゝて

1307 しでの山越(こ)えて来(き)つらん郭公(ほととぎす)恋(こひ)しき人の上語(うへかた)らなん　伊勢

伊勢がもとに、子(こ)の事をとひに遣(つか)はすとて

1308 思ふより言(い)ふは疎(をろ)かに成(なり)ぬればたとへて言(い)はん事(こと)の葉(は)ぞなき　平定文(さだふん)

中納言兼輔(かねすけ)、妻(め)亡(な)くなりて侍(はべり)ける年の師走(しはす)に、貫之(つらゆき)まかりて物言(い)ひ侍けるついでに

1309 恋(こ)ふる間(ま)に年の暮(く)れなば亡(な)き人の別(わかれ)やいとゞ遠(とを)くなりなん　貫之(つらゆき)

1306 つらいこの世には、生きている身も、わびしくて苦しいと嘆き嘆きして、涙だけが雨と降り、世を経る心地がすることだ。朝光集。○二・三句　朝光集「ある身もなきに思ほえて」。○ふる　「降る」に、「経る」を掛ける。

1307 死出の山を飛び越えて来たのだろう、時鳥よ、恋い偲ぶ皇子の身の上を語ってほしい。抄・恋下三七〇。伊勢集。○生み奉りたりける親王の…　伊勢が出産した、宇多天皇の皇子。伊勢集には五(八とも)歳で夭折したとあり、宇多朝末年の寛平八年(八九六)頃に出生し、延喜元年(九〇〇)頃に没したらしい。→五四三。○しでの山　死出の山。死者が冥土に赴く時に越えて行く山。時鳥は、現世と冥土との間を、この山を越えて往来するという。奥義抄「時鳥は、死出の山を過ぐる鳥なれば…」。▽宝物集三に収められる。

1308 心に思うよりも、言葉に出して言うのは、なおざりになってしまうので、私の気持を託して言う言葉もない。抄・恋下三七一。伊勢集。○伊勢がもとに…　前と同じ折の歌。定文は、歌仙家集本伊勢集では、皇子の名付け親とされている。○上句　言わぬは言うにまさる。「心には下ゆく水のわきかへり言はで思ふぞ言ふにまされる」(古今六帖五・作者未詳)。▽伊勢集に、前歌と並んで配列されているが、返歌はなかったとある。

1309 恋しく思っているうちに、年が暮れてしまえば、亡き人との別れはますます遠ざかってしまうだろう。抄・恋下三七二。貫之集。○中納言兼輔…　貫之集に、「中将」とあるのを、詠作年時とすれば、延喜十九年(九一九)正月、左近衛権中将、延長五年(九二七)正月、中納言。ただし、為氏本では、「左近少将」で、延喜十三年正月以降となる(三十六人歌仙伝)。亡くなったのは、夏か(為氏本)。この兼輔の妻は、尊卑分脈に記載がなく、未詳。○いとゞ遠く　年が改まるから、故人との距離がいよいよ遠くなって、それを深く悲しむだろうというもの。▽後撰・哀傷に、「亡き人の共にし帰る年ならば暮れ行く今日は嬉しからまし」という兼輔の歌への返歌として重出。

妻亡くなりて後に、子も亡くなりにける人を、とひに遣はしたりければ

1310 如何せん忍の草も摘みわびぬ形見と見えしこだになければ

よみ人知らず

子二人侍ける人の、一人は春まかり隠れ、今一人は秋亡くなりにけるを、人の弔ひて侍ければ

1311 春は花秋は紅葉と散りはてて立ち隠るべき木の下もなし

むすめに後れ侍て

1312 忘られてしばしまどろむほども哉いつかは君を夢ならで見ん

中務

むまごに後れ侍て

1313 憂きながら消えせぬ物は身なりけりうら山しきは水の泡かな

題知らず

1314 世中をかく言ひ〱の果て〱はいかにやいかにならむとすらん

よみ人知らず

1310　どうしようか。忍ぶ草も摘みあぐねてしまった。筺と見えた籠もなく、亡き妻の形見と見ていた子さえも亡くなったので。抄・雑下五六六。○とひに遣はし…　弔問に人を遣わしたところ。○忍の草　ノキシノブ。忍耐の「忍ぶ」を表象する。また、追憶の「偲ぶ」も表象するか。↓四九九。○三句　忍耐も限度に達したことを示す。○形見　亡き妻の思い出のよすが。子をいう。「摘む」の縁語「筺」を掛ける。○こだに　妻だけでなく、子さえも。「子」に、「摘む」の縁語「籠(こ)」を掛ける。「結び置きし形見の子だになかりせば何に忍の草を摘ままし」(後撰・雑二・源兼忠母乳母)。

1311　春は花、秋は紅葉と散り果てて、立ち隠れることのできる木蔭もなく、頼りにする子どももいない。抄・雑下五六七・三句「ちりぬれば」。○上句　春と秋に亡くなった子を、それぞれよそえる。○木の下　木の蔭。「子の許」を掛ける。▽伊勢集にあるが、他人詠の混入と考えられる。

1312　娘の死が忘れられて、しばらくまどろむ間がほしいものだ。いつ、あなたを夢以外で見られようか。抄・恋下三七三。中務集。○むすめに…　娘に先立たれて、詠んだ歌。中務の女子としては、藤原伊尹と結婚した「ゐとの」(伊尹集)などがいるが、未詳。↓三六。▽宝物集三に、「小野宮の女御(↓一二七四)隠れさせたまひにければ、年頃まかりつきてありがたく思したりしことを嘆きて詠み侍りける／…いつかは君をまどろまで見む」とある。

1313　つらく悲しいながら消えないものは、我が身であった。羨ましいのは、すぐに消える水の泡だよ。抄・恋下三七四。中務集。○むまごに…　孫に先立たれて詠んだ歌。中務の孫でよく知られているのは、藤原伊尹と「ゐとの」との間に生まれた光昭がおり、その外に、大納言の君、とね君、法師(行源か)などが知られる。光昭は、従四位下右近衛少将で、天元五年(九八二)四月二日没(小右記)。○うら山しき　定家本の文字遣い。羨ましき。○水の泡　はかないものの典型的な景物。

1314　雑上に重出。↓五〇七。

吉備津の采女亡くなりて後、詠み侍ける　　人麿

1315 さゝなみの志賀のてこらがまかりにし河瀬の道を見れば悲しも

讃岐の狭岑の島にして、岩屋の中にて亡くなりたる人を見て

1316 沖つ浪寄る荒磯をしきたへの枕とまきてなれる君かも

紀友則身まかりにけるに詠める　　貫之

1317 明日知らぬ我が身と思へど暮れぬ間の今日は人こそ悲しかりけれ

あひ知れる人の失せたる所にて詠める

1318 夢とこそ言ふべかりけれ世中はうつゝある物と思ける哉

妻の死に侍て後、悲しびて詠める　　人麿

1319 家に行きて我が家を見れば玉笹のほかに置きける妹が木枕

1315 さざなみの志賀のてこらが逝ってしまった、その川瀬の道を見ると、悲しいことだ。人麿集。○吉備津の采女　吉備国都宇(うつ)郡出身の采女。○さゝなみの志賀のてこら　吉備津の采女と同じ。「さゝなみ」は、楽浪で、琵琶湖西南部沿岸一帯の古名。「志賀」の枕詞にもなる。「てこら」は、手児ら、美しい少女の意。○三句　死んだことを表す。○河瀬の道　冥土への道。川瀬を逝くのだから、入水したのであろう。▽万葉集二・柿本人麿の歌の異伝。

1316 沖の波が寄せる荒磯を、枕にしておられる人よ。人麿集。○狭岑の島　讃岐国。沙弥島。○岩屋　岩穴。風葬用か。○荒磯　岩の多い岸。○ありそ。○三句　「枕」の枕詞。○まきて　「まく」は、枕にする。○なれる　「なる」は、動作・行為を示す尊敬語。万葉集は「なせる」。○君　死人。万葉集の配列では、餓死のようである。▽万葉集二・柿本人麿の歌の異伝。

1317 明日も分からない我が身の命と思うけれど、日の暮れない間の今日は、亡き人のことが悲しく思われることだ。貫之集。○紀友則　古今集編纂の途中で没。○初・二句　明日の我が身も分からない、はかない命をいう。二句、貫之集「命なれども」。○暮れぬ間の今日　現在を強調する時間意識。○五句　貫之集「あはれなりけれ」。▽古今・哀傷に重出。

1318 一切は夢というべきであった。世の中には確かな現実があると、思っていたことだった。貫之集。○夢　現実に対する幻影。無常をいう。仏教語の、夢幻泡影の一つ。○五句　現在から過去を顧みた言い方。▽古今・哀傷に重出。

1319 家に戻って、我が家を見ると、笹の植え込みの外に、置いていてあった妻の木枕よ。人麿集。○妻　→一二六七。○初句　帰宅時か。葬送の後とも解せる。○我が家　ここは、庭の意とも解せる。○玉笹　笹の美称。なぜ笹なのか未詳。万葉集「玉床」。寝床。○四句　万葉集「外に向きけり」。あらぬ方を向いている。枕には、人の魂が籠もっていると考えられていたので、魂の虚脱したさまをいうか。○木枕　木製の枕。当時は木製が主流。小枕とも解せる。▽万葉集二・柿本人麿の或本の歌の異伝。

1320 巻向の山辺響きて行く水の水泡のごとに世をば我が見る

石見に侍て、亡くなり侍ぬべき時に臨みて

1321 妹山の岩根に置ける我をかも知らずて妹が待ちつゝあらん

世中心細くおぼえて、常ならぬ心地し侍ければ、公忠朝臣のもとに詠みて遣はしける、この間病重くなりにけり

1322 手に結ぶ水に宿れる月影のあるかなきかの世にこそありけれ

この歌詠み侍て、ほどなく亡くなりにける、となん、家の集に書きて侍

紀貫之

朱雀院失せさせ給けるほど近くなりて、太皇太后宮の幼くおはしましけるを見奉らせ給ひて

1323 呉竹の我が世は異に成ぬとも音は絶えせずも泣かるべき哉

御製

1320 巻向の山辺に響いて行く水の、水の泡のように、世の中を私は見ている。人麿集。〇巻向の山辺　大和国。〇三句「行く水」は、穴師川のことという。三句まで、はかないものの表象「水泡」を導く序詞。▽万葉集七・人麻呂歌集歌の異伝。

1321 妹山の岩に身を置いている私のことを、知らないで、妻は待ち続けているであろうか。人麿集。〇石見に侍て…　万葉集二「柿本朝臣人麿、石見国に在りて死に臨む時に、自ら傷みて作る歌」。辞世の歌。〇妹山　石見国。「妹」を連想。万葉集「鴨山」。〇岩根　岩。〇置ける　死去を示す。〇妹　大和の妻、万葉集では次の歌の作者、依羅娘子(よさみのおとめ)か。▽万葉集二・柿本人麿の自傷歌の異伝。流刑先での水死説もある。

1322 手に掬う水に映る月のように、あるかなきかのはかない人生であったのだ。抄・雑下五七五・二句「水に浮かべる」。貫之集。〇世中…　この世に生きるのが心細く思われ、尋常でない気分がしたので、源公忠に詠んで贈った歌。この間に、病が重くなってしまった。〇初句「結ぶ」は、「掬ぶ」。手のひらを合わせて、水を掬うこと。〇水に宿れる月影　水に映る月の姿。はかなさを表し、初・二句は、「あるかなきか」を比喩的に導く序詞。〇世　詞書の「世中」と同じく、一生の意。〇この歌…　この辞世の歌を詠んで、間もなく亡くなってしまった、と貫之集に書いてある。▽袋草紙、宝物集二に収められ、沙石集五に源信の学生の歌として「月影は」「世にもすむかな」の形で記されている。

1323 我が世は別になったとしても、幼い皇女を思い、声は絶えもせず泣かれてしまうだろう。朱雀院御集・村上御集。〇朱雀院　天暦六年(九五二)八月十五日、三十歳で没。〇太皇太后宮　昌子内親王。院没時に三歳。冷泉天皇皇后から、寛和二年(九八六)七月に太皇太后となる。栄花物語・月宴に、「えもいはずうつくしき女御子」とある。〇初句　縁語の「節(よ)」に掛けて、「世」の枕詞。「節」は、節と節との間。〇上句　幽明境を異にしても。〇音　「竹」の縁語の「根」を掛ける。▽大鏡・昔物語に「…絶えせずぞなほ泣かるべき」の形で収められる。

題知らず

1324 鳥辺山谷に煙の燃え立たばはかなく見えし我と知らなん

よみ人知らず

病して人多く亡くなりし年、亡き人を野ら藪などに置きて侍を見て

1325 皆人の命を露にたとふるは草むらごとに置けばなりけり

すけきよ

世のはかなき事を言ひて詠み侍ける

1326 草枕人は誰とか言ひ置きしつひの住処は野山とぞ見る

順

題知らず

1327 世中を何にたとへむ朝ぼらけ漕ぎ行く舟の跡の白浪

沙弥満誓

忠蓮、南山の房の絵に、死人を法師の見侍て泣きたる形、描きたるを見て

1328 契あれば屍なれども逢ひぬるを我をば誰か訪はんとすらん

源相方朝臣

1324 鳥辺山の谷に煙が燃え立ったならば、はかなげに見えた私が亡くなったと知ってほしい。抄・雑下五六九。○鳥辺山　山城国。清水寺南方の葬送地。○煙　火葬の煙。▽今鏡・打聞に、この歌にまつわる伝承がある。更級日記には藤原行成女の死を聞き、手元にあったその筆跡によるこの歌を見て涙することが記されている。

1325 皆の人の命を露に譬えるのは、草むらごとに亡骸が置いてあるからであった。○上句　はかない命を露に譬えるのは、類型的な発想。「露の命」とも。○下句　亡骸が野や藪に捨てられているのを、草むらに置く露と見立てた。▽宝物集二に、佐伯清正歌としてある。

1326 草を枕にしている人は、自分は誰だと言い残していたのか。誰しも最後の身の置き所は、野山だと見ている。○草枕　ここは旅寝ではなく、野山に行き倒れていることであろう。○二・三句　死人の氏素姓が分からないのである。▽現実の事象ではなくて、万葉集の行路死人の歌などを念頭に置いて詠んだ、観念的な歌か。

1327 世の中を何に譬えよう。夜明け方に漕ぎ出して行く船の跡に立った白波と言おうか。抄・雑下五七六。○初・二句　無常の世を譬喩で示そうとする。○舟の跡　航跡は、すぐに消える。▽万葉集三・満誓の歌「…朝開き漕ぎ去にし舟の跡なきごとし」の異伝。源順は相次いで我が子を亡くし、この歌の初・二句に譬喩を表す三句を続けた十首の歌を詠んだ。→一三〇三。袋草紙・発心集六・沙石集五などに、源信がこの歌を聞き狂言綺語観を改めたと記されている。

1328 前世の因縁があったので、亡骸ではあっても、この人に逢うことができたが、亡くなった私を、誰が尋ねて来て、弔ってくれるだろうか。抄・雑下五七〇。○忠蓮　延暦寺の僧。○南山の房　比叡山の僧坊の一つか。私抄「山に、南山房とて有り」。○絵　障子絵か、屏風絵の類であろう。○死人を…　死人を見て、泣きながら弔っている法師が描かれた絵。この歌は、その法師の立場に立って詠まれている。○契　前世からの因縁。宿縁。○屍　絵に描かれた死人。○我　絵に描かれた法師の自称。○五句　自分には弔ってくれる人もいないということ。

題知らず

1329 山寺の入相の鐘の声ごとに今日も暮れぬと聞くぞ悲しき

よみ人知らず

法師にならむとて出でける時に、家に書き付けて侍ける

1330 憂き世をばそむかば今日もそむきなん明日もありとは頼むべき身か

慶滋保胤

題知らず

1331 世中に牛の車のなかりせば思ひの家をいかで出でまし

よみ人知らず

法師にならんとしける頃、雪の降りければ、畳紙に書き置きて侍ける

1332 世中にふるぞはかなき白雪のかつは消えぬる物と知る〳〵

藤原高光

服に侍ける頃、あひ知りて侍ける女の、尼になりぬと聞きて遣はしける

1333 墨染の色は我のみと思しを憂き世をそむく人もあるとか

能宣

1329 山寺の日暮れ時の鐘の音がするたびに、今日も暮れたと聞くのが悲しい。抄・雑下五七七。○入相の鐘「入相」は、日没の時分、夕暮れ時。日暮れ時に、撞く鐘。○下句　日々が過ぎ去るのを、鐘の音で実感する。▽御形宣旨集に初句「大寺の」としてある。

1330 つらいこの世を背こうとするならば、今日にも出家しよう。明日も生きているとは頼みにできる我が身であろうか。抄・雑下五七三・五句「思ふべきみか」。○法師にならむとて…　法師になろうと家を出た時に、書き付けた歌。保胤は、寛和二年(九八六)四月、出家。法名、寂心。○下句　八代集抄「朱子勧学文に、勿レ謂、今日不レ学、而有二来日一といへる心も通ひ侍り」。▽宝物集二に収められる。

1331 世の中に大乗の教えにある白牛の車がなかったならば、煩悩の火宅の家をどうして脱け出ることができようか。○牛の車　大白牛車。法華経・譬喩品に見える、火事で燃えている家で遊んでいた子供たちを、門の外に牛などが引く車があるからと言って連れ出し、命を救ったという故事を踏まえる。牛の車は、大乗の仏法、火事の家は煩悩で、仏教による救済を表す。○思ひの家　「火の家」を掛ける。火宅。煩悩の家。▽法華経・譬喩品の故事を歌に詠んだもの。一条朝の頃から、法華経二十八品の歌や維摩経十喩などの釈教歌が詠まれるようになった。

1332 世の中に、過ごしているのは、むなしいことだ。白雪のように、降る一方で消えてしまう命と知っていながら。抄・雑上四二九。高光集。○法師にならんと…　高光の出家は、応和元年(九六一)十二月五日、法名、如覚(多武峰略記)。○畳紙　畳んで懐に入れ、覚えや和歌を書いた。懐紙。○ふる　「経る」に、「白雪」の縁語「降る」を掛ける。○三句　比喩的に「消ゆ」を導く、枕詞的な働きをする。○消えぬる　「消ゆ」は、雪が消えるに、人が死ぬを掛ける。

1333 墨染色の衣は自分だけと思っていたのに、つらいこの世を背く人もいるとか聞くことだ。能宣集。○墨染の色　鼠色。墨染の衣をいう。喪服や僧衣の色。○我のみ　喪中の自分だけ。○憂き世をそむく人　尼になった知人の女。

返し　　よみ人知らず

1334 墨染の衣と見ればよそながらもろともに着る色にぞ有ける

成信、重家ら出家し侍ける頃、左大弁行成がもとに言ひ遣はしける　　右衛門督公任

1335 思知る人も有ける世中をいつをいつとて過すなるらん

少納言藤原統理に年頃契ること侍けるを、志賀にて出家し侍と聞きて、言ひ遣はしける

1336 さゞなみや志賀の浦風いか許心の内の涼かるらん

女院御八講捧物に、金して亀の形を造りて、詠み侍ける　　斎院

1337 業尽す御手洗河の亀なれば法の浮木に逢はぬなりけり

1334　墨染の衣と見ると、出家と喪中で異なりながら、一緒に着る仏道を志す色であったのだ。能宣集。〇墨染の衣 ↓一三三三。〇三句　場所からも立場からも、両者には隔たりがある。〇もろともに「よそながら」と対照。墨染の衣で思いが疎通する。

1335　無常を思い知り出家する人もある世の中に、私は、いつを限りの時と思って日を過ごすのだろうか。公任集。〇成信、重家　長保三年(一〇〇一)二月四日、藤原道長養子、右権中将源成信と、藤原顕光男、左少将藤原重家が、二十代の若さで突然三井寺で出家した(日本紀略)。「照る中将光る少将」(愚管抄)と呼ばれた二人の出家は、世間に衝撃を与え、藤原行成は日記(権記)にその経緯を詳しく記している。公任集「成信の中将出家してのつとめて、左大弁行成の、世のはかなきこと聞えたまへりけるに」。▽後拾遺・雑三に重出。今昔物語集二十四や宝物集二にも収められる。

1336　さざなみの志賀の浦を吹く風のように、出家をして、どれほど心の中はさわやかなことであろう。公任集。〇少納言藤原統理　長保元年(九九九)三月二十九日、出家(日本紀略)。〇年頃契ること侍けるを　八代集抄「共に出家せむ契約などありしにや」。〇志賀　志賀の地と共に、志賀寺を表す。出家したのは多武峰。誤解があるか。〇初句 ↓一三一五。〇五句「涼し」は、気持がさっぱりすること。「浦風」の縁語。▽今鏡・藤波に、藤原惟成の出家時の歌としてある。

1337　前世の業を償う御手洗川の盲目の亀のような身なので、仏法の浮き木に逢えないのであった。〇女院　東三条院藤原詮子。〇八講　法華八講。法華経八巻を講読する、四日間の法会。〇捧物　供物として、金細工の亀を贈った。〇初句　前世の悪業の償いをする。〇御手洗河の亀　供物の亀にちなみ、斎院自身をよそえる。盲亀。神域に居て、仏法と無縁なのを、盲亀の浮木の故事で表す。〇法の浮木　仏法を、大海の浮木に譬える。盲亀が百年に一度水面に浮かび上がって、出会う(法華経・妙荘厳王本事品など)。ここは、仏法に逢う機会のめったにないこと。

天暦御時、故后の宮の御賀せさせ給はむとて侍けるを、宮失せ給にければ、やがてその設して、御諷誦行はせ給ける時

御製

1338 いつしかと君にと思し若菜をば法の道にぞ今日は摘みつる

為雅朝臣、普門寺にて経供養し侍て、又の日これかれもろともに帰り侍けるついでに、小野にまかりて侍けるに、花のおもしろかりければ

春宮大夫道綱母

1339 たき木こる事は昨日に尽きにしをいざおのゝ柄はこゝに朽さん

左大将済時、白河にて、説経せさせ侍けるに

実方朝臣

1340 今日よりは露の命も惜しからず蓮の上の玉と契れば

1338 すぐにでも君にと思った若菜を、法の道で今日は摘んだことだ。村上御集。○故后の宮　天暦八年(九五四)正月四日没の村上天皇の母、太皇太后藤原穏子。帝が母宮七十賀を催そうとしたが亡くなり、賀の準備をそのまま法事の設営に使用したという。「諷誦」は、誦経のことで、法事をさす。実際は、一周忌に、宸筆の法華経を供養して法事を行った(扶桑略記)。○若菜↓一八。○法の道　仏道。ここは、追善供養。「道に…摘む」意を添える。○五句　菜を摘むのは、法華経・提婆達多品によった行基の歌一三四六を踏まえる。

1339 薪を樵って経供養することは、昨日で終わったから、さあ、斧の柄が朽ちるほど、この小野で過ごそう。抄・雑下五七三。道綱母集。○為雅朝臣　藤原為雅。道綱母の姉の夫。○普門寺　京都の北部、岩倉長谷の辺にあった寺。為雅の兄弟が住僧であった。○経供養　道綱母集では、「千部の経供養」。法華八講もされたか。○小野　ここは京都の修学院の辺りか。為雅の父文範の別荘があった。道綱母も皆と山荘に立ち寄り花を楽しんだ。○たき木こる事　法華経の五巻を講じる日に、一三四六の讃嘆の歌を唱えながら、水桶を担い薪を背負って行道するので、法華経供養をさす。↓一三三八。○尽きにしを　法華経・序品の釈迦の入滅を記した、「如㆓薪尽火滅㆒」を踏まえた修辞とされる。○おのの柄　「斧」に、「小野」を隠す。爛柯の故事を踏まえる。↓九一三。▽枕草子に収められる。

1340 今日からは、露のような命も惜しくはない。極楽の蓮の葉の露として往生する結縁をしたので。実方集。○左大将済時　藤原済時。実方の叔父で養父。左大将は、永祚二年(九九〇)六月一日から長徳元年(九九五)四月二十三日まで。○白河にて…　本朝世紀・寛和二年(九八六)六月二十日条に、「右近衛大将済時卿、於㆓白河㆒被㆑行㆓八講㆒」とある時の法事か。枕草子にも、小白河の結縁の八講としてある。(小)白河には、済時の山荘があった。○二・三句　八代集抄「経に、不惜身命と有り」。○蓮の上の玉　極楽往生すること。「玉」は、露。○契れば　法華八講によって結縁したので。

行ひし侍ける人の、苦しくおぼえ侍ければ、え起き侍らざりける夜の夢に、おかしげなる法師の突きおどろかして詠み侍ける

1341 朝ごとに払ふ塵だにある物を今幾世とてたゆむなるらん

性空上人のもとに、詠みて遣はしける　　雅致女式部

1342 暗より暗道にぞ入ぬべき遥に照せ山の端の月

極楽を願ひて、詠み侍ける　　仙慶法師

1343 極楽は遥けきほどと聞きしかどつとめて至る所なりけり

市門に書き付けて侍ける　　空也上人

1344 一度も南無阿弥陀仏と言ふ人の蓮の上にのぼらぬはなし

光明皇后、山階寺にある仏跡に書き付け給ひける

1345 三十あまり二つの姿そなへたる昔の人の踏める跡ぞこれ

1341　毎朝に払う塵でさえ怠ければ溜まるのに、人間の命は幾世続くと思って、勤行を怠るのだろうか。抄・雑下五七八・初句「としをへて」。○法師修行を励ます仏の化身の歌。▽俊頼髄脳に神仙の歌、袋草紙に仏御歌とあり、宝物集二にも収められる。

1342　闇から闇へと、無明の世界に迷い込みそうだ。遥か彼方まで照らしてほしい、山の端の月よ。○性空上人　播磨の書写山円教寺を創建した名僧。○初・二句　法華経・化城喩品の「従冥入於冥、永不聞仏名」を踏まえる。○山の端の月　真如の月。上人をよそえる。仏法の力で、衆生の煩悩を払うこと。▽作者名、北野本「雅致むすめ」。古本説話集上や無名草子では、罪障深い和泉式部が、この歌によって成仏したとし、沙石集五は、遊女がこの歌を吟詠して結縁したとする。

1343　極楽は遥かに遠くと聞いていたけれど、勤行して翌朝には行き着ける所だったよ。○遥けきほど　極楽は、西方十万億土の彼方にあるといわれる(阿弥陀経)。○つとめて「勤めて」に、「早朝(つとめて)」を掛ける。▽作者を、袋草紙に千観、千載・雑下に空也とする。古事談三の、源信が巫女にうらなわせた歌占にも見える。

1344　一度でも南無阿弥陀仏と唱えた人が、極楽の蓮の葉の上に上がらないことはない。抄・雑下五七九。○市門　市場の門柱。平安京七条辺に市が東西にあった。○一度も…　八代集抄「一称一念むなしからざる誓願なり」。○南無阿弥陀仏　阿弥陀如来にひたすら帰依する意を表する語。六字の名号といい、これを唱えるのが念仏である。○蓮の上に…　極楽往生をいう。▽奥義抄は、和歌を「賢き聖とても捨てず」として挙げる。宝物集四、古今著聞集二に収められる。

1345　三十二相の姿を具したという昔の人、釈迦が踏んだ足の跡は、これなのか。○光明皇后　聖武天皇皇后。○山階寺　興福寺。→二七三。○仏跡　仏足石。○初―四句　釈迦をいう。三十二のすぐれた身体の外見的な特徴、三十二相を具備しているという。さらに、八十種好という微細な特徴があり、合わせて相好という。○踏める跡　詞書の「仏跡」に相当する。

大僧正行基、詠み給ひける

1346 法華経を我が得し事はたき木こり菜摘み水汲み仕へてぞ得し

1347 百くさに八十くさ添へて賜ひてし乳房の報今日ぞ我がする

南天竺より、東大寺供養にあひに、菩提が渚に来着きたりける時、詠める

1348 霊山の釈迦の御前に契りてし真如朽ちせずあひ見つる哉

返し

1349 迦毘羅衛に共に契りしかひありて文殊の御顔あひ見つるかな

婆羅門僧正

1346 法華経の教えを私が学び得たのは、前世に薪を樵り菜を摘み水を汲んで、阿私仙に仕えて得たのだ。〇大僧正行基　奈良時代の高僧。〇法華経を…　法華経・提婆達多品に、釈迦が前世に大王であった時、阿私仙という仙人に、「採ㇾ菓汲ㇾ水、拾ㇾ薪設ㇾ食」というように仕え、法華経を習得したという。それが釈迦の立場から詠まれる。▽法華八講で、讃嘆の歌として唱えられる。→一三三九。三宝絵中に収められる。

1347 百石に八十石を加えて与えて下さった母の乳房への報恩会を、今日、私がすることだ。〇初・二句「百さか」「八十さか」とも。人は、母乳を百八十石も飲むとされ、母の恩恵の大きさを、仏説を踏まえて詠む。一石は、約一八〇リットル。八代集抄「心地観経云、一切男女処二于胎中一、口吃二乳根一、噉二母血一、及出ㇾ胎已幼稚之前所ㇾ飲母乳百八十石云々。竜樹菩薩大輪云、三年間母乳百八十石云々」。

1348 霊山の釈迦の御前で約束した再会の誓いが破られずに、また逢い見られたことだ。〇南天竺より…　南インドから、東大寺大仏開眼供養に参会しようと、菩提僊那が摂津の海岸に到着した時に、行基が詠んだ歌。俊頼髄脳に、聖武天皇が開眼供養の導師を行基に依頼した時、行基は婆羅門僧正(菩提僊那)が参列のため来訪するから、その人を導師にするように進言した。供養の時が迫ると、行基は自ら摂津に赴いて僧正を出迎えて歌を詠み交わしたとある。〇霊山　霊鷲山。中インドのマカダ国にある釈迦が法華経を説法した山。〇真如　真理。ここは、再会を誓う約束。▽三宝絵中、今昔物語集十一、袋草紙、古来風体抄、為兼卿和歌抄、古事談三、沙石集五、源平盛衰記二十四、太平記二十四などにも、説話と歌が載る。

1349 迦毘羅衛で互いに誓ったかいがあって、文殊菩薩のあなたの御顔を、また逢い見られたことだ。〇迦毘羅衛　北インドのヒマラヤ山麓にある釈迦の生地。〇文殊の御顔　行基は文殊菩薩の生まれ変わりと信じられた。▽菩提僊那は、天平勝宝三年(七五一)に僧正となり、翌年、行基の推薦で、大仏供養の導師を勤めた(続日本紀)。

聖徳太子、高岡山辺道人の家におはしけるに、餓たる人、道のほとりに臥せり。太子の乗り給へる馬、とゞまりて行かず。鞭を上げて打ち給へど、後へ退きてとゞまる。太子すなはち馬より下りて、餓へたる人のもとに歩み進み給ひて、紫の上の御衣を脱ぎて、餓人の上に覆ひ給ふ。歌を詠みて、のたまはく

1350 しなてるや片岡山に飯に餓へて臥せる旅人あはれ親なし

になれ〱けめや、さす竹のきねはやなき、飯に餓へて、臥せる旅人、あはれ〱、といふ歌也

餓人、頭をもたげて、御返しを奉る

1351 いかるがや富緒河の絶えばこそ我が大君の御名を忘れめ

1350 片岡山に、食物に飢えて、横たわっている旅人は、哀れなことに、親もいないようだ。○聖徳太子…　聖徳太子が高岡山の辺りの道人の家にお出かけになった折に、飢えた人が道の傍らに横たわっていた。太子の乗っていた馬が、止まってしまって前に行かない。鞭を振り上げて打ったが、後に退いて止まってしまった。太子はそこで馬から下りて、飢えた人のもとに歩き進まれて、紫色の上衣を脱いで、飢えた人の上を覆った。歌を詠んで、言われることには。○道人　道教の士もいうが、ここは悟りを開いた人の意か。○馬　聖徳太子の説話には、愛用した甲斐の黒駒のことが見える。○紫の上の御衣　三宝絵は「紫の御袍」。最高位の人の服色。○初句　「片岡山」の枕詞。○片岡山　大和国。詞書の「高岡山」は、誤りだろう。○になれ〳〵けめや…　以下、左注は、原歌の歌謡を示す。日本書紀「汝生りけめや」。親無しで、汝は生まれたのか、そんなはずはない。○さす竹の　「君」の枕詞。○きねはやなき　日本書紀「君はやなき」。面倒を見てくれるような、主君はいないのか。○飯に餓へて…　歌の三句以下の繰り返し。「臥せる」が、原形の「こやせる」になっている。▽上宮聖徳法王帝説、聖徳太子伝略などに記されている、聖徳太子の慈悲深さと神異性をうかがわせる歌。古来風体抄や日本書紀・推古天皇二十一年(六一三)十二月条、三宝絵中、日本霊異記上(飢え人の歌のみ)、日本往生極楽記、今昔物語集十一、沙石集五などに、説話として伝えられる。俊頼髄脳、袋草紙などには、太子を救世観音、飢え人を文殊菩薩の化身した達磨とする。

1351 斑鳩の富雄川が絶えるならば、我が太子の御名を忘れようが、それはあり得ない。○いかるがや富緒河　富雄川。大和国。法隆寺近くを流れる。○三句　涸れて流れが絶えること。▽奥義抄も、文殊の化身の歌とする。沙石集五には、達磨との因縁を述べ、達磨を観音菩薩または文殊菩薩の化身として、大日如来の慈悲と智恵を伝える方便とする。

天福元年仲秋中旬以七旬有余之
盲目重以愚本書之　八ケ日終功
翌日令読合訖
此本付属大夫為相
頽齢六十八桑門融覚判
此集世之所伝無指証本仍以数多旧
本校合彼是取其要　猶非無不審
又算合抄之証本
抄歌五百九十四首　上二百卅五首　下三百五十九首
其中
恋上　中納言師氏(もろうぢ)
思つゝへにける年をしるべにてなれぬる物は心なりけり

○天福元年…終功　天福元年(一二三三)仲秋(八月)中旬、七旬有余(七十余歳)之盲目を以て、重ねて愚本を以て之を書き、八ケ日で功を終ふ。▽この年、藤原定家は七十二歳。老眼を労りながら、八日間で拾遺集を書写した。定家自筆本には、続いて、為授鍾愛之孫姫也、すなわち鍾愛之孫姫に授くる為也という記述があった。この転写本が二条家に伝えられた。鍾愛は、大切にして可愛がることで、為家には藤原道良室など二人の女子がいたが、その中の一人か。

○翌日令読合訖　翌日、読み合はせ令(し)めて、訖(はを)んぬ。▽翌日校合した。

○此本…為相　此の本、大夫為相に付属す。

○頽齢…融覚判　頽齢六十八、桑門融覚判。▽文永二年(一二六五)、六十八歳であった為家は、孫姫云々の部分を削って、定家自筆本を冷泉為相に与え、この本が冷泉家に伝来した。融覚は為家の法名で、桑門は僧侶の意。大夫は五位のことで、この年、為相は三歳で、従五位下。

○此集…非無不審　此の集、世之伝ふる所、指したる証本無し。仍ち数多の旧本を以て校合し、彼是其の要を取る。猶不審無きに非ず。▽拾遺集には、証本となる有力な伝本はなかった。古本を幾つか参照しながら校合したが、まだ不審の箇所が残った。

○又算合抄之証本　又、抄之証本と算合す。▽算合とは、拾遺集と拾遺抄とを照合して、拾遺抄所収の歌を集付として示し、その歌数を数えたものである。特に異同の激しい拾遺抄の恋と雑の部立については、北野克氏蔵本や静嘉堂蔵伝冷泉為秀筆本など、配列の順番を示す番号が付せられている伝本があり、北野氏は算合本と命名された。

○抄歌…下三百五十九首　抄の歌五百九十四首、上二百三十五首、下三百五十九首。▽定家所持の拾遺抄証本の歌数。現存伝本では、島根大学本が五七一首、新編国歌大観の底本、書陵部本が五七九首、貞和本が五八九首などで、いずれも歌数が合致しない。

○其中…不見歌也　其の中、

恋上　中納言師氏

思つゝへにける年をしるべにてなれぬる物は

或本無　入後撰云々

題しらず　　　　　　　　赤染衛門（あかぞめゑもん）

わがやどの松はしるしもなかりけりすぎむらならばたづねきなまし

此二首集不見歌也

五百九十二首　集抄無相違

拾遺抄歌

春　五十七　　夏　卅二

秋　卌九　　冬　卅二

賀　卅一　　別　卅四

恋上　七十五　一首集不見或本無云々　　恋下　七十五　一首集不見

雑上　百廿二　　雑下　八十六

已上五百九十四首

心なりけり(後撰・恋六)

或本に無し。後撰に入ると云々

題しらず　赤染衛門

わがやどの松はしるしもなかりけりすぎむらならばたづねきなまし(三奏本金葉・恋下)

此の二首、集に見えざる歌也。

▽この二首は、拾遺抄の現存伝本には見当たらないが、定家の拾遺抄の証本にはあって、拾遺集の歌と該当するものがないという。

○五百九十二首…無相違　五百九十二首、集抄相違無し。▽五九四首の中から右の二首を除いた、五九二首が拾遺集と拾遺抄と合致するという。

○拾遺抄歌…五百九十四首　拾遺抄の歌。

春　五十七首

夏　三十二首

秋　四十九首

冬　三十二首

賀　三十一首

別　三十四首

恋上　七十五首　一首集に見えず。或本に無しと云々

恋下　七十五首　一首集に見えず

雑上　百二十二首

雑下　八十六首

以上、五百九十四首

▽以下は、五九四首の部立別の歌数である。右の二首に相当する、恋上の一首と恋下の一首が、拾遺集と合致しない。また、恋上の一首、「思ひつつ…」は、拾遺抄の或本には見当たらないという。底本「五百九十四首」の「五百」は傍書補入。

解説

倉田　実

一　歌合と『拾遺和歌集』

第二の勅撰和歌集『後撰和歌集』が撰進されて間もなく、天徳四年（九六〇）三月三十日に、村上天皇主催による内裏女房の歌合が、これまでの規模をはるかに超えて盛大に催行された。「天徳四年内裏歌合（だいりうたあわせ）」である。左右に分けられた女房たちが方人（かたうど）（味方同士）となり、さらに上達部（かんだちめ）や殿上人も加わって、それぞれに属する歌人の歌を応援するのである。歌人・歌題はあらかじめ決められていて、恋題五番の最後に、次の歌が番（つが）われた。

左　壬生忠見　恋すてふ我が名はまだき立ちにけり人知れずこそ思ひ初めしか

右　平兼盛　忍ぶれど色に出でにけり我が恋は物や思ふと人の問ふまで

どちらの歌も、恋のごく初期、恋心をいだき始めた「思ひ初め」が昂じた段階を詠んでいた。忠見の歌に「人知れず」、兼盛の歌に「忍ぶれど」があるように、人目を忍ぶ「忍ぶ恋」であったのに、恋の思いに耐え切れずに表情に出て、恋をしていると噂をされ、物思いしているのかと尋ねられるまでになったとしている。忍ぶ恋が限界に達した苦衷を同じように詠んで、優劣つけがたい一番になったのである。

こうした場合は、この歌合でも持(引き分け)とするのが普通であった。しかし、村上天皇は、勝劣をつけるようにと判者の左大臣藤原実頼に促した。困惑した実頼は、判定しかねていた。すると、兼盛の歌を口ずさんだ村上天皇を見た大納言源高明が、天皇の意向は右歌にあるらしいとひそかに漏らしたので、実頼は兼盛の勝にしたという。左の忠見の歌が負となったのである。村上天皇の意向を忖度することで、勝負は決したのであった。こうした判定に至る経緯が、この後の二人についての逸話を生むことになる。

それに拍車をかけたのが『拾遺抄』であり『拾遺和歌集』であったと言えよう。どちらもこの両歌を左右の順のまま恋部の巻頭に据えたのである。歌合で負となった歌の入集は通常は遠慮されるが、その忠見の歌が、何とそのまま恋部巻頭に置かれたのであった。恋のごく初期を詠んだ秀歌として最適だったからであろう。

この二首を並置する採歌の仕方は、藤原清輔『袋草紙』や、藤原俊成『古来風体抄』

などにも踏襲され、さらに藤原定家撰『小倉百人一首』にも受け継がれている。ただし、定家は二首の順番を入れ換えていた。『拾遺抄』『拾遺集』を嚆矢として、『小倉百人一首』に入れられたことで、この両歌と、「天徳四年内裏歌合」は、長く人々に記憶されることになった。さらに、勝負に負けた忠見は悶死したとか、兼盛は勝負の決着がついた時点で退出してしまったとかいうような逸話まで生じさせていた。

この両歌を『拾遺集』に入集させたのは、秀歌であったからだけでなく、「天徳四年内裏歌合」を顕彰しようとしたからだと思われる。両歌の『拾遺集』での詞書は、「天暦御時歌合」とされていた(『拾遺抄』も同)。醍醐天皇とその御代が「延喜」で示されたように、「天暦」は村上天皇とその御代を指示する代表的年号(九四七〜九五七)であった。開催されたのが天徳四年であっても、村上朝のことになれば、この年号を使用して、その御代のこととして示すのである。

『拾遺集』には、この他に、「天暦十年三月廿九日内裏歌合」(一〇)、「天暦九年内裏歌合」(三八)という詞書もある。これに倣えば、この歌合は「天徳四年三月三十日内裏歌合」としてもよかったはずである。しかし、そのようにはせず、「天暦御時歌合」としていた。年次が不明であったからではなく、この指示の仕方にすることで、村上朝を象徴する歌合であったことを提示したのだと思われる。内裏歌合であることを自明なこととして、こう呼称することで、天皇親政の聖代となる村上朝の、晴儀歌合（せいぎうたあわせ）の典型ともなるこの歌合を顕彰しようとしたのであろう。

この点は、他の歌合からの採歌状況を見ても明らかである。『拾遺集』で、詞書に明示された歌合別の採歌状況は、次のようであった。歌合名に錯誤があるようであり、↓で訂正を施した。

㋐平定文が家歌合　6首
㋑亭子院歌合　3首
㋒女四の内親王の家歌合　1首
㋓延喜御時、藤壺の女御歌合　1首↓近江御息所周子歌合
㋔延喜御時、中宮歌合　1首↓延喜十三年亭子院歌合
㋕延喜御時歌合　1首
㋖天暦九年内裏歌合　1首↓天暦十年麗景殿女御荘子女王歌合
㋗天暦十年三月廿九日内裏歌合　1首↓天暦十年麗景殿女御荘子女王歌合
㋘天暦御時、麗景殿女御と中将更衣と歌合　1首
㋙天暦御時歌合　12首↓七三四は天暦十年麗景殿女御荘子女王歌合

㋚寛和二年内裏歌合　　1首

見た目は、間違いも含めて十一種の歌合で二十九首である。『拾遺集』の全歌数一三五一首からすれば些少だが、この分布には意味があろう。㋙「天暦御時歌合」、すなわち「天徳四年内裏歌合」だけが突出しているのである。秀歌がこの歌合だけにあった訳ではない。この歌合から採歌しようとする意図があったことは明白であろう。

歌合名が示されずに採歌される場合が『拾遺集』にもあり、それらを加えると右の実数は変る。新日本古典文学大系『拾遺和歌集』の「所収歌合歌一覧」によれば、二十八種の歌合から八十八首の入集となる。この場合だと、㋙「天暦御時歌合」と㋑「亭子院歌合」からの十二首ずつの入集が最多となる。詞書に「亭子院歌合」と明示されたのは右のように三首だけだが、結果的には、この歌合も『拾遺集』は注視していたと見て間違いない。それは、「天徳四年内裏歌合」が範とした晴儀歌合の最初が、華やかな行事次第で共通する、宇多法皇主催「亭子院歌合」だったからである。どうやら天皇や上皇主催の晴儀歌合を系譜化する意図が『拾遺集』に認められるようである。

それは、採歌数こそ一首だが、「天徳四年内裏歌合」に続くのが、花山天皇主催の㋚「寛和二年内裏歌合」だからである。村上朝に続く冷泉朝・円融朝には内裏歌合はなかった。花山朝は前年にも少数の近臣が伺候していた折に、思いつきで内裏歌合を行っていた。「寛和元年内裏歌合」である。寛和二年の折は、歌題をあらかじめ提示して撰歌し、方人即歌人となる形をとって、新たな規範となる晴儀内裏歌合になっていた。それは、歌題の提示の仕方に表れていた。先の三種の歌合の歌題は次のようであった。

「亭子院歌合」　初春・季春・初夏・恋の四題、三〇番

「天徳四年内裏歌合」　霞・鶯二番・柳・桜三番・山吹・藤花・暮春・初夏・郭公二番・卯花・夏草・恋五番の一二題、二〇番

「寛和二年内裏歌合」　春＝霞・鶯・子日・桜・款冬、夏＝郭公・撫子・菖蒲・螢、秋＝織女・霧・月・松虫・網代、冬＝紅葉・時雨・霜・雪、祝・恋の二〇題、二〇番

花山天皇は、春夏秋冬にわたって各季の景物を示して四季詠の歌題とし、さらに、祝と恋の人事詠を加えた構成にしていた。この四季詠の形は、「寛和二年内裏歌合」が初めてだとされている。歌題の構成に花山天皇の文芸的な興味が込められたのである。

この歌合の歌人は、左が大中臣能宣(よしのぶ)・藤原斉信(ただのぶ)・藤原明理(あきまさ)・藤原長能(ながよし)・曽禰好忠(そねのよしただ)・藤原敦信(あつのぶ)、右が藤原惟成(これしげ)・藤原実方(さねかた)・藤原道綱(みちつな)・藤原公任(きんとう)・藤原道長(みちなが)の合わせて十一人と、本文によっては、藤原高遠(たかとお)の名も見える。判者は藤原義懐(よしちか)、講師は左が藤原公任、右が藤原長能であった。なお、右記の義懐と惟成が近臣として親政を領導するも、花山天皇

の突然の出家を追って、二人とも剃髪することになる。

『拾遺集』は「寛和二年内裏歌合」を位置づけようとしたと思われるわけだが、この歌合名を付しての入集は、一首のみであった。「寛和二年内裏歌合に／右大将道綱母」(夏・一〇二)としてあり、これは、道綱が母の歌を歌合に提出したことを意味しており、代作であった。道綱母が歌合の歌人として臨席したわけではない。

この歌合名がなくての入集は三首あり、二一六番歌(よみ人知らず。実際は大中臣能宣作)、二一七番歌(貫之。実際は藤原実方作)、二五六番歌(公任)となっている。三首とも『拾遺抄』にはなく、『拾遺集』では意識的に「寛和二年内裏歌合」からの入集は、男性を隠して道綱母の一首のみにしたのかもしれない。もし、この三首の出所が隠されたとしたら、『拾遺集』はこの歌合名を突出させない配慮をしたことにもなる。一回でも歌合名を示せばよかったのであろう。これによって内裏歌合の系譜が立ったのである。

この後、一条・三条・後一条・後朱雀四代にわたって内裏歌合の開催はない。次は後冷泉天皇の永承四年(一〇四九)十一月二日であった。

二　屏風歌と『拾遺集』

『古今和歌集』では歌合や歌召などでの歌が、晴の歌の代表となっていたが、『拾遺集』になるとそれに屛風歌が加わっている。そこで屛風歌について触れておきたい。

平安貴族邸宅の様式となる寝殿造において、必要不可欠な調度品の一つが屛風や障子(今日の襖)であった。特に晴の儀式、算賀や通過儀礼、大饗(だいきょう)などにおける室礼では、屛風が大きな役割を担っていた。そこには、絵師に依頼し、オーダーメイドされた、中国風の絵柄の唐絵や、日本風の絵柄の大和絵が描かれ、さらにその絵に沿った漢詩や和歌が、色紙形に揮毫されて貼付されたのである。その絵が屛風絵・障子絵、和歌が屛風歌・障子歌と呼ばれ、晴の画材が描かれ、晴の歌材が詠まれていた。屛風・障子という工芸品に、美術・文学・書道の芸術性が付加されて、盛んに制作されたのである。平安貴族文化の指標の一つとなるのが、総合芸術作品とも言えるこれらの屛障具であった。この流行が、屛風歌・障子歌の詠風を拡充し、『拾遺集』の歌風を生み出していったとしても過言ではない(次章に後述。以下、屛風を主に述べる)。

そこで屛風絵や屛風歌の発達を見ておきたい。屛風絵の技術的向上があっただけでなく、画材や絵柄の多様化をもたらして、その影響を屛風歌が受けたのである。屛風歌は、画中の人物の立場や視点に沿って、絵の主題性を勘案して詠まれていた。画材や絵柄が多様化すれば、歌もそれに応じて、歌材や詠風も複雑化したのである。

屛風絵の画材は、名所絵・物語絵などもあったが、月次絵・四季絵が主流であった。

これには、屏風の構造が大きくかかわっていた。平安期の屏風は、長方形の枠組を縁取って一曲(扇)とし、二、四、六曲などを接扇で繋ぎ一帖とした。六曲の場合が多く、二帖で一具(一組)としたので、一帖六曲の一具は、「六曲一双」などと呼んだ。この場合では、一具で十二曲になるので、月次絵が描けたのである。当然、四季絵も可能であった。なお、室町期にもなると、接合技術が発達し、一曲ごとの縁取は必要なくなり、六曲を繋げて一場面とする傾向になっていった。平安期では、一場面であっても縁取りがあり、『源氏物語絵巻』「柏木二」にその例を見ることができる。

屏風歌は、平仮名が定着した九世紀末頃に詠作されだし、十一世紀半ば頃に終息したと見られている。これには幾つかの要因が絡んでいたと思われる。貴族邸での公的儀式には多大な費用がかかり、簡略化の傾向が生じていた。そうなると屏風の新調も減少しよう。また、寝殿造が変容し、内部が固定的に区画される場合が増えていくと、屏風の需要も逓減していく。こうした傾向に拍車がかかれば、屏風歌も省略されていこう。屏風制作は継続するものの、屏風歌は早くに作られなくなっていた。これには、和歌に対する文芸意識の高まりも関係していよう。個人に属する屏風のための屏風歌詠作などは、歌人にとって無益との意識が生じていたと思われる。歌合など公的な場での披露が望まれたのであろう。

屏風歌は、王朝摂関期と重なる一五〇年ほどの運命であったが、和歌史を彩る重要な晴の歌であった。初期の代表的な屏風歌作者は、『古今集』撰者の紀貫之であった。しかし、『古今集』に屏風歌は十八首しか採歌されず、そのうち貫之詠は三首だけであった。『古今集』で屏風歌は、主要な採歌資料ではなかったのである。この一方で、『貫之集』には、巻一から巻四巻軸の五四五番歌まで、貫之の屏風歌が年代順に収録されている。その詠作は、延喜五年(九〇五)以降に本格化しているので、屏風歌作者としての本領は、この年の成立とされる『古今集』に反映しなかったのである。

二番目の勅撰和歌集『後撰集』は、褻(け)の歌の集成と言われるように、晴の歌となる屏風歌の入集は一首(一一〇五)のみであった。また、四番目の『後拾遺集』には三十三首の入集があるものの、『拾遺集』成立以後の屏風歌はわずか八首だけであった。

『拾遺集』においては、詞書に屏風歌であることが示された歌は、一四三首に及んでいる(このうち八首は他の折の歌の誤り)。この他に詞書になくても屏風歌と見られる歌が二十八首ある。貫之の歌も、一〇七首入集し、そのうち五十四首が屏風歌との報告もなされている。屏風歌は確実に『拾遺集』を特徴づけている。

『拾遺集』時代の屏風歌として注目されるのは、長保元年(九九九)十一月一日の「藤原道長女彰子入内屏風」のものである。この作成経緯は、藤原実資(さねすけ)『小右記(しょうゆうき)』、同行成(ゆきなり)

『権記』、同道長『御堂関白記』などに記されている。左大臣道長は彰子入内に際して持参する屏風の屏風歌作成を、花山院以下、右衛門督藤原公任などの公卿（上達部）や、歌に堪能な非参議たちに依頼したのである。そして、集まった和歌を撰定し、行成に名前と共に色紙形に清書させていた。屏風歌にとって、公卿による詠作、作者の記名という新たな事態を迎えたのである。

屏風歌は、そもそも紀貫之・凡河内躬恒・平兼盛・清原元輔・伊勢といった下級官人や女房などの専門家が詠むものであった。公卿は詠まなかったことは、この折のこととして、『小右記』長保元年十月二十八日条に「上達部、左府の命に依り和歌を献ず。往古聞かざる事なり」と指摘されていることからもわかる。

道長が花山院にまで屏風歌を依頼したのは、まさに上皇の歌が欲しかったからであろう。それによって、彰子入内が権威づけられる。前例にこだわらない面があると思われる花山院は、何の抵抗もなく、詠作に応じたことと思われる。自ら歌合や歌会を主催し、「寛和元年内裏歌合」では自らが歌人となっていた花山院である。道長はこうした花山院であることを見越して依頼したことと判断される。しかし、さすが色紙形に名を記すのは憚られたのか、『小右記』同十月三十日条によれば、よみ人知らずとされていた。

彰子入内屏風歌は、『拾遺集』においては一首のみの入集となっている。それが右衛門督公任の歌(一〇六九)であった。『拾遺集』は、この一首に屏風歌が、公卿歌人によって詠まれたことを象徴させたのかもしれない。

今日からすれば、この入内屏風歌は、道長による摂関政治最盛期を迎えた象徴的出来事との理解が可能であろう。それは色紙形に記名させたことでも指摘できる。和歌だけでなく、詠者の名前まで色紙形に記すというのは、「名簿(名付とも)」の働きをさせるのと同じであったと思われる。下級官人などが上流貴族の家人になる際に提出したのが、姓名を書き記した名簿であった。武士においても、主従関係成立の証明となるのが名簿であった。道長は、暗に公卿・殿上人たちを政治的に配下として統率するという意味を色紙形への記名に託したのではないかと思われる。それを見抜いていたのが実資であり、『小右記』によると、詠作も記名も断固として応じることはなかった。屏風歌が政治と絡んだのであり、『拾遺集』時代を象徴する出来事であった。

三　歌語の拡充・洗練と歌風

『拾遺集』の特徴として、歌合歌や屏風歌などの晴の歌が多いことを見てきた。これらの盛行は、『古今集』で確立して体系化され、類型化された歌語のさらなる拡充と洗練、詠風の多様化、表現の多層化などをもたらしている。続いてこれらの様相に触れておきたい。

先に、花山院の「寛和二年内裏歌合」における歌題を確認したように、『古今集』にはなかった新たな題(歌語)が詠まれ、新たな用法が使用されていた。その実際を指摘してみると、次のようになる。春では子日(『後撰集』から)、夏では撫子(『古今集』は異名常夏で一例のみで、『後撰集』から多用)と菖蒲(『古今集』は恋歌に一例のみ。『後撰集』はなし)、秋では網代(『後撰集』雑歌に一例のみ)、冬では時雨(『古今集』『後撰集』は秋から冬)というように、全二十題のうち五題に新たな使用や用法が認められるのである。歌合の歴史は多様な景物を題(歌語)として発掘・拡充してきたと言えよう。『古今集』より拡大した様相が歌合の題に見られ、『拾遺集』に反映しているのである。

この一方で、歌題のありようは、詠風の繊細な多様化をもたらしていた。「亭子院(ていじいん)女郎花合(おみなえしあわせ)」「延喜十三年内裏菊合」などと呼ばれる歌合の場合は、女郎花・菊といった単一題で何首もの歌が詠まれていた。単一題での出詠は、詠風の多様化をもたらそう。

また、単一題でない場合は、歌題を複合化して多様性と多層化をもたらしていた。その実際は、例えば「三条左大臣藤原頼忠前栽歌合」に見ることができる。頼忠(よりただ)邸の前庭で行われたもので、仮名日記の冒頭に「貞元二年(九七七)八月十六日、左大臣殿の遣水虫の宴せらるる作法」とあり、歌合よりも、宴席での歌会という性格になっていた。

『拾遺集』は、ここから五首入集させていても、歌合とはしていない。したがって、第一章では引用しなかったが、ここでは歌合に準じて見てみたい。

この歌会での歌題は、「十巻本類聚歌合」で「水の上の秋の月」「岸の辺の秋の花」「草の中の秋の虫」とし、「二十巻本類聚歌合」は、題の提示順が異なり、二番目が「草むらの中の夜の虫」「草むらの中の夜の虫」となっている。『拾遺集』はこの題を一七八・二九五番歌で「草むらの夜の虫」「草むらの中の夜の虫」としており、「二十巻本類聚歌合」と同じである。なお、残りの入集歌番号は、四四一・四四二・一〇九七である。

この歌会で、歌題が複合化していることが知られよう。従来なら、「月」「花」「虫」とするだけであった題に、「秋の」という限定が付いている。さらに、「水の上」「岸の辺」「草むらの中の夜」という、歌会の場となった、遣水の流れる前栽と共に詠むことが条件となっている。題が複合化し、多層化していると見られよう。前栽合としても見事な題であり、漢詩の句題のような趣もある。こうした複合化した歌題は、無関係な歌語を一首のうちに共存させる工夫が必要となってくる。まさに詠風にかかわることになる。この複合化した歌題のありようが『拾遺集』に大きくかかわるのである。

歌合は歌題だけでなく、判詞（判定の言葉）が歌の詠みぶりを批評することで、歌人に作歌への自覚を促すことにもなっていた。作歌の指南書としての働きも保持したようである。初期の歌合で判詞が残されているのは、「亭子院歌合」を始めとして幾つかあり、それらの中で最も重要なのが「天徳四年内裏歌合」であった。判詞が本格的に記され、全歌に及んでいた。冒頭に見た忠見と兼盛の判定は作歌に有効ではないが、その他の判詞には、当時の晴の歌が目指していた詠風が察せられる。

判詞でまず言及されたのは、詞(言葉)のありようであった。「詞清げなり」とされると褒詞になるが、そうでなければ、次のように難じられていた。

・詞もよろしからず　　　・詞いとよからねども
・今はといふ詞、よしなきことなり　　　・詞だみたるやうなり
・言足らぬ心地ぞする

こうした批難には、歌合の歌は、こうあらねばならないとする理念の存在があろう。このわずかな例からも、詞遣いを好ましくし、理由のない詞は慎み、詞の歪みをなくし、十分に意を尽くすようにする、といったことが窺われよう。『古今集』の特質となっていた理知的・機知的であることよりも、素直で、平易であることが求められている。

詠風として注意されているのは、「歌の心ばへ(趣向)」「歌柄(風格)」「歌の品(品格)」「歌の振舞(技巧)」などであった。価値判断の基準が多様にあったが、総じて、品のある平淡な格調が求められたと言えよう。

価値評価として、最も高い評価となる評語は「をかし」であった。「天徳四年内裏歌合」には、「をかし」「いとをかし」「をかしさ」というようなこの類の言葉は、判詞に八例も認めることができる。歌合は晴の行事であり、「あはれ」ではなく「をかし」が求められたことになろう。「歌の心ばへいとをかし」「振舞もありてをかし」「歌柄をかし」とされれば嬉しい賛辞であった。

この他の価値評価となる評語は、「よろし」「清げなり」「優なり」「情あり」「興あり」「強し」などが肯定的評価、「よろしからず」「興なし」「劣れり」「よしなし」「あやしき」などは否定的評価、中間的な評価は「難なし」「癖なし」「させることなし」「さもありなん」「さてもありなん」となろう。

これらの評語の内実は必ずしも明確ではないが、歌合の判詞は、おのずと作歌の作法ともかかわり、『拾遺集』収載歌のありように反映し、優美平淡とされる歌風形成に寄与したと見られるのである。

さて、歌合での歌題の拡充・洗練という点を確認したが、実は屏風歌のほうが、それ以上に歌題ともなる豊富な題材をもたらしていた。この点を見ておきたい。

歌合で採り上げられることはほとんどなかった年中行事が屏風の月次絵に描かれ、そのために屏風歌の歌材になっていた。『古今集』には不在であった年中行事にかかわる屛風歌を、『拾遺集』から抜き出して歌番号で整理すると次のようになる。

春　春の田　四五・四七・八一一　梁　一〇六一

夏　神祭　九一・九二　端午　一〇九

照射(ともし)　一二六・一二七　納涼　一二九・一三〇

六月祓　一三三・二九三

秋　小鷹狩　一六六・一一〇一　駒迎　一七〇・一一〇八

重陽　一八四　擣衣(とうい)　一八七

冬　臨時祭　一一四九　野焼　一一五四

神楽　六一八　仏名　二五七・二五九・二六〇

月次絵に描かれた年中行事が歌材となって拡充された次第が窺われよう。この他に、『拾遺集』にはないが、大饗・臨時客・駒競・稲荷詣・鵜川などといった行事も屛風絵に描かれたことによって歌材となったと指摘されている。

屛風絵の影響も、こうした歌材の拡充・洗練だけでなく、表現の多層化にもかかわっていた。絵柄の説明が複数の景物に及ぶことによって、屛風歌も表現が多層化されたのである。例えば、次のような事例である。

冷泉院御屏風の絵に、梅花ある家に客人来たる所 （春・一五・平兼盛）

円融院御時、御屏風、八月十五夜、月の影池にうつれる家に男女ゐて懸想したる所 （恋三・七八六・平兼盛）

同じ御時、御屏風、七月七日夜、琴弾く女あり （雑秋・一〇九〇・源順）

一五番歌は「梅花ある家」と「客人来たる」の複合、七八六番歌は「八月十五夜、月の影池にうつれる家」と「男女ゐて懸想したる」の複合、一〇九〇番歌は「七月七日夜」と「琴弾く女」の複合である。複合化された絵柄が歌題となり、それを一首に仕立てる技量が求められていた。屏風絵の発達は、屏風歌の発達を促したのである。

四 『拾遺抄』と『拾遺集』の成立

歌合歌や屏風歌を考えることは、『拾遺集』成立の時代背景、文学的背景を考えることでもあった。こうしたことを踏まえて『拾遺集』自体の解説に入らなくてはならないが、その前に『拾遺集』特有の問題に触れておきたい。

それは似た名前を持つ同時代の家集、『拾遺抄』との関係をどうみるかということである。混同されることもあった両集の先後関係、撰者、評価などを巡って、主に平安末から鎌倉にかけて、様々な説がなされてきた。それというのも、『拾遺集』には序がなく、成立に至る経緯の記録が皆無だからである。『古今集』『後撰集』には撰進され奏覧された次第が何らかの形で記録されているのに、『拾遺集』にはそれがないのである。

撰者の問題一つをとっても、下命者が花山院であることは動かないものの、三通りの説があった。一つは花山院自撰、二つは藤原公任撰、三つは藤原長能・源道済撰である。そして、『拾遺抄』は『拾遺集』から抄出されたとする理解が一般的になり、『拾遺抄』優位とする見方から、三番目の勅撰集とする理解も生じていた。そして、『拾遺抄』にも花山院自撰説と公任撰説が行われたのである。

複雑で多岐に渡る問題があったわけだが、江戸時代の国学者塙保己一（はなわほきいち）の『拾遺抄』先行成立説を受けた第二次世界大戦下の研究をもとにして、今日の定説が形成されている。定説の概略は、藤原公任撰の私撰集『拾遺抄』全十巻が先行し、その歌を全部取り込んで、花山院自ら撰進したのが第三の勅撰集『拾遺集』全二十巻とする理解である。成立は、『拾遺抄』が長徳二～三年（九九六～九九七）頃、『拾遺集』は寛弘二年（一〇〇五）四月以後、同四年正月以前とされている。さらに、『拾遺集』には、花山院の個人的好尚からする私撰集的な面が指摘され、『拾遺抄』に関しては、私撰集とする説が有力だが、詞書の敬語表現や作者表記のありかたから勅撰集とする説も併存している。

成立時期の根拠は、詠者の官位表記と詠作年時が特定される詠歌によっている。特に藤原道綱の官位表記が手掛かりになっている。道綱は、長徳二年四月二十四日に中納言に任じられ、同年十二月二十九日に右大将兼任となり、翌三年七月五日に右大将はそのままで大納言兼東宮（春宮）大夫になっていた。大納言が極官で、右大将は長保二年（一〇〇二）に辞し、東宮大夫は寛弘四年正月二十八日に東宮傅になるまで継続した。『拾遺抄』においての表記は、「中納言道綱母」「右大将道綱母」「右近大将道綱母」となっているので、中納言期間の長徳二年四月二十四日から翌三年七月五日までの成立が考えられたのである。

『拾遺集』の場合では、「右大将道綱母」「春宮大夫道綱母」であり、成立は、春宮大夫期間の長徳三年七月五日から寛弘四年正月二十八日以前となる。一方、道長と公任との贈答歌（一〇六四・一〇六五）が、『御堂関白記』や『小右記』によって、寛弘二年四月一日にされたことが分かるので、年代が先のように短縮されて理解されたのである。そして、『拾遺抄』が先行するということになる。

今日の理解は以上のようになり、このことを踏まえて、平安から鎌倉時代にかけて行われた両集にかかわる成立説や享受のありようの幾つかに注意しておきたい。

勅撰集撰集に際しては、歌人たちから家集を召すことが行われていた。歌召である。

それが花山朝においても行われたようである。

①　むなしく数年を送りてよりこのかた、円融太上法皇の在位の末に、勅ありて家集を召す。今上花山聖代、また勅ありて同じき集を召す。この時にあたりて、重ねて乾葉の草拾ひて、なまじひに萎花のことばを集め（略）（西本願寺本『能宣集』序）

『後撰集』の撰者、大中臣能宣の家集の序である。この序によれば、円融天皇在位の末頃に勅があって歌召があり、さらに「今上花山聖代」にも同じように歌召があったとされる。それに応じて能宣は、詠草（乾葉の草・萎花のことば）を集めたという。

ここで「今上花山聖代」という指示の仕方が見られるが、すでに注意されているように、「今上」と「花山」は、相容れない言い方であった。「今上」は当帝の意、「花山」は退位後の号である。これはもともと「今上聖代」とあったものが、能宣の死（九九一年）の後に、後人が「花山」と注記し、それが本文化したと見られている。歌召が事実でなかったら、この注記はなされなかったかもしれない。ということは、花山朝（九八四～九八六）に歌召があったことは間違いないと思われる。

この歌召は、『古今集』がそうであったように、勅撰集撰集資料とするものであった可能性が高い。和歌活動が盛んであっても円融朝に実現されなかった勅撰集を、花山天皇が親政の一環として企てた蓋然性は高い。しかし、その意欲とは関係なく、藤原兼家・道兼などの策謀によって早々に退位に追い込まれて、花山朝では実現できなかったのである。それでも退位後も撰進は継続されたことと思われるが、この『能宣集』の記述にある歌召が『拾遺集』撰集資料になったかどうかは明確にしがたい。

『拾遺抄』の名が文献に初めて見えるのは、成立後間もなくである。

② 東院に詣づ。先日、借り給ふ所の拾遺抄を返し奉る。

（『権記』長保元年十二月十四日条）

東院（東一条殿）は花山院の母藤原懐子（かいし）の里邸で、退位後も花山院が住んだこともあったので、「花山院」とも呼ばれた邸第である。そこに、花山院の異母弟為尊（ためたか）親王の室で、行成の祖父一条摂政伊尹（これまさ）の九女にあたる叔母が住んでいた。その叔母に借りていた『拾遺抄』を返しにいったのである。この年時に、『拾遺抄』がすでに流布していたことが知られるのである。一方の『拾遺集』もやはり早くに流布していた。

③ 昨夜の御贈物、今朝ぞこまかに御覧ずる。御櫛の筥の内の具ども、言ひ尽くし見やらむかたもなし。手筥一よろひ、かたつかたには白き色紙作りたる御冊子ども、古今、後撰集、拾遺抄、その部どものは五帖に作りつつ、侍従の中納言と延幹と、おのおの冊子一つに四巻をあてつつ書かせたまへり。表紙は羅、紐同じ唐の組、懸子の上に入れたり。下には能宣、元輔やうの、いにしへ今の歌詠みどもの家々の集

書きたり。（『紫式部日記』寛弘五年十一月十八日条）

出産で里下がりしていた中宮彰子が内裏に還啓した翌朝、父道長からの贈物となる櫛箱や手箱を見るところである。その手箱の中に入れられていたのが、『古今』『後撰集』『拾遺抄』であった。ここの『拾遺抄』が、『拾遺集』であることは、以下の冊子の説明で分かる。一つの歌集は五帖（冊）に作り、一冊に歌集の四巻ずつを当てて書かせたとしている。とすると一歌集は二十巻となり、『拾遺抄』は十巻なので、これは『拾遺集』のこととなる。この記事に拠った『栄花物語』「初花」巻にも同様の記述があり、すでに第三の勅撰集『拾遺集』は流布していたのである。なお、「能宣、元輔やうの、いにしへ今の歌詠みどもの家々の集」とある「能宣」の家集は、①のものとかかわっていよう。撰集資料かもしれない私家集も流布していたのであった。

こうした記事があったとしても書名が挙がっているだけである。下命者を花山院とする理解が見える記事は、次のものが最初になろうか。

④　奈良の帝は万葉集廿巻を撰びて、常のもてあそびものとしたまへり。（略）延喜の聖の帝は、万葉集のほかの歌廿巻を撰びて世に伝へたまへり。いはゆる今の古今和歌集これなり。村上の賢き御代には、また古今和歌集に入らざる歌廿巻を撰びいでて後撰集となづく。又花山法王は、先の二つの集に入らざる歌を取り拾ひて拾遺集

となづけたまへり。かの四つの集は、言葉ぬもののごとくにて、心海よりも深し。
（藤原通俊『後拾遺集』序。応徳三年（一〇八六））

序の勅撰集の歴史を記した部分である。ここの『拾遺集』は、文脈からして二十巻となろう。この記事で注意しなくてはならないのは、「撰ぶ」の使い方である。ここでは歌集を撰進する意ではなく、撰進させる意で使用されているのである。「延喜の聖の帝」「村上の賢き御代」が『古今集』や『後撰集』を撰んだとしているのは、撰進させた意と見なくてはならない。したがって、「花山法王」は、親撰した意ではなく、下命者として記したことになる。『拾遺集』と花山院が結びついても、右の記述がただちに花山院自撰と結びつかないことに注意が必要である。

次も同様で、ここには両集が共に流布していた事情が推察できる。

⑤　拾遺集　和歌千三百五十一首。同抄　和歌五百八十六首。花山院の勅撰なりと云々。（略）拾遺集の後は抄有り。集中の妙詞か。これまた勅撰なり。（『袋草紙』）

『拾遺抄』は「集中の妙詞」の抄出と捉えられ、勅撰説も認められる。こうした把握が、先に記したように『拾遺抄』優位とする傾向を一般化したようである。なお、右で『拾遺集』の歌数を「千三百五十一」とするのは定家自筆本と同じで、当時安定した本文状況であったことを思わせる。しかし、『拾遺抄』の「五百八十六」とある数字は

『和歌現在書目録』に見られるだけで、定家自筆本奥書の「五百九十四」をはじめとして、現在伝わる『拾遺抄』諸本の数と一致しないのである。『拾遺抄』の本文は揺れていたのであり、それは、『拾遺集』に比べて、多く書写されていたからかもしれない。これも『拾遺抄』優位の現われとなろうか。藤原俊成も次のように記していた。

⑥しかるを、大納言公任卿、この拾遺集を抄して、拾遺抄と名付けてありけるを、世の人これを今少し翫びける程に、拾遺集はあいなく少し圧されにけるなるべし。この拾遺集もまた、後撰の後、いくばく久しからざれども、なほ、古今・後撰に洩れたる歌も多く、当時の歌人の歌も良き歌多かりける上に、万葉集の歌、人麿・赤人が歌をも多く入れられたれば、良き歌もまことに多く、また、少し乱れたる事も混れる故に、抄はことに良き歌のみ多く、また、時世もやうやう下りにければ、今の世の人の心にもことに叶ふにや、近き世の人の歌詠む風体、多くはただ拾遺抄の歌を庶幾(こひねが)ふなるべし。（『古来風体抄』）

俊成になると、『拾遺集』を抄出したのは公任とする説が有力になっている。また、『拾遺抄』優位は継続している。しかし、子の定家になると、『拾遺集』の再評価が行われて、価値は逆転することになる。

⑦微臣幼少之昔、初メテ古集古哥ヲ提携スル之日、此集ヲ披見シ、忽チ感懐ヲ抽キ、

愚意独リ之ヲ慕フ。窃カニ之ヲ握翫スルト雖ヘドモ、亡父之眼前に於テ、未ダ之ヲ読マズ。(略)尤モ抄ヲ拾テ、集ヲ用ヰルハ、道之本意ト為ス可キモノナリ。
(藤原定家『三代集之間事』)

定家が初めて『拾遺集』を披見した時の感動が記されている。父俊成は『拾遺抄』贔屓なので面前では読まずにいたという。父と『拾遺抄』が、権威だったのである。しかし、『拾遺集』を用いることが歌道の本意だとしている。この辺りから、『拾遺集』が復権することになるのである。ただし、『拾遺抄』公任抄出説は、継続していく。

五　花山院の和歌活動と『拾遺集』

藤原定家は、『拾遺集』について次のようにも記していた。

⑧　此集、華山法皇御撰也。偏ヘニ叡慮ニ決シ、撰定了ンヌ。
(『三代集之間事』)

ここの「御撰」は撰進の意である。撰進は「偏ヘニ叡慮ニ決シ、撰定了ンヌ」すなわち、もっぱら花山院の判断で採歌が決まり、撰定が完了したとされている。花山院の好尚の反映を『拾遺集』に見たのである。その詳細は不明だが、花山院の「叡慮」が『拾遺集』に働いていることは確かであろう。そこで、すでに詳細な伝記考証があるが、花山院について簡単に触れておくことにしたい。略歴は、本書の人名索引を参照されたい。

花山院はマルチタレントであった。多様な才能を持っていたことは、『大鏡』「伊尹伝」などに語られている。管絃・漢詩文の素養だけでなく、詳細は省略するが、建築家・作庭家さながらで、服飾・調度のデザイナーでもあり、さらに絵師でもあった。『大鏡』は、そんな花山院を「風流者(ふりうざ)」とも「狂ひ(こかわ)」とも呼んでいる。

また、比叡山で修行し、書写山・熊野・粉河詣でを繰り返す宗教者でもあり、釈教歌を多く詠んでいた。ただし、法皇の場合、出家後も女性関係を絶つものではなく、宇多法皇なども皇子を儲けており、花山法皇も同じであった(『拾遺集』一一六五番歌参照)。

そして、何よりも執着した才能が和歌であった。まず指摘できるのは歌合の主催である。歌合史上重要な「寛和二年内裏歌合」とその前年の「寛和元年内裏歌合」、退位後の正暦年間の東院での「花山院歌合」などは、それなりに史料が残されている。さらに、これら以外にも歌合を行っていた。

そのうち永観二年(九八四)八月二十七日に十七歳で即位する前年の、干支で庚申となる七月七日に行った歌合を見ておきたい。花山院の生涯で「七夕庚申」となるのは、永観元年しかないとされている。この折と思われる歌が認められるのである。

花山院、歌合せさせ給ひしに、題あまたたまはせたりし、七夕庚申にあたりた

りしに

待ちえたる宿やなからん七夕は今宵は人の寝ぬ夜とか聞く（『道命阿闍梨集』三四）

君がよの果てしなければ七夕のあひ見むほどの数ぞ知られぬ（同三五）

雁がね待つといふ心を

雲分けてゆきにし雁の声待つと心空なる頃にもあるかな（同三六）

道命阿闍梨（どうみょうあじゃり）は、道綱男である。従来とは違った「七夕庚申」「雁がね待つ」など「題あまた」が出された歌合であったらしい。「七夕庚申」は、眠らずに過ごすことになる庚申の夜のことと、「七夕」を共に詠むことになる。特異な歌題で、「雁がね待つ」も趣向が凝らされていよう。こうした題は、花山院の好尚とかかわるのである。

この歌合には名称が付けられていないが、「七夕庚申歌合」とでも言えそうである。花山院の時代で、この折のものと思われる「七夕庚申」「雁がね待つ」を主題にした歌が多く認められるのである。本文引用は割愛するが、『実方集』一〇三、『惟成弁集』三三、などは詞書から、この折の歌と言える。この他、『為信集』一一六、『安法法師集』七四、『元輔集』一七九、なども花山院を示唆する文言はないが、この折の歌となろう。そうすると、『元輔集』の歌は、『拾遺集』に「七夕庚申にあたりて侍（はべり）ける年」（一五二)として入集しているので、花山院は東宮時代の自身の主催した歌合歌をひそかに入集させたことになる。また、異本系統の『長能集』には「花山院春宮におはしましける時、七月七日、殿上の人人七夕に秋をしむといふ心詠ませたまふに」(一八七)として「散りもせず…」の歌があるが、これは混入になる。詞書の「七夕に秋をしむといふ心」は「七夕に秋惜しむ」とすると季節がずれて意味が通じにくいが、この歌合の歌題としてあったのかもしれない。とにかく、多様で趣向が凝らされた歌題で、花山院は東宮時代から歌合を行っていたことが知られるのである。

歌合でなくても、花山院は様々な会合の折に歌題を出し、近臣たちに詠歌させていた。凝った題だけ拾っておこう。

春恋(『長能集』一二二)、春の暮惜しむ(同六八)、尋残花(同七八)、山寺にて遊ぶ(同七九)、卯花隔垣根(同一四六)、闇はあやなし(『実方集』二八〇)、月前に花を思ふ(『道命阿闍梨集』一二三)、四月に郭公(同一二五)、水に花の色浮かぶ(『公任集』一一)

複合的な歌題は時勢であり、花山院が領導した可能性もあろう。こうした歌題を見ると、花山院は、やはり『拾遺集』の撰者としてふさわしいのである。

さらに、花山院の絵画とかかわる和歌活動を確認しておきたい。

(1) 同じ院の、御手づから紙絵描かせ給ひて、人々に歌付けさせたまひしに、秋の前栽咲き乱れたる、紅葉おもしろき所に（『長能集』八〇）

(2) 花山院の描かせたまへる紙絵に、歌付けて（歌付けよとてイ）給はせたりけるに、人々さるべき所は付けはてなかりければ、人の鶴飼ひて、文広げて居たる所に（『公任集』三一二）

(3) 人の顔を隠してあやしき事したる所に、おほちにて（同三一三）

(4) 冬の山に旅人越えかかりたる所を、花山院の仰せ事にて（『重之子僧集』四〇）

(5) 花山院にて三首。あるじの女どもの言ふほどに、小舎人童ねぶりたる所（『大江嘉言集』九九）

(6) 亡くなりたる人の家あり、すなはちその人、屍に成りにけり（同一〇〇）

(7) 翁、水汲む所（同一〇一）

(8) 春、頭白き人の居たる所を絵に描けるを（『後拾遺集』雑五・一一一七・花山院）

(9) 御集、絵に秋田行く所あり（『夫木抄』秋三・五〇〇四・花山院）

花山院は自ら紙絵などを描き、その絵柄に対して人々に歌を付けさせ、自身も付けることを好んでいた。(4)〜(7)の描き手は不明だが、(6)は特異な絵柄なので、花山院の可能性があろう。(8)(9)は花山院が歌を付けている。絵柄に応じた詠作は、歌語の拡充や洗練、詠風の拡大に繋がる。こうした花山院の好尚が、屏風歌に向かうことは了解できよう。『拾遺集』の屏風歌の多さは、花山院の好尚とかかわっていたと思われるのである。

こうした花山院なので、『花山院御集』があった。散逸しているが、勅撰集には約七十首ほど入集しており、『夫木和歌抄』など諸書から拾うと、少なくとも一二〇首以上はあったらしい。これらの歌の検討をすれば、さらに花山院像は鮮明になろう。

六　『拾遺集』の構成と配列

ここでは『拾遺集』の巻の構成(部立の配置)と、巻の内部がどのような意図で配列されているのかを見ておきたい。八代集の部立は、次のようであった。巻数は除外し、春夏秋冬の歌は一括して四季とし、参考の為『拾遺抄』を「拾抄」として並置した。なお、春夏秋冬を一巻ずつ平等に配置するのは、『拾遺集』『金葉集』『詞花集』になる。『金葉集』『詞花集』は全十巻であることを勘案すれば、二十巻構成で四季を各一巻にするのは、『拾遺集』の特徴となる。他は、春と秋が、上下か上中下に分けられている。

古今 = 四季　賀　離別　羇旅　物名　恋　哀傷　雑　雑躰　大歌所御歌・神遊びの歌・東歌

後撰＝四季　恋　雑　離別羇旅　慶賀哀傷
拾抄＝四季　賀　別　恋　雑
拾遺＝四季　賀　別　物名　雑　神楽歌　恋　雑春　雑秋　雑賀　雑恋　哀傷
後拾＝四季　賀　別　羇旅　哀傷　恋　雑
金葉＝四季　賀　別　恋　雑
詞花＝四季　賀　別　恋　雑
千載＝四季　離別　羇旅　哀傷　賀　恋　雑　釈教　神祇
新古＝四季　賀　哀傷　離別　羇旅　恋　雑　神祇　釈教

右の整理を見て分かるのは『古今集』の規範性である。規範性は、四季と恋を中心として、前半と後半に置く配置に現れている(『後撰集』は例外か)。また「四季」「賀」「離別」「恋」「雑」の部立が八代集すべてにわたっていることである。「羇旅」が部立名として不在なのは『拾遺集』『金葉集』『詞花集』になっている。部立名は『古今集』で普遍化されたと言えよう。

『拾遺集』においては、他の八代集にない「雑春」「雑秋」「雑賀」「雑恋」を置いたことが、最大の特徴となっている。また、「神楽歌」も特徴だが、これは『古今集』の

「神遊び」と関連し、「物名」を置いたことと共に『古今集』との近さになろう。

『拾遺抄』との関連としては、『金葉集』『詞花集』の構成が、同じになっていることである。これは、当時『拾遺抄』が勅撰集として認識されていた影響があるかもしれない。そして、『拾遺抄』の影響を直接に受けた最初が『拾遺集』であった。『拾遺抄』の「雑上」は、主題的に、春・夏・秋・冬・神楽歌・賀・恋・物名の歌に、「雑下」は雑・哀傷の歌になっていて、すでに指摘があるが、これを増補して『拾遺集』の部立にしていたのである。表に示せば、次のようになる。『拾遺抄』の雑部を丁寧に発展的に増補して『拾遺集』が成立したことが理解できよう。『拾遺抄』とのかかわりは、『拾遺集』の構成を考える際に絶対に必要なのである。

拾遺抄			拾遺集
9雑上	376～	春	16雑春
	400～	夏	
	406～	秋	17雑秋
	419～	冬	
	431～	神楽歌	10神楽歌
	437～	賀	18雑賀
	449～	恋	19雑恋
	474～	物名	7物名
10雑下	497～	雑	8・9雑
	548～	哀傷	20哀傷

次に、頁数の関係で雑春・雑秋を除く四季歌と恋歌に絞って各巻の歌の配列の仕方を

確認していこう。四季歌は、『古今集』の方法を踏襲して、季節の進行に応じた景物や歌材を歌群として配置している。しかし、傍線部の歌群などは『古今集』四季歌になく、より拡大している。なお、他の部立における歌群については本文の注に示した。

春　立春・春雪・梅・若菜・春の野・子の日・散る梅・柳・咲く桜・春の田・盛りの桜・帰雁・散る桜・山吹・逝く春

夏　立夏・藤の花・卯の花・山の時鳥・菖蒲・里の時鳥・照射・納涼・撫子・六月祓・夏の終り

秋　立秋・七夕・朝顔・女郎花・荻・小鷹狩・前栽の花・初雁・駒迎・秋月・虫・萩・菊・色付く紅葉・鹿・秋風・盛りの紅葉・散る紅葉・暮の秋

冬　時雨・唐錦・鳥・氷・冬の到来・冬の月・雪・仏名・歳暮

以上のように、それぞれの景物や歌材によった歌群を連接して配置している。そして、接する二つの歌群には、両者にまたがる歌を配する工夫が随所に見られるのである。

春立(たち)て朝の原の雪見ればまだふる年の心地こそすれ　（春・七・平祐挙）

春立(たち)て猶降る雪は梅(むめのはな)花咲くほどもなく散るかとぞ見る　（八・凡河内躬恒）

両歌は「春立て」の初句揃えになり、二十四節気の立春を言い、「雪」を詠み込んでいる。両歌の前後を見ると、六番歌までは立春詠になっているので、この七・八番歌も同じ歌群に入れることができる。一方、九番歌からは春雪詠になっていて、この二首も共に春雪を詠んでいるので、七番歌から春雪歌群とみることができる。七・八番歌は、「春立つ」と「雪」という二つの歌語を重層させた歌であることによって、二つの歌群を連接する役割を持っているのである。歌群の終りの歌は、次の歌群の始めの歌にもなるのである。なお、『拾遺集』には結句揃えも多くあり、それが特徴となっている。

さらに連接の仕方を見てみよう。二つの歌群の主題以外の歌句を共通させて連接することも認められる。

秋立(たち)ていく日もあらねどこの寝ぬる朝けの風は袂涼しも　(秋・一四一・安貴王)
彦星の妻待つ宵の秋風に我さへあやな人ぞ恋しき　(一四二・躬恒)

一四一番歌までは立秋歌群、一四二番歌からは七夕歌群になる。そして、この両群が接する両歌には風(秋風)が共通して詠まれている。風で連接しているのである。こうしたことは、やはり歌語を重層化させる詠風だから可能なのであり、このことは、一つの歌群の内部に、下位の小歌群を配置するという仕方も可能にしている。一例を挙げる。

いづ方に鳴きて行くらむ郭公淀の渡りのまだ夜深きに　（夏・一一三・忠見）
しけるごと真菰の生ふる淀野にはつゆの宿りを人ぞかりける　（一一四・忠見）
かの方にはや漕ぎ寄せよ郭公道に鳴きつと人にかたらん　（一一五・貫之）
郭公をちかへり鳴けうなひ子がうちたれ髪の五月雨の空　（一一六・躬恒）
鳴けや鳴け高田の山の郭公この五月雨に声な惜しみそ　（一一七・よみ人知らず）
五月雨は寝こそ寝られね郭公夜深く鳴かむ声を松とて　（一一八・よみ人知らず）
うたて人思はむ物を郭公夜しもなどか我が宿に鳴く　（一一九・よみ人知らず）
郭公いたくな鳴きそひとり居て寝の寝られぬに聞けば苦しも　（一二〇・大伴坂上郎女）
夏の夜の心を知れる郭公はやも鳴かなん明けもこそすれ　（一二一・中務）
夏の夜は浦島の子が箱なれやはかなくあけてくやしかるらん　（一二二・中務）

夏の郭公歌群の一部である。その中に、右では、（川を漕ぐ）渡り・五月雨・厭う（うたて・鳴きそ）・短夜という主題が下位歌群となって連接していると見られよう。最初の三首は、一一三番歌には次の歌にもかかる「天暦御時、御屏風に、淀の渡りする人描ける所に」との詞書があり、一一五番歌には「小野宮大臣家屏風に、渡りしたる所に郭公鳴きたる形あるに」とあって、「渡り」が主題になっている。ただし、一一四番歌には「渡り」などは詠まれておらず、これは、忠見作の一一三番歌につられて採歌されたと見られている。この点はともかく、山と郭公は縁があるが、ここは川の渡りと郭公を重層させた歌を並置して下位の小歌群としていよう。この構図は屏風絵のものであり、それに応じた屏風歌であった。一一五番歌以降にも下位の小歌群があることは見てとれよう。

『拾遺集』を読む楽しみの一つは、一つ一つの歌語に注目すると共に、歌同士の歌語の連関、歌語による歌群の形成、歌群の連接にかかわる歌語の対応などといった観点で読み解いていくことにあろう。まだまだ色々とあるのである。

続いて恋歌を概観しよう。恋歌も『古今集』が範となっていた。『古今集』の恋歌五巻は、恋の始まりから終わりまでが段階を追って配置されており、『拾遺集』もこの路線を基本的に踏襲しているとされている。恋の段階が巻の展開に応じているのである。

歌語のありようは、四季歌と同じようになるが、恋歌の場合は、恋の心情や状態を言う語句がより重層的に使用され、そうした歌が連接されている。また、歌群も認めることができる。歌語・歌群のありようは、基本的に四季歌と同じようになっている。恋一から順次、恋の段階を追っていきたい。

恋一は、第一章で扱ったように、「思ひ初め」の歌から始まっていた。恋の思いが昂じると、相手に思いを訴えるようになる。初めての告白は「言ひ初め」である。この巻は、基本的にこの段階に留まっており、逢瀬までに至っていない。

恋二は、前半(七四五番歌まで)と後半に分けられる。前半は、恋の成就とその後のありようを段階的にたどるようになっている。次のように(1)(2)が前段階、(3)(4)が逢瀬の時、(5)(6)(7)がその後の関係性となり、恋の進行にかかわる七つの主題・歌群からなっている。

(1)なき名立つ恋(六九八〜)・(2)夢の逢瀬(七〇八〜)・(3)逢瀬(七一〇〜)・(4)後朝(七一四〜)・(5)まさる恋(七二七〜)・(6)松に託す恋(七三九〜)・(7)月日経る恋(七四四〜)

後半は、逢瀬が叶った後の、早くも齟齬が生じる段階となっている。ここは歌語を連続して使用する場合が認められるだけで、特に歌群は形成されていないようである。

恋三は、恋の齟齬が深まり、一人寝が多くなる段階の歌になっている。この恋三に対しては、歌語の連関が密接な『拾遺集』の中でも、際立った構造を示しているとして、恋物語が展開するような趣が指摘されている。そう見えるのは、恋三は、恋二後半のありようを進めて、景物によって歌群が構成され、その景物が恋の状態や心象に対応しているからである。景物は山・月・夜(下位歌群に夢)であり、それを詠み込んだ恋歌が配置されたのである。そして、さらに、あたかも四季歌であるかのように、各季節を詠んだ恋歌が歌群となって連接している。恋歌を四季歌化する新たな試みとなっている。

恋四は、関係がさらに悪化して「隔て初め」を経験し、いよいよ忘れられかけた段階になっている。ここでは、歌枕を詠み込んだ歌群が前半(八九二番歌まで)を占め、恋の歌枕化の試みとなっている。後半は、ここにも歌語を重層的に連続させる配置があり、その連続のまとまりを歌群とみることができるかもしれない。

恋五は、もはや絶望的な恋の段階である。そのために「恋死」「つらし」「涙雨」「飽く」「恨み」「忘る」といった歌語で歌群を形成させ、連続させている。まさに絶望的な情況の歌々となろう。「思ひ初め」した時点にまで遡って恋が後悔されるのである。

以上、巻の構成と、四季歌と恋歌に限って歌の配置の仕方を確認した。『古今集』より進んだ歌語の使用法や歌群による構成法が認められ、『拾遺集』の特徴となっていた。これらは、かなり偏執的な配置構成と言えるかもしれない。そこに花山院の影を見たいのである。

七　『拾遺集』の歌人たち

次に、作者たちについて触れておきたい。『拾遺集』は、「古今の和歌を拾遺した集」

であった。しかし、『古今集』『後撰集』との重複歌も多く、撰進が完了していない可能性も示唆されている。この点は何とも難いので指摘だけに留め、古今のどのような歌人の歌が入集しているかを確認したい。

『古今集』は、よみ人知らずの時代・六歌仙の時代・撰者の時代の三層になっていたが、『拾遺集』はより多層化されて、次の四層の時代になっている。境界は曖昧なので恣意的になるが、各時代の代表的歌人を挙げてみよう。五首以上入集の歌人に絞る。

万葉集時代　柿本人麿104首、坂上郎女6首

古今集時代　紀貫之107首、凡河内躬恒34首、伊勢25首、壬生忠岑12首、藤原忠房6首、遍昭5首、菅原道真5首、平定文5首

後撰集時代　大中臣能宣59首、清原元輔48首、平兼盛39首、藤原輔相37首、源順27首、村上天皇16首、中務14首、壬生忠見14首、藤原実頼9首、藤原伊衡7首、藤原伊尹6首、藤原敦忠5首

当　代　恵慶18首、藤原公任15首、源重之13首、曽禰好忠9首、藤原実方7首、藤原長能7首、源景明6首、藤原道綱母6首、藤原為頼5首

この入集歌数ですぐに分かるのが、人麿と貫之の突出した多さである。『拾遺抄』では貫之五十一首、人麿九首の入集であったので、『拾遺集』は人麿歌を大幅に増補して

いる。貫之と共に人麿を、歌仙・歌聖として顕彰しようとする意図があろう。ただし、言われているように、『拾遺集』の人麿歌は、『万葉集』の人麿歌と重なるのはほんのわずかで、他の人物の異伝歌か、平安時代になって編纂された『人麿集』の古歌であった。したがって、語彙語法も奈良時代のものとやや違い、平易な詠みぶりになっている。そこに『拾遺集』は注目したのであろう。『古今集』では配置構成でポイントとなる箇所に、撰者の貫之は自身の詠歌を置いたようだが、『拾遺集』では人麿歌がそのように使われたと思われる。貫之の顕彰は、屛風歌歌人としての敬意もあろう。

入集歌数の多い歌人、大中臣能宣・清原元輔・平兼盛・源順（したごう）、あるいは伊勢・中務（なかつかさ）などは、すでに屛風歌歌人として定評のある人たちであり、ここにも『拾遺集』の屛風歌重視の傾向が見てとれよう。能宣・元輔・順は、『後撰集』撰者の梨壺五人であり、入集の多さは、『後撰集』には撰者詠を収載しなかったことと関係していよう。また、村上天皇も多く入集しており、『拾遺集』にとっても大切な天皇であった。

この一方で、物名歌作者として知られる藤原輔相（すけみ）の歌が多いのは、「物名」が部立になっているからであり、当然の成り行きであろう。特異な用語や語法で知られる曽禰好忠の入集を見ると、身分にこだわらない姿勢も見て取れる。それは公卿が歌人化する時代にあって、公卿歌人を特に取り立てたとは思われないところにも認められよう。ただし、道真の五首入集は、いずれも左遷にかかわる歌であり、御霊信仰ともかかわって、取り立てることで鎮魂の意図を込めたのであろう。

女性歌人では、伊勢・中務・坂上郎女（さかのうえのいらつめ）・藤原道綱母・斎宮女御などに数が多いだけで、続くのが馬内侍（うまのないし）の四首になっている。伊勢・中務母子の多さが目立ち、すでに尊崇される歌人になっていた証であろう。総じて、女性歌人を取り立てようとする姿勢はないようである。『後撰集』には恋愛贈答歌が多い関係で、女性が多く詠み手になっていた。しかし、『拾遺集』では贈答歌が激減しており、そのために女性の入集も少なくなっていると思われる。こうした中で、道綱母が健闘しており、『蜻蛉日記』の流布、「寛和二年内裏歌合」での道綱の代作といった面で入集することになったのであろう。

入集歌数の多い歌人を見ると、『拾遺集』は、今よりも古から多く採歌しようとしているように見える。しかし、入集歌人全員を見てみると、当代とそれ以前では、歌人数がそれぞれ百人前後でほぼ同じになる。当代の歌人を、広く入集させようとする姿勢があったのであろう。『拾遺抄』に不在であった、和泉式部・源兼澄（かねずみ）・源為憲（ためのり）・源道済（みちなり）・大江嘉言（よしとき）などが『拾遺集』で登場しているのも、この姿勢からであろう。ここには文人の歌人化という傾向も反映していよう。和泉式部の入集は、花山院の弟、為尊親王あるいは敦道（あつみち）親王とかかわった関係からであろう。

広範な階層からの入集といっても、花山院は自詠の入集を憚り、近臣であった藤原惟成は一首のみ、藤原義懐は入集していない。また、撰進にかかわったかもしれない藤原長能にしても七首、道済は一首のみであった。ここにも花山院の姿勢が認められよう。『拾遺集』は道長による摂関体制最盛期を目の前にした寛弘二〜三年(一〇〇五〜〇六)頃に成立していた。道長体制が盤石になるのは、花山院が死去する寛弘五年、中宮彰子の後一条天皇出産があってからになる。彰子の為に集められた、紫式部・伊勢大輔といった女性文学者たちの名前は、まだ『拾遺集』に見出すことはできない。

八　底本と諸本

本文庫の底本は、天福元年(一二三三)に書写された定家自筆本『拾遺和歌集』で、その影印によっている。この定家自筆本は、一九四一年の藤原定家没後七百年祭まで冷泉家にあったらしいが、その後に所在不明となっていた。それが、安藤積産合資会社の所蔵になっていて、影印と翻刻が、久曽神昇編『藤原定家筆 拾遺和歌集』(汲古書院、一九九〇年)として刊行され、最も重要な写本であることが再認識された。したがって、諸本論・校本となる片桐洋一『拾遺和歌集の研究　校本篇　傳本研究篇』(大学堂書店、一九七〇年)や、『新編国歌大観 第一巻 勅撰集編』(角川書店、一九八三年)、小町谷照彦校注

『拾遺和歌集』(新日本古典文学大系7、岩波書店、一九九〇年)などでは、底本にできなかったのである。これらの書は、いずれも京都大学付属図書館所蔵の中院通茂本を底本にしていた。かろうじて、増田繁夫『拾遺和歌集』(和歌文学大系32、明治書院、二〇〇三年)はその後の刊行となったので、定家自筆本を底本とすることができていた。

　底本が変れば、本文や歌数なども変ってくるが、『拾遺集』にとって幸いであったのは、中院通茂本が、定家自筆本を忠実に臨摸した本だったことである。中院通茂本は、定家自筆本の筆跡と字配りを似せ、本文や歌数・歌順を違えず、見セ消チや勘物、奥書まで同じにしていたのである。したがって、本文庫は、新日本古典文学大系の本文・歌順と同じになる。また、先の校本や『新編国歌大観』もそのまま使用できる。ただし、本文庫では本文を、歴史的仮名遣いに改めた場合があるので注意されたい(凡例参照)。

　『拾遺集』の諸本は、先の片桐氏によれば、九割以上がこの定家自筆本系(天福元年本系)になり、あとは本文にそれほど異同のない、貞応二年本系と無年号本系、及び定家によらない異本系(第一系統に伝堀河宰相具世筆本他、第二系統に北野天満宮本)がわずかに伝存するだけになっている。異本系統には、独自の歌が九首あり、それらは、『新編国歌大観 第一巻』の『拾遺和歌集』末尾に翻刻されている。定家自筆本が多くなっているのは、定家の孫の世代で分かれた冷泉家と二条家の二つの歌学の家が、共に定家自筆本を証本にしたからであった。定家の権威が、こうした流れを作ったことになる。

定家自筆本を相伝した息子為家は、六十八歳の文永二年（一二六五）に、後に冷泉家の祖となる我が子、三歳の為相（母は阿仏尼）に伝えようとして、奥書の一部を削り、新たな文言を付け加えていた。奥書を見られたい。定家は当初、「孫姫」に伝えるつもりで奥書の「翌日令読合訖」とある上部に「為授鍾愛之孫姫也（鍾愛の孫姫に授ける為なり）」と記していた。為家にとって、この文言は為相に伝えるには不都合である。そこでこの文言を削り（和紙なので削ぎ落とせる）、その横に、今あるように「此本付属大夫為相　頽齢六十八桑門融覚判」と付け加えたのである。これによって為相への相伝が権威づけられたのである。なお、削った痕跡は、定家自筆本の影印を見てもそれとわかり、何と中院通茂本もそれと同じように削り跡を付けていた。その実際は、ウェブ上の京都大学デジタルアーカイブで中院通茂本が閲覧できるので参照されたい。

この一方で、為家が改変する以前の寛元三年（一二四五）に定家自筆本を書写した人物がいた。その転写本が二条家に伝来していたのである。その系統の一つが、日本大学総合図書館蔵伝二条為明筆本で、日本大学総合図書館から刊行されている。この影印を見ると為家が削る以前の「為授鍾愛之孫姫也」があり、為家の識語「此本付属大夫為相　頽齢六十八桑門融覚判」はないのであった。

冷泉家本系と二条家本系の違いの元は、この奥書によるのである。為家の識語がないのが二条家本、あるのが冷泉家本となっているが、それぞれに独自異文を持つ伝本が伝わっている。詳細は、先の片桐氏の著書によられたい。なお、冷泉家時雨亭叢書『拾遺和歌集　蒔絵小箱三代集本』(朝日新聞出版、二〇一七年)は、無年号本で、初期の定家本の一つと見られている。

主要参考文献

〈影印・翻刻〉

武田祐吉校訂『拾遺和歌集』(岩波文庫)岩波書店　一九三八年
日本大学総合図書館『拾遺和歌集』(日本大学総合図書館影印叢刊之六)杉谷寿郎解題　日本大学総合図書館　一九八〇年
北野克『算合本拾遺集の研究』勉誠社　一九八二年
新編国歌大観編集委員会『新編国歌大観　第一巻　勅撰集編』角川書店　一九八三年
久保田淳・川村晃生編『合本八代集』三弥井書店　一九八六年
久曽神昇編『藤原定家筆拾遺和歌集』汲古書院　一九九〇年
冷泉家時雨亭文庫編『拾遺和歌集　蒔絵小箱三代集本』(冷泉家時雨亭叢書)朝日新聞出版　二〇一七年

〈注釈・索引・校本〉（書名の下の――以下に記したのは本文注で使用した略称である）

顕昭『拾遺抄註』（日本歌学大系別巻四）風間書房　一九八〇年――顕抄註
吉沢義則編『拾遺集抄註』（未刊国文古註釈大系第六巻）複刻・清文堂出版　一九六八年――集抄註
佐藤高明『中世文学未刊資料の研究』ひたく書房　一九八二年『拾遺集私抄』を収載――私抄
北村季吟『八代集抄』山岸徳平編『八代集全註』有精堂出版　一九六〇年
北村季吟『八代集口訣』同右――口訣
山崎正伸『拾遺和歌集増抄の本文と研究』二松学舎大学東洋学研究所　二〇〇一年――増抄
三好英二『校本拾遺抄とその研究』三省堂　一九四四年
片桐洋一『拾遺和歌集の研究　校本篇　傳本研究篇』大学堂書店　一九七〇年
片桐洋一『拾遺和歌集の研究　索引篇』大学堂書店　一九七六年
片桐洋一編著『拾遺抄―校本と研究―』大学堂書店　一九七七年
小町谷照彦校注『拾遺和歌集』（新日本古典文学大系7）岩波書店　一九九〇年
増田繁夫『拾遺和歌集』（和歌文学大系32）明治書院　二〇〇三年
竹鼻績『拾遺抄注釈』笠間書院　二〇一四年

〈研究書など〉

堀部正二『中古日本文学の研究』教育図書　一九四三年
松田武夫『勅撰和歌集の研究』日本電報通信社出版部　一九四四年
菊地靖彦『古今的世界の研究』笠間書院　一九八〇年
平田喜信『平安中期和歌考論』新典社　一九九三年
佐藤和喜『平安和歌文学表現論』有精堂出版　一九九三年
小池博明『拾遺集の構成』新典社　一九九六年
片桐洋一『古今和歌集以後』笠間書院　二〇〇〇年
阪口和子『貫之から公任へ―三代集の表現―』和泉書院　二〇〇一年
今野厚子『天皇と和歌―三代集の時代の研究―』新典社　二〇〇四年
中周子『拾遺和歌集論攷』和泉書院　二〇一五年
小町谷照彦『拾遺和歌集と歌ことば表現』(小町谷照彦セレクション2)花鳥社　二〇二一年
萩谷朴『平安朝歌合大成』(復刊、全十巻)同朋舎　一九七九年
田島智子『屛風歌の研究　論考篇』和泉書院　二〇〇七年
田島智子『屛風歌の研究　資料篇』和泉書院　二〇〇七年
今井源衛『花山院の生涯』桜楓社　一九六八年
小町谷照彦『王朝の歌人7　藤原公任』集英社　一九八五年

初句索引

一、この索引は、『拾遺和歌集』一三五一首の、初句によるものである。句に付した数字は、本書における歌番号を示す。
二、表記はすべて歴史的仮名遣いによる平仮名表記とし、五十音順に配列した。
三、初句を同じくする歌がある場合は、更に第二句を、第二句も同じ場合は第三句を示した。

い

お

さ

し

す

せ

そ

た

ち

む

を

拾遺和歌集（しゅういわかしゅう）

2021年12月15日　第1刷発行

校注者　小町谷照彦（こまちやてるひこ）　倉田 実（くらた みのる）

発行者　坂本政謙

発行所　株式会社 岩波書店
〒101-8002 東京都千代田区一ツ橋 2-5-5
案内 03-5210-4000　営業部 03-5210-4111
文庫編集部 03-5210-4051
https://www.iwanami.co.jp/

印刷・理想社　カバー・精興社　製本・中永製本

ISBN 978-4-00-300289-6　Printed in Japan

人名索引

1) この索引は，『拾遺和歌集』の作者と詞書・左注等に見える人物について，簡単な略歴を記し，該当する歌番号を示したものである．作者名は立体の洋数字で，詞書・左注に見える人物名は斜体の洋数字で示した．

2) 人名の表示は，原則として本文記載の名による．ただし，本文が官職名等による表記の場合，注解に実名を注記し，その実名により本項目を立て，本文表記により適宜参照項目を立てた．例えば，本文が「内裏」の場合は

(本項目)円融天皇 えんゆうてんのう　(参照)内裏 うち →円融天皇 えんゆうてんのう

とした．

3) 人名は，現代仮名遣いの五十音順によって配列した．男性は訓読み，女性・僧侶は音読みによる．

4) 歌を召す人や歌を奉られる人が誰であるか明示されていないような場合も，その人物名を掲出した．人名が確定できない場合は，歌番号に(　)を付した．

5) 生没年のうち，生年は多くの場合，没年からの逆算による．没年に異伝がある場合，生年を記さないこともある．

6) 資料は多く「勅撰作者部類」「尊卑分脈」「公卿補任」等による．また辞書等も参考にしたが，特別の場合以外は出所を記さない．

あ

愛宮 あいみや　生没年未詳．藤原師輔女．母は雅子内親王．源高明の後妻．安和2年(969)出家．勅撰入集は拾遺集の1首のみ．　498

赤染衛門 あかぞめえもん　生没年未詳．出生は天徳元年(957)から康保元年(964)，没年は長久2年(1041)以後という．赤染時用女，実父は母

の先夫平兼盛とも. 子に大江匡衡との間に挙周・江侍従ともう一人
の女子. 藤原道長妻倫子・上東門院彰子に仕えた.『栄花物語』正
編の作者ともいう. 家集に『赤染衛門集』. 拾遺集初出.　　316

赤人 <ruby>赤<rt>あか</rt></ruby><ruby>人<rt>ひと</rt></ruby>　　山部. 山辺とも. 生没年家系未詳. 聖武天皇の宮廷下級官
人か. 古今集仮名序では人麿と同等に評価された. 三十六歌仙.
『赤人集』は, 万葉集・巻 10 の古点が誤解されて私家集になったと
いう. 拾遺集初出.　　3, 819, 837

昭登親王 <ruby>昭<rt>あき</rt></ruby><ruby>登<rt>なり</rt></ruby><ruby>親王<rt>しんのう</rt></ruby>　　徳 4 年(998)生, 長元 8 年(1035)4 月 14 日没. 38 歳.
父花山院出家後の誕生なので, 祖父冷泉院第 5 皇子となる. 母は若
狭守平祐之と花山天皇乳母の間に生まれた中務. 尊卑分脈では, 母
は中務と若狭守平祐忠の子平子で, 第 6 皇子とする.　　*1165*

安貴王 <ruby>安貴王<rt>あきのおおきみ</rt></ruby>　　阿貴王・阿紀王とも. 生没年未詳. 春日王男, 祖父は
志貴皇子. 子に市原王. 勅撰入集は拾遺集・新勅撰集に各 1 首.
141

あきみち <ruby>あき<rt>あき</rt></ruby><ruby>みち<rt>みち</rt></ruby>　　小野. 生没年家系未詳. 対馬守. 金葉集は小槻(<ruby>おづ<rt>おづ</rt></ruby>)あき
みち.　　*487*

あきみち妻隠岐 <ruby>あきみち<rt>あきみち</rt></ruby><ruby>妻<rt>の</rt></ruby><ruby>隠岐<rt>おき</rt></ruby>　　生没年家系未詳.　　*487*

顕光 <ruby>顕<rt>あき</rt></ruby><ruby>光<rt>みつ</rt></ruby>　　藤原. 号堀河左大臣. 死後悪霊左大臣と言われた. 天慶 7
年(944)生, 治安元年(1021)没. 78 歳. 兼通 1 男, 母は元平親王女
昭子女王. 一条天皇のもとに承香殿女御元子を, 小一条院のもとに
延子を入れたが, 道長に圧倒されたままであった. 悪霊となって,
道長一家に祟った話が『栄花物語』などに見える. 左大臣. 勅撰入
集は拾遺集の 1 首のみ.　　1282

朝忠 <ruby>朝<rt>あさ</rt></ruby><ruby>忠<rt>ただ</rt></ruby>　　藤原. 号土御門中納言・三条中納言. 延喜 10 年(910)生,
康保 3 年(966)12 月没. 57 歳. 定方男, 母は中納言藤原山蔭女. 中
納言. 笙笛の名手でもあった. 三十六歌仙. 家集に『朝忠集』. 後
撰集初出.　　10, 263, 678

朝光 <ruby>朝<rt>あさ</rt></ruby><ruby>光<rt>みつ</rt></ruby>（あさてる）　　藤原. 号閑院大将. 天暦 5 年(951)生, 長徳元年(995)3
月没. 45 歳. 兼通 4 男, 母は有明親王女能子女王. 一説に有明親
王女昭子女王. 兄に顕光, 妹に円融天皇皇后媓子がいる. 重明親王

女との子，姚子は花山天皇女御．大納言兼左大将．「堀河中納言家歌合」などを主催．家集に『朝光集』．拾遺集初出．　512, 557, 1205, 1306／*557, 1201*

朝光女（あさみつ(あさてる)のむすめ）　→姚子（ようし）

明日香采女（あすかのうねめ）　生没年未詳．大和国明日香出身の采女．醍醐天皇の宮中に出仕．藤原実頼・右近と親交があった．勅撰入集は拾遺集・新勅撰集に各1首．　1221／*1220*

飛鳥女王（あすかのじょおう）　生年未詳，文武天皇4年(700)4月没．天智天皇皇女．母は阿部倉橋麻呂女橘姫．忍壁皇子妃．　*496*

按察更衣（あぜちのこうい）　→正妃（せいひ）

按察御息所（あぜちのみやす(ん)どころ）　→正妃（せいひ）

敦実親王（あつざねしんのう）　号八条宮・仁和寺宮．法名覚真．寛平5年(893)生，康保4年(967)3月2日没，75歳．宇多天皇第8皇子，母は女御藤原高藤女胤子．子に藤原時平女との間に雅信・重信・寛信がいる．同母兄に醍醐天皇・敦慶親王がいる．天暦4年(950)2月3日出家．管絃の道にも秀でていた．　*24*

敦忠（あつただ）　藤原．号枇杷中納言・本院中納言．延喜6年(906)生，天慶6年(943)3月7日没，38歳．時平3男，母は在原棟梁女．一説に本康親王女廉子．権中納言．容貌麗しく，和歌・管絃に堪能であった．三十六歌仙．家集に『敦忠集』．後撰集初出．　633, 635, 710, 1176, 1288／*48, 107, 445, 1222, 1279*

敦忠母（あつただのはは）　在原棟梁女とも本康親王女廉子女王ともいわれるが未詳．　*283*

敦慶親王女（あつよししんのうのむすめ）　→中務（なかつかさ）

有時（ありとき）　藤原．生没年未詳．左近将監恒興男．左馬助．勅撰入集は拾遺集のみ．　952, 970

粟田右大臣（あわたのうだいじん）　→道兼（みちかね）

安子（あんし）　藤原．延長5年(927)生，応和4年(964)没，38歳．師輔女．母は藤原経邦女盛子．同母兄弟に伊尹・兼通・兼家・忠君・登子がいる．天慶3年(940)に東宮であった村上天皇の後宮に入り，即位

後女御，天暦4年(950)，第2皇子憲平親王(冷泉天皇)を生み，皇后となった．他に為平親王・守平親王(円融天皇)・承子・輔子・資子・選子内親王を生み，藤原氏九条流の繁栄に貢献した．　***321, 542, 891, (1068), 1286***

安法（あんぼう）　源．俗名趁．生没年未詳．内匠頭適6男．母は大中臣安則女．嵯峨源氏融の曽孫．父の代から官職に恵まれず，出家して融の造営した河原院に住む．応和2年(962)「庚申河原院歌合」，某年「河原院紅葉合」などの歌合を主催し，家集に『安法法師集』がある．拾遺集初出．　137, 589, 1016

家主女（いえあるじのおんな）　未詳．『大鏡』では紀貫之女とする．　***531***

依子内親王（いしないしんのう）　号鬘宮．寛平7年(895)生，承平6年(936)7月7日没，42歳．宇多天皇皇女．母は大納言源昇女更衣貞子．寛平2年2月29日内親王．勅撰入集は後撰集に2首のみ．　***707***

和泉式部（いずみしきぶ）　大江．本名未詳．号江式部．貞元2年(977)頃生か．没年未詳．雅致女，母は越中守平保衡女．橘道貞と結婚し，小式部を生む．長保元年(999)夫の和泉守赴任に同行する．冷泉天皇皇子，弾正尹為尊親王や，その死後，弟の大宰帥敦道親王との恋愛により夫婦生活は破綻，親からも勘当される．帥宮との恋愛の経緯は『和泉式部日記』に詳しい．寛弘6年(1009)，一条天皇中宮彰子のもとに出仕，翌寛弘7年頃，藤原道長家司藤原保昌と再婚，夫の任地丹後国に同行した．家集『和泉式部正集』『和泉式部続集』がある．拾遺集初出．　1342

伊勢（いせ）　藤原．号伊勢の御・伊勢御息所．貞観17年(875)頃生，天慶5年(942)以降没．冬嗣の兄真夏の4代の孫継蔭女，母未詳．宇多天皇女御温子のもとに出仕，その兄弟仲平と恋愛関係となるが失恋し，その後，仲平の兄時平や平定文らの求愛を拒み，宇多天皇の寵を受け皇子を生むが，夭折．その後宇多天皇皇子敦慶親王との間に中務を生む．屏風歌を数々詠み，歌合にも多く出詠して，晴の場の歌人として活躍した．「亭子院歌合」の仮名日記執筆は伊勢という．家集『伊勢集』の冒頭部は日記文学的な叙述を持ち，『伊勢日

記』と称される．三十六歌仙．古今集初出．　49, 105, 132, 167, 179, 183, 245, 284, 285, 298, 344, 358, 437, 445, 457, 482, 534, 906, 907, 908, 951, 1160, 1261, 1301, 1307／***542, 1054, 1141, 1308***

伊勢親 いせのおや　→継蔭 つぐかげ

伊勢御息所 いせのみやすどころ　→伊勢 いせ

一条 いちじょう　一条の君．生没年未詳．清和天皇皇子貞平親王女．壱岐守の妻．京極御息所褒子・陽成院に仕えた．内の蔵人．俊子と親交があった．『大和物語』に逸話が見える．後撰集初出．　1062

一条摂政 いちじょうせっしょう　→伊尹 これまさ(これただ)

一条摂政北方 いちじょうせっしょうのきたのかた　→恵子女王 けいしじょおう

一条摂政父 いちじょうせっしょうのちち　→師輔 もろすけ

一品内親王 いっぽんのみこ　→資子内親王 ししないしんのう

一品宮 いっぽんのみや　→資子内親王 ししないしんのう

居貞親王 いやさだ(おきさだ)しんのう　→三条天皇 さんじょうてんのう

右衛門 うえもん　生没年家系未詳．加賀守源兼澄女か．勅撰入集は後撰集・拾遺集に各1首．　336

右近 うこん　藤原．右近命婦とも．生没年未詳．右近少将季縄女．醍醐天皇中宮藤原穏子に仕えた．元良親王・藤原敦忠・藤原師輔・藤原師氏・藤原朝忠・源順・清原元輔・大中臣能宣などとの交わりが，『大和物語』や各人の家集に見える．後撰集初出．　870, 1003, 1222

右近命婦 うこんのみょうぶ　未詳．　***1029***

右大将道綱母 うだいしょうみちつなのはは　→道綱母 みちつなのはは

右大臣[1] うだいじん　→顕光 あきみつ

右大臣[2] うだいじん　→道長 みちなが

右大臣[3] うだいじん　→師輔 もろすけ

宇多天皇 うだてんのう　諱は定省．号亭子院・宇多院・寛平法皇・仁和寺法皇．法名空理，後に金剛覚．貞観9年(867)5月5日生，承平元年(931)7月19日没，65歳．光孝天皇第7皇子，母は女御桓武天皇皇子仲野親王女班子女王．最初源姓を賜ったが，仁和3年(887)父の崩御の際に東宮となって即位，第59代天皇となる．菅原道真を登

用し，寛平の治と呼ばれる親政を行った．31 歳で醍醐天皇に譲位．34 歳で仁和寺で出家．「寛平御時菊合」「寛平御時后宮歌合」「仁和二宮歌合」などを企画，「亭子院歌合」では自ら出詠，判を下し，『新撰万葉集』『句題和歌』の撰進を命じた．『寛平御遺戒』『周易抄』，日記『寛平御記』などの著述がある．家集に『寛平御集』．後撰集初出．　***64, 73, 167, 183, 288, 620, 1043, 1062, 1067, 1128***

内[1]（うち）　→醍醐天皇（だいごてんのう）

内[2]（うち）　→村上天皇（むらかみてんのう）

内裏（うち）　→円融天皇（えんゆうてんのう）

采女（うねめ）　未詳．　***1289***

馬内侍（うまのないし）　源．号中宮内侍．生没年家系未詳．左馬権頭源時明の養女．実父は時明の兄致明かという．円融天皇皇后媓子・大斎院選子内親王・円融天皇女御詮子・一条天皇中宮定子に仕え，晩年は宇治に隠棲，尼となったらしい．中古三十六歌仙．『大斎院前御集』成立にかかわったか．家集に『馬内侍集』．拾遺集初出．　554, 792, 840, 1020／***553***

恵慶（えぎょう）　生没年家系未詳．播磨国分寺の講師を務めたらしい．河原院に住んだ安法法師とは特に親しかった．中古三十六歌仙．家集に『恵慶法師集』．拾遺集初出．　62, 69, 131, 140, 151, 162, 193, 199, 204, 242, 428, 525, 537, 550, 590, 1023, 1126, 1246

延喜（えんぎ）　→醍醐天皇（だいごてんのう）

婉子内親王（えんしないしんのう）　延喜 3 年(903)生，安和 2 年(969)9 月 10 日没，67 歳．醍醐天皇第 7 皇女，母は更衣伊予介藤原連永女鮮子．承平元年(931)12 月第 14 代斎院に卜定され，35 年間にわたり朱雀・村上朝の斎院を務め，康保 4 年(967)村上天皇譲位で退下した．安和 2 年 9 月 7 日に出家．　***(17), (261), (1007)***

円融天皇（えんゆうてんのう）　諱は守平，法名金剛法．天徳 3 年(959)3 月 2 日生，正暦 2 年(991)2 月 12 日没，33 歳．村上天皇第 5 皇子，母は皇后藤原師輔女安子．冷泉天皇皇太弟．安和 2 年(969)即位，第 64 代天皇，永観 2 年(984)譲位．病により，寛和元年(985)出家．天禄 4 年(973)

「円融院扇合」，永観３年「円融院紫野子日御遊」，寛和２年「大堰川御幸和歌」など，多くの行事を催した．家集に『円融院御集』．拾遺集初出．　20, 971／***512, 1083, 1088, 1101, 1133***

嫗(女) おうな　→賀茂明神 かものみょうじん

大后宮 おおきさいのみや　→穏子 おんし

御乳母少納言 おおんめのとしょうなごん　→少納言 しょうなごん

隠岐 おき　→あきみち妻隠岐 あきみちのめおき

翁 おきな　未詳．　564／***564***

乙麿 おとまろ　石上．生年未詳，天平勝宝２年(750)9月１日没．左大臣麻呂３男，子に宅嗣．天平 11 年(739)藤原宇合妻久米若売を姦した罪により土佐国に配流，後に赦されて帰京．中務卿．土佐配流中に詩集『銜悲藻』を著したが散逸した．『懐風藻』・万葉集に作品が見える．勅撰入集は拾遺集の１首のみ．　781

小野宮大臣 おののみやのおおいまうちぎみ　→実頼 さねより

小野宮太政大臣 おののみやのだいじょうだいじん　→実頼 さねより

温子 おんし　藤原．号七条后．貞観 14 年(872)生，延喜７年(907)6月８日没，36 歳．基経女．仁和４年(888)宇多天皇に入内し女御となり，均子内親王を生む．寛平９年(897)皇太夫人となり，中宮と呼ばれる．延喜５年出家．温子のもとに伊勢が出仕していた．　***482***

穏子 おんし　藤原．号五条后．仁和元年(885)生，天暦８年(954)没，70 歳．基経女，母は人康親王女．昌泰４年(901)17 歳で醍醐天皇に入内し，女御となり，保明親王・朱雀天皇・村上天皇・康子内親王を生む．延喜 23 年(923)中宮，承平元年(931)皇太后，天慶９年(946)太皇太后．仮名日記『太后御記』がある．　***2, 22, 47, 123, 206, 275, 293, 1159, 1266, 1338***

女五内親王 おんなごのみこ　→盛子内親王 せいしないしんのう

女四内親王 おんなしのみこ　→勤子内親王 きんしないしんのう

か

懐子 かいし　藤原．天慶８年(945)生，天延３年(975)4月３日没，31 歳．

伊尹女，母は代明親王女恵子女王．冷泉天皇が東宮の時に入内，即位後，更衣，女御となり，花山天皇・宗子内親王・尊子内親王を生む．勅撰入集は拾遺集・玉葉集に各1首．　1080／*(266)*

戒秀（かいしゅう）　清原．生年未詳，長和4年(1015)閏6月12日没．元輔男．妹に清少納言．花山院の殿上法師．勅撰入集は拾遺集・詞花集・続後撰集に各1首．　331

賀縁（がえん）　藤原．号山本房．阿闍梨．生没年未詳．師尹孫為任男の雅縁か．『大鏡』『袋草紙』『今昔物語集』『古今著聞集』などに逸話が見える．　***382***

楽子内親王（がくしないしんのう）　天暦6年(952)生，長徳4年(998)9月16日没，47歳．村上天皇第3皇女，母は女御代明親王女荘子女王．同母兄に具平親王．天暦9年7月17日卜定され，第31代斎宮となったが，康保4年(967)父崩御のため退下．　***263, 309, 494***

景明（かげあきら）　源．生没年未詳．大蔵少輔兼光男．勅撰入集は拾遺集のほか新古今集に1首．　173, 243, 505, 568, 847, 963

景明元妻（かげあきらのもとのめ）　源．未詳．　***963***

花山天皇（かざんてんのう）　諱は師貞．安和元年(968)10月26日生，寛弘5年(1008)2月8日没，41歳．冷泉天皇第1皇子．母は女御藤原伊尹女懐子．永観2年(984)即位，第65代天皇．寛和2年(986)退位・出家した．在位中の寛和元年と2年に「内裏歌合」，退位後に「花山院歌合」など，多くの歌合や歌会を主催し，拾遺集の撰進を自ら行ったか．歌集『花山院御集』は散逸．後拾遺集初出だが，拾遺集恋五のよみ人知らず歌が花山院詠とされる．　*(974)*

佳珠子（かずこ）　藤原．生没年未詳．基経女．清和天皇女御となり，貞辰親王を生む．　***1177***

像見（かたみ）　大伴．方見・形見とも．生没年未詳．右舎人助．万葉集に短歌5首が見える．勅撰入集は拾遺集の2首のみ．　765, 1077

方見（かたみ）　→像見（かたみ）

賀朝（がちょう）　生没年家系未詳．比叡山法師．勅撰入集は後撰集・拾遺集に各1首．　1032

金岡 かなおか　笠．生没年家系未詳．奈良時代の人．底本勘物「仁明天皇御時人也」は絵師の巨勢金岡と誤る．勅撰入集は拾遺集の１首のみ．　352／***352***

金岡妻 かなおかのめ　未詳．　***352***

兼家 かねいえ　藤原．号東三条殿・法興院摂政．法名如実．延長７年(929)生，永祚２年(990)７月２日没，62歳．師輔３男，母は藤原経邦女盛子．藤原中正女時姫との間に道隆・道兼・道長・冷泉天皇女御超子・円融天皇女御東三条院詮子，藤原倫寧女との間に道綱，藤原国章女との間に三条天皇女御綏子がいる．摂政・関白・太政大臣．花山天皇を退位させ，外孫の一条天皇を即位させたという．道綱母『蜻蛉日記』は兼家との夫婦生活を記したもの．拾遺集初出．　574, 575／***250, 912, 1202***

兼輔妻 かねすけのめ　右大臣藤原定方女が知られるが，同一人かどうかは未詳．　***1309***

兼澄 かねずみ　源．生没年未詳．天暦９年(955)頃生か．右大弁公忠の子鎮守府将軍信孝男．子に命婦乳母らがいる．11歳の時に父に従って陸奥に下った．加賀守．祖父公忠・伯父信明は後撰集作者，叔父観教・勝観・寛祐は拾遺集作者という歌人の家系で，大中臣能宣の女婿であった．家集に『兼澄集』．拾遺集初出．　594

かねのり かねのり　藤原．生没年家系未詳．　***557***

懐平 かねひら　藤原．初名懐遠．天暦７年(953)生，長和６年(1017)４月18日没，65歳．実頼男右衛門督斉敏男，母は播磨守藤原尹文女．兄弟に高遠・実資．源保光女・藤原常種女・藤原佐理女などとの間に経通・資平・資頼・経任をもうけた．権中納言．　***151***

兼通 かねみち　藤原．号堀河殿・不経大将・不経大納言，諡は忠義公．延長３年(925)生，貞元２年(977)11月８日没，53歳．師輔２男，母は武蔵守藤原経邦女盛子．同母兄弟に伊尹・兼家がいる．天禄３年(972)兄伊尹の死により関白太政大臣となる．『蜻蛉日記』に道綱母に贈った歌が見える．後拾遺集初出．　***1280***

兼光 かねみつ　源．生没年未詳．光孝天皇の孫正明男．大蔵少輔．勅撰入

集は拾遺集の1首のみ.　201

兼盛（かねもり）　平．兼盛王とも．生年未詳，正暦元年(990)12月28日没．光孝天皇皇子是忠親王の孫筑前守篤行男．篤行は仁和2年(886)に平姓で臣籍に．『袋草紙』によると赤染衛門の実親という．駿河守．天徳4年(960)「内裏歌合」で壬生忠見の歌と番えられ，敗れた忠見が悶死したという逸話は有名．『大和物語』にも見える．三十六歌仙．家集に『兼盛集』．拾遺集初出．　15, 52, 84, 101, 128, 177, 214, 222, 234, 250, 251, 254, 260, 261, 269, 273, 279, 295, 339, 342, 347, 386, 559, 608, 610, 614, 615, 616, 617, 622, 679, 786, 890, 1047, 1083, 1101, 1275, 1304／***318***

兼盛弟（かねもりのおとうと）　平．生没年未詳．筑前守篤行男．兄は駿河守兼盛．勅撰入集は拾遺集の1首のみ．　1050

兼盛子（かねもりのこ）　未詳．　***1304***

賀茂御社（かものみやしろ）　→賀茂明神（かものみょうじん）

賀茂明神（かものみょうじん）　賀茂別雷命を祭神とする賀茂別雷神社，別称上賀茂神社と，別雷命の母玉依姫と祖父賀茂健角身命を祭る賀茂御祖神社，別称下賀茂神社の祭神．京都の賀茂川沿岸に鎮座する．天武天皇7年(678)に社殿が造営され，賀茂氏が奉斎した．平安遷都後，王城鎮護の神とされ，伊勢の斎宮にならって斎院が置かれた．4月中の酉の日の例祭が葵祭．勅撰入集は拾遺集のほか，新古今集・玉葉集に各2首．　588／***588***

閑院大君（かんいんのおおいぎみ）　→宗于女（むねゆきのむすめ）

観教（かんきょう）　源．号御願寺僧都．俗名信輔．承平4年(934)生，寛弘9年(1012)11月26日没，79歳．光孝天皇の孫公忠男．兄弟に信明・勝観・寛祐などの拾遺集作者がいる．権大僧都．勅撰入集は拾遺集・金葉集三奏本・新続古今集に各1首．　203

寛祐（かんゆう）　源．生没年未詳．光孝天皇の孫公忠男．兄に信明・観教・勝観などの拾遺集作者がいる．法印．勅撰入集は拾遺集の1首のみ．662

貴子（きし）　高階．号儀同三司母・高内侍・帥殿母．生年未詳，長徳2

年(996)没．成忠女．藤原道隆妻．儀同三司伊周・隆円・隆家・一条天皇中宮定子を生む．拾遺集初出．　1206

姫子 きし　→姚子 ようし

徽子女王 きしじょおう　号斎宮女御・承香殿女御．延長7年(929)生，寛和元年(985)没，57歳．醍醐天皇第4皇子重明親王女．母は藤原忠平女寛子．天慶元年(938)斎宮として伊勢に下向したが，同8年母の喪のために退下．天暦2年(948)村上天皇に入内して女御となり，規子内親王を生む．天延3年(975)斎宮に卜定された規子内親王に同行して貞元2年(977)伊勢に下る．永観2年(984)円融天皇譲位により退下した規子内親王と帰京，出家した．天暦10年「斎宮女御徽子女王歌合」や天徳3年(959)「斎宮女御徽子女王前栽合」を主催．三十六歌仙．音楽にも優れていた．家集に『斎宮女御集』があり，『村上御集』にも多くの歌が載る．拾遺集初出．　451, 452, 495, 879, 1204／***495, 879, 1263***

規子内親王 きしないしんのう　天暦3年(949)生，寛和2年(986)5月15日没，38歳．村上天皇皇女，母は女御徽子女王．天延3年(975)2月27日斎宮に卜定され，貞元2年(977)，母とともに伊勢に下向し，永観2年(984)，円融天皇譲位により退下．天禄3年(972)「規子内親王前栽合」を主催．勅撰入集は後拾遺集に1首のみ．　***451, 495***

北宮 きたのみや　→康子内親王 こうしないしんのう

紀郎女(紀女郎) きのいらつめ　紀．紀小鹿とも．生没年未詳．鹿人女，市原王の父安貴王の妻．万葉集第4期歌人で，集中に短歌12首が見え，大伴家持との贈答歌がある．『古今六帖』『伊勢物語』『うつほ物語』にも詠歌が見える．　***1252***

吉備津采女 きびつのうねめ　生没年未詳．吉備国津宇郡出身の采女．　***1315***

行基 ぎょうき　高志．号行基大菩薩．天智天皇7年(668)生，天平21年(749)2月2日没，82歳．才智男，母は蜂田古爾比売．法相を学び，多くの寺院の他，橋・道・池・布施屋などの社会施設の建設にも力を注いだ．最初は社会的活動は迫害されたが，後に聖武天皇は大僧正に任じ，東大寺大仏建立推進の中心とした．拾遺集初出．　1346,

1347, 1348／***1346***

京極御息所 きょうごくのみやすどころ　→褒子 ほうし

恭子内親王 きょうしないしんのう　延喜2年(902)生，延喜15年11月8日没，14歳．醍醐天皇皇女，母は更衣藤原鮮子，延喜3年斎院に卜定，延喜15年母の喪のために退下．京北辺の桃園に住んだらしい．　*(16)*，*(17)*，*(49)*，***1004***，*(1007)*，***1017***，*(1132)*

清蔭 きよかげ　源．元慶8年(884)生，天暦4年(950)7月3日没，67歳．陽成天皇第1皇子，母は紀君．源姓を賜る．大納言．『大和物語』に逸話が見える．後撰集初出．　721, 740／***150***

御製 ぎょせい　→村上天皇 むらかみてんのう

清正 きよただ　藤原．生年未詳，天徳2年(958)7月没．兼輔2男．兄弟に雅忠・守正・庶忠・公正．紀伊守．三十六歌仙．家集に『清正集』．後撰集初出．　57, 332, 468

清忠 きよただ　佐伯．生没年未詳．左近番長．勅撰入集は拾遺集の1首のみ．　503／***503***

清正女 きよただのむすめ　藤原．生没年不明．紀伊守清正男．勅撰入集は拾遺集の1首のみ．　817

清貫 きよつら　藤原．貞観9年(867)生，延長8年(930)6月26日没，64歳．保則男．一説に保則父左兵衛佐貞碩男．母は在原業平女．女に右大臣藤原恒佐の妻がいる．大納言．清涼殿への落雷により死去．　***284***，***618***

清仁親王 きよひとしんのう　生年未詳，長元3年(1030)7月6日没．父花山院出家後の誕生なので，祖父冷泉院第6皇子となる．母は若狭守平祐忠と花山天皇乳母の子中務との間に生まれた御匣別当平子．長元元年出家．弾正尹．尊卑分脈では，母は花山天皇乳母の子中務で第5皇子とする．　***1165***

公貞 きんさだ　源．生没年未詳．陽成院の子刑部卿源清鑒男．従五位下．　***347***

公誠 きんざね　平．生没年未詳．陸奥守元平男．周防守．勅撰入集は拾遺集の4首ほか，金葉集三奏本・詞花集に各1首．　89, 624, 1051,

1192

勤子内親王 きんしないしんのう　生没年未詳．醍醐天皇第4皇女，母は更衣嵯峨源氏唱女周子．四品．藤原師輔の妻となる．　***103, 129, 221***

公忠 きんただ　源．別滋野井弁．寛平元年(889)生，天暦2年(948)10月28日没，60歳．光孝源氏国紀男．子に信明．近江守兼右大弁．官吏としても優れ，合香・放鷹に秀でた．三十六歌仙．『大和物語』『大鏡』『宇治拾遺物語』『江談抄』などに逸話が見える．家集に『公忠集』．後撰集初出．　106, 283, 1055, 1207／***737, 1322***

公任 きんとう　藤原．号四条大納言．康保3年(966)生，長久2年(1041)1月1日没，76歳．頼忠男，母は中務卿代明親王女厳子女王．妹に円融天皇中宮遵子・花山天皇女御諟子がいる．北の方は村上天皇皇子昭平親王女．子に権中納言定頼・藤原教通妻がいる．権大納言．万寿3年(1026)解脱寺で出家．漢詩・和歌・管絃の三舟の才のほか，有職故実に通じていた．多くの歌合や屛風歌などを詠じ，長保5年(1003)「左大臣道長歌合」では判者を務めた．歌学書に『新撰髄脳』『和歌九品』，私撰集に『拾遺抄』『金玉集』『深窓秘抄』，秀歌撰に『前十五番歌合』『後十五番歌合』『三十人撰』『三十六人撰』，歌謡集に『和漢朗詠集』，有職故実書に『北山抄』などの著述がある．中古三十六歌仙．家集に『公任集』．拾遺集初出．　210, 230, 256, 340, 449, 1015, 1022, 1065, 1069, 1093, 1174, 1175, 1300, 1335, 1336／***1005, 1064***

公頼 きんより　橘．元慶元年(877)生，天慶4年(941)2月20日大宰府で没，65歳．広相男，母は左馬頭惟風王女．大宰権帥兼中納言．勅撰入集は後撰集・新勅撰集に各1首．　***327***

空也 くうや(こうや)　僧名光勝．号市聖(いちのひじり)・阿弥陀聖．延喜3年(903)生，天禄3年(972)9月11日没，70歳．醍醐天皇皇子とも仁明天皇皇子常康親王の王子とも伝わるが未詳．西光寺(六波羅蜜寺)を建立，市中での布施や教化に努め，民間念仏，浄土教の興隆に大きく寄与した．『宇治拾遺物語』『撰集抄』などに逸話が見える．『空也和讃』『六座念仏式』は空也の作という．勅撰入集は拾遺集・

千載集・新勅撰集に各1首.　1344

草春 くさはる　高向. 生没年家系未詳. 勅撰入集は拾遺集の1首のみ.　389

九条右大臣 くじょううだいじん　→師輔 もろすけ

宮内 くない　生没年家系未詳. 醍醐天皇中宮穏子の女房. 勅撰入集は拾遺集の1首のみ.　22／*22*

国章 くにあきら(くにのり)　藤原. 延喜19年(919)生, 寛和元年(985)6月23日没, 67歳. 参議元名男. 子に, 藤原兼家との間に綏子を生んだ女性がいる. 従三位皇后宮権大夫. 勅撰入集は拾遺集のみ.　544, 558, 1068, 1285／*499, 557, 1167*

国章孫 くにあきら(くにのり)のまご　未詳. 兵衛佐になる.　*544, 1167*

国章女 くにあきら(くにのり)のむすめ　藤原. 国章には参議源惟正妻となった女と, 藤原兼家妻となった女がいるが, いずれかは特定できない.　*544*

国章妻 くにあきら(くにのり)のめ　未詳. 藤原国章妻には景舒や景斉を生んだ伊予守能守女が知られるが確定できない.　*1285*

国官 くにのつかさ　→忠房 ただふさ

邦正 くにまさ　源. 号青侍従・青常. 生没年未詳. 醍醐天皇皇子重明親王男, 母は藤原忠平女. 侍従. 顔色が青いので「青常」と呼ばれたという逸話が『今昔物語集』『宇治拾遺物語』に見える. 勅撰入集は拾遺集の1首のみ.　634

国用 くにもち　藤原. 生没年未詳. 右馬頭季方男. 陸奥守. 『仲文集』に見える本院侍従らとの贈答は, 『国用集』の混入とされる. 勅撰入集は拾遺集の1首のみ.　1226／*1226*

国用女 くにもちのむすめ　藤原. 生没年未詳. 陸奥守国用女. 勅撰入集は拾遺集の1首のみ.　915／*915*

黒主 くろぬし　大友(大伴). 号志賀黒主. 生没年未詳. 猿丸大夫の子とも, 大友皇子の末裔都堵牟麿男ともされる. 六歌仙. 古今集初出.　404, 405

計子 けいし　源. 号広幡御息所. 生没年未詳. 宇多天皇孫広幡中納言庶明女. 村上天皇の更衣となり, 理子内親王・盛子内親王を生む. 勅

撰入集は拾遺集の2首のみ．　810, 1182／*810, 830, 1182*

恵子女王 けいしじょおう　延長3年(925)生，正暦3年(992)9月27日没，68歳．醍醐天皇第3皇子代明親王女．藤原伊尹の妻．義孝・冷泉天皇女御懐子を生む．伊尹死後出家．勅撰入集は拾遺集のほか新古今集に2首．　1298／*1080, 1298*

健守 けんしゅ　生没年家系未詳．一条朝頃の法師．勅撰入集は拾遺集の3首のみ．　197, 529, 1078／*528*

謙徳公 けんとくこう　→伊尹 これまさ(これただ)

謙徳公北方 けんとくこうのきたのかた　→恵子女王 けいしじょおう

小一条左大臣 こいちじょうのさだいじん　→師尹 もろただ(もろまさ)

小一条太政大臣 こいちじょうのだいじょうだいじん　→忠平 ただひら

光孝天皇 こうこうてんのう　諱は時康，号小松帝・仁和帝．天長7年(830)生，仁和3年(887)8月26日没，58歳．仁明天皇第3皇子，母は女御藤原総継女沢子．元慶8年(884)即位，第58代天皇．藤原基経を関白として政治の全権を委ね，子供たち29人すべてに源姓を賜ったが，死に臨んで宇多天皇を皇太子とした．家集『仁和御集』．古今集初出．　*1091, 1247*

康子内親王 こうしないしんのう　号北宮．延喜20年(920)生，天暦11年(957)6月6日没，38歳．醍醐天皇第14皇女，母は中宮藤原基経女穏子．准三宮．藤原師輔の妻となり，公季・大僧正深覚を生む．　*63, 106, 1003*

行成 こうぜい(ゆきなり)　藤原．号侍従大納言．天禄3年(972)生，万寿4年(1027)12月4日没，56歳．義孝1男，母は源保光女．父の早逝のため祖父伊尹の養子となる．権大納言．三蹟の1人で，世尊寺流の祖．日記『権記』がある．後拾遺集初出．　*1335*

恒徳公 こうとくこう　→為光 ためみつ

光明皇后 こうみょうこうごう　名は安宿媛・光明子．号藤皇后・藤三娘．大宝元年(701)生，天平宝字4年(760)6月7日没，60歳．藤原不比等3女，母は県犬養三千代．聖武天皇の母藤原宮子の異母妹．16歳で首皇子(聖武天皇)の妃となり，孝謙天皇(重祚して称徳天皇)・基王を生

む．天平元年(729)臣下として異例の立后，皇后宮職を置いた．仏教の興隆に力を注ぎ，施薬院・悲田院を設け，庶民の救済にあたった．万葉第3・4期の歌人で短歌3首が残る．勅撰入集は拾遺集1首のみ．　1345／***1345***

故后宮（こきさいのみや）　→穏子（おんし）

国司（こくし）　→忠房（ただふさ）

五条尚侍（ごじょうのないしのかみ）　→満子（まんし）

小馬命婦（こまのみょうぶ）　生没年家系未詳．藤原棟世女とは別人とされる．円融天皇皇后藤原媓子に仕えた．天元2年(979)媓子没後出家．家集に『小馬命婦集』．拾遺集初出．　918／***918***

惟成（これしげ）　藤原．号五位の摂政．法名悟妙(寂空とも)．天暦7年(953)生，永祚元年(989)11月没，37歳．右少弁雅材男，母は藤原中正女．文章生出身．花山天皇即位で三事兼帯に抜擢され，伊尹男義懐らと天皇中心とする政治改革を推進したが，天皇の出家を追って剃髪した．家集に『惟成弁集』．拾遺集初出．　878

惟正（これただ）　源．延長7年(929)生，天元3年(980)4月29日没，52歳．文徳天皇4代の孫相職男，母は源当平女．信濃守守義女・伊賀守藤原守文女・藤原国章女などとの間に子をもうける．従三位修理大夫兼大和権守．　***1190***

伊周（これちか）　藤原．幼名小千代，号儀同三司．天延2年(974)生，寛弘7年(1010)1月28日没，37歳．道隆2男，母は高階成忠女貴子．中関白家の最盛期にあって，18歳で参議，19歳で正三位権大納言，21歳で内大臣となる．父の死後，自分の愛人の所へ通っているとの誤解から花山院に矢を射かけさせた不敬事件により，長徳2年(996)大宰権帥に左遷され，翌年許されたが権勢を復することはできなかった．漢詩文が『本朝麗藻』『本朝文粋』『和漢朗詠集』『新撰朗詠集』『和漢兼作集』に見える．家集『儀同三司集』があったらしい．　***350***

これとも（これとも）　未詳．陸奥守．　***331***

惟仲（これなか）　平．天慶7年(944)生，寛弘2年(1005)5月24日没，62歳．

美作介弥材男，母は備中国青河郡司女．文章生出身．従二位大宰権帥に至るが，宇佐宮神人らに苛酷を訴えられ解任された． ***1206***

是則 これのり 坂上．生没年未詳．坂上田村麻呂の5代の後胤．左少将好蔭男．子に望城．加賀介．三十六歌仙．蹴鞠にも巧みであったという．家集に『是則集』．古今集初出． 73, 103, 711

伊衡 これひら 藤原．貞観18年(876)生，天慶元年(938)12月17日没，63歳．右兵衛督敏行男，母は多治弟梶女．左兵衛督．一時元良親王家別当でもあった．『夫木和歌抄』に家集があるとされる．後撰集初出． 293, 513, 516, 518, 520, 522, 1011

伊尹 これまさ(これただ) 藤原．諡は謙徳公．号一条摂政．延長2年(924)生，天禄3年(972)11月1日没，49歳．師輔1男，母は藤原経邦女盛子．弟妹に兼通・兼家・高光・村上天皇皇后安子・冷泉天皇女御怤子，子に挙賢・義孝・義懐・冷泉天皇女御懐子がいる．撰和歌所別当．摂政太政大臣．家集の『一条摂政御集』冒頭部は，自身を大蔵史生倉橋豊蔭という卑官の人物に仮託し，北の方の恵子女王や本院侍従・小弐命婦・小野好古女たちとの贈答を歌物語的に仕立てている．後撰集初出． 657, 758, 950, 1009, 1197, 1279／***282, 552, 852, 1080, 1262, 1263, 1282, 1298***

伊尹子[1] これまさ(これただ)のこ →挙賢 たかかた

伊尹子[2] これまさ(これただ)のこ →義孝 よしたか

さ

斎院[1] さいいん 未詳． ***163, 261***

斎院[2] さいいん →婉子内親王 えんしないしんのう

斎院[3] さいいん →恭子内親王 きょうしないしんのう

斎院[4] さいいん →選子内親王 せんしないしんのう

斎院[5] さいいん →宣子内親王 せんしないしんのう

斎院[6] さいいん →尊子内親王 そんしないしんのう

斎宮[1] さいぐう →楽子内親王 がくしないしんのう

斎宮[2] さいぐう →規子内親王 きしないしんのう

斎宮内侍 さいぐうのないし　生没年家系未詳．醍醐天皇皇女雅子内親王の女房．勅撰入集は拾遺集の2首のみ．　47, 275

斎宮女御 さいぐうのにょうご　→徽子女王 きしじょおう

坂上郎女 さかのうえのいらつめ　大伴．大伴郎女とも．生没年未詳．生年を文武天皇3年(699)，大宝元年(701)，没年を天応元年(781)などとする説がある．安麻呂女，母は石川内命婦，同母弟に稲公，異母兄に旅人・田主・宿奈麻呂がいる．最初穂積皇子に嫁ぎ，皇子の死後，一時藤原麻呂に愛されたが，宿奈麻呂と結婚し，坂上大嬢・坂上二嬢を生む．その後，筑紫に下って旅人や家持の世話をしたらしい．後に家持と大嬢とを結婚させる．万葉集中には長歌6首，短歌77首，旋頭歌1首が見える．拾遺集初出．　120, 966, 967, 968, 969, 1245／*1077*

左近 さこん　号東宮女蔵人左近・春宮左近・小大君(こおおぎみ・こだいのきみ)とも．生没年未詳．円融天皇皇后媓子に仕え，寛和2年(986)頃三条院の東宮時代に女蔵人として仕えた．三十六歌仙．家集に『小大君集』．拾遺集初出．　797, 1147, 1201

左大臣 [1] さだいじん　→実頼 さねより

左大臣 [2] さだいじん　→高明 たかあきら

左大臣 [3] さだいじん　→道長 みちなが

左大臣女御父 さだいじんのにょうごのちち　→実頼 さねより

左大臣北方 さだいじんのきたのかた　→倫子 りんし

左大臣女御 さだいじんのにょうご　→述子 じゅっし

左大臣女中宮 さだいじんのむすめのちゅうぐう　→彰子 しょうし

定方 さだかた　藤原．号三条右大臣．貞観15年(873)生，承平2年(932)8月4日没，60歳．高藤2男，母は宮内大輔宮道弥益女．兄弟に定文・定国・宇多天皇女御胤子・尚侍満子などがいる．藤原山蔭女・是貞親王女らと結婚．子に朝忠・朝成・朝頼・醍醐天皇女御仁善子・代明親王妻・藤原兼輔妻などがいる．右大臣．家集に『三条右大臣集』．古今集初出．　*1272*

定国 さだくに　藤原．号泉大将．貞観8年(866)生，延喜6年(906)7月2

日没，41 歳．高藤 3 男，母は宮内大輔宮道弥益女．兄弟に定文・定方・宇多天皇女御胤子・尚侍満子がいる．大納言．　***136, 186, 253, 1112***

貞辰親王 さだときしんのう　生年未詳，延長 7 年(929)4 月 21 日没．清和天皇第 7 皇子，母は女御藤原基経女佳珠子．四品．　***1012***

定文 さだふん(さだぶみ)　平．号平中(平仲とも)．生年未詳，延長元年(923)9 月 27 日没．好風男．父とともに臣籍降下．多数の女性との交渉が，色好みの平中像となり，多彩な平中説話を生んだ．延喜 5 年(905)に「平定文家歌合」を主催．平中を主人公とした歌物語の『平中物語』が編まれた．中古三十六歌仙．古今集初出．　481, 1091, 1185, 1211, 1308／***1, 8, 43, 116, 229, 846***

定文妹 さだふん(さだぶみ)のいもうと　宇多天皇女御．但し，該当する人物は未詳．　***481***

貞盛 さだもり　未詳．平貞盛か．平貞盛は生没年未詳．桓武天皇末裔常陸大掾国香男．鎮守府将軍陸奥守．藤原秀郷と協力して平将門を討つ．***1226***

信明 さねあきら　源．延喜 10 年(910)生，天禄元年(970)没，61 歳．光孝源氏公忠男．陸奥守．中務との贈答が，『中務集』や家集『信明集』に見える．三十六歌仙．後撰集初出．　787／***898***

実方 さねかた　藤原．生年未詳，長徳 4 年(998)11 月 13 日没，40 歳ほどか．師尹孫の貞時(定時)男，母は源雅信女．叔父済時の養子となる．陸奥守となり，任地で没した．舞の名手でもあった．その言動など，常識外れの面が多く，行成の冠を投げたのを見ていた一条天皇に「歌枕見て参れ」と左遷された話をはじめとして，多くの逸話を残す．家集に『実方集』．中古三十六歌仙．拾遺集初出．　124, 670, 764, 850, 871, 1073, 1340／***340, 1208***

実資 さねすけ　藤原．号後小野宮・賢人右府．天徳元年(957)生，寛徳 3 年(1046)1 月 18 日没，90 歳．斉敏男．母は藤原尹文女．祖父実頼の養子となる．従一位右大臣．当代随一の有職家で，その日記『小右記』は，50 年以上にわたり，有職書としても重視された．永延 2 年(988)，2 度の「蔵人頭実資歌合」を主催した．家集があったら

しいが，断簡のみ現存．拾遺集初出．　1179／***269, 553, 1026***

誠信 さねのぶ　藤原．康保元年(964)生，長保3年(1001)9月3日没，38歳．為光1男，母は藤原敦敏女．弟に斉信・道信・公信がいる．左衛門督．弟斉信に位を超えられたのを怨んで死んだという．また，官位が停ったのは酒の上での失態のためともされる．　***271***

実頼 さねより　藤原．号小野宮，謚は清慎公．昌泰3年(900)生，天禄元年(970)5月18日没，71歳．忠平1男，母は宇多天皇皇女源順子．子に頼忠・斉敏・村上天皇女御述子がいるが，孫実資を養子とした．摂政太政大臣．謹厳な人柄であったが，人望は弟の師輔の方が勝り，子孫も師輔流の方が栄えた．有職家としても知られ，『小野宮故実旧例』『水心記』などの著述を残す．「小野宮」は惟喬親王邸を入手して住んだことによる．家集に『清慎公集』．後撰集初出．　86, 158, 294, 497, 553, 636, 673, 1220, 1274／***115, 277, 280, 290, 297, 433, 472, 986, 991, 1048, 1050, 1108***

実頼女 さねよりのむすめ　→述子 じゅっし

三条天皇 さんじょうてんのう　諱は居貞，法名金剛浄．天延4年(976)1月3日生，寛仁元年(1017)5月9日没，42歳．冷泉天皇第2皇子，母は女御藤原兼家女超子．兄に花山天皇，弟に為尊親王・敦道親王，子に小一条院・敦平親王がいる．寛弘8年(1011)受禅，第67代天皇．眼病重く，長和5年(1016)後一条天皇に譲位，翌年4月29日出家．後拾遺集初出．　***124, 1154, 1163***

三条右大臣 さんじょうのうだいじん　→定方 さだかた

三条后宮 さんじょうのきさいのみや　→昌子内親王 しょうしないしんのう

三条太皇太后宮 1 さんじょうのたいこうたいごうぐう　→遵子 じゅんし

三条太皇太后宮 2 さんじょうのたいこうたいごうぐう　→昌子内親王 しょうしないしんのう

三条太政大臣 さんじょうのだいじょうだいじん　→頼忠 よりただ

三条尚侍 さんじょうのないしのかみ　三条右大臣藤原定方女といわれるが未詳．藤原満子か．　***1229***

重明親王 しげあきらしんのう　初名将保．延喜6年(906)生，天暦8年(954)9月14日没，49歳．醍醐天皇第4皇子，母は更衣源昇女貞子．子に斎

宮女御徽子女王がいる．三品式部卿宮．学芸に秀で多くの逸話を残す．日記『吏部王記』がある． *1177*

重家 しげいえ　藤原．号光少将．貞元2年(977)生，没年未詳．顕光男，母は村上天皇皇女盛子内親王．左近衛少将．長保3年(1001)源成信とともに若くして出家．その経緯は『権記』に詳しい． *1335*

滋野内侍 しげののないし　→小(少)弐命婦 しょうにのみょうぶ

重光 しげみつ　源．延長元年(923)生，長徳4年(998)7月10日没．76歳．醍醐天皇皇子代明親王男，母は藤原定方女．権大納言．妹の恵子女王は藤原伊尹室． 1282

滋幹 しげもと　藤原．生年未詳，承平元年(931)没．大納言国経男，母は在原棟梁女．右近衛少将．『大和物語』に逸話が見える．勅撰入集は後撰集に2首のみ． *562*

重之 しげゆき　源．生没年未詳．長保(999–1004)頃，60余歳で没したか．清和源氏兼信男．伯父の参議兼忠の養子となる．後半生は官位に恵まれず，晩年は藤原実方の陸奥下向に随行し，同地で没した．三十六歌仙．創始期の百首歌の制作や，各地の名所などの詠を持つ家集『重之集』がある．拾遺集初出． 4, 81, 83, 223, 262, 349, 385, 412, 591, 705, 938, 1072, 1097／*214*

重之妹 しげゆきのいもうと　源．生没年未詳．清和源氏兼信女．『大和物語』によると恒忠の妻であったという． *559*

重之子 しげゆきのこ　源．生没年未詳．重之の子には有数・為清・むねちからがいて，家集『重之子集』があるが，いずれかは未詳． *545*

重之母 しげゆきのはは　生没年未詳．侍従兼信の妻．重之・女子を生む．勅撰入集は拾遺集の1首のみ． 545／*545*

資子内親王 ししないしんのう　天暦9年(955)生，長和4年(1015)4月26日没，61歳．村上天皇第9皇女，母は皇后藤原師輔女安子．同母兄弟に冷泉天皇・為平親王・円融天皇，同母妹に選子内親王がいる．寛和2年(986)出家．准后． *1088, 1255*

順 したごう　源．字は具瓚．異伝に真瑛・真峡．延喜11年(911)生，永観元年(983)没，73歳．嵯峨源氏左馬助挙男．43歳で文章生となるま

で学生のままであった．能登守．その和歌や漢詩文には，官位の不遇を嘆くものが多い．その博学は早くから知られ，24,5歳の頃，醍醐天皇皇女勤子内親王に『倭名類聚抄』を撰進し，梨壺五人の1人となった．馬の毛を物名とした「源順馬名歌合」を主催した．漢詩文は『本朝文粋』『扶桑集』などに見える．家集『順集』は，「あめつちの歌」の一字ずつを歌頭・歌末に据えた連作歌や双六盤歌・碁盤歌など，言語遊戯的色彩が強い歌が多い．三十六歌仙．拾遺集初出．　6, 68, 80, 85, 126, 171, 198, 271, 318, 444, 571, 735, 736, 757, 794, 877, 1014, 1025, 1029, 1058, 1082, 1090, 1107, 1136, 1139, 1249, 1326

順子（したごうのこ）　源．未詳．　***1303***

実因（じつ いん）　橘．号具足坊僧都・小松僧都．天慶9年(946)生，長保2年(1000)8月12日没，55歳．相模守敏貞男．大僧都・極楽寺座主．『法華験記』『今昔物語集』『古事談』などにその逸話が見える．勅撰入集は拾遺集の1首のみ．　593

寂昭（じゃくしょう）　大江．寂照とも．俗名定基．号三河聖．生年未詳，長元7年(1034)没．参議斉光男．兄弟に為基，従兄に匡衡などがいる．文章生出身．三河守在任中，永延2年(988)妻の死によって出家．長保5年(1003)渡宋し杭州で没した．その生涯は，『続本朝往生伝』『今昔物語集』をはじめとして多くの書に見える．『本朝文粋』などに詩文が見える．勅撰入集は後拾遺集・詞花集・新古今集に各1首．***1093***

周子（しゅうし）　源．号近江御息所・近江更衣．生年未詳，承平5年(935)冬没．嵯峨天皇の孫唱女．醍醐天皇の更衣で，時明親王・盛明親王・勤子内親王・郁子内親王・雅子内親王・源高明・源兼子を生む．「近江御息所歌合」を主催．勅撰入集は後撰集・新古今集・玉葉集に醍醐天皇との贈答歌が各1首．　***(61)***

脩子（しゅうし）　藤原．号中将更衣・中将御息所．生没年未詳．定方男朝成女．村上天皇更衣，御匣殿別当．　***42, 838***

寿玄（じゅげん）　生没年家系未詳．勅撰入集は拾遺集の1首のみ．　532

述子 じゅっし　藤原．号四条御息所．承平3年(933)生，天暦元年(947)10月5日没，15歳．実頼女，母は藤原時平女．天慶8年(945)東宮であった村上天皇の後宮に入り，翌年女御となる．　***991, 1274***

遵子 じゅんし　藤原．号三条太皇太后・四条宮．天徳元年(957)生，寛仁元年(1017)没，61歳．頼忠女，母は代明親王女厳子女王．円融天皇に入内し，子はなかったが，中宮になった．円融天皇の死後，出家．勅撰入集は拾遺集の1首のみ．　(326)

勝観 しょうかん　源．生没年未詳．光孝天皇の孫公忠男．兄の信明・観教，弟の寛祐などの拾遺集作者がいる．法師．勅撰入集は拾遺集の1首のみ．　770

承香殿中納言 じょうきょうでんのちゅうなごん　生没年家系未詳．光孝天皇皇女で醍醐天皇女御の源和子に仕えた女房．勅撰入集は後撰集・拾遺集に各1首．977／***977***

承香殿のとし子 じょうきょうでんのとしこ　→とし子 としこ

承香殿女御 [1] じょうきょうでんのにょうご　→徽子女王 きしじょおう

承香殿女御 [2] じょうきょうでんのにょうご　→和子 わし

承香殿女御方女 じょうきょうでんのにょうごがたのおんな　→承香殿中納言 じょうきょうでんのちゅうなごん

性空 しょうくう　橘．号播磨聖・書写上人．延喜17年(917)生，寛弘4年(1007)3月10日没，91歳．美濃守善根男．36歳で出家，39歳で播磨国に書写山円教寺を開く．寛和2年(986)花山院の御幸があり，翌年花山院の御願寺とされた．源信と親交があり，慶滋保胤・藤原道長・藤原実資・和泉式部など，多方面にわたる帰依者をもった．その伝は『本朝法華験記』『今昔物語集』などに見える．勅撰入集は新古今集・続後撰集に各1首．　***1342***

彰子 しょうし　藤原．号上東門院．法名清浄覚．永延2年(988)生，承保元年(1074)10月3日没，87歳．道長1女，母は源雅信女倫子．長保元年(999)一条天皇に入内，翌年立后，寛弘5年(1008)後一条天皇を，翌年後朱雀天皇を生み，長和元年(1012)皇太后．寛仁2年(1018)皇太皇后，万寿3年(1026)に出家．道長の栄華に大きく貢献した．　***1069, (1105)***

昌子内親王 しょうしないしんのう　号三条太皇太后・観音院太后．天暦4年(950)生，長保元年(999)12月1日没，50歳．朱雀天皇のただ1人の子．母は保明親王女熙子女王．冷泉天皇が東宮のときに入内し，皇后となる．太皇太后宮．子はなかった．絶世の美貌であったという．勅撰入集は拾遺集の1首のみ．　(326), 1255／***184, 1255, 1323***

少将 しょうしょう　→義孝 よしたか

少将更衣 しょうしょうのこうい　生没年家系未詳．円融院と贈答．勅撰入集は拾遺集の1首のみ．　972／***971***

浄蔵 じょうぞう　三善．寛平3年(891)生，康保元年(964)11月21日没，74歳．参議清行男，母は嵯峨天皇孫．勅撰入集は拾遺集・詞花集に各1首．　1041

聖徳太子 しょうとくたいし　号厩戸皇子・豊聡耳太子・上宮皇子．敏達天皇3年(574)生，推古天皇30年(622)2月22日没，49歳．用明天皇皇子，母は穴穂部間人皇后．妃は蘇我馬子女の刀自子郎女．推古天皇元年(593)叔母推古天皇の皇太子となり，摂政を務め，冠位十二階や十七条憲法を定めた．遣隋使を送り，先進中国の文化・文物を積極的に取り入れようとし，中でも仏教受容に力を注ぎ，『三経義疏』を著した．その伝記に『聖徳太子伝暦』などがある．勅撰入集は拾遺集・風雅集に各1首．今日では，存在自体を否定する説がある．

1350／***1350***

少納言 しょうなごん　生没年家系未詳．村上天皇の乳母．勅撰入集は拾遺集の1首のみ．　322

小(少)弐命婦 しょうにのみょうぶ　号滋野内侍・小弐・小弐乳母．生没年家系未詳．朱雀天皇・村上天皇・皇后安子などの乳母であったか．天暦10年(956)「坊城右大臣師輔前栽歌合」「天徳四年内裏歌合」『大和物語』『朝忠集』『大斎院前御集』などにその名が見えるが，すべてが同一人物であるかどうかは疑問とされる．勅撰入集は拾遺集のほか後撰集に1首．　66, 852, 1183／***305, (758)***

如覚 じょかく　→高光 たかみつ

菅原大臣 すがわらのおとど　→道真 みちざね

輔昭 すけあきら　菅原．生没年未詳．文時男．文章生出身．大内記．天元5年(982)出家．勅撰入集は拾遺集のほかに新古今集に1首．　689, 1059, 1060

相方 すけかた　源．生没年未詳．重信男，母は藤原朝忠女．弟に致方がいる．権左中弁．勅撰入集は拾遺集・後拾遺集・金葉集三奏本に各1首．　1328

すけきよ すけきよ　→佐清 すけきよ

佐清 すけきよ　生没年家系未詳．左近番長．勅撰入集は拾遺集に1首のみ．　1325

祐挙 すけたか　平．生没年未詳．越前守保衡男．駿河守．藤原道長家司．勅撰入集は拾遺集のほか金葉集三奏本・詞花集に各1首．　7, 595

佐忠 すけただ　藤原．生没年未詳．出羽守連守男．勘解由長官．藤原興方男で藤原懐忠の養子の輔尹は別人．勅撰入集は拾遺集の1首のみ．　248

佐忠 すけただ　三善．生没年家系未詳．式部少輔．　*272*

輔親 すけちか　大中臣．天暦8年(954)生，長暦2年(1038)6月22日没，85歳．能宣男，母は越後守藤原清兼女．女に伊勢大輔．文章生出身．長保3年(1001)より父祖代々の伊勢神宮祭主を38年間務める．神祇伯．大中臣家重代歌人の1人．家集に『輔親集』．拾遺集初出．　1076

輔時 すけとき　紀．生没年未詳．梨壺五人の時文男．六位．勅撰入集は拾遺集の1首のみ．　388

すけみ すけみ　橘．すけずみとも．未詳．貫之集では多治助縄(たじのすけなわ)．　*296*

輔相 すけみ　藤原．号藤六．生没年未詳．天暦10年(956)以前の没か．長良の子越前権守弘経男．無官．六位であったか．物名歌に長じ，拾遺集の物名歌の半分は輔相の作で，家集も物名歌のみである．また，『人麻呂集』巻末の国名物名歌群は輔相の作であるという．勅撰入集は拾遺集のほかに新拾遺集に1首．　356, 357, 373, 374, 375, 376, 377, 378, 384, 390, 392, 394, 395, 396, 397, 398, 399, 401, 402, 403,

406, 408, 409, 410, 411, 416, 417, 418, 419, 421, 422, 423, 424, 425, 426, 427, 431

相如（すけゆき）　高岳．生没年未詳．文章生出身．飛騨守．藤原公任の師．勅撰入集は拾遺集の1首のみ．　400／***1146***

朱雀天皇（すざくてんのう）　諱は寛明，法名仏陀寿．延長元年(923)7月24日生，天暦6年(952)8月15日没，30歳．醍醐天皇第11皇子，母は中宮藤原基経女穏子．村上天皇の同母兄．子は冷泉天皇の皇后昌子内親王のみ．第61代天皇．延長8年，8歳で即位，天慶9年(946)退位．在位中，平将門の乱・藤原純友の乱が起こった．家集に『朱雀院御集』．後撰集初出．　1323／***1288, 1323***

住吉明神（すみよしみょうじん）　墨江三前大神・住吉大神・住吉三神とも．住吉大社で祀られる上筒之男命・中筒之男命・底筒之男命の総称．後に息長帯比売命(神功皇后)も加えられる．航海安全・軍・和歌の神として信仰を集めた．人麻呂明神・玉津島明神とともに和歌三神の一．拾遺集以後，新古今集・玉葉集・新続古今集に入集．　***587***

修理（すり）　藤原．生没年未詳．内匠允真行女．勅撰入集は拾遺集・新勅撰集に各1首．　1134

盛子内親王（せいしないしんのう）　生年未詳，長徳4年(998)7月20日没．村上天皇第5皇女，母は更衣源庶明女計子．藤原顕光との間に重家・一条天皇女御元子・小一条院女御延子を生む．　***1284***

清慎公（せいしんこう）　→実頼（さねより）

正妃（せいひ）　藤原．号按察御息所．生年未詳，康保4年(967)没．在衡女．村上天皇の更衣．致平親王・昭平親王・保子内親王を生む．勅撰入集は拾遺集・新勅撰集に各1首．　1259／***1028, 1259***

清和女七内親王（せいわのおんなしちのみこ）　清和七親王御息所の誤り．　→佳珠子（かずこ）

清和七親王（せいわのしちのみこ）　→貞辰親王（さだときしんのう）

仙慶（せんけい）　生没年家系未詳．法師．勅撰入集は拾遺集の2首のみ．　391, 1343

前斎院（ぜんさいいん）　→桃園斎院（ももぞののさいいん）

前斎宮（ぜんさいぐう）　→徽子女王（きしじょおう）

詮子 せんし　藤原．号東三条院．応和2年(962)生，長保3年(1001)閏12月22日没，40歳．兼家2女，母は摂津守藤原中正女時姫．同母兄弟に道隆・道兼・道長・冷泉院女御超子がおり，異母兄弟に道綱・三条天皇妃綏子がいる．貞元3年(978)円融天皇に入内，同年女御，一条天皇を生む．寛和2年(986)皇太后，正暦2年(991)出家して院号を賜る．　***1022, 1174, 1337***

宣子内親王 せんしないしんのう　延喜2年(902)生，延喜20年閏6月9日没，19歳．醍醐天皇第2皇女，母は更衣源旧鑒女封子．延喜15年斎院に卜定，延喜20年病により退下．　*(17)*, ***246, 448***, *(1007)*, *(1132)*, ***1169***

選子内親王 せんしないしんのう　号大斎院．応和4年(964)4月24日生，長元8年(1035)6月22日没，72歳．村上天皇第10皇女，母は皇后藤原師輔女安子．円融天皇の時，賀茂斎院に卜定され，老病で退下するまで，花山・一条・三条・後一条の各天皇，5代57年間の斎院を務めた．女房たちも才気あふれ，斎院御所は文化サロン的な場となった．仏事を忌む斎院でありながら仏教に傾倒し，和歌によって仏に結縁しようとして，家集『発心和歌集』を著した．ほかに『大斎院前御集』『大斎院御集』．拾遺集初出．　1337／***1143***

善祐 ぜんゆう　生没年未詳．二条后高子が建立させた東光寺の座主．寛平8年(896)，皇太后であった高子との密通の噂により，高子は廃后，善祐は伊豆へ流された．後撰集には善祐配流に同情した伊勢の歌が見える．　***925***

善祐法師母 ぜんゆうほうしのはは　生没年未詳．東光寺座主善祐の母．　925／***925***

宣耀殿女御 せんようでんのにょうご　→芳子 ほうし

贈皇后宮 ぞうこうごうのみや　→懐子 かいし

桑子 そうし　藤原．号堤中納言御息所．生年未詳，延喜21年(921)没．兼輔女．醍醐天皇更衣．章明親王を生む．兼輔の「人の親の心は闇にあらねども子を思ふ道にまどひぬるかな」という歌は，入内した桑子を思って詠んだものという．勅撰入集は拾遺集の1首のみ．　637／***636***

荘子女王 そうしじょおう　庄子とも．号麗景殿女御．生年未詳，寛弘5年(1008)7月16日没．醍醐天皇皇子代明親王女，母は藤原定方女．村上天皇女御となり具平親王・楽子内親王を生む．天暦4年(950)女御，康保4年(967)出家．天暦10年，同11年の歌合を主催し，他に中将更衣と共催の歌合も行なった．　***42, 542***

贈太政大臣 ぞうだいじょうだいじん　→道真 みちざね

素性 そせい　良岑．本名玄利というが未詳．生没年未詳．遍昭男．三十六歌仙．家集に『素性集』．古今集初出．　5, 438

帥親王 そちのみこ　未詳．冷泉天皇皇子敦道親王か．　***1031***

尊子内親王 そんしないしんのう　康保3年(966)生，寛和元年(985)5月2日没，20歳．冷泉天皇第2皇女，母は女御伊尹女懐子．同母兄弟に花山天皇・為尊親王・敦道親王がいる．康保5年(968)斎院に卜定．天延3年(975)母の喪により退下．天元3年(980)円融天皇に入内．永観2年(984)出家．　***(1025)***

た

太皇太后宮[1] たいこうたいごうぐう　→遵子 じゅんし

太皇太后宮[2] たいこうたいごうぐう　→昌子内親王 しょうしないしんのう

醍醐天皇 だいごてんのう　諱は維城，改名し敦仁．号延喜帝．法名金剛法．元慶9年(885)1月18日生，延長8年(930)9月29日没，46歳．宇多天皇第1皇子，母は女御藤原高藤女胤子．後宮には，藤原基経女中宮穏子をはじめ多数の女御・更衣がおり，また，保明親王・代明親王・重明親王・朱雀天皇・村上天皇・兼明親王・源高明など多数の皇子皇女たちがいる．第60代天皇．13歳で即位してから34年間在位．この時の政治は「延喜の治」と呼ばれ，聖代として後代の範とされた．「醍醐御時菊合」をはじめ，数度の歌合を主催した他，多くの歌人たちに屏風歌などを献上させ，また，古今集を撰進させた．散逸した日記『延喜御記』がある．家集に『延喜御集』．後撰集初出．　111, 1260／***22, 136***

高明 たかあきら　源．号西宮左大臣．延喜14年(914)生，天元5年(982)12

月16日没，69歳．醍醐天皇皇子，母は更衣源唱女周子．妻に安子の妹である藤原師輔女愛宮，少納言源泉女がいる．子に忠賢・惟賢・俊賢・経房・藤原道長妻明子・源重信妻・為平親王妻がいる．延喜20年臣籍に降下，左大臣に至るが，安和2年(969)安和の変で大宰権帥に左遷，天禄3年(972)の召還後は政界に復帰しなかった．有職書『西宮記』，他撰の家集『西宮左大臣集』がある．後拾遺集初出．　***126, 198, (498)***

挙賢 たかかた　藤原．天暦7年(953)生，天延2年(974)9月16日没，22歳．伊尹3男，母は代明親王女恵子女王．疱瘡により弟の義孝と同日に死去．左近衛少将．　***1298***

高遠 たかとお　藤原．号大弐高遠．天暦3年(949)生，長和2年(1013)5月没，65歳．斉敏男，母は播磨守藤原尹文女．祖父実頼，同腹の弟に実資，従兄弟に佐理・公任などがいる．正三位大宰大弐．中古三十六歌仙．一条天皇の笛の師であった．家集に『大弐高遠集』．拾遺集初出．　169／***588***

高光 たかみつ　藤原．幼名まちをさ君．号多武峯少将．法名如覚．道号寂真．天慶3年(940)生，正暦5年(994)没，55歳．師輔8男，母は醍醐天皇皇女雅子内親王．妻は藤原師氏女．異母兄に伊尹・兼通・兼家，同母妹に源高明妻愛宮がいる．父師輔の死の翌応和元年(961)，横川で受戒入道し，多武峯に草庵を結んだ．出家の経緯を，残された家族の側から綴ったのが『多武峯少将物語』．三十六歌仙．家集に『高光集』．拾遺集初出．　360, 435, 1063, 1332

忠君 ただぎみ　藤原．生年未詳，安和元年(968)没．師輔男，母は武蔵守藤原経邦女．祖父忠平の養子となる．藤原伊尹女・近江守源俊女と結婚．右兵衛督．勅撰入集は拾遺集の1首のみ．　1181／***1258***

忠信 ただのぶ　桜島．生没年未詳．文章生出身．大隅守．　***564***

忠平 ただひら　藤原．号小一条太政大臣．諡は貞信公．元慶4年(880)生，天暦3年(949)8月14日没，70歳．基経4男，母は人康親王女．子に実頼・師輔がいる．関白太政大臣．朱雀天皇・村上天皇の2代，20年間にわたり摂政・関白を務めた．『延喜格』『延喜式』の編纂

に携わった.「小一条太政大臣家歌合」を主催. 著書に『貞信公教命』, 日記に『貞信公記』がある. 後撰集初出.　1128

忠房 ただふさ　藤原. 生年未詳. 延長6年(928)12月1日没. 信濃大掾是嗣男, 一説に興嗣男. 母は貞元親王女. 右京大夫. 延喜21年(921)「宇多法皇春日行幸名所和歌」などを詠進. 中古三十六歌仙. 笛の名手として知られ, 胡蝶楽・武徳楽などを作ったという. 古今集初出.　620, 707, 862, 1044, 1045, 1046／***620, 1044, 1240***

忠房女 ただふさのむすめ　藤原. 生没年未詳. 右京大夫忠房女. 勅撰入集は拾遺集の1首のみ.　741／***740***

忠見 ただみ　壬生. 幼名名多. 生没年未詳. 忠岑男. 摂津大目.「天徳四年内裏歌合」で平兼盛に負けて悶死したという話は有名. 三十六歌仙. 家集に『忠見集』. 後撰集初出.　45, 104, 113, 114, 249, 310, 453, 538, 539, 621, 734, 1040, 1121, 1124

忠岑 ただみね　壬生. 生没年未詳. 一説に康保2年(965)に98歳で没. 散位安綱男. 子に忠見. 摂津権大目. 宇多・醍醐朝の重要な歌合のほとんどに出詠. 古今集撰者.『和歌体十種(忠岑十体)』はその著とされる. 三十六歌仙. 家集に『忠岑集』. 古今集初出.　1, 23, 43, 136, 186, 212, 367, 368, 369, 370, 515, 793／***513***

忠幹 ただもと　橘. 生年未詳, 天暦9年(955)没. 長門守長盛男. 駿河介の時, 賊に殺害された. 勅撰入集は拾遺集・続古今集に各1首.　470／***470***

忠依 ただより　平. 生没年未詳. 右中弁希世男. 隼人正. 勅撰入集は拾遺集の1首のみ.　992

為光 ためあきら　藤原. 生没年未詳. 元輔集では「ためみつ」. 藤原不比等4男麿流6世の孫清光男. 為良また脩道と改名.　***1162***

為光子 ためあきらのこ　藤原. 生没年未詳.　***1162***

為憲 ためのり　源. 字は源澄. 生年未詳, 寛弘8年(1011)8月没. 光孝源氏忠幹男. 文章生出身. 伊賀守. 天禄3年(972)「女四宮歌合」の仮名日記を記す.『本朝麗藻』『類聚句題抄』『和漢朗詠集』『新撰朗詠集』などに多くの秀句が見える. 著述に『口遊』『空也誄』『法華

経賦』『三宝絵』『円融院御受戒記』『世俗諺文』がある.『為憲集』『本朝詞林』もあったという. 拾遺集初出. 464

為平親王 ためひらしんのう 天暦6年(952)生, 寛弘7年(1010)11月7日没, 59歳. 村上天皇第4皇子, 母は皇后藤原師輔女安子. 妻に源高明女. 一品式部卿宮. 父村上天皇に深く愛され, 冷泉天皇の皇太弟にと望まれたが, 高明女が妻であったため, 藤原氏の反対で弟が立坊した. *1171*

為雅 ためまさ 藤原. 生没年未詳. 長保4年(1002)2月以前没. 権中納言文範男, 母は越前守正茂女. 道綱母の姉藤原倫寧女との間に中清がいる. 備中守. *1339*

為政 ためまさ 賀茂. 善滋(慶滋)に改姓. 号善博士. 生没年未詳. 文章博士保章男. 慶滋保胤の甥. 文章博士. 小野宮実資家司. 漢詩文は『本朝続文粋』『本朝麗藻』『新撰朗詠集』などに見える. 拾遺集初出. 1105

為雅女 ためまさのむすめ 藤原. 備中守為雅女. 為雅女には藤原義懐との間に右近衛中将成房を生んだ姉と, 備前守藤原景斉との間に伊予守貞光を生んだ妹とが知られるが, いずれかは未詳. *1172*

為光 ためみつ 藤原. 諡は恒徳公. 号後一条太政大臣・法住寺大臣. 天慶5年(942)生, 正暦3年(992)6月16日没, 51歳. 藤原師輔9男, 母は醍醐天皇皇女雅子内親王. 兄に伊尹・兼通・兼家, 同母弟に高光がいる. 子は藤原敦敏女との間に誠信・斉信, 伊尹女との間に道信・公信がいる. 太政大臣.「一条中納言為光歌合」をはじめ数度の歌合を主催したとされる. 後拾遺集初出. *236, 342, 594, (1018), 1293*

為基 ためもと 大江. 生没年未詳. 参議斉光男. 兄に寂昭(定基). 図書権頭. 拾遺集初出. 434, 723, 1295, 1296／*316, 469*

為基妻 ためもとのめ 生没年家系未詳. 大江為基妻. *434, 1295*

為頼 ためより 藤原. 生年未詳, 長徳4年(998)没. 刑部大輔雅正男, 母は藤原定方女. 紫式部の伯父. 太皇太后宮大進. 家集に『為頼集』. 拾遺集初出. 178, 338, 560, 561, 1299／*332*

弾正親王 だんじょうのみこ　冷泉院皇子弾正尹為尊親王か．　*331*

千景 ちかげ　藤原．生没年未詳．越前守崇幹男．筑前守．勅撰入集は拾遺集の 1 首のみ．　44

親重 ちかしげ　藤原．生年未詳，永祚元年(989)頃没．美濃守共政男．右馬助．　*1305*

中宮 [1] ちゅうぐう　→安子 あんし

中宮 [2] ちゅうぐう　→温子 おんし

中宮 [3] ちゅうぐう　→穏子 おんし

中宮 [4] ちゅうぐう　→彰子 しょうし

中宮内侍 ちゅうぐうのないし　→馬内侍 うまのないし

仲算 ちゅうざん　中算とも．承平 5 年(935)生，貞元元年(976)没，42 歳．西大寺別当．『因明四種相違私記』『法相宗賢聖義略問答』などの著述がある．勅撰入集は拾遺集の 1 首のみ．　274

中将更衣 ちゅうじょうのこうい　→脩子 しゅうし

中将御息所 ちゅうじょうのみやすどころ　→脩子 しゅうし

忠蓮 ちゅうれん　生没年未詳．清水寺僧．後に延暦寺阿闍梨となったことが『権記』長徳 4 年(998)3 月 5 日，同 12 月 16 日の記事に見える．　*1328*

継蔭 つぐかげ　藤原．生没年未詳．参議家宗男．女に伊勢．文章生出身．大和守．　*1301*

土御門左大臣 つちみかどのさだいじん　→雅信 まさのぶ

堤中納言御息所 つつみちゅうなごんのみやすどころ　→桑子 そうし

経臣 つねおみ　藤原．昌泰 3 年(900)生，没年未詳．大学頭佐高男，母は上毛氏．文章得業生出身．肥前守．勅撰入集は拾遺集の 1 首のみ．　175

恒佐 つねすけ　藤原．号一条右大臣・土御門大臣．元慶 3 年(879)生，承平 8 年(938)5 月 5 日没，60 歳．良世男，母は山城介紀豊春女．妻は源定有女・藤原清貫女など．右大臣．　*19, 1149*

恒佐妻 つねすけのめ　藤原．生没年未詳．大納言清貫女．恒佐との間に有章・有忠・陳忠・則忠・懐忠・国忠を生む．　*618*

経房 つねふさ　源．安和2年(969)生，治安3年(1023)10月12日没，55歳．高明4男，母は藤原師輔女．正二位中納言兼大宰権帥に至るが，大宰府で没する．勅撰入集は拾遺集の1首のみ．　528

経基 つねもと　源．号六孫王．延喜17年(917)生，応和元年(961)没，45歳．清和天皇皇子貞純親王男，母は源能有女．子に満仲．大宰大弐．勅撰入集は拾遺集のみ．　686, 909

津守 つのかみ　未詳．　***538***

貫之 つらゆき　紀．童名阿古久曽．生没年未詳．貞観14年(872)生か，天慶8年(945)没か．茂行(望行とも)男．木工権頭．古今集撰者で，仮名序を執筆した．権門たちに求められた多くの賀歌・屏風歌がある．また，任国土佐からの帰途を女性に仮託して記した『土佐日記』がある．醍醐天皇の命によった『新撰和歌』の完成は天皇の死後であった．三十六歌仙．家集に『貫之集』．古今集初出．　13, 17, 19, 25, 48, 63, 64, 76, 77, 92, 98, 107, 115, 127, 130, 139, 143, 149, 150, 165, 166, 170, 180, 187, 206, 208, 209, 215, 217, 221, 224, 246, 253, 258, 291, 296, 314, 319, 327, 328, 330, 343, 371, 372, 380, 433, 439, 447, 448, 454, 455, 456, 463, 471, 492, 509, 547, 618, 623, 669, 683, 715, 716, 724, 737, 791, 811, 842, 876, 899, 953, 958, 1004, 1012, 1017, 1042, 1054, 1061, 1067, 1079, 1084, 1094, 1102, 1103, 1117, 1149, 1151, 1155, 1157, 1158, 1159, 1164, 1169, 1177, 1195, 1228, 1229, 1240, 1242, 1266, 1271, 1272, 1273, 1309, 1317, 1318, 1322／***524, 1309***

亭子院 ていじいん　→宇多天皇 うだてんのう

亭子法皇 ていじほうおう　→宇多天皇 うだてんのう

天暦 てんりゃく　→村上天皇 むらかみてんのう

天暦帝 てんりゃくのみかど　→村上天皇 むらかみてんのう

春宮(東宮)[1] とうぐう　→三条天皇 さんじょうてんのう

春宮[2] とうぐう　→保明親王 やすあきらしんのう

春宮大夫道綱母 とうぐうだいぶみちつなのはは　→道綱母 みちつなのはは

春宮左近 とうぐうのさこん　→左近 さこん

春宮(東宮)女蔵人左近 とうぐうのにょくろうどさこん　→左近 さこん

東三条院 とうさんじょういん　→詮子 せんし

東三条太政大臣 とうさんじょうのだいじょうだいじん　→兼家 かねいえ

藤氏 とうし　藤原．未詳．　*267*

遠古 とおふる　源．生没年未詳．参議惟正男，母は信濃守守義女，子に豊前守輔近女との間に匡輔，他に匡斎がいる．伊勢守．　*592*

遠古子 とおふるのこ　未詳．　*592*

とし子 としこ　生没年未詳．藤原忠房男の肥前守千兼の妻．僧念覚の妹．醍醐天皇の承香殿女御源和子のもとに出仕したらしい．『元良親王御集』や『大和物語』などに名が見える．後撰集初出．　510／*510*

敏貞 としさだ　橘．利貞とも．生没年未詳．中納言公頼男．兄に敏仲・敏通，子に実因・千観がいる．相模守．　*327*

敏貞継母内侍のすけ としさだがままはははないしのすけ　未詳．橘公頼妻．　*327*

としのぶ としのぶ　未詳．橘敏延か．　*1294*

としのぶ母 としのぶのはは　未詳．勅撰入集は拾遺集の1首のみ．　1294／*1294*

とみはた とみはた　清原．生没年未詳．元輔子の幼名．　*1178*

友則 とものり　紀．生没年未詳．没時は50歳ほどであったか．宮内少輔有朋男，従弟に紀貫之．大内記．古今集撰集中に没した．三十六歌仙．家集に『友則集』．古今集初出．　232, 238／*1317*

具平親王 ともひらしんのう　号後中書王・六条宮・千種殿．応和4年(964)6月19日生，寛弘6年(1009)7月28日没，46歳．村上天皇第7皇子．母は女御代明親王女荘子女王．子に，源師房・斎宮嫥子・藤原頼通妻隆姫がいる．二品中務卿．幼年より慶滋保胤に経学・詩文を学び，詩会も多く行なった．信仰心にあつく，書道・篳篥や箏などの管絃・陰陽・医術などの諸芸に通ずる博学多才であった．『弘決外典抄』の他に，『古今和歌六帖』『六帖抄』『詩十体』などの撰者ともいわれ，また，『真字本伊勢物語』の作者ともいう．『本朝麗藻』『本朝文粋』などに詩文が見える．拾遺集初出．　432, 1005, 1152, 1153

共政 ともまさ　藤原．承平5年(935)生か．没年未詳．魚名流の在衡男．子

に右馬助親重．美濃守．『兼澄集』にその名が見える．　***320, 487***

共政妻 ともまさのめ　藤原．号肥前．生年未詳，寛弘4年(1007)3月4日没．美濃守共政の妻．村上天皇の乳母か．『御堂関白記』に死に関する記事が見える．拾遺集初出．　487, 1305／***320, 487***

知光 ともみつ　未詳．美作守藤原為昭男の知光か．　***915***

な

内侍馬 ないしうま　→馬内侍 うまのないし

内侍督 ないしのかみ　→満子 まんし

中務 なかつかさ　生没年未詳．敦慶親王女，母は伊勢．父が中務卿であったことから「中務」と呼ばれた．藤原実頼・平かねき・元良親王・常明親王などと関係をもったが，特に源信明との深い結びつきが『信明集』に見える．三十六歌仙．家集に『中務集』．後撰集初出．　36, 37, 121, 122, 446, 500, 613, 654, 788, 898, 1088, 1141, 1312, 1313／***1054***

中務子 なかつかさのこ　生没年未詳．敦慶親王女中務の子．藤原伊尹との間に光昭を生んだ「ゐとの」か．　***36***

中務孫 なかつかさのまご　敦慶親王女中務孫．藤原伊尹と「ゐとの」の間に生まれた光昭や，大納言の君，とね君，法師などが知られるが，いずれかは未詳．　***1313***

中務親王 なかつかさのみこ　→具平親王 ともひらしんのう

中務女 なかつかさのむすめ　生没年未詳．敦慶親王女中務女．　***1312***

仲文 なかぶみ　藤原．延喜23年(923)生，正暦3年(992)2月没，70歳．家集に見える「国用」は別人．信濃守公葛男．上野介．三十六歌仙．家集『仲文集』には『国用集』が混入している．拾遺集初出．　436, 535, 551

長能 ながよし（ながとう）　藤原．天暦3年(949)頃生，長和年間(1012–17)没か．伊勢守倫寧男，母は刑部大輔源認女．異母姉に道綱母．伊賀守．花山院のもとに出入りし，源道済とともに院の拾遺集撰集に関与したとされる．また，能因の師であった．中古三十六歌仙．家集に『長

能集』．拾遺集初出．　54, 134, 161, 1021, 1049, 1052, 1267

奈良帝(ならのみかど)　奈良に都のあった時代の天皇とも第51代平城天皇ともされるが特定できない．　***219***

成忠女(なりただのむすめ)　→貴子(きし)

済時(なりとき)　藤原．号小一条大将．天慶4年(941)生，長徳元年(995)4月23日没，55歳．師尹男，母は藤原定方女．正二位大納言兼左大将．琴の名手でもあった．拾遺集初出．　441, 467／***1208, 1340***

成信(なりのぶ)　源．号照中将．天元2年(979)生，没年未詳．村上天皇第3皇子致平親王2男，母は源雅信女．藤原道長の養子．容姿端麗で，従四位上右権中将に至るが，長保3年(1001)，23歳で藤原重家とともに出家．その経緯は『権記』に詳しい．　***1335***

業平(なりひら)　在原．号在中将・在五中将・在五．天長2年(825)生，元慶4年(880)5月28日没，56歳．平城天皇皇子阿保親王男，母は桓武天皇皇女伊都(豆)内親王．兄に仲平・行平・守平・大江音人，子に棟梁・滋春・女子がいる．天長3年，父の上表により在原氏となる．右近衛権中将兼美濃守．『三代実録』元慶4年5月28日条に「体貌閑麗，放従不拘，略無才学，善作倭歌」と，古今集仮名序に「心あまりて詞足らず，しぼめる花の色なくて匂ひ残れるが如し」と評される．早くから伝説化され，『伊勢物語』は業平の一代記を装っている．六歌仙・三十六歌仙．家集『業平集』『在中将集』は4類が知られ，古今集や『伊勢物語』との関わりが問題とされる．古今集初出．　381, 728, 1234

成房(なりふさ)　藤原．改名して成信．生没年未詳．義懐3男，母は備中守藤原為雅女．妻に則忠女，女に三河守大江定経妻がいる．右近衛中将に至るが，長保4年(1002)出家，飯室入道と呼ばれた父のもとで修行した．　***1209***

西宮左大臣(にしのみやのさだいじん)　→高明(たかあきら)

二条右大臣(にじょうのうだいじん)　→道兼(みちかね)

入道式部卿親王(にゅうどうしきぶきょうのみこ)　→敦実親王(あつざねしんのう)

入道摂政(にゅうどうせっしょう)　→兼家(かねいえ)

女院（にょういん）　→詮子（せんし）

女蔵人兵庫（にょくろうどひょうご）　→兵庫（ひょうご）

女蔵人参河（にょくろうどみかわ）　→参河（みかわ）

仁和（にんな）　→光孝天皇（こうこうてんのう）

後生（のちなり）　藤原．延喜9年(909)生，天禄元年(970)7月12日没，62歳．式部大輔文貞男．文章博士．勅撰入集は拾遺集の1首のみ．　472

後生女（のちなりのむすめ）　藤原．生没年未詳．文章博士後生女か，下総守是房男加賀介後生女か．勅撰入集は拾遺集の1首のみ．　1208

惟賢（のぶかた）　藤原．生没年未詳．伊尹2男，母は恵子女王．右兵衛佐．850番歌の異本堀河本の記事より，藤原元輔の婿になったらしい．　289／*1282*

宣方（のぶかた）　源．生年未詳，長徳4年(998)8月28日没．重信男，母は源高明女．文信女との間に親方・致方・道方・相方がいる．左近衛中将．　*(1282)*

惟賢親（のぶかたのおや）　→伊尹（これまさ(これただ)）

延光（のぶみつ）　源．号枇杷大納言．延長5年(927)生，天延4年(976)6月17日没，50歳．醍醐源氏代明親王男，母は藤原定方女．妻は藤原敦忠女．権大納言．『親王儀式』を著したというが未伝．拾遺集初出．　200, 1278

則忠女（のりただのむすめ）　生没年未詳．醍醐天皇皇子盛明親王男則忠女．藤原成房妻．勅撰入集は拾遺集の1首のみ．　1209

は

八条大君（はちじょうのおおいぎみ）　未詳．勅撰入集は拾遺集の1首のみ．　562

婆羅門（ばらもん）　→菩提（ぼだい）

玄上妻（はるかみのめ）　未詳．藤原玄上妻．　*437*

光（ひかる）　源．号西三条大臣．承和13年(846)生，延喜13年(913)3月12日没，68歳．仁明天皇第3皇子．賜姓は，貞観2年(860)以前．右大臣．　*296*

肥後（ひご）　拾遺抄は備後．生没年家系未詳．村上天皇の乳母．　*321, 322*

肥前（ひぜん）　→共政妻（ともまさのめ）

人麿（ひとまろ）　柿本．生没年家系未詳．作歌年次の明らかなものは持統天皇3年(689)から文武天皇4年(700)まで．持統・文武両天皇の行幸讃歌，皇子たちへの讃歌，挽歌，殯宮挽歌，相聞歌，羇旅歌など，長歌18首，短歌67首が万葉集中に見える．また，万葉集中「柿本朝臣人麻呂歌集」とされるものは人麿自身の詠と人麿に収集されたものがあり，略体・非略体の表記により見分けられるという．三十六歌仙．和歌三神の1人とされることもある．私家集『人麿集』は4類が知られるが，人麿の詠や「柿本朝臣人麻呂歌集」からとられたものは多くない．古今集では作者異伝として左注に名が見えるが，作者名として明示されるのは拾遺集以後．　12, 18, 88, 144, 145, 148, 219, 239, 252, 353, 474, 475, 476, 477, 478, 483, 488, 489, 490, 491, 493, 496, 546, 566, 567, 569, 570, 596, 597, 619, 628, 640, 661, 668, 695, 696, 700, 702, 717, 744, 745, 746, 756, 778, 782, 783, 785, 789, 795, 796, 806, 807, 808, 809, 818, 826, 827, 835, 836, 845, 848, 849, 853, 854, 857, 858, 873, 874, 887, 895, 910, 924, 926, 935, 936, 937, 954, 955, 956, 957, 990, 1071, 1085, 1110, 1113, 1114, 1115, 1118, 1119, 1123, 1196, 1210, 1212, 1239, 1243, 1244, 1256, 1287, 1289, 1315, 1316, 1319, 1320, 1321

人麻呂妻（ひとまろのめ）　未詳．　*1287, 1319*

兵衛（ひょうえ）　藤原．生没年未詳．左兵衛督兼茂女．元良親王や平兼盛との交渉があった．勅撰入集は後撰集・拾遺集に各1首．　1235

兵庫（ひょうご）　生没年家系未詳．女蔵人．勅撰入集は拾遺集の1首のみ．　1280

弘景（ひろかげ）　源．生没年未詳．文徳天皇4代の裔相国男．因幡守．　*326*

広縄（ひろなわ）　久米．生没年未詳．万葉第4期歌人．万葉集に10首ほどの歌が残るが，すべて大伴家持と関わる宴席の場でのもの．勅撰入集は拾遺集の1首のみ．　97

広庭 ひろにわ　安倍．阿部・阿倍とも．斉明天皇5年(659)生，天平4年(732)2月22日没，74歳．御主人男．中納言．万葉第2・3期歌人で集中に短歌4首，『懐風藻』に五言詩2篇を残す．勅撰入集は拾遺集の1首のみ．　1008

寛信 ひろのぶ　源．生没年未詳．宇多天皇皇子敦実親王男，母は藤原時平女．左京大夫．勅撰入集は拾遺集の1首のみ．　1010

広幡御息所 ひろはたのみやすどころ　→計子 けいし

広平親王 ひろひらしんのう　天暦4年(950)生，天禄2年(971)没，22歳．村上天皇第1皇子，母は更衣藤原元方女元子．三品兵部卿宮．勅撰入集は拾遺集・新続古今集に各1首．　838

深養父 ふかやぶ　清原．生没年未詳．豊前介房則男．清原元輔の父もしくは祖父．従五位下．琴にも巧みであったという．晩年は，北岩倉に補陀落寺を建立し，住んだという．中古三十六歌仙．家集に『深養父集』．古今集初出．　202

ふくたり ふくたり　藤原．粟田右大臣道兼子の幼名．　***1281***

藤壺 ふじつぼ　→安子 あんし

藤壺御方 ふじつぼのおおんかた　→安子 あんし

藤壺女御 ふじつぼのにょうご　→周子 しゅうし

文時 ふみとき　菅原．号菅三品．昌泰2年(899)生，天元4年(981)9月8日没，83歳．道真の子高視男，母は菅原宗岳女．子に輔昭．文章生出身．式部大輔．漢詩文に優れ『本朝文粋』『扶桑集』『和漢朗詠集』などに見える．家集の『文芥集』は散逸．勅撰入集は拾遺集の1首のみ．　442

文幹 ふみもと　紀．生没年未詳．参議淑光男．信濃守．勅撰入集は拾遺集の1首のみ．　2

遍昭 へんじょう　良岑．遍照とも．俗名宗貞．号花山僧正．弘仁6年(815)生，寛平2年(890)1月19日没，76歳．桓武天皇皇子良岑安世男．子に素性．蔵人頭．仁明天皇に親しく仕え，天皇の崩御とともに出家し，元慶寺を建立．僧正．出家の経緯や小野小町との贈答などが『大和物語』に見える．六歌仙・三十六歌仙．家集に『遍昭集』．古

今集初出.　207, 220, 1043, 1098, 1184
法皇（ほうおう）　→宇多天皇（うだてんのう）
芳子（ほうし）　藤原．号宣耀殿女御．生年未詳，康保4年(967)7月29日没．師尹女，母は藤原定方女．天徳2年(958)村上天皇女御となり，昌平親王・永平親王を生む．天暦10年(956)「宣耀殿御息所歌合」を主催した．琴の名手で，古今集すべてを暗誦していたことが『枕草子』に語られる．勅撰入集は続千載集・玉葉集に各1首．
1241
褒子（ほうし）　藤原．号京極御息所．生没年未詳．時平女．母は源昇女．宇多天皇退位・出家後に寵愛を受け，雅明親王・載明親王を生む．従二位．延喜21年(921)に「京極御息所歌合」を催した．勅撰入集は後撰集に1首のみ．　*1044, 1062, 1067*
菩提（ぼだい）　慶雲元年(704)生，天平宝字4年(760)4月2日没，57歳．南天竺に生まれ，天平8年(736)来朝，勅により大安寺に住して僧正となる．東大寺大仏開眼導師．来朝は，日本に文殊が託生したと聞き，その化身行基に会うためであったと，『日本往生極楽記』『法華験記』などに見える．勅撰入集は拾遺集の1首のみ．　1349／
1348
本院五君（ほんいんのごのきみ）　未詳．本院と呼ばれたのは藤原時平5女か．　*720*
本院侍従（ほんいんのじじゅう）　生没年未詳．在原棟梁女とは別人．朱雀天皇の本院女御藤原実頼女慶子に仕えたので本院侍従と呼ばれた．のち村上天皇皇后安子・女御徽子女王に仕えた．家集では藤原兼通との恋の経緯が見え，他にも藤原伊尹や藤原朝忠とも関係した．家集に『本院侍従集』．後撰集初出．　1263
本院東対君（ほんいんのひんがしのたいのきみ）　未詳．本院と呼ばれた藤原時平女か．　*721*

ま

雅正（まさただ）　藤原．生没年未詳．兼輔1男．弟に清正・守正・庶正・公正．藤原定方女との間に為頼・為長・為時がいるほか，藤原朝忠男理兼との間に鎮禅を生んだ女がいた．豊前守．後撰集初出．　*332*

まさただのむすめ（まさただのむすめ） 未詳. ***633***

雅信（まさのぶ） 源. 号土御門左大臣・一条左大臣・鷹司左大臣. 延喜20年(920)生, 正暦4年(993)7月29日没, 74歳. 宇多天皇皇子敦実親王1男, 母は藤原時平女. 源公忠女・藤原元方女・藤原朝忠女穆子・藤原為光女を妻とした. 藤原道長妻倫子は穆子との子. 左大臣. 管絃・蹴鞠の名手であった. 勅撰入集は新古今集に1首のみ. ***498***

雅信女（まさのぶのむすめ） 源. 生没年未詳. 左大臣雅信女. 雅信女は, 藤原道長妻の倫子, 藤原道綱妻で兼経母, 藤原定時妻で実方母, 村上天皇皇子致平親王妻で源成信母の4人が知られるが, それらかどうか未詳. 1258／***1258***

雅致女式部（まさむねのむすめしきぶ） →和泉式部（いずみしきぶ）

満子（まんし） 藤原. 号五条尚侍. 貞観15年(873)生, 承平7年(937)10月13日没, 65歳. 高藤女, 母は宮道弥益女, 同母兄弟に定国・定方・宇多天皇女御胤子がいる. 正二位. ***215, 284, 457, (1229)***

満誓（まんぜい） 笠. 生没年未詳. 号満誓沙弥・笠沙弥も. 俗姓笠麻呂. 右大弁. 養老5年(721), 元明大上天皇の不予に際して出家し, 同7年造筑紫観世音寺別当として観世音寺建立のため筑紫に派遣された. 万葉集に短歌7首が見える. 勅撰入集は拾遺集の1首のみ. 1327

参河（みかわ） 生没年家系未詳. 女蔵人. 勅撰入集は拾遺集の1首のみ. 323

親王（みこ） 寛平8年(896)頃生まれ, 5歳もしくは8歳で夭折. 宇多天皇皇子, 母は伊勢. ***542, 1307, 1308***

道兼（みちかね） 藤原. 号粟田殿・町尻殿・二条関白. 応和元年(961)生, 長徳元年(995)5月8日没, 35歳. 兼家3男, 母は藤原中正女時姫. 関白右大臣に至るも7日間で病没し,「七日関白」と呼ばれた. 勅撰入集は拾遺集・続古今集に各1首. 1281／***204, 503, 595***

道真（みちざね） 菅原. 幼名阿古, 号菅家・菅公・菅丞相. 承和12年(845)生, 延喜3年(903)2月25日没, 59歳. 是善男, 母は伴氏. 正妻は島田忠臣女宣来子. 子に高視・淳茂・宇多天皇女御衍子がいる. 文

章生出身．昌泰2年(899)右大臣，同4年大宰権帥に左遷，任地で没した．著述に，詩文集『菅家文草』『菅家後集』，類書『類聚国史』，『菅家万葉』とも呼ばれる私撰集『新撰万葉集』がある．私家集『菅家御集』は後人の編．古今集初出．　351, 479, 480, 1006, 1216／***473***

道真母 みちざねのはは　伴．生没年未詳．夫は菅原是善．勅撰入集は拾遺集の1首のみ．　473／***473***

道綱母 みちつなのはは　藤原．生年未詳．長徳元年(995)没，60歳ほどか．伊勢守倫寧女．夫藤原兼家との間に道綱を生む．後に兼家と源兼忠女との女を養女に迎えた．妹に『更級日記』作者の母，弟に長能がいる．中古三十六歌仙．兼家との生活を綴った『蜻蛉日記』は平安女性日記文学の白眉．歌集に『道綱母集』．拾遺集初出．　102, 530, 912, 1172, 1202, 1339

道長 みちなが　藤原．号御堂関白・法成寺殿．法名は行観・行覚．康保3年(966)生，万寿4年(1027)12月4日没，62歳．兼家5男，母は摂津守藤原中正女時姫．妻に源雅信女倫子，源高明女明子．摂政太政大臣．出家して法成寺造営など仏事に専心する．多くの作文会・勧学会や，和歌会を主催した．その事跡は『栄花物語』『大鏡』などに詳しい．日記『御堂関白記』がある．家集に『御堂関白集』．拾遺集初出．　1064, 1165／***(498)***, ***1069***, ***1174***, ***(1175)***

道済 みちなり　源．生年未詳．寛仁3年(1019)没．信明の子方国男．文章生出身．筑前守兼大宰少弐．藤原長能とともに拾遺集撰集に関わったとされ，漢詩文も高く評価された．中古三十六歌仙．歌学書『道済十体』を著した．家集に『道済集』．拾遺集初出．　461

道信 みちのぶ　藤原．天禄3年(972)生，正暦5年(994)7月11日没，23歳．為光3男，母は藤原伊尹女．元服に際して伯父兼家の養子となる．妻に藤原遠量女．左近中将．容貌・歌才に優れ，その夭逝は世に惜しまれた．中古三十六歌仙．家集に『道信集』．拾遺集初出．　1283, 1293

道雅女 みちまさのむすめ　菅原．生没年家系未詳．勅撰入集は拾遺集の1首のみ．

543

通頼 みちより　藤原．生没年未詳．右少弁雅材男．加賀権守．勅撰入集は拾遺集・後拾遺集に各1首．　1154

満中(仲) みつなか　源．法名満慶．延喜12年(912)生，長徳3年(997)没，86歳．清和源氏経基男，母は橘繁古女，一説に武蔵守藤原敏有女．多田源氏の祖．鎮守府将軍．寛和2年(986)出家．『今昔物語集』『宝物集』『古事談』などに逸話が見える．勅撰入集は拾遺集のみ．334／***333***

躬恒 みつね　凡河内．生没年未詳．諶利男．淡路権掾．古今集の撰者．『論春秋歌合』がある．三十六歌仙．家集に『躬恒集』．古今集初出．8, 14, 16, 30, 34, 78, 87, 91, 116, 129, 142, 176, 182, 185, 288, 420, 440, 450, 514, 517, 519, 521, 523, 768, 813, 1000, 1036, 1038, 1081, 1112, 1125, 1131, 1132, 1140／***513, 1084, 1094***

宮の君 みやのきみ　生没年家系未詳．東三条院詮子に仕えた女房．　***1022***

命婦左近 みょうぶのさこん　未詳．内右近，内命婦，小左近とも．　***443***

致方 むねかた　源．天暦5年(951)生，永延3年(989)没，39歳．重信1男．母は藤原朝忠女．弟に相方がいる．右大弁．勅撰入集は拾遺集の1首のみ．　1179／***1179***

宗貞 むねさだ　→遍昭 へんじょう

致平親王 むねひらしんのう　号明王院宮・法三宮，法名悟円．天暦5年(951)生，長久2年(1041)2月20日没，91歳．村上天皇第3皇子，母は更衣藤原在衡女正妃．子に源雅信女との間に成信など．四品兵部卿．天元4年(981)出家，三井寺に住んだ．　***266, 1191***

統理 むねまさ　藤原．生没年未詳．長保元年(999)出家．　***1336***

宗于女 むねゆきのむすめ　源．号閑院大君．生没年未詳．右京大夫宗于女．『元良親王集』『大和物語』などに名が見える．後撰集初出．　986

村上天皇 むらかみてんのう　諱は成明，法名は覚貞．延長4年(926)6月2日生，康保4年(967)5月25日没，42歳．醍醐天皇第14皇子，母は中宮藤原基経女穏子．朱雀天皇は同母兄．子に冷泉天皇・円融天皇．天慶9年(946)即位．第62代天皇．後宮には，皇后安子・女御芳子・

女御徽子・広幡御息所計子ら，才気あふれる后妃たちがいて，その様子は，『枕草子』『大鏡』『栄花物語』『斎宮女御集』などに見える．梨壺に撰和歌所を設けた．また，「村上御時菊合」「天徳四年内裏歌合」など多くの歌合を主催した．この時代の政治は「天暦の治」として，後代の範とされた．家集に『村上御集』．後撰集初出．　305, 309, 320, 494, 552, 830, 891, 991, 1086, 1142, 1182, 1183, 1241, 1284, 1286, 1338／*273, 494, 1096, 1280*

村上先帝御乳母 むらかみのせんだいのおおんめのと　→小(少)弐命婦 しょうにのみょうぶ

乳母[1] めのと　未詳．醍醐(村上)天皇の乳母．　*1259*

乳母[2] めのと　→小(少)弐命婦 しょうにのみょうぶ

乳母[3] めのと　→肥後 ひご

望城 もちき　坂上．法名明径．生没年未詳．没年に天延3年(975)，貞元3年(978)，天元3年(980)などの説がある．加賀介是則男．石見守．梨壺五人の1人．勅撰入集は拾遺集・後拾遺集・金葉集三奏本に各1首．　100

元方 もとかた　在原．生没年未詳．業平の子棟梁男．正五位下．六位とも．『古今和歌集目録』によると藤原国経の養子となったという．中古三十六歌仙．家集『元方集』は断簡のみ残存．古今集の巻頭を飾る．　46, 379

元輔 もとすけ　清原．延喜8年(908)生，永祚2年(990)6月没，83歳．下総守春光男とも下野守顕忠男とも．深養父の孫．一説に子．子に清少納言．肥後守として任国で没した．梨壺五人の1人．三十六歌仙．家集に『元輔集』．初出は拾遺集．　42, 51, 70, 152, 174, 184, 237, 240, 244, 266, 277, 278, 300, 333, 407, 443, 486, 499, 502, 504, 563, 592, 603, 607, 750, 760, 831, 1026, 1028, 1048, 1066, 1075, 1089, 1108, 1133, 1137, 1146, 1161, 1162, 1166, 1167, 1170, 1173, 1178, 1180, 1250, 1276, 1303／*333, 556*

元輔 もとすけ　藤原．延喜17年(917)生，天延3年(975)10月17日没，59歳．顕忠1男，母は藤原朝見女．参議．　*850*

元夏 もとなつ　三統．生没年未詳．式部大輔理平男．東宮学士．勅撰入集

は拾遺集の1首のみ．　1156

元良親王 もとよししんのう　寛平2年(890)生，天慶6年(943)7月26日没，54歳．陽成天皇第1皇子，母は藤原遠長女．三品兵部卿．弟の元平親王と2人で「陽成院親王二人歌合」を行なった．風流好色で名高い．家集に『元良親王集』．後撰集初出．　29, 766／***510, 918, 977, 1079, 1269***

桃園斎院 ももぞののさいいん　未詳．恭子内親王または婉子内親王あるいは宣子内親王か．　***17, 1007***

百世 ももよ　大伴．百代とも．生没年未詳．豊前守．万葉集に7首の短歌が見える．勅撰入集は拾遺集と続古今集に各1首．　685

盛明親王 もりあきらしんのう　延長6年(928)生，寛和2年(986)没，59歳．醍醐天皇皇子，母は更衣右大弁源唱女周子．源姓を賜り，大蔵卿となるが，後に親王に復帰．上野宮．拾遺集初出．　82

師輔 もろすけ　藤原．号九条右大臣・坊城大臣．延喜8年(908)生，天徳4年(960)5月4日没，53歳．忠平2男，母は源能有女昭子．兄弟に実頼・師尹・師氏．子に藤原経邦女盛子との間に伊尹・兼通・兼家・安子・登子，醍醐天皇皇女雅子内親王との間に高光・愛宮などがいる．このうち，安子は村上天皇皇后．右大臣．兄の左大臣実頼よりも人望がまさり，「一くるしき二」といわれた．日記『九暦』，故実書『九条年中行事』『新撰年中行事』『九条殿御遺戒』などがある．家集に『師輔集』．後撰集初出．　286, 650／***128, 282, 1161, 1173, 1175***

師尹 もろただ（もろまさ）　藤原．号小一条左大臣．延喜20年(920)生，安和2年(969)10月14日没，50歳．忠平5男，母は源能有女昭子．兄弟に実頼・師輔・師氏，子に定時・済時・村上天皇女御芳子がいる．左大臣．　***497, 1018***

や

家持 やかもち　大伴．養老元年(717)生，延暦4年(785)没，69歳．一説に養老2年生．旅人男．弟に書持と妹．叔母大伴坂上郎女の女である

坂上大嬢と結婚，男女各1人を儲ける．中納言兼春宮大夫陸奥按察使鎮守将軍．死後，藤原種継暗殺の主謀者の1人として除名されたが，21年後の延暦25年に従三位に復した．万葉集編纂の最終段階に関わったとされる．所収歌は最も多く，長歌46首，短歌432首，旋頭歌1首，連歌1首のほか，漢詩1首と漢文序3編がある．天平宝字3年(759)の集中最新年代明示歌を詠んでいる．三十六歌仙．家集『家持集』は後代，万葉集を抄出したもの．拾遺集初出．　11, 21, 1252

保明親王 やすあきらしんのう　もとの名は宗象，諡文彦太子．延喜3年(903)生，延喜23年3月21日没，21歳．醍醐天皇第2皇子，母は中宮藤原基経女穏子．子に慶頼王・朱雀天皇女御熙子女王がいる．延喜4年立坊．　*76*

保胤 やすたね　賀茂．改姓して慶滋．字は茂能．号内記入道・内記上人．法名寂心・心覚．生年未詳，長保4年(1002)没，70歳ほどか．一説に長徳3年(997)没．文章生出身．大内記を務め，従五位下に至り，出家．著述に『池亭記』『日本往生極楽記』などがあり，『慶保胤集』2巻があったというが伝わらない．その詩文は『本朝文粋』『和漢朗詠集』『新撰朗詠集』などに見える．勅撰入集は拾遺集の1首のみ．　1330

行時 ゆきとき　平．生没年未詳．五位．勅撰入集は拾遺集の1首のみ．　720

行頼 ゆきより　橘．生没年未詳．因幡守行平男．勅撰入集は拾遺集の1首のみ．　231

湯原王 ゆはらのおおきみ　生没年未詳．志貴皇子男．兄弟に光仁天皇，子に壱志濃王などがいる．万葉第3・4期の歌人で，集中に短歌19首が見える．拾遺集初出．　147

姚子 ようし　藤原．姫子とも．号堀河女御．生年未詳，永延3年(989)5月29日没．朝光女，母は重明親王女．永観2年(984)花山天皇女御となり，深い寵愛を受けたが，愛情が衰えて退出した．　*1305*

陽成天皇 ようぜいてんのう　諱貞明．貞観10年(868)10月26日生，天暦3年(949)

9月29日没，82歳．清和天皇第1皇子，母は女御藤原長良女高子．子に元良親王・元平親王・元長親王・源清蔭・源清遠などがいる．貞観18年即位し，第57代天皇となる．元慶8年(884)譲位，天暦3年出家．勅撰入集は後撰集に1首のみ．　***166***

義方女 よしかたのむすめ　良岑．生没年未詳．左近中将義方(良方とも)女．勅撰入集は拾遺集の1首のみ．　1181／***1181***

義孝 よしたか　藤原．天暦8年(954)生，天延2年(974)9月16日没，21歳．伊尹4男．母は代明親王女恵子女王．姉に冷泉天皇女御懐子がいる．子に行成．左近少将．ともに美男の兄挙賢も少将であったので，兄の前少将に対して後少将と呼ばれた．疱瘡のため，兄挙賢に続いて逝去．『義孝日記』があったというが伝わらない．中古三十六歌仙．家集に『義孝集』．拾遺集初出．　1092, 1190, 1191／***1191, 1298***

好忠 よしただ　曽禰．号曽丹・曽丹後．丹後掾であったことから．生没年家系未詳．延長元年(923)から長保5年(1003)頃か．百首歌や360首からなる「毎月集」，尻取連作の「つらね歌」など新しい形式を創出した．また，用語や語法など，新奇なものを多用した．永観3年(985)「円融院紫野子日遊」には，召されていないのに出席するなど，奇矯な行動もあった．中古三十六歌仙．家集に『曽丹集(好忠集)』．拾遺集初出．　188, 213, 304, 526, 833, 1109, 1111, 1144, 1145

嘉種 よしたね　源．初名嘉樹．生没年未詳．清和源氏刑部卿長猷1男．美作守．大和物語に逸話がある．　***317***

嘉種女 よしたねのむすめ　源．生没年未詳．三河介嘉種女．　***317***

嘉種妻 よしたねのめ　生没年家系未詳．三河介源嘉種の妻．勅撰入集は拾遺集の1首のみ．　317／***317***

義懐 よしちか　藤原．法名悟真・寂真．天徳元年(957)生，寛弘5年(1008)7月17日没，52歳．伊尹5男，母は代明親王女恵子女王．姉懐子は花山天皇の母．権中納言．寛和2年(986)，花山院の出家を追って剃髪，比叡の飯室安楽寺に住んだ．勅撰入集は後拾遺集・続古今

集に各1首のみ．　***54, 1143***
義懐女[1] よしちかのむすめ　藤原．生没年未詳．義懐女．義懐女の姉妹のうちの妹．勅撰入集は拾遺集のみ．　1143
義懐女[2] よしちかのむすめ　藤原．生没年未詳．義懐女．義懐女の姉妹のうちの姉．　***1143***
嘉言 よしとき　大江．一時弓削としたが復姓．生年未詳，寛弘7年(1010)頃没．大隅守仲宣男．文章生出身．対馬守となり，任地で没す．中古三十六歌仙．家集に『大江嘉言集』．拾遺集初出．　350, 501, 1031
能宣 よしのぶ　大中臣．延喜21年(921)生，正暦2年(991)8月没，71歳．伊勢神宮祭主頼基男．天延元年(973)第28代の祭主となり，19年間その任にあった．梨壺五人の1人．三十六歌仙．大中臣家重代歌人の2代目．家集に『能宣集』．拾遺集初出．　24, 31, 33, 59, 79, 109, 159, 172, 189, 190, 195, 211, 236, 247, 255, 257, 259, 264, 267, 268, 270, 272, 280, 281, 297, 311, 315, 345, 348, 458, 460, 484, 485, 533, 536, 572, 598, 599, 601, 604, 606, 609, 611, 612, 714, 729, 755, 769, 841, 941, 1018, 1027, 1104, 1129, 1138, 1148, 1213, 1277, 1333／***535***
好古 よしふる　小野．号野大弐．元慶8年(884)生，康保5年(968)2月14日没，85歳．大宰大弐葛絃2男．祖父は篁．弟に道風．従三位．『大和物語』に名が見える．後撰集初出．　282, 1171
頼忠 よりただ　藤原．号三条殿．諡は廉義公．延長2年(924)生，永延3年(989)6月26日没，66歳．実頼男，母は藤原時平女．子に公任・円融天皇中宮遵子・花山天皇女御諟子がいる．関白太政大臣．貞元2年(977)「三条左大臣家歌合」を主催した．勅撰入集は拾遺集・新古今集・新千載集・新拾遺集に各1首．　290／***173, 178, 240, 295, 338, 441, 537, 560, 831, 1075, 1097***
倚平 よりひら　橘．生没年未詳．飛騨守是輔男．日向守．勅撰入集は拾遺集の1首のみ．　337
頼光 よりみつ　源．幼名文殊丸．天暦2年(948)生，治安元年(1021)7月19日没，74歳．鎮守府将軍満仲男，母は近江守源俊女．内蔵頭．富

裕で，武勇伝が知られる．拾遺集初出．　865／*1049*

頼基 よりもと　大中臣．生年未詳．天徳2年(958)没，70歳ほどか．輔道男．伊勢神宮祭主・神祇大副．能宣・輔親・伊勢大輔…と続いていく大中臣家重代歌人の祖．三十六歌仙．家集に『頼基集』．拾遺集初出．　276, 1247

ら

倫子 りんし　源．康保元年(964)生，天喜元年(1053)6月11日没，90歳．雅信女，母は藤原朝忠女穆子．永延元年(987)藤原道長と結婚，頼通・教通・彰子・妍子・威子・嬉子を生む．准三宮．治安元年(1021)出家．　*(1235)*

麗景殿女御 れいけいでんのにょうご　→荘子女王 そうしじょおう

麗景殿宮君 れいけいでんのみやのきみ　生没年家系未詳．麗景殿女御に仕えた女房か．当時，麗景殿女御に相当するのは，代明親王女で村上天皇の女御荘子か，兼家女で三条天皇が東宮の時の御息所綏子．ここは荘子であろう．勅撰入集は拾遺集に1首のみ．　542

冷泉院五親王 れいぜいいんのごのみこ　→昭登親王 あきなりしんのう

冷泉院六親王 れいぜいいんのろくのみこ　→清仁親王 きよひとしんのう

冷泉天皇 れいぜいてんのう　諱は憲平．天暦4年(950)5月24日生，寛弘8年(1011)10月24日没，62歳．村上天皇第2皇子，母は皇后藤原師輔女安子．藤原伊尹女懐子・藤原兼家女超子などとの間に花山天皇・三条天皇・為尊親王・敦道親王・宗子内親王・尊子内親王などを儲ける．康保4年(967)践祚，第63代天皇．安和2年(969)譲位．家集『冷泉院御集』．詞花集初出．　*4, 15, 81, 254, 436*

廉義公 れんぎこう　→頼忠 よりただ

わ

和子 わし　源．号承香殿女御．生年未詳，天暦元年(947)7月21日没．光孝天皇皇女．醍醐天皇女御となり，常明親王・式明親王・有明親王を生む．　*977*

読書子に寄す

——岩波文庫発刊に際して——

岩波茂雄

真理は万人によって求められることを自ら欲し、芸術は万人によって愛されることを自ら望む。かつては民を愚昧ならしめるために学芸が最も狭き堂宇に閉鎖されたことがあった。今や知識と美とを特権階級の独占より奪い返すことはつねに進取的なる民衆の切実なる要求である。岩波文庫はこの要求に応じそれに励まされて生まれた。それは生命ある不朽の書を少数者の書斎と研究室とより解放して街頭にくまなく立たしめ民衆に伍せしめるであろう。近時大量生産予約出版の流行を見る。その広告宣伝の狂態はしばらくおくも、後代にのこすと誇称する全集がその編集に万全の用意をなしたるか。千古の典籍の翻訳企図に敬虔の態度を欠かざりしか。さらに分売を許さず読者を繋縛して数十冊を強うるがごとき、はたしてその揚言する学芸解放のゆえんなりや。吾人は天下の名士の声に和してこれを推挙するに躊躇するものである。このときにあたって、岩波書店は自己の責務のいよいよ重大なるを思い、従来の方針の徹底を期するため、すでに十数年以前より志して来た計画を慎重審議この際断然実行することにした。吾人は範をかのレクラム文庫にとり、古今東西にわたって文芸・哲学・社会科学・自然科学等種類のいかんを問わず、いやしくも万人の必読すべき真に古典的価値ある書をきわめて簡易なる形式において逐次刊行し、あらゆる人間に須要なる生活向上の資料、生活批判の原理を提供せんと欲する。この文庫は予約出版の方法を排したるがゆえに、読者は自己の欲する時に自己の欲する書物を各個に自由に選択することができる。携帯に便にして価格の低きを最主とするがゆえに、外観を顧みざるも内容に至っては厳選最も力を尽くし、従来の岩波出版物の特色をますます発揮せしめようとする。この計画たるや世間の一時の投機的なるものと異なり、永遠の事業として吾人は微力を傾倒し、あらゆる犠牲を忍んで今後永久に継続発展せしめ、もって文庫の使命を遺憾なく果たさしめることを期する。芸術を愛し知識を求むる士の自ら進んでこの挙に参加し、希望と忠言とを寄せられることは吾人の熱望するところである。その性質上経済的には最も困難多きこの事業にあえて当たらんとする吾人の志を諒として、その達成のため世の読書子とのうるわしき共同を期待する。

昭和二年七月

《日本文学（古典）》〔黄〕

- 古事記　倉野憲司校注
- 日本書紀　全五冊　坂本太郎・家永三郎・井上光貞・大野晋校注
- 万葉集　全五冊　佐竹昭広・山田英雄・工藤力男・大谷雅夫・山崎福之校注
- 原文 万葉集　全二冊　佐竹昭広・山田英雄・工藤力男・大谷雅夫・山崎福之校注
- 竹取物語　阪倉篤義校訂
- 伊勢物語　大津有一校注
- 玉造小町子壮衰書 ―小野小町物語　杤尾武校注
- 古今和歌集　佐伯梅友校注
- 土左日記　紀貫之　鈴木知太郎校注
- 蜻蛉日記　今西祐一郎校注
- 紫式部日記　池田亀鑑・秋山虔校注
- 源氏物語　全九冊（既刊八冊）　柳井滋・室伏信助・大朝雄二・鈴木日出男・藤井貞和・今西祐一郎校注
- 枕草子　池田亀鑑校訂
- 更級日記　西下経一校注
- 今昔物語集　全四冊　池上洵一編
- 三条西家本 栄花物語　全三冊　三条西公正校訂

- 堤中納言物語　大槻修校注
- 西行全歌集　久保田淳・吉野朋美校注
- 梅沢本 古本説話集　川口久雄校訂
- 後拾遺和歌集　久保田淳・平田喜信校注
- 詞花和歌集　工藤重矩校注
- 古語拾遺　斎部広成撰　西宮一民校注
- 王朝漢詩選　小島憲之編
- 落窪物語　藤井貞和校注
- 新訂 方丈記　市古貞次校注
- 新訂 新古今和歌集　佐佐木信綱校訂
- 新訂 徒然草　西尾実・安良岡康作校注
- 平家物語　全四冊　梶原正昭・山下宏明校注
- 神皇正統記　北畠親房　岩佐正校注
- 義経記　島津久基校訂
- 御伽草子　全二冊　市古貞次校注
- 王朝秀歌選　樋口芳麻呂校注
- 定家八代抄 ―続王朝秀歌選　全二冊　樋口芳麻呂・後藤重郎校注

- 中世なぞなぞ集　鈴木棠三編
- 読む能の本 謡曲選集　野上豊一郎編
- 東関紀行・海道記　玉井幸助校訂
- おもろさうし　外間守善校注
- 太平記　全六冊　兵藤裕己校注
- 好色五人女　井原西鶴　東明雅校註
- 武道伝来記　井原西鶴　横山重・前田金五郎校注
- 西鶴文反古　井原西鶴　片岡良一校訂
- 芭蕉紀行文集 付 嵯峨日記　中村俊定校注
- 芭蕉 おくのほそ道 付 曾良旅日記・奥細道菅菰抄　萩原恭男校注
- 芭蕉俳句集　中村俊定校注
- 芭蕉連句集　中村俊定・萩原恭男校注
- 芭蕉書簡集　萩原恭男校注
- 芭蕉文集　穎原退蔵編註
- 芭蕉俳文集　全二冊　堀切実編注
- 芭蕉自筆 奥の細道　上野洋三・櫻井武次郎校注
- 蕪村俳句集 付 春風馬堤曲 他二篇　尾形仂校注

蕪村七部集　伊藤松宇校訂
蕪村文集　藤田真一編注
国性爺合戦・鑓の権三重帷子　近松門左衛門　和田万吉校訂
折たく柴の記　新井白石　松村明校注
東海道四谷怪談　鶴屋南北　河竹繁俊校訂
鶉衣　全二冊　横井也有　堀切実校注
近世畸人伝　伴蒿蹊　森銑三校註
うひ山ふみ・鈴屋答問録　本居宣長　村岡典嗣校訂
排蘆小船・石上私淑言　—宣長「物のあはれ」歌論　本居宣長　子安宣邦校注
雨月物語　上田秋成　長島弘明校注
宇下人言　修行録　松平定信　松平定光校訂
訳註 良寛詩集　大島花束　原田勘平訳註
新訂 一茶俳句集　丸山一彦校注
一茶 父の終焉日記・おらが春　他一篇　矢羽勝幸校注
増補 俳諧歳時記栞草　全二冊　曲亭馬琴編　藍亭青藍補　堀切実校注
近世物之本江戸作者部類　曲亭馬琴　徳田武校注
北越雪譜　鈴木牧之編撰　京山人百樹刪定　岡田武松校訂

東海道中膝栗毛　全二冊　十返舎一九　麻生磯次校注
浮世床　式亭三馬　和田万吉校訂
梅暦　全二冊　為永春水　古川久校訂
日本民謡集　町田嘉章　浅野建二編
誹諧 武玉川　全四冊　山澤英雄校訂
芭蕉臨終記 花屋日記　付 芭蕉翁終焉記・前後日記・行状記　小宮豊隆校訂
醒睡笑　全二冊　安楽庵策伝　鈴木棠三校注
与話情浮名横櫛　切られ与三　瀬川如皐　河竹繁俊校訂
江戸怪談集　全三冊　高田衛編・校注
柳多留名句選　山澤英雄選　粕谷宏紀校注
橘曙覧全歌集　水島直文　橋本政宣編注
万治絵入本 伊曾保物語　武藤禎夫校注
鬼貫句選・独ごと　復本一郎校注
井月句集　復本一郎編
花見車・元禄百人一句　雲英末雄　佐藤勝明校注
江戸漢詩選　全二冊　揖斐高編訳

《日本思想》〔青〕

風姿花伝（花伝書）　世阿弥　野上豊一郎　西尾実校訂
五輪書　宮本武蔵　渡辺一郎校注
政談　荻生徂来　辻達也校注
葉隠　全三冊　山本常朝　和辻哲郎　古川哲史校訂
養生訓・和俗童子訓　貝原益軒　石川謙校訂
貝原益軒 大和俗訓　石川謙校訂
町人嚢・百姓嚢・長崎夜話草　西川如見　飯島忠夫　西川忠幸校訂
日本水土考・水土解弁・増補華夷通商考　西川如見　飯島忠夫　西川忠幸校訂
蘭学事始　杉田玄白　緒方富雄校註
吉田松陰書簡集　広瀬豊編
島津斉彬言行録　牧野伸顕序
塵劫記　吉田光由　大矢真一校注
兵法家伝書　付 新陰流兵法目録事　柳生宗矩　渡辺一郎校注
南方録　西山松之助校注
長崎版 どちりな きりしたん　海老沢有道校註
仙境異聞・勝五郎再生記聞　平田篤胤　子安宣邦校注

茶湯一会集・閑夜茶話	井伊直弼 戸田勝久校注
新訂 海舟座談	巌本善治編 勝部真長校注
西郷南洲遺訓 附 手抄言志録及遺文	山田済斎編
文明論之概略	福沢諭吉 松沢弘陽校注
新訂 福翁自伝	富田正文校訂
学問のすゝめ	福沢諭吉
福沢諭吉家族論集	中村敏子編
日本道徳論	西村茂樹 吉田熊次校
新島襄の手紙	同志社編
新島襄 教育宗教論集	同志社編
新島襄自伝 —手記・紀行文・日記	同志社編
近時政論考	陸羯南
日本の下層社会	横山源之助
中江兆民 三酔人経綸問答	桑原武夫 島田虔次 訳・校注
中江兆民評論集	松永昌三編
憲法義解	伊藤博文 宮沢俊義校註
日本開化小史	田口卯吉 嘉治隆一校訂

新訂 蹇蹇録 —日清戦争外交秘録	陸奥宗光 中塚明校注
茶の本	岡倉覚三 村岡博訳
新撰讃美歌	植村正久 奥野昌綱 松山高吉編
武士道	新渡戸稲造 矢内原忠雄訳
余はいかにしてキリスト信徒となりしか	内村鑑三 鈴木範久訳
代表的日本人	内村鑑三 鈴木範久訳
後世への最大遺物・デンマルク国の話	内村鑑三
宗教座談	内村鑑三
ヨブ記講演	内村鑑三
足利尊氏	山路愛山
徳川家康 全二冊	山路愛山
豊臣秀吉 全二冊	山路愛山
妾の半生涯	福田英子
善の研究	西田幾多郎
思索と体験	西田幾多郎
続思索と体験・『続思索と体験』以後	西田幾多郎
西田幾多郎哲学論集 I —場所・私と汝 他六篇	上田閑照編

西田幾多郎哲学論集 II —論理と生命 他四篇	上田閑照編
西田幾多郎哲学論集 III —自覚について 他四篇	上田閑照編
西田幾多郎随筆集	上田閑照編
西田幾多郎歌集	上田薫編
西田幾多郎講演集	田中裕編
西田幾多郎書簡集	藤田正勝編
帝国主義	幸徳秋水 山泉進校注
麺麭の略取	クロポトキン 幸徳秋水訳
基督抹殺論	幸徳秋水
日本の労働運動	片山潜
吉野作造評論集	岡義武編
貧乏物語	河上肇 大内兵衛解題
河上肇評論集	杉原四郎編
西欧紀行 祖国を顧みて	河上肇
中国文明論集	宮崎市定 礪波護編
中国史 全二冊	宮崎市定
大杉栄評論集	飛鳥井雅道編

女工哀史	細井和喜蔵
奴隷 —小説・女工哀史1	細井和喜蔵
工場 —小説・女工哀史2	細井和喜蔵
初版 日本資本主義発達史 全二冊	野呂栄太郎
寒村自伝 全二冊	荒畑寒村
谷中村滅亡史	荒畑寒村
遠野物語・山の人生	柳田国男
青年と学問	柳田国男
木綿以前の事	柳田国男
こども風土記・母の手毬歌	柳田国男
不幸なる芸術・笑の本願	柳田国男
海上の道	柳田国男
婚姻の話	柳田国男
都市と農村	柳田国男
十二支考 全二冊	南方熊楠
特命全権大使 米欧回覧実記 全五冊	久米邦武編 田中彰校注
明治維新史研究	羽仁五郎

古寺巡礼	和辻哲郎
風土 —人間学的考察	和辻哲郎
イタリア古寺巡礼	和辻哲郎
和辻哲郎随筆集	坂部恵編
倫理学 全四冊	和辻哲郎
人間の学としての倫理学	和辻哲郎
日本倫理思想史 全四冊	和辻哲郎
時と永遠 他八篇	波多野精一
宗教哲学序論・宗教哲学	波多野精一
「いき」の構造 他二篇	九鬼周造
九鬼周造随筆集	菅野昭正編
偶然性の問題	九鬼周造
時間論 他二篇	九鬼周造 小浜善信編
復讐と法律	穂積陳重
パスカルにおける人間の研究	三木清
古代国語の音韻に就いて 他二篇	橋本進吉
漱石詩注	吉川幸次郎

吉田松陰	徳富蘇峰
林達夫評論集	中川久定編
新版 きけわだつみのこえ —日本戦没学生の手記	日本戦没学生記念会編
新版 第二集 きけわだつみのこえ —日本戦没学生の手記	日本戦没学生記念会編
君たちはどう生きるか	吉野源三郎
地震・憲兵・火事・巡査	山崎今朝弥 森長英三郎編
懐旧九十年	石黒忠悳
武家の女性	山川菊栄
覚書 幕末の水戸藩	山川菊栄
おんな二代の記	山川菊栄
忘れられた日本人	宮本常一
家郷の訓	宮本常一
大阪と堺	三浦周行 朝尾直弘編
新編 歴史と人物	三浦周行 林屋辰三郎 朝尾直弘編
国家と宗教 —ヨーロッパ精神史の研究	南原繁
石橋湛山評論集	松尾尊兊編
湛山回想	石橋湛山

手仕事の日本　柳　宗悦
南無阿弥陀仏 付 心偈　柳　宗悦
柳宗悦 民藝紀行　水尾比呂志編
柳宗悦 妙好人論集　寿岳文章編
雨夜譚 —渋沢栄一自伝　長　幸男校注
中世の文学伝統　風巻景次郎
平塚らいてう評論集　小林登美枝・米田佐代子編
日本の民家　今　和次郎
倫敦(ロンドン)! 倫敦(ロンドン)?　長谷川如是閑
原爆の子 —広島の少年少女のうったえ 全二冊　長田　新編
『青鞜』女性解放論集　堀場清子編
大津事件 —ロシア皇太子大津遭難　尾佐竹猛　三谷太一郎校注
幕末遣外使節物語 —夷狄の国へ　尾佐竹猛　吉良芳恵校注
古典学入門　池田亀鑑
イスラーム文化 —その根柢にあるもの　井筒俊彦
意識と本質 —精神的東洋を索めて　井筒俊彦
神秘哲学 —ギリシアの部　井筒俊彦

意味の深みへ —東洋哲学の水位　井筒俊彦
コスモスとアンチコスモス —東洋哲学のために　井筒俊彦
幕末政治家　福地桜痴　佐々木潤之介校注
フランス・ルネサンスの人々　渡辺一夫
渡辺一夫評論選 狂気について 他二十二篇　大江健三郎・清水　徹編
維新旧幕比較論　木下真弘　宮地正人校注
被差別部落一千年史　高橋貞樹　沖浦和光校注
花田清輝評論集　粉川哲夫編
新版 河童駒引考 —比較民族学的研究　石田英一郎
ヨオロッパの世紀末　吉田健一
英国の近代文学　吉田健一
訳詩集 葡萄酒の色　吉田健一訳
明治東京下層生活誌　中川　清編
中井正一評論集　長田　弘編
山びこ学校　無着成恭編
考史遊記　桑原隲蔵
福沢諭吉の哲学 他六篇　丸山眞男　松沢弘陽編

政治の世界 他十篇　丸山眞男　松本礼二編注
超国家主義の論理と心理 他八篇　丸山眞男　古矢　旬編
田中正造文集 全二冊　由井正臣・小松　裕編
唐詩概説　小川環樹
国語学原論 続篇　時枝誠記
国語学史　時枝誠記
定本 育児の百科 全三冊　松田道雄
大西祝選集 全三冊　小坂国継編
哲学の三つの伝統 他十二篇　野田又夫
中国近世史　内藤湖南
大隈重信演説談話集　早稲田大学編
大隈重信自叙伝　早稲田大学編
人生の帰趣　山崎弁栄
通論考古学　濱田耕作
転回期の政治　宮沢俊義
世界の共同主観的存在構造　廣松　渉
何が私をこうさせたか —獄中手記　金子文子

《日本文学(現代)》〔緑〕

怪談 牡丹燈籠	三遊亭円朝
真景累ヶ淵	三遊亭円朝
塩原多助一代記	三遊亭円朝
小説神髄	坪内逍遥
当世書生気質	坪内逍遥
青年	森鷗外
阿部一族 他二篇	森鷗外
山椒大夫・高瀬舟 他四篇	森鷗外
渋江抽斎	森鷗外
舞姫・うたかたの記 他三篇	森鷗外
鷗外随筆集	千葉俊二編
森鷗外 椋鳥通信 全三冊	池内紀編注
浮雲	二葉亭四迷 十川信介校注
野菊の墓 他四篇	伊藤左千夫
吾輩は猫である	夏目漱石
坊っちゃん	夏目漱石
草枕	夏目漱石
虞美人草	夏目漱石
三四郎	夏目漱石
それから	夏目漱石
門	夏目漱石
彼岸過迄	夏目漱石
漱石文芸論集	磯田光一編
行人	夏目漱石
こころ	夏目漱石
硝子戸の中	夏目漱石
道草	夏目漱石
明暗	夏目漱石
思い出す事など 他七篇	夏目漱石
文学評論 全二冊	夏目漱石
夢十夜 他二篇	夏目漱石
漱石文明論集	三好行雄編
倫敦塔・幻影の盾 他五篇	夏目漱石
漱石日記	平岡敏夫編
漱石書簡集	三好行雄編
漱石俳句集	坪内稔典編
漱石・子規往復書簡集	和田茂樹編
文学論 全二冊	夏目漱石
坑夫	夏目漱石
漱石紀行文集	藤井淑禎編
二百十日・野分	夏目漱石
五重塔	幸田露伴
運命 他一篇	幸田露伴
努力論	幸田露伴
天うつ浪 全二冊	幸田露伴
渋沢栄一伝	幸田露伴
子規句集	高浜虚子選
病牀六尺	正岡子規
子規歌集	土屋文明編
墨汁一滴	正岡子規

仰臥漫録	正岡子規
歌よみに与ふる書	正岡子規
子規紀行文集	復本一郎編
金色夜叉 全二冊	尾崎紅葉
二人比丘尼 色懺悔	尾崎紅葉
不如帰	徳冨蘆花
謀叛論 他六篇 日記	徳冨健次郎 中野好夫編
武蔵野	国木田独歩
愛弟通信	国木田独歩
蒲団・一兵卒	田山花袋
田舎教師	田山花袋
藤村詩抄	島崎藤村自選
破戒	島崎藤村
春	島崎藤村
千曲川のスケッチ	島崎藤村
桜の実の熟する時	島崎藤村
新生 全二冊	島崎藤村
夜明け前 全四冊	島崎藤村
生ひ立ちの記 他一篇	島崎藤村
にごりえ・たけくらべ	樋口一葉
大つごもり・十三夜 他五篇	樋口一葉
修禅寺物語 正雪の二代目 他四篇	岡本綺堂
高野聖・眉かくしの霊	泉鏡花
歌行燈	泉鏡花
夜叉ケ池・天守物語	泉鏡花
草迷宮	泉鏡花
春昼・春昼後刻	泉鏡花
鏡花短篇集	川村二郎編
日本橋	泉鏡花
外科室・海城発電 他五篇	泉鏡花
湯島詣 他一篇	泉鏡花
鏡花随筆集	吉田昌志編
化鳥・三尺角 他六篇	泉鏡花
鏡花紀行文集	田中励儀編
俳句はかく解しかく味う	高浜虚子
回想 子規・漱石	高浜虚子
有明詩抄	蒲原有明
上田敏全訳詩集	山内義雄 矢野峰人編
宣言	有島武郎
一房の葡萄 他四篇	有島武郎
ホイットマン詩集 草の葉	有島武郎選訳
寺田寅彦随筆集 全五冊	小宮豊隆編
柿の種	寺田寅彦
与謝野晶子歌集	与謝野晶子自選
与謝野晶子評論集	鹿野政直 香内信子編
私の生い立ち	与謝野晶子
入江のほとり 他一篇	正宗白鳥
つゆのあとさき	永井荷風
濹東綺譚	永井荷風
荷風随筆集 全二冊	野口冨士男編
おかめ笹	永井荷風

摘録 断腸亭日乗 全二冊　永井荷風　磯田光一編
すみだ川・新橋夜話 他一篇　永井荷風
夢の女　永井荷風
あめりか物語　永井荷風
江戸芸術論　永井荷風
下谷叢話　永井荷風
ふらんす物語　永井荷風
浮沈・踊子 他三篇　永井荷風
花火・来訪者 他十一篇　永井荷風
問はずがたり・吾妻橋 他十六篇　永井荷風
斎藤茂吉歌集　山口茂吉　柴生田稔　佐藤佐太郎編
桑の実　鈴木三重吉
小鳥の巣　鈴木三重吉
千鳥 他四篇　鈴木三重吉
鈴木三重吉童話集　勝尾金弥編
小僧の神様 他十篇　志賀直哉
万暦赤絵 他二十二篇　志賀直哉

暗夜行路 全二冊　志賀直哉
志賀直哉随筆集　高橋英夫編
高村光太郎詩集　高村光太郎
北原白秋歌集　高野公彦編
北原白秋詩集 全二冊　安藤元雄編
フレップ・トリップ　北原白秋
野上弥生子随筆集　竹西寛子編
野上弥生子短篇集　加賀乙彦編
お目出たき人・世間知らず　武者小路実篤
友情　武者小路実篤
釈迦　武者小路実篤
銀の匙　中勘助
鳥の物語　中勘助
犬 他一篇　中勘助
若山牧水歌集　伊藤一彦編
新編 みなかみ紀行　若山牧水　池内紀編
新編 啄木歌集　久保田正文編

時代閉塞の現状・食うべき詩 他十篇　石川啄木
蓼喰う虫　谷崎潤一郎　小出楢重画
春琴抄・盲目物語　谷崎潤一郎
吉野葛・蘆刈　谷崎潤一郎
卍（まんじ）　谷崎潤一郎
幼少時代　谷崎潤一郎
谷崎潤一郎随筆集　篠田一士編
多情仏心 全二冊　里見弴
道元禅師の話　里見弴
今年竹 全二冊　里見弴
萩原朔太郎詩集　三好達治選
郷愁の詩人 与謝蕪村　萩原朔太郎
猫町 他十七篇　萩原朔太郎　清岡卓行編
恩讐の彼方に・忠直卿行状記 他八篇　菊池寛
父帰る・藤十郎の恋 菊池寛戯曲集　石割透編
河明り 老妓抄 他一篇　岡本かの子
春泥・花冷え　久保田万太郎

大寺学校 ゆく年　久保田万太郎
室生犀星詩集　室生犀星自選
犀星王朝小品集　室生犀星
出家とその弟子　倉田百三
羅生門・鼻・芋粥・偸盗　芥川竜之介
地獄変・邪宗門・好色・藪の中 他七篇　芥川竜之介
河童 他二篇　芥川竜之介
歯車 他二篇　芥川竜之介
蜘蛛の糸・杜子春・トロッコ 他十七篇　芥川竜之介
芭蕉雑記・西方の人 他七篇　芥川竜之介
侏儒の言葉・文芸的な、余りに文芸的な　芥川竜之介
芥川竜之介俳句集　加藤郁乎編
芥川竜之介随筆集　石割透編
蜜柑・尾生の信 他十八篇　芥川竜之介
年末の一日・浅草公園 他十七篇　芥川竜之介
芥川竜之介紀行文集　山田俊治編
都会の憂鬱　佐藤春夫

美しき町・西班牙犬の家 他六篇　佐藤春夫　池内紀編
海に生くる人々　葉山嘉樹
日輪・春は馬車に乗って 他八篇　横光利一
宮沢賢治詩集　谷川徹三編
童話集 風の又三郎 他十八篇　宮沢賢治　谷川徹三編
童話集 銀河鉄道の夜 他十四篇　宮沢賢治　谷川徹三編
山椒魚・遙拝隊長 他七篇　井伏鱒二
川釣り　井伏鱒二
井伏鱒二全詩集　井伏鱒二
太陽のない街　徳永直
伊豆の踊子・温泉宿 他四篇　川端康成
雪国　川端康成
山の音　川端康成
川端康成随筆集　川西政明編
三好達治詩集　桑原武夫・大槻鉄男選
詩を読む人のために　三好達治
夏目漱石 全二冊　小宮豊隆

社会百面相 全二冊　内田魯庵
新編 思い出す人々　内田魯庵　紅野敏郎編
檸檬（レモン）・冬の日 他九篇　梶井基次郎
蟹工船 一九二八・三・一五　小林多喜二
風立ちぬ・美しい村　堀辰雄
富嶽百景・走れメロス 他八篇　太宰治
斜陽 他一篇　太宰治
人間失格・グッド・バイ 他一篇　太宰治
津軽　太宰治
お伽草紙・新釈諸国噺　太宰治
真空地帯　野間宏
日本唱歌集　堀内敬三・井上武士編
日本童謡集　与田凖一編
森鷗外　石川淳
至福千年　石川淳
近代日本人の発想の諸形式 他四篇　伊藤整
小説の認識　伊藤整

- 中原中也詩集　大岡昇平編
- ランボオ詩集　中原中也訳
- 小熊秀雄詩集　岩田宏編
- 夕鶴 彦市ばなし 他二篇 —木下順二戯曲選II—　木下順二
- 子午線の祀り 沖縄 他一篇 —木下順二戯曲選IV—　木下順二
- 元禄忠臣蔵 全二冊　真山青果
- 玄朴と長英 他三篇　真山青果
- 随筆滝沢馬琴　真山青果
- 旧聞日本橋　長谷川時雨
- 新編 近代美人伝 全二冊　長谷川時雨　杉本苑子編
- 古句を観る　柴田宵曲
- 俳諧随筆 蕉門の人々　柴田宵曲
- 評伝 正岡子規　柴田宵曲
- 新編 俳諧博物誌　柴田宵曲　小出昌洋編
- 随筆集 団扇の画　柴田宵曲　小出昌洋編
- 子規居士の周囲　柴田宵曲
- 小説集 夏の花　原民喜

- 原民喜全詩集
- いちご姫・蝴蝶 他二篇　山田美妙　十川信介校訂
- 貝殻追放抄　水上滝太郎
- 銀座復興 他三篇　水上滝太郎
- 魔風恋風 全二冊　小杉天外
- 柳橋新誌　成島柳北　塩田良平校訂
- 島村抱月文芸評論集　島村抱月
- 立原道造詩集　杉浦明平編
- 野火／ハムレット日記　大岡昇平
- 中谷宇吉郎随筆集　樋口敬二編
- 雪　中谷宇吉郎
- 伊東静雄詩集　杉本秀太郎編
- 冥途・旅順入城式　内田百閒
- 東京日記 他六篇　内田百閒
- 西脇順三郎詩集　那珂太郎編
- 草野心平詩集　入沢康夫編
- 金子光晴詩集　清岡卓行編

- 大手拓次詩集　原子朗編
- 評論集 滅亡について 他三十篇　武田泰淳　川西政明編
- 山岳紀行文集 日本アルプス　小島烏水　近藤信行編
- 雪中梅　末広鉄腸　小林智賀平校訂
- 宮柊二歌集　宮英子　高野公彦編
- 新編 東京繁昌記　木村荘八　尾崎秀樹編
- 新編 山と渓谷　田部重治　近藤信行編
- 日本児童文学名作集 全二冊　桑原三郎　千葉俊二編
- 山月記・李陵 他九篇　中島敦
- 眼中の人　小島政二郎
- 新選 山のパンセ　串田孫一自選
- 新美南吉童話集　千葉俊二編
- 岸田劉生随筆集　酒井忠康編
- 摘録 劉生日記　岸田劉生　酒井忠康編
- 量子力学と私　朝永振一郎　江沢洋編
- 書物　森銑三　柴田宵曲
- 窪田空穂随筆集　大岡信編

岩波文庫の最新刊

小町谷照彦・倉田実校注
拾遺和歌集
花山院の自撰とされる「三代集」の達成を示す勅撰集。歌合歌や屏風歌など、晴の歌が多く、洗練、優美平淡な詠風が定着している。
〔黄二八-二〕 定価一八四八円

深澤英隆編訳
ジンメル宗教論集
社会学者ジンメルの宗教論の初集成。宗教性を人間のアプリオリな属性の一つとみなすことで、そこに脈動する生そのものを捉えようと試みる。
〔青六四四-六〕 定価一二四三円

ポアンカレ著／伊藤邦武訳
科学と仮説
科学という営みの根源について省察し仮説の役割を哲学的に考察した、アンリ・ポアンカレの主著。一〇〇年にわたり読み継がれてきた名著の新訳。
〔青九〇二-一〕 定価一三二〇円

ジェイン・オースティン作／新井潤美・宮丸裕二訳
マンスフィールド・パーク（下）
皆が賛成する結婚話を頑なに拒むファニー。しばらく里帰りするが、そこに驚愕の報せが届き――。本作に登場する戯曲『恋人たちの誓い』も収録。（全二冊）
〔赤二二二-八〕 定価一二五四円

大塚久雄著／小野塚知二編
共同体の基礎理論 他六篇
共同体はいかに成立し、そして解体したのか。土地の占取に注目して、前近代社会の理論的な見取り図を描いた著者の代表作の一つ。関連論考を併せて収録。
〔白一五二-二〕 定価一一七七円

……今月の重版再開……

モリエール作／鈴木力衛訳
守銭奴
定価六六〇円
〔赤五一二-七〕

E・クレッチュマー著／内村祐之訳
天才の心理学
定価一一一一円
〔青六五八-一〕

定価は消費税 10% 込です

2021. 12